V&R

MARTIN LEUTZSCH

Die Wahrnehmung
sozialer Wirklichkeit
im „Hirten des Hermas"

VANDENHOECK & RUPRECHT
IN GÖTTINGEN

Forschungen zur Religion und Literatur

des Alten und Neuen Testaments

Herausgegeben von

Wolfgang Schrage und Rudolf Smend

150. Heft der ganzen Reihe

CIP-Titelaufnahme der Deutschen Bibliothek

Leutzsch, Martin:
Die Wahrnehmung sozialer Wirklichkeit im „Hirten des
Hermas" / Martin Leutzsch. –
Göttingen : Vandenhoeck u. Ruprecht, 1989
(Forschungen zur Religion und Literatur
des Alten und Neuen Testaments ; H. 150)
Zugl.: Bochum, Univ., Diss., 1986
ISBN 3-525-53832-4

NE: GT

VORWORT

Die vorliegende Arbeit wurde im Sommersemester 1986 von der Evange-lisch-Theologischen Fakultät der Ruhr-Universität Bochum als Dissertation an-genommen. Drei Lesern gilt mein besonderer Dank: Prof. Dr. Klaus Wengst, der die Arbeit anregte und begleitete; Prof. Dr. Horst Balz, der das Korreferat er-stellte; Prof. Dr. Wolfgang Schrage, der zusammen mit Prof. Dr. Rudolf Smend die Arbeit in die "Forschungen zur Religion und Literatur des Alten und Neuen Testaments" aufnahm. Aufgrund ihrer Gutachten habe ich die Arbeit etwas gestrafft, stilistisch überarbeitet und eine Reihe kleiner Ergänzungen ange-bracht.

Für ihre Mühen bei der Erstellung von Typoskript und Druckvorlage danke ich herzlich Frau Edith Lutz, meinem Freund Wolfgang Maaser und Gabi Jancke-Leutzsch. Dirk Bockermann hat mir freundlicherweise seine russischen Sprach-kenntnisse zur Verfügung gestellt.

Für Druckkostenzuschüsse danke ich der Ruhr-Universität Bochum und der Evangelisch-Lutherischen Kirche in Bayern.

Zu einem von finanziellen Sorgen freien Theologiestudium verhalfen mir meine Eltern, die Studienstiftung des deutschen Volkes sowie Dr. Hermann Götz und Dr. Ursula Götz-Schuster. Ich nutze die Gelegenheit, ihnen allen herz-lich zu danken.

Bochum, im Mai 1989   Martin Leutzsch

INHALT

EINLEITUNG: DIE FRAGESTELLUNG

Angeregt durch neuere Untersuchungen zur Soziologie der christlichen Gemeinde in Korinth um die Mitte des ersten Jahrhunderts[1], war zunächst beabsichtigt, den Versuch einer Sozialgeschichte der römischen Gemeinde in den ersten anderthalb Jahrhunderten zu wagen[2]. Den vorliegenden Momentaufnahmen der Lebenswirklichkeit paulinischer Gemeinden sollte eine Analyse der *längerfristigen* sozialen Prozesse an die Seite gestellt werden, die sich in einer frühchristlichen Gemeinde abspielten.

Bei näherer Betrachtung waren es vor allem zwei Gründe, die es ratsam erscheinen ließen, dieses anspruchsvolle Unternehmen zurückzustellen. Die Quellenlage ist für die römische Gemeinde im Vergleich mit anderen ur- und frühchristlichen Gemeinden ausgesprochen gut. Sie reicht jedoch nicht aus, um die Veränderungen, Verschiebungen, Umwälzungen und Umschichtungen im Gemeindeleben sozialgeschichtlich angemessen erfassen und deuten zu können. Hinzu kommt, daß die Angaben der Quellen, die als Bausteine einer solchen Sozialgeschichte dienen können, selbst in hohem Grad interpretationsbedürftig sind: Die Perspektiven und die Präzision, die Raster und Modelle der Wahrnehmung sozialer Wirklichkeit, das Interesse, mit dem das Wahrgenommene präsentiert wird, sind untrennbar mit dem verbunden, was in vielen exegetischen Beiträgen zur Sozialgeschichte des Urchristentums als reines, bloßes Faktum erfaßt und aufgegriffen wird. Das Konzept der reinen Tatsachen ist aber selbst Produkt einer Ideologie.

Es legt sich daher nahe, die Wahrnehmung sozialer Wirklichkeit in den Quellen selbst zum Untersuchungsgegenstand zu erheben. Auf diesem Weg kann die Gefahr vermieden werden, mitsamt den Informationen, die die Quellen für sozialgeschichtliche Fragestellungen bieten, auch deren Perspektive unkritisch mitübernehmen zu müssen. Die Beschränkung auf die umfangreichste und für eine Sozialgeschichte der frühen römischen Gemeinde ergiebigste Quelle, den "Hirten des Hermas", erfolgt aus praktischen Gründen.

Nach einer grundsätzlichen Verständigung über den Umgang mit den Irritationen, die der "Hirt des Hermas" neuzeitlichen Lesern bietet (I), wird zunächst die Position des Autors dieser Schrift zu bestimmen versucht (II-IV). Dabei kommt der Einschätzung der autobiographischen Elemente des Texts grundlegende Bedeutung zu. Am Beispiel des Bades der Rhode (vis I 1,1f.) wird der

1 Vgl. vor allem Theißen, Studien 201-317; ferner z. B. Meeks, Christians.
2 Ein solcher Versuch liegt mittlerweile vor mit Lampe, Christen.

Präsentationsform und den Rezeptionsmöglichkeiten seiner zeitgenössischen Leser/innen[3] nachgegangen und über die Alternative Autobiographie und Fiktion hinauszugehen versucht (II). Der andere in diesem Zusammenhang umstrittene Bereich, das "Haus" des Hermas, gibt Aufschlüsse über eine der Rollen des Hermas, die des paterfamilias, und erlaubt es zugleich, nach der Bedeutung des Oikos und römischer Strukturen überhaupt für die Wahrnehmung sozialer Wirklichkeit bei Hermas zu fragen (III). Zusammenhängend werden die Rollen des Hermas im Kontext einer Untersuchung der Gemeindeöffentlichkeit, der hierarchischen Organisarion der Gemeinde und der Kommunikationsstrukturen erörtert, soweit sich diese Bereiche aus dem Text erschliessen lassen (IV). Daran schließt sich eine Betrachtung zu drei wichtigen Ausschnitten sozialer Wirklichkeit an, die bei Hermas unterschiedlich intensiv wahrgenommen und präsentiert werden: Hermas' Sicht des Verhältnisses von Armen und Reichen in der Gemeinde (V), seine Wahrnehmung der Sklaverei (VI) und das seinen Äußerungen zugrundeliegende Frauenbild (VII). Gerade weil Wahrnehmung sozialer Wirklichkeit bei Hermas ausschließlich Wahrnehmung von Gemeindewirklichkeit heißt, wird eine Analyse seiner Sicht des Verhältnisses von Gemeinde und nichtchristlicher Gesellschaft erforderlich (VIII). Schließlich werden die drei Gesamtanalysen von Gemeinde erörtert, die Hermas in vis III, sim VIII und sim IX vorlegt (IX). Die Schlußbetrachtung geht der Frage nach, weshalb die kirchensoziologischen Ansätze, die bei Hermas unbestreitbar vorliegen, letztlich doch nicht zu einer ausgearbeiteten Kirchensoziologie im zweiten Jahrhundert geführt haben.

In einem Anhang werden die Probleme und Möglichkeiten erörtert, die Größe der römischen Gemeinde zu ermitteln. Auch das ist *eine* Antwort auf die Frage nach dem Scheitern einer Kirchensoziologie im zweiten Jahrhundert: das Desinteresse an Quantifizierungen[4].

Bei der Darstellung ist die Essayform gewählt. Damit soll drei Faktoren Rechnung getragen werden: Erstens erlaubt die Eigenart der untersuchten Quelle eine Gesamtdarstellung der Wahrnehmung sozialer Wirklichkeit bei Hermas nicht. Zweitens soll nicht suggeriert werden, *alle* im Blick auf dieses Thema möglichen Fragestellungen seien durch die vorliegende Untersuchung abge-

---

3 Im folgenden wird meist von "Lesern" gesprochen, aus der Erwägung heraus, daß das jeweilige Ein- und Ausgeschlossensein für die weiblichen Rezipierenden des "Hirten des Hermas" tatsächlich ein Problem war (s. u. S. 156-164).

4 Auf die Frage der Datierung des "Hirten" gehe ich hier nicht ausführlich ein. M. E. ist über die grobe Zeitangabe "zwischen 100 und 150" nicht hinauszukommen. Dabei ist zu berücksichtigen, daß die Schrift nicht auf einmal, sondern in einem längerfristigen Prozeß entstanden ist.

deckt. Drittens eignet den Vorstößen in Bereiche, die in der Forschung bisher noch nicht oder jedenfalls nicht *so* in den Blick gekommen sind, ausdrücklich Versuchscharakter; sie sind ein Gesprächsbeitrag, der sich bewähren muß, kein letztes Wort. Daß die gewählte Darstellungsform die Möglichkeit bietet, dieselben Passagen und Themen mehrmals und stets unter verschiedenen Hinsichten zu bearbeiten, dürfte nicht ihr geringster Vorteil sein.

Kurz noch einige formale Bemerkungen: Zugrunde gelegt wurde die Textausgabe von *Whittaker*. Mit den gängigen Verzeichnissen (IATG, ThWNT, KP) lassen sich die verwendeten Abkürzungen leicht auflösen. Literatur wird in den Anmerkungen stets in Kurzform, im Literaturverzeichnis vollständig angegeben. Endlich: Die Begriffe "Umkehr" und "Buße" werden hier unterschiedslos gebraucht, ohne daß damit inhaltliche Vorentscheidungen bezüglich des Charakters der Metanoia im "Hirten des Hermas" getroffen würden[5].

5 Zum Problem vgl. zuletzt Haas, geest 18-24.

I: KORREKTUR ALS PROGRAMM UND VERFAHREN
VOM UMGANG MIT DEN IRRITATIONEN DER LEKTÜRE

Der "Hirt des Hermas" will Wirklichkeit verändern. Oft genug weist der Text über das in ihm Erzählte und Besprochene ausdrücklich hinaus und appelliert an die Leser — direkt in der Anrede durch den Ich-Erzähler, in den pluralischen Anreden und in den Verallgemeinerungen der Offenbarungsmittler, die, auch wo der Plural fehlt, in ihren Erklärungen und Ermahnungen den Autor und Offenbarungsempfänger zumeist nicht anders denn als Repräsentanten seiner Adressaten im Blick haben; indirekt, aber nicht weniger wirksam darin, daß den Lesern in den Berichten von Vision und Deutung ein Spiegel vorgehalten wird. Das Verhalten der Leser soll, wo änderungsbedürftig, korrigiert, wo tadellos, stabilisiert werden.

Indem der Text auf dieses Ziel hin ausgerichtet ist, bezieht er sich kritisch und produktiv auf Wirklichkeit — kritisch, insofern er Wirklichkeit als veränderungsbedürftig wahrnimmt; produktiv, insofern er in vielen Anläufen konkrete Schritte der Veränderung erarbeitet und propagiert.

Veränderungsbedürftig ist Wirklichkeit, weil sie in sich widersprüchlich ist. Wirklichkeit ist dabei nicht die Totalität alles Wahrnehmbaren, sondern genau die Wirklichkeit der Leser. Diese wiederum sind nicht in all ihren menschlichen Wirklichkeitsbezügen, sondern in erster Linie als Christen, als zur Gemeinde Gehörige im Blick. Die der Wirklichkeit immanenten Widersprüche werden deshalb als Widersprüche nicht da zum Problem, wo es um das spannungsreiche Verhältnis des Christlichen und des Nichtchristlichen an sich geht. Irritierend, kritisierbar und korrekturbedürftig ist vielmehr die in sich selbst widersprüchliche Wirklichkeit der Gemeinde, in der aller durch die Taufe gewährten Sündenvergebung zum Trotz Sünde (und damit das Nichtchristliche im Christlichen) zum Vorschein kommt.

Ziel von Kritik und Korrektur ist die Überwindung des Widerspruchs zwischen dem Christlichen und dem Nichtchristlichen in der Gemeinde und damit die Wiederherstellung der verlorengegangenen Einheit. Die Kritik ist deshalb zur Differenzierung genötigt: Das Christliche in der Gemeinde will vom Nichtchristlichen unterschieden sein. Denn dieser Widerspruch erfordert zu seiner Überwindung eine doppelte Strategie: nicht nur die Korrektur abweichenden, sondern auch die Stabilisierung konformen Verhaltens unter den Lesern. Da die Wirklichkeit der Gemeinde als ganze in den Blick kommt, wird auch der Autor des Texts als Teil dieser Wirklichkeit ausdrücklich in deren Selbstwiderspruch eingeschlossen und von Kritik und Korrekturbedürftigkeit nicht ausgenommen. Nur weil der Bezug der Kritik auch auf den Kritisierenden sichtbar wird, kann von Kritik im Vollsinn ja überhaupt die Rede sein.

Ist der Text als Mittel zur Korrektur des Selbstwiderspruchs der Gemeinde erkannt, so verwundert es nicht, daß er in seiner Struktur dem angestrebten Ziel entspricht: Ein feinmaschiges Netz von faktischen und intendierten Korrekturen breitet sich über den ganzen Text.

Als Beispiel diene vis I. Schon beim flüchtigen Lesen fällt auf, daß bestimmte Sachverhalte, Behauptungen und Erwartungen im weiteren Verlauf korrigiert werden. So sieht sich der Ich-Erzähler bereits zu Beginn des Textes dazu veranlaßt, mittels der doppelten (erst positiv, dann negativ formulierten) Beteuerung der Harmlosigkeit seines Wunsches mögliche Lesererwartungen zu widersprechen: "Nur dies dachte ich, nichts anderes." (1,2) Doch wird diese massive Selbstrechtfertigung durch die in der Vision erscheinende Rhode korrigiert ("...weil du gegen mich gesündigt hast" 1,6). Hermas versucht gegen diesen noch nicht präzisierten Vorwurf Widerspruch einzulegen, indem er zunächst mit einer rhetorischen Frage ("Gegen dich soll ich gesündigt haben?" 1,7) den Vorwurf ebenso pauschal zurückweist und in den folgenden fünf Fragen im wesentlichen die ihm geläufigen Möglichkeiten, zu sündigen, durchgeht (ebd.). Rhode lehnt diesen gegen sie[1] gerichteten Widerspruch mit dem Hinweis auf den unbewußten[2] Wunsch ab (1,8). Hermas akzeptiert das[3] und korrigiert dementsprechend in 2,1 seine frühere, offensichtlich geringere Einschätzung der Auswirkung von Gedankensünden auf Heil und Verdammnis. Mit der von Rhode gegen Hermas' anfänglichen Widerspruch durchgesetzten Behauptung, Hermas habe gesündigt, wird zugleich die anfängliche Betonung der Harmlosigkeit als Abwehrmechanismus entlarvt und die potentielle Lesererwartung, gegen die jene sich richtete, als zutreffend rehabilitiert.

Aber damit nicht genug: Zwar nicht die unbewußte Gedankensünde als solche (vgl. 2,4 mit 1,8), wohl aber ihre Funktion als Motiv für Gottes Zorn (1,6) wird von der nach Rhodes Verschwinden auftauchenden Greisin bestritten (3,1)[4]: An die Stelle des alten Motivs tritt als neues die Vernachlässigung der Kindererziehung (ebd.). Damit wird Rhodes Auskunft aus 1,6 im Hinblick auf das Motiv des göttlichen Zorns bestritten oder, wenn man so will, korrigiert. Dies ist aber nicht die einzige Rhode betreffende Korrektur. Schon zuvor hatte Rhode selbst ihre eigene Auskunft über ihre Funktion — Anklä-

---

1 Und implizit auch gegen Gott; vgl. 1,6: "Gott...zürnt dir."

2 Daß der Begriff des Unbewußten der Antike sachlich nicht fremd war, haben die Analysen von Theißen, Aspekte, hinreichend gezeigt. Sprachlich begegnet der Begriff immerhin bereits bei Plotin, vgl. Schwyzer, 'Bewußt'. Vgl. auch Jope, Insight.

3 Eine Zwischenstufe auf diesem Weg ist die Wendung "die ich begehrte" 1,4 (vgl. damit 1,8; 2,4).

4 Zu Unrecht charakterisiert Hellholm, Visionenbuch 145, vis I 3,1a als Aposiopese. Was die antike Rhetorik unter Aposiopese verstand, läßt sich bequem bei Lausberg, Rhetorik §§ 887-889, nachlesen. Auf der Ebene des Gesamttexts liegt in vis I 3,1a rhetorisch eine correctio vor (zu dieser vgl. ebd. §§ 784-786).

gerin des Hermas vor Gott (1,5) — auf die Rückfrage des Hermas (1,6) hin korrigiert (ebd.). Die Richtung der Korrektur ist dabei nicht ganz klar[5].

Schon jetzt ist deutlich, daß Korrektur ein wesentliches Merkmal von vis I ist. Hermas korrigiert (letztlich erfolglos) mögliche Leseerwartungen. Er wird selbst von Rhode korrigiert. Er seinerseits versucht, Rhode zu korrigieren — vergebens. Rhode korrigiert sich selbst und wird von der Greisin korrigiert. In dieses Verfahren der Korrektur ordnen sich leicht weitere Züge von vis I ein. So stellt das Sündenbekenntnis des Hermas (1,3) auch eine beabsichtigte Selbstkorrektur dar. Die in Aussicht gestellte, mit einer Bedingung verbundene Heilung der Sünden durch Gott (1,9) impliziert neben einer Verhaltenskorrektur des Hermas auch eine Selbstkorrektur Gottes im Hinblick auf seinen Zorn. Dabei ist durch die Verallgemeinerung auf "alle Heiligen" zugleich die mögliche Korrekturbedürftigkeit der Adressaten angesprochen; sie kann von diesen selbst daran ermessen werden, ob sie den für den "gerechten Mann" allgemein aufgestellten Normen (1,8; 2,4) genügen oder nicht. Auf die Korrekturbedürftigkeit des Ich-Erzählers verweist 2,3, wo die Greisin Hermas auf einen Widerspruch zwischen seinem Charakter und seinem aktuellen Verhalten hin anspricht. Auch die Forderung der Greisin, Hermas solle sein Verhalten gegenüber seinen Kindern korrigieren, damit diese wiederum ihr eigenes Verhalten gegenüber ihren Eltern und Gott korrigieren (3,1f.), gehört hierher[6]. Ein eindrucksvolles Beispiel für Korrektur ist nicht zuletzt der in diesem Zusammenhang gebrauchte Vergleich des Erziehers mit einem Schmied (3,2)[7]. Die Verdrängung des "harten und schweren" Teils des von der Greisin verlesenen Texts (4,2; vgl. 3,3) kann als eine Korrektur des Unbewußten des Hermas an seiner bewußten Absicht, zuzuhören (3,3), verstanden werden. Um das Bild abzurunden, sei schließlich hingewiesen auf die Aussage in 3,4, daß Gott Himmel, Berge, Hügel und Meere versetze und den Christen alles ebne: Korrektur ist damit als umfassende Kategorie auch der göttlichen Schöpfungs- und Erhaltungstätigkeit um der Kirche willen etabliert.

Diese Skizze möge für den Augenblick genügen; im weiteren Verlauf der Untersuchung wird immer wieder auf Korrekturphänomene aufmerksam zu machen sein, die das anhand von vis I gewonnene Bild bestätigen.

Die inhaltlichen und stilistischen, beabsichtigten und zum Ziel gekommenen, auf den Text bezogenen und über ihn hinaus auf die Adressaten weisenden Korrekturen und Korrekturbemühungen mögen zwar, weil sie in derartiger Fülle

---

5 Rhode scheint ihre Funktion in der Beziehung zu Hermas als Offenbarungsmittlerin des göttlichen Zorns zu bestimmen. Ob die vorher genannte Funktion in der Relation Anklägerin (Rhode) — Richter (Gott) — Angeklagter (Hermas) durch die Negationen aufgehoben oder nur als für den gerade begonnenen Kommunikationsakt zwischen Rhode und Hermas irrelevant erklärt wird, bleibt hier offen.

6 Auch stilistisch wird in 3,1f. Korrektur sinnfällig; vgl. die Negationen und das sechsfache ἀλλά.

7 Der Vergleich hinkt. In der zweiten der beiden Entsprechungen (Schmied = Wort, Werk = Bosheit) wären statt der Bosheit die Kinder zu erwarten. Das Hinken rührt her von der doppeldeutigen Verwendungsweise von περιγίνεται = "er wird fertig", zunächst im positiven ("beenden"), dann im negativen ("beseitigen") Sinn. Sachlich verweist der Bruch im Vergleich auf die Vordringlichkeit der Korrektur des mit "Bosheit" benannten Widerspruchs zwischen Sein und Sollen in der Lebenswelt des Hermas.

auftreten, Verwunderung wecken; sie beeinträchtigen aber zum großen Teil neuzeitliche exegetische Lektüre nicht. Daß der Text ausdrückliche Korrekturen vorher geäusserter Sachverhalte und Deutungen bietet, unterscheidet ihn nicht von anderen Texten[8], wenn auch das Fehlen einer Motivierung von Korrekturen (vgl. vis I 3,1 mit 1,6) etwas unbefriedigt läßt. Auch daß der Ich-Erzähler Objekt von Korrekturbemühungen wird, macht ihn nicht zum Sonderfall. Dennoch bleibt beim modernen Leser Irritation: Irritation über Spannungen und Widersprüche, Doppelungen, Brüche, Diffuses und Dunkles.

Weshalb wird, um einige Beispiele zu nennen, das Alter der Greisin in vis II 4,1 als Zeichen ihres herausragenden Status, ersterschaffen zu sein, gedeutet, in vis III 11,1f. hingegen als Symptom eines desolaten Zustandes verstanden?

Weshalb haben die Kinder des Hermas eine Chance zur Umkehr (vis II 2,4), obwohl sie Verräter sind (vis II 2,2) und Verrätern das ewige Verderben droht (sim VIII 6,4; IX 19,1.3)?

Wieso fragt Hermas die Greisin nach Sachverhalten, von denen er bis dahin nichts erzählt hatte (vis III 10,2)?

Was hat es zu besagen, wenn die Greisin auf Züge, von denen im Visionsbericht selbst nichts erwähnt wurde, in der Deutung so Bezug nimmt, als seien sie bereits vorher bekanntgegeben worden (vgl. vis III 5,1-4 mit 2,6f.)?

Wie kann man mit diesen Irritationen umgehen? Es wäre verlockend, eine wissenschaftshistorische und wissenschaftstheoretische Untersuchung über den Umgang mit Widersprüchen in den Textwissenschaften anzustellen. Dies kann hier nicht geleistet werden. Immerhin sei auf die Fragwürdigkeit eines Fragehorizonts hingewiesen, der angesichts der Dissonanzen der Welt nur das Widersprüchliche, nicht das Widerspruchsfreie als erklärungsbedürftig anerkennt.

Im schriftlichen Niederschlag neuzeitlicher Hermaslektüre begegnen im wesentlichen zwei Wege des Umgangs mit den Irritationen des Texts.

Der eine Weg besteht darin, Störendes literarkritisch zu bewältigen, d.h. einer Redaktion anzurechnen, die durch das Zusammensetzen voneinander unabhängiger Teiltexte mit unterschiedlichen Tendenzen die Irritationen erst geschaffen hätte. Freilich ist der Wert der literarkritischen Lösung in zweifacher Hinsicht begrenzt: Zum einen verschiebt sie das Problem nur von der Ebene der hypothetischen Teiltexte auf die Ebene der Redaktion, ohne es dort zu lösen. Zum anderen verbleiben auch auf der Ebene der hypothetisch vonein-

---

8 Vgl. etwa die Beispiele bei Bauer, Poetik 114-123; auch Herzog, Gespräch 222.

ander unterschiedenen Teiltexte innerhalb jedes Teiltexts zahlreiche Irritationen unerklärt[9].

Die Alternative zur Literarkritik ist die traditionsgeschichtliche Lösung. Widersprüche resultieren ihr zufolge aus der Verarbeitung unterschiedlicher Traditionen durch einen Autor. Dieser Lösungsweg kommt ohne die hypothetische
Annahme mehrerer ursprünglich voneinander unabhängiger Teiltexte aus und
vermag eine Reihe von Irritationen zu erklären, die durch die gröberen
Schnitte der literarkritischen Schere nicht aus der Welt geschafft werden. Aber
auch dieser Weg hat seine Grenzen: Nicht alle Widersprüche können durch
den Nachweis oder auch nur die Annahme verschiedener zugrundeliegender
Traditionen erklärt werden. Ungeklärt bleibt auch das Problem der großen
Doppelung vis III und sim IX — von Vertretern literarkritischer Lösungen als eines ihrer stärksten Argumente erachtet. Schließlich macht auch die traditions-
geschichtliche Erklärung die Frage nach der Eigenart des widersprüchliche
Traditionen verarbeitenden, aber deren Widersprüche ignorierenden oder in
Kauf nehmenden Autors nicht überflüssig, sondern erst recht nötig.

Ein angemessener Umgang mit den Irritationen der Lektüre des "Hirten des
Hermas" muß mithin die Grenzen der literarkritischen und der traditionsgeschichtlichen Ansätze und Lösungen überschreiten. Zu fragen ist nach der
Verfahrensweise des Autors bzw., um die Möglichkeit der literarkritischen Lösung nicht von vornherein auszuschließen, nach den Verfahrensweisen einer
hypothetischen Mehrzahl von Autoren von Teiltexten[10].

Die Irritationen beziehen sich auf eine bestimmte Norm, deren implizites Gelten bei der Lektüre vorausgesetzt und von der aus das bei der Lektüre Erfah-
rene als Widerspruch zu und Abweichung von dieser Norm wahrgenommen
wird. Diese Norm läßt sich kurz so zusammenfassen: Was zur Veröffentlichung

---

9 Auffälligkeiten wie die o. S. 15 angeführten werden durch keine der beiden ausführlichsten neueren literarkritischen Hypothesen (Giet, Hermas, und Coleborne, Shepherd)
zum Verschwinden gebracht. Beiden genannten Entwürfen ist auch entgegenzuhalten,
daß sie gerade in dem Punkt ihrer größten Übereinstimmung, der Verteilung von vis
III, sim VIII und sim IX auf verschiedene Verfasser, die Ähnlichkeit der in diesen Passagen angewandten Verfahrensweise bei der Modellkonstruktion und die Ähnlichkeit
der zwischen Bildbereich und Deutung der Modelle jeweils auftretenden Spannungen
verkennen. Die drei Autoren, mit denen sie hier rechnen, weisen in der literarischen
Verfahrensweise haargenau die gleiche methodische Schwäche auf. An Colebornes
komplexer Gesamthypothese, die für vis I-sim IX fünf Autoren und zusätzlich einen Re-
daktor veranschlagt, zeigt sich im übrigen die Dialektik des literarkritischen Ansatzes,
der aus intendierter Reduktion von Komplexität umschlägt in faktische Steigerung von
Komplexität.

10 Wo im folgenden der Bequemlichkeit halber vom Autor im Singular die Rede ist, kann
aus literarkritischer Perspektive stets der Plural dafür eingesetzt werden.

bestimmt ist, darf in sich selbst nicht widersprüchlich sein. Wo im Akt des Schreibens Widersprüche auftreten, sind sie durch Tilgung rückgängig, unsichtbar zu machen[11].

Daß der "Hirt des Hermas" dieser Norm, deren Geltung auch für antike professionelle Leser angenommen werden kann[12], nicht genügt, läßt sich nicht auf eine irgend erkennbare Absicht des Autors zurückführen. Eher ist von einem Unvermögen zu reden, entsprechend den Standards antiker Literaturkritiker veröffentlichungsreife Texte zu verfassen. Ohne die Unterschiede zwischen Mündlichkeit und Schriftlichkeit[13] zu bagatellisieren, rückt der "Hirt des Hermas" damit in die Nähe mündlicher Textproduktion. Die den Irritationen zugrundeliegenden Phänomene werden zum größten Teil durch die Annahme plausibel, daß der Autor so schreibt, wie er (und nicht nur er) reden würde.

Irritationen ergeben sich vor allem beim Verhältnis von Vision und Deutung[14]. Wie sich nicht zuletzt mit Hilfe der Traditionsgeschichte zeigen läßt, werden in den Visionen vorgegebene Modelle (etwa Kirche als Bau) nicht nur übernommen, sondern meist derart modifiziert, erweitert und präzisiert, daß die präsentierten Modelle oft Neukonstruktionen nahekommen. Daß Wirklichkeit im Modell vereinfacht abgebildet wird, ist trivial, daß Modelle wie die im "Hirten" verwendeten nicht präzis genug konstruiert sein können, um die Wirklichkeit, auf die sie sich beziehen, so differenziert wie erforderlich zu erfassen, ist am ehesten durch ein Verfahren der Textproduktion zu erklären, das man in Anlehnung an Kleist als allmähliche Präzisierung der Wahrnehmung während des Schreibens charakterisieren kann. Es wäre dann nicht zuletzt die – schriftlich vollzogene – Konstruktion des Modells, die mit Hilfe des Modells zu einer geschärften, neue Differenzierungen ermöglichenden Wirklichkeitswahrnehmung kommt, deren Resultate jeweils in der Deutung präsentiert werden. Das Verhältnis der Deutung zum Modell läßt sich dann als implizite Korrektur beschreiben und so in das bereits global beschriebene allfällige Phänomen der

---

11 Es sei denn, die Widersprüche wären ersichtlich Absicht und also scheinbar, weil auf eine Einheitlichkeit höherer Ordnung bezogen. Dieser Sonderfall bestätigt nur die Regel: Widersprüche dürfen nicht sein.

12 Ein Beispiel statt vieler ist die Bemühung altkirchlicher Theologen und Kopisten, die Widersprüche zwischen den als einheitliches Korpus verstandenen Evangelien harmonisierend aus der Welt zu schaffen.

13 Zum Problem vgl. Güttgemanns, Fragen 136-153.

14 Ich beziehe mich im folgenden Absatz nicht nur, aber vor allem auf vis III, sim VIII und sim IX.

Korrektur im "Hirten" einordnen. Diese implizite Korrektur korrigiert, indem sie präzisiert[15].

Für die Lektüre bedeutet das: Bei der Frage nach der Wirklichkeit, auf die sich der Text bezieht, gebührt den Deutungen, bei der Frage nach der Wahrnehmung dieser Wirklichkeit den Modellen die vordringliche Aufmerksamkeit.

Die Wirklichkeit, deren Korrektur das Ziel des Texts ist, reagiert auf die Korrekturbemühungen des Autors nur partiell in seinem Sinne. Um das Ziel total durchzusetzen, wird die Korrekturbemühung in immer neuen Anläufen im einzelnen und im ganzen weitergeführt. Dabei kommt es zu Modifikationen in der Wahrnehmung von Wirklichkeit. Die Reflexion der Wirkung des Korrekturbemühens auf die Adressaten wird nötig und zur Verstärkung dieses Bemühens schriftlich festgehalten. Modelle und Deutungen können revisionsbedürftig werden. Der ständige intensive Bezug auf die noch nicht völlig korrigierte Wirklichkeit macht Nachträge erforderlich. Die für apokalyptische Mentalität ungewöhnliche Ankündigung der Greisin, sie habe ihren Äußerungen noch etwas hinzuzufügen (vis II 4,2)[16], erklärt sich ebenso aus dem Bezug auf die immer noch korrekturbedürftige Wirklichkeit wie die umfangreiche Revision von vis III in sim IX. Daß durch die fortgesetzten Nachträge Inkonsistenzen, Verschiebungen, Modifikationen im Hinblick auf die Wahrnehmung und Wertung von Wirklichkeit auftreten, liegt in ihrem Anlaß begründet; daß die inhaltlichen Veränderungen sich in engen Grenzen halten, stärkt die Annahme eines einzigen Autors. Blickt man auf das Verhältnis des jeweils Nachgetragenen zum Vorangehenden im Text, so gilt auch hier, daß implizite Korrektur vorliegt[17].

Noch völlig unter diesem Etikett läßt sich ein weiteres, Irritationen auslösendes Phänomen erfassen: die Mehrfachverwendung von Modellen und sonstigem Material aus den Visionen. Zweimal wird das Alter der Greisin verwendet, und zwar für gänzlich unterschiedliche Deutungen, zweimal das Modell vom Turmbau zur Beschreibung von Wirklichkeit herangezogen; das Gleichnis sim V 2 erhält mehrere Deutungen. Mit dem teils aus der Tradition aufgenommenen, teils selbst erarbeiteten Material wird also sparsam umgegangen. Während das zweite Beispiel sich aus dem gerade behandelten Phänomen von

15 Präzision und Präzisierung sind im übrigen Kategorien, mit denen im Text selbst operiert wird; vgl. zu ersterem mand III 4; IV 3,7; sim IX 5,5; 6,3; 13,6, zu letzterem vis III 10,10; sim IX 1,3.

16 Der Unterschied zu Apk 22,18f. und verwandten Stellen fällt sofort ins Auge und läßt sich am ehesten so erklären, daß die meisten Apokalypsen einer einmaligen Intervention in einer bestimmten Krisensituation dienen, während mit dem "Hirten" mehrfach Eingriffe in die vorfindliche Gemeindewirklichkeit vorgenommen werden.

17 Weiterführende, präzisierende Korrektur durch Nachträge vorzunehmen, ist nicht ohne Analogie bei den Zeitgenossen des Hermas; man vgl. nur das Verhältnis der beiden letzten zu den ersten drei Büchern von Artemidors Oneirocriticon.

Revisionen in Nachtragsform erklärt, weisen die beiden anderen Beispiele nur auf die Eignung des Materials zu mehrfacher Verwendbarkeit für die Zwecke des Autors hin. Dabei werden die Widersprüche und Spannungen zwischen der einen und der anderen Verwendungsweise von ihm vernachlässigt, weil das visionäre oder parabolische Material für ihn hier keinen Eigenwert besitzt, sondern als Anschauungsstoff sich dem jeweils Gemeinten und Beabsichtigten zu- und unterordnen muß. Inkonsistenzen werden dabei in Kauf genommen.

Lassen sich die Anlässe der Irritationen der Lektüre des Hermas aus der Verfahrensweise der Textproduktion erklären und zeigen sich in den auffälligen Phänomenen über den ganzen Text identische Strukturen, so wird die literarkritische Lösung überflüssig[18]. Die traditionsgeschichtliche Fragestellung hingegen erweist sich zwar als nicht hinreichend, aber doch hilfreich zur Erklärung eines stilistischen Phänomens, das unter dem Etikett "Korrektur" auch auf den Inhalt und die Zielrichtung des Texts bezogen werden kann, in dem es vorkommt.

Das Vorhandensein dieser professionelle Leser irritierenden Verfahrensweise läßt sich am einfachsten dadurch erklären, daß der Autor weder Zugang zu noch Übung in der Art schriftlicher Textproduktion hatte, die den Ansprüchen eines gehobenen Adressatenkreises genügt hätte. Stimmt diese Annahme, so läßt sie Rückschlüsse auf den sozialen Status des Autors und die Erwartungen und Ansprüche seiner Adressaten zu. Spiegelt sich im Stil des Hermas, daß literarische Bildung ein Privileg war (und ist), so verweist das auf einen derjenigen Widersprüche der Wirklichkeit, denen Hermas nicht ausdrückliche Beachtung geschenkt hat[19]. Daß neuzeitliche professionelle Lektüre des "Hirten" sich dieses Widerspruches bewußt bleibt, ist für den angemessenen Umgang mit dem Text, für jede Frage, die an ihn gerichtet wird, unerläßlich. Nur unter Berücksichtigung dieses immer noch bestehenden Widerspruchs können die Irritationen der Lektüre — zumindest auch — als Ergebnis unterschiedlicher Bildung von Autor und gegenwärtigem Leser wahrgenommen und der Text als ein Ganzes befragt werden.

---

18 Zugleich wird damit vermieden, daß Disparates zu Unterschieden und diese zu Widersprüchen hochstilisiert werden müssen, wie dies bei konsequent literarkritischem Vorgehen faktisch unvermeidlich ist.

19 Dem widerspricht nicht, daß sich das Phänomen etwa in sim IX 22 spiegelt.

II: DAS BAD DER RHODE
ZUM PROBLEM DES AUTOBIOGRAPHISCHEN IM "HIRTEN DES HERMAS"

1

"Noch nie in meinem Leben habe ich ein wahres Wort gesprochen, sondern stets trügerisch mit allen gelebt, und meine Lüge habe ich als wahr hingestellt bei allen Menschen."[1] Mit diesem Bekenntnis stellt Hermas nicht nur den himmlischen Mahner zur Wahrheit[2], den Hirten, vor Probleme. Auch wer seine Schrift liest, steht vor einem Rätsel. Was sollen wir mit diesem Bekenntnis anfangen?

Schenken wir Hermas Glauben, so schließt der ausdrückliche Bezug auf das *ganze* bisherige Leben des Hermas[3] und auf *alle* seine Kommunikationspartner[4] aus, auch nur *eine* Äußerung des Hermas sei von ihm als eine wahre beabsichtigt gewesen. Schlimmer noch — die lügnerische Absicht sei, so Hermas selbst, auch nie und von niemand als solche entlarvt worden: "Und nie widersprach mir jemand, vielmehr geglaubt wurde meinem Wort."[5] Wendete man die Selbstaussage des Verfassers nun beispielsweise auf das an, was er bis zu diesem Zeitpunkt verfaßt hatte, so wäre folgerichtig vis I 1,1-mand III 2 als Lügengespinst, als blanke Fiktion aufzufassen. All das, was der Verfasser von sich selbst erzählt, wäre mithin autobiographisch nicht abgedeckt und als Information wertlos. Gar nicht zu reden von den Visionen, die ihm — vorgeblich, müßten wir dann sagen — zuteil geworden waren; moderne Religionskritik bräuchte von Illusion hier also gar nicht zu reden, käme schon mit dem Vorwurf des Betruges aus.

Aber so einfach ist das Problem nicht, daß wir mit einem knappen Ja antworten könnten. Ein Ja setzte doch voraus, daß Hermas wenigstens im Bekenntnis seiner Verlogenheit die Wahrheit sagte, daß sich, anders gesagt, die Fiktivität des Autobiographischen im "Hirten des Hermas" aus der autobiographischen Wahrheit des Bekenntnisses der permanenten Lüge ableiten ließe. Doch was hindert uns, zu argwöhnen, daß Hermas mit eben diesem Bekenntnis, ein Lügner zu sein, *lüge*? Kann doch das "noch nie" den damit eingelei-

1 mand III 3.
2 Vgl. mand III 1f. sowie später mand VIII 9; XII 3,1; sim IX 15,2.
3 Vgl. οὐδέπω, πάντοτε.
4 Vgl. μετὰ πάντων, παρὰ πᾶσιν ἀνϑρώποις.
5 mand III 3 (unmittelbare Fortsetzung des Eingangszitats).

teten Satz ebensogut *ein-* wie *aus*schließen. Wenn es zutrifft, daß sich die Lügner stets durch *Beteuerungen* verraten haben[6], warum dann nicht auch einmal durch die Beteuerung *der Lüge?* Die Sache könnte sich also geradezu umgekehrt verhalten: Hermas löge hier, aber nicht unbedingt in dem, was er vorher zu sagen hatte. Am Ende läge hier ein logisches *Paradox* vor, ein Satz, der genau dann wahr ist, wenn er falsch ist, und umgekehrt.

Um das Verständnis und die Auflösung solcher Paradoxien hat sich seit Bertrand *Russell* die mathematische Logik systematisch bemüht[7]. *Russell*s Lösung des Problems der logischen Paradoxien besteht bekanntlich in der sogenannten Typentheorie. Sie besagt, daß, "was immer die Gesamtheit einer Klasse (Menge) betrifft, nicht selbst Teil dieser Klasse sein darf"[8]. Auf Hermas' Beteuerung angewandt würde das bedeuten: Die Äußerung "Alle meine Äußerungen sind Lügen" liegt auf einer anderen Ebene als die Äußerungen, auf die sie sich bezieht. Sie ist eine Äußerung *über* eine Äußerung, Metasprache gegenüber Objektsprache. Aber unser Problem ist damit noch keineswegs gelöst. Denn wer sagt, daß die metasprachliche Äußerung "Alle meine Äußerungen sind Lügen" eine *zutreffende Aussage* macht, also wahr und nicht falsch ist?

Wie der Fortgang des Gesprächs zwischen Hermas und dem Hirten zeigt, faßt dieser die Äußerung als zutreffend auf. Allerdings bringt er eine Präzisierung an: Er bezieht sich ausdrücklich auf die Lügen des Hermas bei seinen Geschäften[9].

Traditionsgeschichtlich steht dahinter wohl die als neu[10] empfundene Anwendung des traditionellen paränetischen Wahrheitsgebots auf das Geschäftsleben[11]. Das Ideal der Verhaltenstransparenz (hier: Wahrheit statt Lüge) wird hier wie auch sonst im "Hirten" mit dem Ideal der Universalität und damit Situationsunabhängigkeit normkonformen Verhaltens (hier: Entschränkung des Wahrheitsgebots) verbunden.

Die sozialen Konsequenzen einer Befolgung dieser Norm im Geschäftsleben seien kurz angedeutet: Gesetzt den Fall, im Geschäftsleben sei die oberste Norm die Profitmaximierung. Daraus ließe sich die Übervorteilung des jeweiligen Geschäftspartners als Verhaltensnorm, Lüge als Mittel zum Zweck, mithin als normkonformes Verhalten ableiten. Wer dieser Norm nicht folgt, sondern sein Verhalten an der kontradiktorischen Norm der unbedingten Wahrhaftigkeit ausrichtet, legt dann im sozialen Kontext des

---

6 Weinrich, Linguistik 38.
7 Vgl. den knappen Überblick von Quine, Grundzüge § 42.
8 Watzlawick/Beavin/Jackson, Kommunikation 176.
9 ἐν ταῖς πραγματείαις σου mand III 5.
10 So Hermas selbst mand III 4.
11 Vgl. Dibelius, Hirt 503.

Geschäftslebens abweichendes Verhalten an den Tag. Je nach der Transparenz dieses Verhaltens und dem Status des so Handelnden richten sich die Sanktionen, die ihn treffen. Das abweichende Verhalten kann z. B. dazu führen, die Beteiligung an gemeinsamen Geschäften zu beenden oder zu verhindern, allgemeiner: den Betreffenden innerhalb der Bezugsgruppe (Geschäftsleute) zu isolieren. Darüber hinaus bedeutet eine solche Verhaltensabweichung für den Betreffenden faktisch den Verzicht auf sozialen Aufstieg. Beide Konsequenzen rufen bei ihm einen Rollenkonflikt hervor, der wiederum je nach Lage und Bedeutsamkeit der jeweiligen Lebensbereiche bis zum Rückzug aus dem einen (Geschäftsleben) oder anderen (Gemeindeleben, Privatleben) Lebensbereich führen kann.

Mit dem Bezug auf das Geschäftsleben schränkt der Hirt die Gültigkeit der Äußerung des Hermas ein. Nicht mehr alle bisherigen Lügen sind im Blick, sondern nur die in einem bestimmten sozialen Kontext geäußerten. Nur auf diese ist dann wohl auch die merkwürdige Verheißung des Hirten zu beziehen, sie würden bei zukünftiger Unterlassung glaubwürdig werden[12]. Die Wahrhaftigkeit oder Unwahrhaftigkeit des Hermas, *abgesehen vom Geschäftsleben*, spielt für den Hirten keine Rolle; beide sind in anderen sozialen Kontexten möglich. Weil Hermas die einschränkende Interpretation seiner Beteuerung unwidersprochen hinnimmt, könnte man annehmen, er habe seine Äußerung von vornherein in diesem einschränkenden Sinne verstanden wissen wollen. Dagegen spricht aber die bereits erwähnte massive Totalisierung der Beteuerung. Das Problem des Wahrheitsbezugs der autobiographischen Elemente im "Hirten des Hermas" wird durch die eingangs zitierte Beteuerung des Hermas eher verwirrt als — vorschnell, weil ohne Wahrnehmung der Komplexität — gelöst.

2

Im Bemühen um das Verständnis der autobiographischen Elemente stehen zwei Positionen einander gegenüber. Martin *Dibelius* und Robert *Joly*[13] zufolge ist das Autobiographische fiktiv, allegorisch, unwahr, ungeschichtlich und im wesentlichen aus literarischen Traditionen herzuleiten. Nach Roelof van *Deemter* und Ake von *Ström*[14] hingegen ist das Autobiographische historisch, wahr, authentisch, wirklich und beruht im wesentlichen auf persönlicher Erfahrung.

12 Zum Deutungsproblem von πιστὰ γένηται mand III 5 vgl. Dibelius, Hirt 503f., und sim IX 33,3.
13 Vgl. zusammenfassend Dibelius, Hirt 419f., und Joly ed., Hermas 17-21.
14 Vgl. van Deemter, Hirt 60-66, und von Ström, Hirt passim.

Schon diese Etikettierungen zeigen die Komplexität des Problems[15]: Es geht um den Wirklichkeitsbezug des Berichteten, um dessen Authentizität und Wahrheit. Bevor im Zusammenhang mit der Analyse einer der umstrittenen autobiographischen Passagen auch die nötigen begrifflichen Differenzierungen geleistet werden, weise ich kurz auf die *sozialgeschichtlichen Konsequenzen* hin.

Ist über den Status des Autobiographischen im "Hirten des Hermas" entschieden, so ist zugleich über die *Zuverlässigkeit* der Informationen des Hermas über seine eigene Person und Familie und damit über ihre Verwendbarkeit für eine Rekonstruktion der sozialen Zusammensetzung der römischen Gemeinde mitentschieden[16]. Davon wiederum hängt ab, wie man die Botschaft des "Hirten" in ein Verhältnis zur gesellschaftlichen Stellung seines Autors setzen kann[17]. Schließlich wird hier auch über die Rolle des Hermas innerhalb der römischen Gemeinde mitentschieden: Von welcher Rolle her wird das Autobiographische im "Hirten" plausibel, wenn die angesprochenen Sachverhalte eine Entsprechung in der Realität haben, von welcher Rolle her, wenn dies nicht der Fall ist? Zugespitzt gesagt: Ist Hermas als Träger einer Prophetenrolle anzusehen, der die damit verbundenen Funktionen ausübt? Oder ist er sozusagen nur am Schreibtisch tätig? Und wie wäre seine Rolle, seine Funktion in der Gemeinde zu beschreiben[18]?

3

Bedingt durch das Gewicht, welches dem zu Beginn der Schrift geschilderten Bad der Rhode bei *Dibelius* für die Begründung seiner Position zukommt, haben sich auch die späteren Beiträge zum Autobiographischen bei Hermas am eindringlichsten und ausführlichsten mit dieser einen Passage beschäftigt. Sie eignet sich deshalb am besten, die verschiedenen Lösungen des Problems darzustellen, deren eigene Problematik zu untersuchen und die Diskussion weiterzuführen.

Zunächst der Wortlaut: "Der, der mich aufzog, verkaufte mich an eine ge-

---

15 Keine Rolle spielt in dieser Diskussion die früher gelegentlich vertretene Auffassung der Pseudonymität des Verfassers, die für weitere Komplizierung sorgen könnte. Bisher nicht erwogen wurde auch die Möglichkeit der Illusion, also der Selbsttäuschung des Verfassers über das von ihm als autobiographisch Berichtete.

16 Zum Problem der Zuverlässigkeit vgl. Theißen, Auswertung 38.

17 Genauer: ob man die soziale Stellung des Autors auch mit konstruktiven oder nur mit analytischen Verfahren (dazu Theißen, Auswertung 37-51) bestimmen kann.

18 Zum zuletzt angesprochenen Fragenkreis s. ausführlich u. S. 103-109.

wisse Rhode nach/in[19] Rom. Nach vielen Jahren erkannte ich diese wieder und begann sie zu lieben wie eine Schwester. Nach einer gewissen Zeit sah ich sie im Tiber baden und reichte ihr die Hand und half ihr aus dem Fluß. Als ich nun ihre Schönheit sah, dachte ich in meinem Herzen: 'Glücklich wäre ich, wenn ich eine solche Frau hätte, sowohl an Schönheit als auch an Charakter.' Nur dies überlegte ich, nichts anderes." (vis I 1,1f.)

Im einleitenden Satz ist dreierlei vorausgesetzt: daß Hermas Sklave war, daß er durch Verkauf seinen Herrn gewechselt hat und daß er sich nach dem Verkauf in Rom befand. Alles Weitere ist unklar[20].

Joly bestreitet die Zuverlässigkeit dieser Angaben, indem er sie mit der Auskunft des Canon Muratori konfrontiert, Hermas sei der Bruder des römischen Bischofs Pius gewesen[21], und aus dieser Konfrontation die Unwahrscheinlichkeit des von Hermas selbst Berichteten folgert: "un esclave passe aux mains de plusieurs maîtres, change de pays, mais retrouve et reconnaît son frère à Rome"[22].

Joly weiß wohl, daß der Vergleich von Hermas und Muratorianum nicht zu einer Kontradiktion, d. h. zu einander logisch ausschließenden Behauptungen führt. Um wenigstens die Unwahrscheinlichkeit des von Hermas als faktisch Berichteten zu erweisen, bedient er sich zweier fragwürdiger Mittel: Zum einen zeichnet er Aussagen des Hermas vieldeutiger oder eindeutiger nach, als es von ihrem Verständnis her geboten ist. Zum anderen nimmt er das Muratorianum ohne Begründung als zuverlässigen Beurteilungsmaßstab.

Die Vervieldeutigung des Eindeutigen, Vereindeutigung des Vieldeutigen zeigt sich an zwei Sachverhalten:

1. *Joly* suggeriert ohne Anhaltspunkt im Text, Hermas habe mehr Herr/inn/en gehabt als den θρέψας und Rhode[23].

Selbstverständlich ist diese Annahme möglich; vom Text wird sie jedoch nicht nahegelegt. Sollte Hermas mehr als die beiden genannten Besitzer gehabt haben, so blie-

---

19 εἰς wird bei Hermas häufig verwendet, wo wir ἐν erwarten würden, vgl. nur vis I 1,2; 2,2; II 4,3 (weitere Stellen bei Dibelius, Hirt 426f.).

20 Unklar bleibt z. B. der Aufenthaltsort des Hermas *vor* seinem Verkauf an Rhode (s. o. Anm. 19), ebenso, ob Hermas freigeboren oder bereits von Geburt an Sklave war (s. dazu u. S. 138f. mit Anm. 7). Wer bei vis I 1,1b.2 mit der Aufnahme von Romanmotiven rechnet, könnte auch 1,1a einbeziehen: Zu Kindesaussetzung als Romanmotiv vgl. Hefti, Erzählungstechnik 67f.

21 Z. 73-77: pastorem vero nuperrime temporibus nostris in urbe Roma Hermas conscripsit sedente cathedra urbis Romae ecclesiae Pio episcopo fratre eius.

22 Joly ed., Hermas 17.

23 "Plusieurs" bezieht sich auf eine Menge von *mindestens* zwei (vielleicht aber mehr) Elementen. Ich gehe davon aus, daß Joly an dieser Unschärfe lag, weil er andernfalls ein Zahlwort hätte verwenden können.

ben in der von ihm präsentierten Biographie (ob sie nun authentisch ist oder nicht) nur zwei Möglichkeiten dafür: bevor Hermas in den Besitz des θρέψας gekommen wäre, und nachdem er nicht mehr Besitz der Rhode war. Was aus dem Text selbst hervorgeht, ist nur, daß Hermas sich zu einem späteren Zeitpunkt nicht mehr im Besitz der Rhode befand. Die Art der Beendigung dieses Besitzverhältnisses — Weiterverkauf[24], Freilassung[25], Flucht[26] — bleibt unklar. Keine der beiden skizzierten Möglichkeiten weiterer Besitzer des Hermas legt sich aber vom Text her nahe. Entia non sunt multiplicanda praeter necessitatem — dem Ockhamschen Rasiermesser fallen alle weiteren möglichen Besitzer des Hermas zum Opfer.

2. Ebenfalls ohne *eindeutigen* Anhaltspunkt im Text suggeriert *Joly* einen durch den Verkauf zustande gekommenen größeren Ortswechsel. εἰς Ῥώμην schließt nach dem Sprachgebrauch des Hermas[27] sowohl die Möglichkeit eines Verkaufs nach Rom von außerhalb als auch die eines Verkaufs innerhalb Roms ein. Selbst wenn eine Entscheidung zugunsten der ersten Möglichkeit getroffen werden könnte, wäre über die Entfernung des Aufenthaltsorts des Hermas von Rom, mithin über die Wahrscheinlichkeit oder Unwahrscheinlichkeit eines Kontakts zu einem möglicherweise vorhandenen Bruder noch nichts entschieden.

Als Zwischenergebnis ist festzuhalten: *Um den Bericht des Hermas als fiktiv zu erweisen, muß Joly ihn selbst fiktionalisieren.* Er bewerkstelligt diese Fiktionalisierung durch eine gegenüber dem Text teils vieldeutigere, teils eindeutigere Paraphrase.

Die Fiktionalisierung wird fortgesetzt: *Joly* führt einen Bruder in die Lebensgeschichte des Hermas ein. Über die Existenz etwaiger leiblicher Geschwister erfahren wir von Hermas selbst nichts[28]. Wir sind hierfür auf die Auskunft des Canon Muratori angewiesen[29], der von einem Pius spricht, ihn einen Bruder des Hermas nennt und ihm die römische Bischofswürde zuschreibt. Die *Zuverlässigkeit* des Muratorianum ist nun allerdings keineswegs über jeden Zweifel erhaben.

Um ihn von anderen Trägern des Namens Hermas unterscheidbar zu machen, wird im Muratorianum der Verfasser des "Hirten des Hermas" mit Hilfe ei-

---

24 Falls man versuchsweise (auch mehrmaligen) Weiterverkauf annehmen wollte, wäre damit im übrigen nicht notwendig ein Ortswechsel verbunden. Zu mehrmaligem Weiterverkauf von Sklaven vgl. Bradley, Slaves 52-62.

25 S. dazu u. S. 139f.

26 Flucht dürfte die unwahrscheinlichste Möglichkeit der Beendigung dieses Besitzverhältnisses sein, wenn man an die Tatsache und Art der späteren Begegnungen zwischen Hermas und Rhode denkt.

27 S. o. Anm. 19.

28 mand II 2 und die ἀδελφοί-Anreden sind auf die Mitchristen zu beziehen, nicht auf leibliche Geschwister. S. u. S. 156-159.

29 S. o. Anm. 21.

nes Bruders identifiziert. Diese Identifikation ist aber nicht die einzige, die die
alte Kirche kannte. Origenes jedenfalls identifiziert Hermas mit dem in Röm
16,14 erwähnten Mann gleichen Namens[30]. Diese Identifikation ist mit der des
Muratorianum nun aber aus zeitlichen Gründen kaum zu vereinbaren, ebensowenig jene Gleichsetzung des Hermas mit Paulus, die in der subscriptio der
äthiopischen Version unserer Schrift vorgenommen wird[31]. Über den *historischen* Wert oder Unwert dieser Gleichsetzungen zu streiten, lohnt sich nicht.
Festzuhalten ist aber, daß das Vorhandensein konkurrierender, einander aus-
schließender Identifikationen des Hermas die Angaben des Canon Muratori zu
frag-würdigen macht, ihre Zuverlässigkeit mithin nicht von vornherein zu behaupten, sondern erst zu begründen ist. Eine solche Begründung sähe sich
nicht geringen Schwierigkeiten gegenübergestellt[32]. Dem Fragmentisten liegt
daran, den von ihm als üblich vorausgesetzten gottesdienstlichen Gebrauch
des "Hirten des Hermas" zu unterbinden[33]. Als Argument dazu dient ihm eine
Spätdatierung der Schrift. Dabei setzt er für die Zeit des Pius und damit für die
Abfassungszeit des "Hirten des Hermas" den Monepiskopat als in der römischen Gemeinde bestehend voraus. Eben dieser Monepiskopat wird nun aber
bei Hermas nicht nur in keiner Zeile positiv vorausgesetzt, sondern durch
Angaben wie die, der Visionär solle "mit den Presbytern, die der Gemeinde
vorstehen"[34], Kontakt aufnehmen, ausdrücklich als noch nicht vorhanden erwiesen. Damit stellt sich die Spätdatierung des Hermas durch den Fragmentisten als Fiktion heraus. Dann wird allerdings auch die Existenz des für die
Spätdatierung so dringend benötigten *Hermasbruders* Pius fragwürdig[35].

---

30 Comm. in Rom. X 31; ebenso das Inhaltsverzeichnis des Codex Palatinus Lat. 150; vgl.
   auch Eusebius, h. e. III 3,6.
31 p. 109 = p. 181 Abbadie. Ausgangspunkt dieser These ist Ag 14,12.
32 Ich lasse beiseite, daß die historische Zuverlässigkeit des Fragments im allgemeinen als
   gering einzuschätzen ist. Man denke nur an die zeitliche Vorordnung der Apokalypse
   vor Paulus (Z. 48f.).
33 Die Begründung, er könne weder unter die Propheten noch unter die Apostel gerechnet werden (die subscriptio der äthiopischen Version spricht p. 108f. umgekehrt von
   Hermas als Prophet), dürfte die wirklichen Gründe der Ablehnung eher verbergen als
   aufdecken.
34 vis II 4,3.
35 Es ist mir nicht einsichtig, welchen Sinn es hat, die leibliche Geschwisterschaft zwischen Hermas und Pius zu retten, wenn man dafür den Bischof zum Presbyter degra-
   dieren und die Spätdatierung in eine Frühdatierung (zwischen 120 und 140) umwan-
   deln muß (so Vielhauer, Geschichte 522f.), zumal wenn man den in vis II 4,3 erwähnten Clemens mit dem Verfasser des 1Cl gleichsetzt und 1Cl ins letzte Jahrzehnt des ersten Jahrhunderts datiert (ebd. 539f.) und damit implizit nicht nur den Fragmentisten,

Joly jedenfalls braucht einen Hermasbruder, um die unwahrscheinliche Geschichte der Trennung und des Wiedersehens der beiden Brüder zu erzählen und diese Geschichte – eben, weil sie unwahrscheinlich ist – gegen die Wahrhaftigkeit des Hermas zu verwenden. Die Unwahrscheinlichkeit reduziert sich aber schon beträchtlich, wenn man die Fiktionalisierung von *Joly*s Hermas-Paraphrase nicht akzeptiert. Eine weitere Reduktion des Unwahrscheinlichen ließe sich durch die Erfindung möglicher Lebensgeschichten des Hermas erzielen – etwa ein gemeinsamer Verkauf von Hermas und Pius an Rhode –, doch wäre dabei eben bereits vorausgesetzt, was ich für unbewiesen halte: daß Hermas einen Bruder[36] gehabt hätte, der in der römischen Gemeinde Leitungsfunktionen innegehabt hätte.

Einen anderen Einwand gegen die Faktizität des in vis I 1,1f. Berichteten hat *Dibelius* vorgebracht: Er sieht ihn in der Tatsache, daß die Leser hier nur in sehr geringem Maße mit der Lebensgeschichte des Hermas bekanntgemacht werden[37]. Dagegen ist eingewandt worden, daß die damaligen Leser des "Hirten des Hermas" wohl nicht auf die wenigen Zeilen zu Beginn der Schrift angewiesen waren, um über den Lebensweg des Hermas instruiert zu sein[38]. Dieser Einwand wäre aber sogleich wieder einzuschränken: Zumindest Rhode ist nach der Ansicht des Verfassers den Lesern unbekannt, wie das Indefinitpronomen τις zeigt.

Jedoch – dieses Spiel von Argument und Gegenargument weiterzuspielen, wäre müßig. Denn die ausgetauschten Argumente fußen gleichermaßen auf der irrigen Ansicht, man könne die Fiktivität bzw. Historizität einer autobiographischen Aussage quantitativ (am Umfang der in ihr enthaltenen oder den Lesern anderweitig zugänglichen Informationen) erkennen[39]. Darüber hinaus

---

sondern auch Hermas (weil er einen toten Clemens hätte auferstehen lassen) Lügen strafen muß.

36 Um den Sachverhalt nicht noch weiter zu komplizieren, beziehe ich mich nur auf den biologischen, nicht auf den rechtlichen Aspekt von "Bruder". Solange ein Mensch versklavt war, konnte er/sie im juristischen Sinn gar keinen Bruder haben, weil ihm/ihr das Recht auf Verwandtschaft nicht zustand (vgl. Finley, Slavery 75f.).

37 Dibelius, Hirt 427.

38 Von Ström, Hirt 2f. (nach Zahn).

39 Weil das Beispiel so schön ist, weise ich hin auf Mildenberger, Geschichte 253-285. Dort gibt Mildenberger (keine autobiographischen, aber biographische) Kurzinformationen über fünfhundert Theologen. Er bemerkt dazu: "Einen der hier aufgeführten 500 Theologen habe ich erfunden." (253) Der Realitätsbezug läßt sich hier keinesfalls aus der Menge der Informationen erheben; diese ist bei den 499 realen und dem einen fiktiven Theologen ungefähr die gleiche. Nicht quantitativ, sondern qualitativ unterscheidet sich die Fiktion von der Faktizität. Mildenberger gibt den Lesern dasselbe Erkenntniskriteri-

scheint eine Verwechslung von Autobiographie und Autobiographischem vorzuliegen. Für eine Autobiographie enthielte vis I 1,1f. in der Tat zu wenig Information. Die literarische Gattung des "Hirten des Hermas" läßt sich aber gar nicht als Autobiographie bestimmen. Hingegen enthält die Schrift sehr wohl autobiographische Angaben, und zwar offenbar genau in dem Umfang, den sein Verfasser für seine Zwecke als ausreichend empfand. Darauf wird später noch zurückzukommen sein, wenn die Frage nach diesen Zwecken gestellt werden muß. Für den Augenblick genügt als Ergebnis die Feststellung: Der Realitätsbezug autobiographischer Aussagen bemißt sich nicht nach deren Umfang.

Mit *Dibelius'* zweitem Einwand nähern wir uns der Badeszene: In dieser Szene sei die vorher vorausgesetzte Sklave-Herrin-Relation vollkommen ausgeblendet[40]. *Dibelius* handelt sich damit den Vorwurf von *Ströms* ein, die Anrede "Herrin" in 1,5 heruntergespielt zu haben[41]. Nun kann diese Anrede sowohl von Sklaven gegenüber ihrer Herrin als auch von Freigelassenen und Freien gegenüber irgendeiner Frau gebraucht werden[42]. Die Spannung zwischen vis I 1,1bff. und 1,1a, die *Dibelius* konstatieren will, besteht nicht notwendig und ist als bloß mögliche fiktiv.

Dibelius' drittes Argument für die Fiktivität der Badeszene wirkt ebenso peinlich wie von *Ströms* Gegenargument: Das aus "nach vielen Jahren" plus "nach einiger Zeit" zu erschließende beträchtliche Alter der Rhode spreche gegen ihre Schönheit, die sie für Hermas attraktiv mache − so *Dibelius*[43]. Von *Ström*: Wo liege die Altersgrenze, jenseits deren eine schöne Frau nicht mehr begehrenswert sei[44]? Wieder ergibt sich keine Möglichkeit, die Frage zu entscheiden − schon deshalb nicht, weil wir weder über das genaue Alter der

um an die Hand, mit dessen Hilfe ich vorhin Aussagen des Canon Muratori als Fiktion entlarvte; der fiktive Theologe "ist an einem deutlichen Anachronismus zu erkennen" (ebd.).

40 Dibelius, Hirt 428.

41 Von Ström, Hirt 3.

42 Zu κυρία als Anrede für Frauen in der Kaiserzeit vgl. Thraede, Ärger 74f.; Zilliacus, Anredeformen 18lf.; auch Dibelius, Hirt 433 sowie u. S. 168 mit Anm. 65. − Im Kontext von vis I 1,5 ist zu bedenken, daß κυρία wie κύριε bei Hermas auch die übliche Anredeform für himmlische Offenbarungsmittler in Visionen ist (vgl. z. B. vis III 10,9; mand III 3).

43 Dibelius, Hirt 428. − μετὰ χρόνον τινά könnte nach der Parallele sim V 2,5 auf einen Zeitraum von einem Jahr oder weniger schließen lassen.

44 Von Ström, Hirt 3.

Rhode zur Zeit der Badeszene[45] noch über die Schönheitskriterien des Hermas[46] Genaueres wissen.

Ein weiterer Widerspruch besteht *Dibelius* und *Joly* zufolge zwischen Rhodes von Hermas attestierter moralischer Höhe und ihrem faktischen Verhalten[47]: Eine sittsame Frau bade nicht im Tiber und lasse sich nicht von einem Mann aus dem Wasser helfen. Der dieser Argumentation zugrundeliegenden Moralvorstellung folgt auch von *Ström* bei seinem Versuch, die Ehre einer realen Rhode zu retten: Rhode müsse nicht unbedingt mitten in Rom in den Tiber gestiegen sein; der Tiber fließe ja auch durch unbewohnte Gegenden[48]. Es ist aber fraglich, ob *für die Zeit des Hermas* bei einer nackt im Tiber badenden Frau eine Diskrepanz zwischen sittlichem Ideal und faktischem Verhalten überhaupt bestand.

Wie die literarischen Belege zeigen, war Baden im Tiber — trotz dessen schon in der Antike bekannten Verschmutzung[49] — nichts Ungewöhnliches. Die Beweggründe konnten kultischer[50], sportlicher[51], militärischer[52] oder medizinischer[53] Art sein. Abgesehen vom militärischen Motiv kommen die drei übrigen auch für Frauen in Betracht[54]. Üblich war das Baden im Tiber offensichtlich in

45 Da die Geschäftsfähigkeit der Frau in Rom mit der Vollendung des zwölften Lebensjahres begann (vgl. Kaser, Privatrecht I § 65 III), muß Rhode auch "viele Jahre" nach dem Kauf des Hermas noch keine Greisin gewesen sein. — Allgemein zur Geschäftsfähigkeit von Frauen in Rom vgl. auch Thraede, Ärger 71-78; ders., Frau 211-215; Pomeroy, Goddesses 162f.198-201, Schottroff, Frauen 91-94.

46 Nicht nur die (den Jungfrauen kontrastierenden) Frauen sim IX 13,9 sowie die Männer sim IX 3,1 nennt Hermas "schön", sondern auch die verjüngte Greisin vis III 10,5; 13,1. Eine eindeutige Korrelation von Schönheit und Jugend läßt sich daraus nicht erheben, noch weniger eine Korrelation von abnehmender Schönheit und zunehmendem Alter.

47 Dibelius, Hirt 428; Joly ed., Hermas 17. Die moralische Höhe wird aus vis I 1,2; 2,3 erhoben.

48 Von Ström, Hirt 3.

49 Vgl. Strabon V 3,8.

50 Horaz, sat. II 3,288-295; Ovid, Fasti IV 315; Persius II 15f.; Iuvenal VI 522f.

51 Plutarch, Cato Maior 20; Horaz, carm. I 8,8; III 7,25-28 (vgl. dazu Syndikus, Horaz II 101, und Lyne, Poets 230); 12,9f. Im Zuschauervergnügen des lyrischen Ich schwingt häufig eine erotische Komponente mit (zu dieser vgl. auch Cicero, Pro Caelio 15,36; Horaz, carm. IV 1,37-40; zu den erotischen Konnotationen des Schwimmens und Badens vgl. auch Baldwin, Sex). — Zum Schwimmsport in Rom vgl. Weiler, Sport 261-265.

52 Vegetius I 10.

53 Horaz, sat. II 1,7.

54 Freilich gab es auch eigene Frauenbäder in Rom, vgl. Brödner, Thermen 113-116. — Daraus, daß Hermas nicht ausdrücklich von einem rituellen Bad erzählt, kann nach dem oben Gesagten keinesfalls geschlossen werden, daß "die Szene ursprünglich nicht nach Rom und an den Tiber zu gehören" scheine (so Dibelius, Hirt 428; vgl. auch Peterson, Analyse 275).

allen Schichten.

Im Gegensatz zum neuzeitlichen Europa (bis in die siebziger Jahre unseres Jahrhunderts) galt in der Antike das nackte Baden nicht als moralisch verwerflich, sondern war das Übliche[55]. Strittig war, inwieweit Männer und Frauen *gemeinsam* baden sollten. Allerdings sind hier unsere Informationen auf die Bäder beschränkt; das Schwimmen und Sichwaschen in Flüssen muß davon nicht unbedingt mitbetroffen sein. Nachdem in republikanischer Zeit Männer und Frauen getrennt gebadet hatten[56], ist gemeinsamer Bäderbesuch von Männern und Frauen für die Kaiserzeit bis ins zweite Jahrhundert hinein bezeugt[57]. Ein gesetzliches Verbot erfolgte erst unter Hadrian[58]. Daß es als unanständig gegolten habe, wenn ein Mann einer Frau aus dem Wasser heraushalf, läßt sich nicht belegen[59].

Eine weitere Diskrepanz zwischen moralischen Standards und faktischem Verhalten stellt *Joly* als innere Widersprüchlichkeit hin: Nun ist es Hermas, der sich nicht an die Moral der Keuschheit halte, die er später propagiere[60]. Allerdings wird diese Moral vom Bußengel propagiert, nicht von Hermas selbst; und daß Hermas den Ansprüchen nicht genügt, die der Bußengel und andere Offenbarungsmittler an ihn und an Christen überhaupt stellen, durchzieht seine ganze Schrift sozusagen leitmotivisch, ist also eher ein Hinweis auf Konsistenz.

All diese Argumente und Gegenargumente konnten den Streit um den Realitätsbezug von vis I 1,1f. nicht entscheiden. Das Argument, mit dem *Dibelius* schließt, scheint gewichtiger zu sein. Eine Liebesgeschichte — so *Dibelius* —, zu der es zudem noch heidnische Parallelen aus der erotischen Literatur gebe, passe schlecht in ein so christliches Buch wie den "Hirten des Hermas"[61]. Mehr noch — die geschilderte Szene *sei* ein heidnischer Romanstoff, eine von Hermas "künstlich nach Rom ..., ins Christentum ... und in die Lebensgeschichte

---

55 Für Artemidor, oneir. I 64, gilt Baden in Kleidern als unschicklich.

56 Vgl. Brödner, Thermen 113.

57 Vgl. Plinius, n. h. XXXIII 153; Martial III 87,4 u. ö.; Iuvenal VI 422. Nackte Frauen im Bad erwähnen die Fasti Praenestini, CIL I^2 p. 235.

58 SHA, vit. Hadr. 18.

59 Iuvenal VI 422 und Clem Al, Paid. III 32,3 beziehen sich auf sexuelle Handlungen, die Frauen in Bädern durch Sklaven an sich vornehmen lassen, sind also für die genannte These als Belege unbrauchbar. Zumal die antifeministische Perspektive Iuvenals darf nicht verallgemeinert werden und ist jedenfalls für Hermas' Frauenbild kein Maßstab.

60 Joly ed., Hermas 18, mit Verweis auf mand IV 1,1. — Zum gemeinantiken Ideal der Einheit von Wort und Tat vgl. die Hinweise bei Henrichs/Koenen, Mani-Kodex 284 Anm. 409.

61 Dibelius, Hirt 428.

des Hermas ... versetzte Begebenheit"[62].

Da die tatsächlich vorhandenen Analogien die bisher zum Vergleich herangezogenen bei weitem übersteigen und zudem auf bislang übersehene Zusammenhänge zwischen Mythos und Ritual, Roman und Kunst verweisen, lege ich zunächst das Material vor und diskutiere dann auf breiterer Grundlage das Problem.

4

Der antike *Mythos* kennt mindestens neun Szenen, in denen ein sterblicher Mann einer Göttin beim Baden zusieht[63].

(1) Das erste Beispiel ist *Teiresias*[64]. Den meisten Zeugnissen zufolge sieht er *Athene* nackt[65] und wird geblendet, allerdings nicht aus *diesem* Grund[66]. Als Ersatz erhält er bestimmte Gaben, die ihn anderen Menschen überlegen machen[67]. Zweimal wird die Teiresiasszene im Zusammenhang mit der Erwähnung kultischer Rituale angesprochen[68]. — In einer Variante wird Athene, wohl irrtümlich, durch *Artemis* ersetzt[69], in einer anderen wird Teiresias, nachdem er Athene nackt gesehen hat, in

62 Dibelius, Hirt 429; Joly ed., Hermas 17f. Vom Einfluß der Romanliteratur spricht auch Giet, Hermas 135. — In Meyers Konversationslexikon. Eine Enzyklopädie des allgemeinen Wissens. VIII. Leipzig ⁴1889, 428 sv Hermas wird die ganze Schrift als Roman bezeichnet (Hinweis von Reinhild Stephan-Maaser).

63 Neben den im folgenden genannten Belegen käme vermutlich auch die leider nur fragmentarisch erhaltene ägyptische Hirtengeschichte des Pap. Berlin 3024 (übersetzt bei Brunner-Traut, Märchen 10f.) in Frage.

64 Vgl. Buslepp, Teiresias; Brisson, Tirésias; Kleinknecht, ΛΟΥΤΡΑ; Loraux, Teiresias; McKay, Poet; Bulloch, Callimachus.

65 Daß das Sehen unfreiwillig geschieht, betont Kallimachos, h. V 78-81, vgl. 52. Dieser Zug ist kaum sehr alt, da er auf die Intentionalität der Handlung reflektiert, während das Ergehen nach dem ius talionis sich vollzieht (s. folgende Anmerkung). — Nach Kallimachos sieht Teiresias dazu auch seine eigene Mutter Chariklo nackt baden (ebd. 70-73.78.88f.); doch wird dieser Zug nicht ausgeschlachtet.

66 Bei Pherekydes fr. 92 Jacoby wird die Blendung mit dem Verrat göttlicher Geheimnisse begründet, bei Kallimachos, h. V 101f. damit, daß Teiresias eine Gottheit gesehen hatte, ohne von dieser erwählt worden zu sein. — Zur Strafwunderepiphanie vgl. Kleinknecht, ΛΟΥΤΡΑ 327f. mit Anm. 1.

67 Gabe, alle Vogelstimmen zu verstehen, und Wunderstab (Pherekydes); Sehergabe, Augurentum, Prophetie, Stab, langes Leben, Weisheit, Ehrung im Hades (Kallimachos, h. V 120-130).

68 Kallimachos bezieht sich auf die jährliche Waschung des Palladions der Athene in Argos durch Frauen, wobei Männern das Zuschauen untersagt war (ebd. 51-54). Auch Properz IV 9,57f. bringt Teiresias als warnendes Beispiel, und zwar für Männer, die einem Ritual zusehen wollen, an dem nur Jungfrauen teilnehmen dürfen.

69 Eustathios, Schol. Hom. x 494 (Kallimachos referierend). Artemis dürfte aus der (schon in der Antike mit der Teiresiasszene parallelisierten, vgl. Nonnos, Dionys. V 337-345; ähnlich Kallimachos, h. V 107-116) Aktaionszene stammen.

eine Frau verwandelt[70].

(2) Weitaus populärer als die Teiresiasszene war in der Antike die Episode, in der *Aktaion* die badende *Artemis* sieht, in einen Hirsch verwandelt und von den Hunden der Artemis (oder seinen eigenen) zerrissen wird[71]. Ähnlich wie bei Teiresias wird gelegentlich die (nicht vor Strafe schützende) Unfreiwilligkeit des Sehakts betont[72], anders als bei jenem hier aber dem Mann vereinzelt Vergewaltigungsphantasie unterstellt[73]. Die Beliebtheit der Aktaionsage[74] zeigt sich nicht zuletzt darin, daß der Stoff mehrfach dramatisch bearbeitet wurde[75] und ein überaus häufiges Motiv antiker Malerei ist[76]. Auch die antike Traumdeutung orientierte sich am Modell Aktaion[77].

Wollte man Hermas und seinen ersten Lesern in der römischen Gemeinde unterstellen, daß sie bei der Schilderung des Bades der Rhode die Aktaionsage assoziiert hätten, so wäre ein makabrer Beiklang denkbar: Tacitus berichtet, daß bei der neronischen Christenverfolgung die Christen in den vatikanischen Gärten bei einer Art "Volksfesthinrichtung" getötet worden seien; dabei sei ein Teil von ihnen "eingehüllt in Tierfelle von Hunden zerfleischt"[78] worden. Damit dürfte eine blutige Inszenierung der Aktaionsage gemeint sein[79].

Nur je einmal belegt sind die Szenen, in denen (3) *Kalydon* unwissend (κατ' ἄγνοιαν) die badende *Artemis* sieht und in einen Berg verwandelt wird[80], (4) *Siproites* auf der Jagd *Artemis* beim Baden zusieht und in eine Frau verwandelt wird[81], (5) der Apollonsohn *Erymanthos* erblindet, weil er *Aphrodite* nach deren Liebesakt mit Adonis

---

70 Tzetzes, Schol. Lycophr. 683.

71 Vgl. Chuvin ed., Nonnos 95-104; Stoll, Aktaion. Zur Frage der Priorität: Teiresias oder Aktaion vgl. z. B. Zieliński, Tiresiae. Nach Nestle, Legenden 251, ist die Badeszene sekundäres Motiv für die Tötung Aktaions; ursprünglich sei die Behauptung, er sei ein besserer Jäger als Artemis.

72 Kallimachos, h. V 113; Ovid, Tristia II 103-108; ders., Met. III 176.

73 Hyginus, fab. 180; Nonnos, Dionys. V 477-489.

74 Literarische Belege sind bei Wentzel, Aktaion, aufgelistet. Vgl. ferner Gregor v. Nazianz, or. 43,8; carm. II 3,60.

75 Vgl. Stoll, Aktaion 216. — Der kultische Bezug des Dramas setzt damit vermutlich ein jungsteinzeitliches Menschenopferritual auf anderer Ebene fort (vgl. dazu Burkert, Homo 127-130; ferner ders., Opfertypen 172f.).

76 Dies belegt z. B. Apuleius, Met. II 4,2-6. — Vgl. z. B. Brommer, Vasenlisten 473-475; ders., Denkmälerlisten III 28-34, und umfassend neuerdings Guimond, Aktaion.

77 Vgl. Artemidor, oneir. II 35.

78 Tacitus, ann. XV 44,4: ut ferarum tergis contecti laniatu canum interirent.

79 Nach der ansprechenden Vermutung von Klauser, Petrustradition 12f. mit Anm. 6. — Hermas spielt einmal auf Märtyrer an, die Tierkämpfe zu erleiden hatten (vis III 2,1).

80 Derkyllos fr. 1 Jacoby.

81 Antonius Liberalis, Met. 17,5 (Quelle ist Nikandros, falls keine Interpolation vorliegt; zur Frage vgl. Höfer, Siproites). — Zum Jäger Siproites und zur Göttin Artemis vgl. Aktaion, zur Strafe die o. Anm. 70 belegte Variante der Teiresiassage.

sich waschen sieht[82]. Vereinzelt ist auch die Nachricht (6), *Satyrn* hätten zugesehen, als *Aphrodite* am Ufer des Gewässers nackt die Haare trocknete[83], ebenso (7) eine als mythologische Badeszene umschriebene bildliche Darstellung in Pompeji, wo wohl ein *Satyr* einer *Mänade* zusieht[84], ein Motiv, das auch literarisch belegt ist[85], (8) sowie eine Darstellung, in der eine *Nymphe* durch einen *Satyr* verfolgt wird[86].

Wesentlich häufiger begegnet schließlich (9) eine literarisch[87] und in bildlichen Darstellungen[88] belegte Szene, in der die Nereide *Galateia*, im Meer badend, von einem *Kyklopen* beobachtet wird, der sich daraufhin in sie verliebt.

Beim Vergleich dieser Belege aus dem Mythos mit der Schilderung bei Hermas ist als wichtigster Unterschied festzuhalten, daß es im Mythos stets um eine Begegnung mit einer Göttin geht, bei Hermas um die mit einer sterblichen Frau[89]. Dieser Unterschied wird dadurch etwas nivelliert, daß die Nereide (Nr. 9), die Nymphe (Nr. 8) und die Mänade (Nr. 7) in der Hierarchie der Götterwelt ziemlich weit unten rangieren; aber in eben diesen Fällen sind die Voyeure keine Menschen. Ein zweiter Unterschied zu der Mehrzahl der mythischen Belege besteht darin, daß Hermas keine Strafe erhält. Insofern ist er nur mit den Satyrn (Nr. 6-8) bzw. dem Kyklopen (Nr. 9) vergleichbar[90]; aber auch diese sind keine Menschen. Überhaupt scheint mit der Vorstellung, daß ein sterblicher Mann eine Göttin sieht, der Gedanke an eine wie auch immer geartete

82 Ptolemaios Chennos, Nov. Hist. I 7 p. 13 Chatzís (bei Photius, Bibl. 146b/147a überliefert); vgl. dazu Tomberg, Historia 194f. Anm. 144. — Die Fortsetzung der Erymanthossage, derzufolge sich Apollon in einen Eber verwandelt und Adonis tötet, ist ebenso wie die Liebe Aphrodites zu Adonis und ihre Totenklage um ihn in gebildeten Kreisen des frühen Christentums bekannt, vgl. Aristides, apol. 11,3f.

83 Ovid, Fasti IV 141-144.

84 Pompeji V 1,18 (n) bei Schefold, Pompeji Abb. 159,1. Ähnlich ein ägyptischer Teppich des 2.-4. Jh.s (vgl. Weitzmann, Age 144-146 Nr. 124), aber dort ist die Mänade wohl nicht im Wasser.

85 Nonnos, Dionys. XII 375-378 (hier verfolgt der Satyr — vergeblich — eine Najade).

86 Vgl. Brenk ed., Spätantike 245.250 und Tafel 279a-c. — Vgl. dazu auch Artemidor, oneir. II 44.

87 Belege bei Dörrie, Galatea passim.

88 Palatin (bei Dörrie, Galatea Abb. 1); Pompeji VII 4,51 (2) (bei Schefold, Pompeji Abb. 155,1); ferner Peters, Landscape pl. 36.78.113.

89 Dies gilt auch im Blick auf vis I 1,7, wo Rhode mit einer Göttin verglichen wird. Aber eben — es handelt sich um einen Vergleich. — Vergötterung der Geliebten ist nicht selten in griechischer (vgl. Jax, Schönheit 8.40.65.162.164f.; Rohde, Roman 165f.; ferner z. B. Sappho fr. 98,4D; Longos III 34,2) und römischer Literatur (vgl. Jax, Frauentypus 19 mit Anm. 85-89; umfassend Lieberg, Puella; ferner Syndikus, Catull I 19 Anm. 9; Lilja, Attitude 186-192, und die Angaben bei Lyne, Poets 308 n. 20). Gelegentlich wird auch in jüdischer Literatur ein Mensch als Gott bezeichnet (Jub 40,7; JosAs 22,3; dazu Burchard, Joseph 702).

90 In puncto Sehergabe wäre auch ein Vergleich mit Teiresias (Nr. 1) möglich, doch ist sie dort Ersatz für die vorangegangene Blendung.

Strafe fest verbunden zu sein[91]. Im Hinblick auf den Wunsch des Hermas, Rhodes Mann zu sein, wären weniger diejenigen Fassungen der Aktaion-Szene (Nr. 2), in denen von Vergewaltigungsphantasien die Rede ist, vergleichbar, als vielmehr die Liebe des Kyklopen zu Galateia (Nr. 9), zumal in der verbreiteteren Version, derzufolge diese Liebe unerfüllt bleibt; bei den übrigen Belegen spielt das Motiv des Sich-Verliebens keine erkennbare Rolle[92]. So dürften die mythischen Belege, wenn überhaupt, nur entfernt auf die Gestaltung der Badeszene bei Hermas eingewirkt haben[93]. Immerhin machen sie deutlich, daß Anregungen aus der Belletristik (Nr. 1-7), dem Drama (Nr. 2), der bildenden Kunst (Nr. 2.7-9) und dem Kult (Nr. 1) zur Zeit des Hermas in Italien reichlich zur Verfügung standen.

Namentlich der *Kult* kennt rituelle Nacktheit und Waschungen sowohl von Frauen als auch von Bildern von Göttinnen. Allgemein gilt: "Ein Bad mit Anlegen neuer Gewänder gehört zu individuellen Weihen, zu Mysterieninitiationen und zur Hochzeit, die ja als Opferfest gefeiert wird."[94]

Für *Athena* sind mehrere Festprozessionen belegt: (10) Bei den Plynterien in Athen im letzten Monat des Jahres reinigen Jungfrauen und Frauen das alte Holzbild der Athena Polias, nehmen ihm den Schmuck ab und verhüllen das Bild. Der Tag gilt als Unglückstag[95]. (11) Ein anderes Athenabild, das Palladion, tragen in Phaleron die Epheben zum Meer[96]. (12) In Argos nehmen Frauen ein Palladion der Athene, bringen es zum Fluß und waschen es. Abgesehen von einem Priester ist Männern das Zuschauen verboten[97].

(13) "Im Flusse Kanathos bei Nauplion wurde *Hera* — d. h. wohl ihre Statue — alljährlich gebadet, wodurch sie, wie man sagte, wieder zur Jungfrau wurde; so wurde sie Zeus von neuem zugeführt."[98]

(14) Die Statue der *Aphrodite* Pandemos wird in Athen im Zuge einer Reinigung des

---

91 Vgl. dazu auch die als Kontrast zur Gegenwart gedachte Behauptung des Properz, früher sei es kein Verbrechen gewesen, Göttinnen zu sehen (III 13,38).

92 Zu vermuten ist ein sexuelles Motiv bei Nr. 7 und 8.

93 Am ehesten käme noch die Galateiaszene in Betracht. Kyklopenhafte Züge sind dem Hermas jedenfalls nicht völlig abzusprechen (Tolpatschigkeit).

94 Burkert, Religion 133; ebd. Belege.

95 Plutarch, Alkib. 34,1. Weitere Belege bei Deubner, Feste 17-22. Zu den Plynterien vgl. zuletzt Parke, Festivals 152-155.

96 Vgl. Burkert, Buzyge 358f.

97 Kallimachos, h. V; auch Scholion in Kallim. hymn. V 1. Vgl. auch Bulloch, Callimachus 8.10-12.

98 Burkert, Religion 211 (meine Hervorhebung); belegt durch Pausanias II 38,2. — Vgl. auch Aelian, nat. an. 12,30: Nach der Heirat mit Zeus badet Hera im Fluß Aborras in Syrien. — Zur Reinigung eines Herabildes auf Samos vgl. Fehrle, Keuschheit 142f.173.

ganzen Heiligtums gewaschen[99]. (15) Auf eine rituelle Waschung deutet auch die Bezeichnung Lutrophoros für die Jungfrau, die das Jahrespriestertum im Tempel der Aphrodite in Sikyon innehat[100]. (16) In Rom wird die Venus Vesticordia (= Aphrodite Apostrophia) gebadet. Die dabei anwesenden Jungfrauen, Mütter und Prostituierte baden mit; Männerblicke sind verboten[101].

(17) "Auf Kos schreibt eine Inschrift vor, daß, wenn ein Heiligtum durch einen Toten befleckt worden ist, die Priesterin die 'Knabennährende' Göttin, *Kurotrophos*, zum Meer zu führen hat, um sie dort zu reinigen."[102]

(18) Das Bild der *Artemis* wird vor Ephesos in die See getaucht[103].

(19) Für *Athena* und *Artemis* ist ein gemeinsames Badefest in Ankyra bezeugt[104].

(20) Nach der literarischen Bezeugung zu urteilen, war die Waschung der *Magna Mater* in Rom ein besonders bedeutendes Ereignis[105]. Der Wagen, das Gewand und das Standbild der Göttin wurden von einem alten Priester nach der Fahrt durch Rom im Almo gewaschen. Belegt sind weitere Waschungen der Magna Mater für (21) den Gallosfluß bei Pessinus in Phrygien[106], (22) Kyzikos[107] und (23) Carthago[108], evt. auch für (24) Autun[109].

(25) Die Statue der *Dea Syria* im Tempel in Hierapolis verläßt ihren Ort und badet im Meer[110].

(26) Die *Frauen* von Syrakus bringen das Standbild des *Adonis* ans Meer, lösen ihr Haar und entblößen aus Trauer die Brüste[111].

(27) Auf einen Ritus verweist möglicherweise auch der Bericht über das Bad der *Demeter* Lusia in Thelpusa[112].

99 IG II^2 659.

100 Pausanias II 10,4. Die Lutrophoros und eine Tempelpflegerin, die mit keinem Mann mehr verkehren darf, haben als einzige Zutritt zum Tempel; die Blicke aller anderen auf das Bild der Göttin sind ausgeschlossen. — Vgl. auch Homer ϑ 363-366.

101 Ovid, Fasti IV 133-162.

102 Burkert, Religion 134f. (meine Hervorhebung); Beleg ebd. 135 Anm. 45.

103 Hier ist allerdings nicht sicher, ob es sich um eine lavatio handelt; vgl. Nilsson, Feste 246.

104 Martyrium S. Theodoti v. Ancyra 14. Zur möglichen Identifikation mit Kybele vgl. Drexler, Meter 2893f.; Hepding, Attis 133f. Vgl. auch Fehrle, Keuschheit 174f.

105 Ovid, Fasti IV 337-348 (vgl. dazu Bömer, Fasten 220f.); weitere Belege bei Bömer, Pompa 1950-1952. Bildliche Darstellungen bei Rapp, Kybele 1667.

106 Herodian 1,11 (vgl. Arrian, Tact. 33,4; Statius, Silv. V 1,224).

107 CIG 3657.

108 Augustin, civ. Dei II 4.

109 Passio S. Symphoriani; vgl. dazu Graillot, Cybèle 138 Anm. 6.

110 Lukian, Dea Syria 33.

111 Theokrit XV 132-136. Vgl. Erymanthos (Nr. 5).

112 Pausanias VIII 25,6.

Der Hauptunterschied dieser lavationes[113] zu Hermas besteht wiederum darin, daß Rhode keine Göttin ist. Auch besteht in vis I 1,2 offensichtlich kein rituell verankertes Verbot männlicher Blicke (so mindestens Nr. 12.15.16). Immerhin sind an einer Reihe dieser lavationes Frauen, z. T. ausschließlich, beteiligt (Nr. 10.12.15-17.26). Kultische Waschungen von Frauen sind natürlich ebenfalls häufig belegt, gerade auch für Rom[114]. Es wird später darauf zurückzukommen sein, ob bei Hermas ein näher zu beschreibender kultischer Bezug vorliegen könnte[115].

Am meisten Gewicht hat *Dibelius*, um die Fiktivität des Bades zu begründen, auf die Analogien in der *erotischen Literatur* gelegt, ohne deren Umfang allerdings auszuschöpfen[116].

(28) Der älteste Beleg findet sich vielleicht schon bei Alkaios (fr. 45 LP), wo der Dichter im Hebros badende Mädchen beschreibt. Allerdings ist der Text zu fragmentarisch erhalten, als daß behauptet werden könnte, der für unser Thema konstitutive männliche Beobachter sei dort mit Sicherheit vorhanden[117]. In der Lyrik finden sich aber einige weitere sichere Belege: (29) Asklepiades beschreibt, wie Kleandros sich in die badende Nikon verliebt und mit ihr schläft[118]. (30) Rufinus schildert, wie er eine Schöne im Bad sieht, und beschreibt ihre Schönheit[119]. (31) In einem anderen Gedicht beschreibt derselbe Autor, wie er eine schöne nackte weibliche Gestalt sich waschen sieht. Weil er sie zunächst für Aphrodite hält, will er sie bitten, ihm nicht zu zürnen, doch da erkennt er, daß es sich gar nicht um Aphrodite, sondern um die Hetäre Rhodokleia handelt[120].

---

113 Zu Münzen, die sich möglicherweise auf solche lavationes beziehen, vgl. Drexler, Meter 2894. — Vgl. auch Plutarch, mor. 301a: Die Statue des Eunostos wird einem Reinigungsbad unterzogen, wenn eine Frau sein Grabmal betreten hat, was streng untersagt ist. Vgl. ferner die Statue des Pelichos (Lukian, philops. 19). — Wie Adonis (Nr. 26) zeigte, werden nicht nur weibliche Götterbilder rituell gewaschen, ein weiteres Beispiel ist das Untertauchen des Götterbildes des Dionysos im Halieis (Philochoros fr. 191 Jacoby).

114 S. o. Anm. 50. Zum Baden der Isis-Anhänger im Winter (Juvenal VI 522) vgl. Dodds, Pagan 42 mit n. 4. — Daß in vis I ein Tauchbad gegen den jezer hara vorliege (zu einem solchen vgl. Elchasai fr. 2.4, Sib IV 165), kann ich nirgends angedeutet finden.

115 Vgl. auch die Heiratsassoziation des Hermas mit Nr. 13!

116 Vgl. schon das ägyptische Liebeslied auf dem Ostrakon Kairo nr. 25218 (Übersetzungen bei Erman, Literatur 304f., Schott, Liebeslieder 65-67, Kischkewitz ed., Liebe 43-48), dazu Hermann, Liebesdichtung 3.90f.144f. — Apogymnosisszenen ohne Bad (etwa Artemidor, oneir. IV 44, oder Xenophon v. Ephesus, Ephesiaka I 3,2) lasse ich hier beiseite.

117 Vgl. Fränkel, Bad.

118 A. P. V 209.

119 A. P. V 60; dazu zuletzt Baldwin, Rufinus, und Cameron, Notes 179-183. Vgl. auch Antiphilos, A. P. V 307.

120 A. P. V 73; dazu zuletzt Page, Rufinus 96f. Vgl. auch A. P. V 82. — Zur umstrittenen Datierung des Rufinus vgl. jüngst Cameron, Strato.

In erotischer Erzählliteratur taucht das Thema ebenfalls auf[121].

(32) Die unter dem Namen des Plutarch umlaufenden, aber kaum auf ihn zurückge-henden[122] Amatoriae narrationes erzählen von dem schönen Mädchen Aristokleia aus Haliartus in Boiotien. Es wird von zwei Männern zugleich geliebt, Straton und Kallisthe-nes. Straton hatte sie in Lebadeia in der Quelle Herkyne baden sehen; das Bad diente als Vorbereitung zur Teilnahme an einer Zeusprozession. Später wird sie von ihren Liebhabern wortwörtlich hin- und hergezerrt und kommt, wie dann auch die beiden Männer, um[123]. (33) In Charitons Roman badet Kallirrhoe in Anwesenheit von Sklavin-nen, die sie bedienen. Diese glauben, ein göttliches Antlitz (ὡς θεῖον πρόσωπον) zu sehen[124]. (34) Bei Longos kommen mehrfach Badeszenen vor. Zunächst sieht Chloe den badenden Daphnis, der ihr seine Kleider zum Halten gibt; Daphnis' Schönheit führt Chloe zunächst auf das Bad zurück. Sie will ihn wiederum baden sehen, und er folgt ihrem Wunsch[125]. Später führt Chloe Daphnis zu den Nymphen in die Höhle, wäscht erst ihn und dann sich vor seinen Augen; den Anblick ihrer Schönheit kann Daphnis nicht vergessen[126].

Schließlich begegnen Badeszenen auch in der erotischen Briefliteratur.

(35) PsAischines, ep. X, beschreibt, daß es im Gebiet von Troja die Sitte gebe, Jung-frauen vor der Hochzeit zum Skamander zu führen[127]. Dort waschen sie sich und rufen den Flußgott an: "Nimm, Skamander, meine Jungfernschaft!"[128]. Unter den Jungfrauen ist auch die schöne Kallirrhoe. Der ebenfalls schöne Kimon verbirgt sich hinter einem

---

121 Die christlichen Apostelakten bieten keine genauen Parallelen. Nach ActThom 42ff. liebt ein Dämon eine Frau, *nachdem* sie aus dem Bad gekommen ist (umgekehrt ge-schieht der Verführungs*versuch vor* Betreten des Bades in Samavedas, Katha Sarith Sagara I 4 = Tawney/Penzer I 32ff.; ebd. 42-44 Verweis auf Parallelen). Die auffällige Ähnlichkeit dieser Stelle zur Badeszene bei Hermas, die Beyschlag, Simon 152 Anm. 45, zu erkennen meint, vermag ich nicht zu sehen: Der Tiber ist kein Bad, Hermas kein Dämon, und von Dauervergewaltigung (wie in ActThom 43) kann in vis I 1,1f. schon gar nicht die Rede sein. — Nach Acta Ner. et Achill. 15 wird Petronilla von Flaccus *um ihrer Schönheit willen* zur Frau begehrt, stirbt aber (vgl. dazu Söder, Apostelgeschichten 124f.). — Inwiefern ActPetri BG 8502 p. 132ff. eine besonders interes-sante Parallele zu vis I 1,1f. sein soll (so Hellholm, Visionenbuch 194 Anm. 3), vermag ich nicht zu erkennen. — Vgl. ferner Thompson, Motif-Index C. 312.1 und 313.11.
122 Vgl. Ziegler, Plutarchos 798.
123 PsPlutarch, mor. 771e-772c.
124 Chariton II 2,2-4; das Zitat stammt aus 2,2.
125 Longos I 13,1-3.5; vgl. auch 22,4f.; 24,1f. — Daß eine Frau einen nackten Mann sieht, fin-det sich auch Homer ζ 127ff.; 2Sam 6,20; Heliodor II 13,2.
126 Longos I 32,4. Zur Bedeutung des Bades vgl. Merkelbach, Roman 200f. — Vgl. auch Zo-nas, A. P. IX 556: Der verliebte Pan befragt die Nymphen, die Daphnis beim Baden beobachteten, über dessen Schönheit.
127 Vgl. auch das Bad der drei Göttinnen im Skamander vor dem Parisurteil; sie bleiben allerdings unbeobachtet (Belege bei Wörner, Skamandros 978). Auch ein Bad der Aphrodite allein vor dem Parisurteil ist belegt: Eustathios, pag. 1197,49ff.
128 ep. X 3. Vgl. dazu auch den in Schol. Eurip. Phoen. 347 bezeugten Brauch und die Medeaüberlieferung bei Reitzenstein, Märchen 69 Anm. 1.

Busch. Als Kallirrhoe die bewußten Worte sagt, stellt er sich ihr als Skamandros vor und vergewaltigt sie. Vier Tage später, nach der Hochzeit, nimmt Kallirrhoe an einer Prozession zu Ehren der Aphrodite teil, erkennt dabei Kimon wieder, und die Untat wird aufgedeckt[129].

(36) Bei Aristainetos sieht Kyrion ein schönes Mädchen, das ihn bittet, ihre Kleider aufzubewahren, solange sie sich wäscht. Er freut sich über die Gelegenheit, sie nackt zu sehen, und staunt über ihre Schönheit. Als sie ins Meer springt, vergleicht er sie zunächst mit den Nereiden, als sie dann aus dem Wasser steigt, mit Aphrodite selbst, wobei er an die Gemälde von der Geburt der Göttin aus dem Meer denkt. Bei der Rückgabe der Kleider will er sie überreden, mit ihm zu schlafen, was nicht gelingt[130].

Wichtigster Unterschied dieser Belege zu Hermas: Die Handlungsweise der männlichen Voyeure (in dieser Hinsicht fällt Nr. 33 weg) zielt (mit der möglichen Ausnahme von Nr. 32.34) nie auf eine Ehe, sondern auf Beischlaf[131].

Zum Erweis der Übernahme eines vorgeprägten Inhalts in vis I 1,1f. ist ferner auf Analogien aus der israelitisch-jüdischen Tradition hingewiesen worden[132].

(37) Zunächst könnte man Rubens Beischlaf mit Bilha, der Frau seines Vaters, anführen. In späteren Bearbeitungen von Gen 35,22 wird Rubens Tat dadurch motiviert, daß er Bilha nackt habe baden sehen[133]. Anders als bei Hermas liegt die Betonung hier auf der Motivation eines Inzests; auch begehrt Ruben Bilha nicht zur Ehefrau.

(38) Das nächste Beispiel ist die Erzählung von Davids Ehebruch mit Bathseba, nachdem er sie nackt hat baden sehen[134]. Allerdings handelt es sich ebenso wie bei der vorigen Szene um die Erzählung eines durchgeführten Ehebruchs, dazu noch gekoppelt mit der Ermordung des Ehemanns. Hier verläuft die Rhodeszene sehr anders.

129 Zu durch Riten oder Mythen animierten Vergewaltigungen (bzw. entsprechenden Phantasien) durch Männer, die sich als Götter ausgeben, vgl. Rohde, Psyche 197f. Anm. 7, und die Belege bei Weinreich, Trug passim.

130 Aristainetos, ep. I 7 und dazu die Verweise in der Ausgabe von Mazal 18. Zu Bildern von Aphrodites Geburt vgl. Simon, Geburt passim. Vgl. auch Artemidor, oneir. II 37; Chariton VIII 6,11. — Weitere Darstellungen von Badenden in der antiken Kunst z. B. bei Busch/Edelmann eds., Kunst Abb. S. 164.178.183.

131 Im Blick auf die bei Hermas vorliegende Beziehung zwischen einem Sklaven und seiner einstigen Herrin wäre auf das im antiken Roman häufige Motiv der Liebe zwischen Sklave und Herrin hinzuweisen; vgl. dazu Braun, Roman 24f.32.38.43f.52-56.63. 99.115f. und passim.

132 So vor allem von Peterson, Analyse 275 Anm. 14, der aber davon ausgeht, ein jüdisches Milieu (das bei einer Beeinflussung des Hermas durch Nr. 37-39 vorauszusetzen wäre) sei für Rom in jeder Hinsicht ausgeschlossen.

133 TestRub 3,11ff.; vgl. Jub 33,1ff.; rabbinische Belege bei Bill. III 352. — Vgl. auch Becker, Testamente 36 Anm. IV 1a. — Die späteren Bearbeitungen scheinen durch die Bathseba-Erzählung beeinflußt zu sein.

134 2Sam 11,2. Vgl. auch Asterius, in Ps 4 hom. 2, p. 35,9ff. Richard.

(39) So bleibt noch die Susanna-Erzählung. Hier ist die Begierde der Richter schon vor der Badeszene geweckt[135], kommt aber erst anläßlich dieser voll zum Ausbruch[136]. Aber Hermas ist insofern nicht mit den beiden (!) Richtern zu vergleichen, als nirgends gesagt wird, daß er in eine bestehende Ehe einbricht. Im übrigen fehlt bei ihm der *heimliche* Blick.

Doch insgesamt zeigen diese Beispiele, daß sich mit der Rhodeszene vergleichbare Schilderungen nicht nur in der erotischen Literatur finden lassen. Sind die Szenen im 2. Samuelbuch, in Susanna, den Zwölfertestamenten und dem Jubiläenbuch keine Fremdkörper, dann ist *Dibelius'* diesbezügliche Behauptung für den "Hirten des Hermas" mindestens zu relativieren. Daß ein Vergleich dieser Stellen mit Hermas nur in geringem Umfang möglich sei, weil die Beurteilung der Handlungsweise des Hermas so viel besser sei[137], trifft jedenfalls nicht zu. Immerhin schläft Hermas nicht mit Rhode (so wie Ruben es mit der Nebenfrau seines Vaters tat), noch macht er sie zur Witwe (wie David die Frau des Uria). Und was die Feststellung einer moralisch laxen Beurteilung des ganzen Vorgangs angeht, so kann sie sich jedenfalls nicht auf vis I 2,1, auch nicht auf 2,3f. berufen, sondern allenfalls auf vis I 3,1. Doch auch an der zuletzt genannten Stelle wird nicht die Sünde des Hermas selbst in Abrede gestellt, sondern nur ihre Funktion als Motiv für Gottes sich gegen Hermas richtenden Zorn[138].

5

Die zeitgenössischen Leserinnen und Leser von vis I 1,2f. konnten bei der Schilderung der Begegnung einer nackten, badenden Frau mit einem Mann mithin folgende Assoziationen haben:
− Zunächst konnten sie das Alltagsphänomen des Badens im Tiber assoziieren. Dies würde aber wohl kaum die einzige Assoziation bleiben, da Alltägliches nicht oder nur dann, wenn es sich als etwas Besonderes, Bedeutsames herausstellen soll, erzählt zu werden pflegt.
− Sie konnten vom heidnischen Mythos her, der nicht zuletzt auch in Werken der bildenden Kunst im römischen Alltag präsent war, die Handlungsweise

---

135 V. 8. Das muß nicht unbedingt, wie Dibelius, Hirt 427, es will, ein Unterschied zu Hermas sein; zumindest ἀγάπη ist auch in vis I 1,1 schon vor der Badeszene im Spiel.

136 V. 15ff. − Die Susanna-Erzählung ist in der frühchristlichen Kunst häufig allegorisch verarbeitet worden; vgl. die Angaben bei Baumgartner, Susanna 57, und z. B. Fremersdorf, Denkmäler 168 zu Tafel 224f.; 169 zu Tafel 228; 217 zu Tafel 300-303; ferner die Katakomben Pretestato (vgl. Stützer, Kunst Abb. 41) und Priscilla.

137 Dibelius, Hirt 429.

138 Nicht pauschal (wie Joly ed., Hermas 18, das tut), sondern nur in diesem eingeschränkten Sinn kann von einem Widerspruch der Greisin gegen Rhode (vis I 1,6) gesprochen werden. S. dazu o. S. 13.

des Hermas als etwas Verbotenes, das Strafe nach sich ziehen würde, ansehen. Rhode wäre dann in Analogie zu den betreffenden heidnischen Göttinnen gesetzt, wobei die in der antiken Liebeslyrik, aber wohl allgemeiner in der Sprache der Liebenden verbreitete Vergötterung der Geliebten den kategorialen Unterschied von Gott und Mensch verwischen helfen konnte[139].

‒ Von alttestamentlich-jüdischer Tradition herkommend konnten sie die Handlungsweise des Hermas versuchsweise als Sünde betrachten, die dann göttlichen Zorn nach sich ziehen würde. Heidnische und jüdische Tradition würden also (bei allen zwischen ihnen bestehenden Unterschieden) die Leseerwartungen in dieselbe Richtung leiten.

‒ Auch von den kultischen Waschungen her ‒ die im römischen Alltag ebenfalls präsent waren ‒ konnte sich ein Interpretationshorizont nahelegen, der durch die Kategorien Verbot ‒ Übertretung ‒ Strafe konstituiert wird.

Die zahlreichen Anspielungen auf kultische Waschungen[140] könnten noch einen weiteren möglichen Interpretationshorizont vermuten lassen. Wie aus zahlreichen Quellen hervorgeht, waren bei der christlichen Taufe in den ersten Jahrhunderten analog zu nichtchristlichen kultischen Waschungen[141] die Täuflinge nackt[142]. Nun ist für die urchristliche Zeit nicht nur die Taufe in Flüssen[143], sondern auch die Verwendung von "Waschen" (λούεσθαι) und "Waschung" (λούτρον) als Fachausdrücke für "Taufen" und "Taufe" bezeugt[144]. Sollte das Bad der Rhode eine Taufe gewesen sein? Wäre dann bei der Liebe "wie zu einer Schwester" vis I 1,1 die "Schwester" als eine Katechumenin zu verstehen? Leider begegnet λούεσθαι bei Hermas nur einmal, eben in der Badeszene. Es fehlen die für Hermas' Taufterminologie typischen Begriffe "Wasser" (ὕδωρ), "hinuntersteigen" (καταβαίνειν) und "heraufsteigen" (ἀναβαίνειν). Auch wissen wir nichts über etwaige Taufen im Tiber. So wird diese Deutungsmöglichkeit, gegen die auch die erzählerische Einführung Rhodes als einer Unbekannten spricht, abzulehnen sein. Übrig bleibt die mehr oder minder vage Assoziationsmöglichkeit an kultische Waschungen allgemein, hervorgerufen durch den Ausdruck "Waschen".

Daß Hermas Leseerwartungen voraussetzt, die nicht nur allgemein auf die Übertretung eines Verbots bezogen sind, sondern diese Übertretung im Sinne von Beischlaf-, evt. Vergewaltigungsphantasien präzisieren, zeigt seine massi-

---

139 Vgl. aber auch vis I 1,7 und dazu o. Anm. 89.

140 Vgl. neben den Belegen aus dem Kult (Nr. 10-27) auch o. Anm. 50.68.126 und Nr. 32.35.

141 Vgl. dazu den leider wenig beachteten Aufsatz von Stommel, Taufriten.

142 Vgl. ApostTrad XXI 3,11; Acta Xanthipp. et Polyx. 21; Johannes Diaconus, ep. ad Seravium 6. Auch die Taufbilder sind als Belege heranzuziehen, vgl. etwa das Taufbild in der Lucinagruft in Rom (vgl. Stützer, Kunst Abb. 23) oder in der Arianerkapelle in Ravenna; weitere Abbildungen bei Leclercq, Baptême. Vorausgesetzt ist die Nacktheit der Täuflinge bei der Taufe auch in ActThom 121.133. Ebd. 157 finden sich Ansätze zur Trennung der Geschlechter bei der Taufe.

143 Vgl. Did 7,1 und dazu Wengst, Didache 77 Anm. 57.

144 Neben den Belegen bei Schlier, Epheser 257 Anm. 2, vgl. z. B. noch Tertullian, bapt. 7; CMC p. 94,13-96,2.

ve Verneinung, er habe mehr und anderes als das Berichtete im Sinn gehabt[145].

Es bleibt aber die Frage: Hätte das zeitgenössische Publikum des Hermas aufgrund all dieser Assoziationsmöglichkeiten das Berichtete als fiktional erkannt? Oder allgemeiner: Kann man das hier Berichtete aufgrund möglicher literarischer Vorbilder als fiktional erkennen? Und noch grundsätzlicher: Woran kann überhaupt die Fiktionalität eines Texts erkannt werden?

6

Ich übergehe hier die antike Diskussion um die Differenzierung des Realitätsbezugs narrativer Texte[146] und betrachte zunächst die in der exegetischen Diskussion um das Bad der Rhode vorgebrachten Kriterien für Fiktionalität. Sie lassen sich grob in zwei Klassen einteilen.

Interne Kriterien nenne ich solche Kriterien, mit deren Hilfe die Fiktionalität eines berichteten Ereignisses dann behauptet wird, wenn (1) das Berichtete keinen Zusammenhang mit dem im Kontext Berichteten erkennen läßt oder wenn (2) Widersprüche zwischen verschiedenen Elementen des Texts — etwa zwischen den Eigenschaften, die einer handelnden Person zugeschrieben werden, und ihrem als tatsächlich berichteten Verhalten — feststellbar sind. In diesen Fällen kann das Vorliegen von Fiktionalität bestritten werden, indem ein Zusammenhang des berichteten Ereignisses mit seinem Kontext aufgewiesen oder der Widerspruch als ein scheinbarer erwiesen wird; im letzteren Fall ist z. T. auch auf außerhalb des Texts liegende Faktoren Bezug zu nehmen.

Externe Kriterien nenne ich die Kriterien, aufgrund derer die Fiktionalität eines berichteten Ereignisses dann behauptet wird, wenn ein Widerspruch (1) zwischen dem Berichteten und der historischen Wahrscheinlichkeit oder (2) zwischen dem Berichteten und anderen Berichten besteht oder (3) wenn sich für das Berichtete literarische Vorbilder finden lassen; im letzten Fall wäre Fiktionalität an der Nachahmung fiktionaler Texte zu erkennen. Die Fiktionalität kann bestritten werden, indem auch hier die Widersprüche als scheinbare erwiesen werden — im zweiten Fall auch dadurch, daß die zum Vergleich herangezogenen Berichte ihrerseits auf historische Wahrscheinlichkeit geprüft werden und diese bestritten wird — oder indem das Vorhandensein oder der Einfluß literarischer Vorbilder auf das Berichtete bestritten wird.

Diese internen und externen Kriterien — letztere mit der bezeichnenden Ausnahme des dritten, worauf zurückzukommen sein wird — lassen sich zu den von Karlheinz *Stierle* beschriebenen Merkmalen eines pragmatischen Texts in

145 vis I 1,2. S. dazu o. S. 13f.
146 Sie ist ausgezeichnet dargestellt von Cancik, Wahrheit, bes. 24-45, und von Rösler, Entdeckung.

Beziehung setzen. Anders als in fiktionalen sind "in pragmatischen Kommunikationssituationen, also in solchen Begegnungen und Gesprächen, die praktischen Zwecken dienen, ... die Rollen der Gesprächspartner in wechselseitigen
Verpflichtungen, damit auch in wechselseitigen Handlungserwartungen klar
festgelegt, und es gibt sogar Gesetze, die denjenigen Gesprächspartnern Strafe androhen, die eine Rolle in einer pragmatischen Kommunikationssituation
übernehmen, ohne sich an die von ihr vorgegebenen Verpflichtungen zu
halten"[147]. "Ein pragmatischer Text, als Exponierung einer Sequenz von Sachlagen, setzt ein zweifach gerichtetes Interesse voraus: ein 'vertikal' gerichtetes
Interesse an der Adäquation der Sachlage an ihren Sachverhalt und ein 'horizontal' gerichtetes Interesse an der immanenten Konsistenz der entfalteten
Sachlagen."[148]

Wie für Diskurse anderer Wissenschaften bildet die pragmatische Kommunikation auch den Rahmen des historischen Diskurses. Vergleicht man den historischen Diskurs mit einer Gerichtsverhandlung, so kommt dem Historiker die
Rolle des Richters, dem Quellentext die des Zeugen zu. Die vom Zeugen geschilderte Sachlage wird auf ihre Entsprechung zum Sachverhalt und auf ihre
immanente Konsistenz geprüft. Bei positiver Entsprechung und vorhandener
Konsistenz wird der Zeuge in der Zeugenrolle belassen. Fehlt hingegen entweder die Entsprechung zwischen Sachlage und Sachverhalt oder ist die
Sachlage in sich widersprüchlich (oder beides), so wird der Zeuge der Falsch-
aussage angeklagt und hat mit der negativen Sanktion zu rechnen, aus dem
Kreis der relevanten Kommunikationspartner in der pragmatischen Kommunikationssituation des historischen Diskurses ausgeschlossen zu werden. Davon
unberührt bleibt die Möglichkeit, die Quelle selbst (unter Absehung von den
in ihr geschilderten Sachlagen) als historischen Sachverhalt zu verwenden[149].

Im Gegensatz zur pragmatischen ist die fiktionale Kommunikation vor allem
dadurch gekennzeichnet, "daß einer Sachlage bzw. einer Sequenz von Sach-

147 Gumbrecht, Fiktion 190 (im Original z. T. hervorgehoben), unter Aufnahme von Stierle,
Negation. Auf die Bedeutung negativer Sanktionen in pragmatischen Kommunikationssituationen wies vor allem Weinrich, Fiktionssignale, hin. Der von Gumbrecht,
Fiktion 191.193, im gleichen Zusammenhang verwendete Begriff der Sanktion bezieht
sich nur auf negative Sanktionen, läßt mithin die Frage nach Vorhandensein und Eigenart positiver Sanktionen in pragmatischen Kommunikationssituationen offen (zu
letzteren vgl. etwa die Belohnung sachdienlicher Hinweise bei Fahndungen mit Geld).
148 Stierle, Negation 237. Sachlage und Sachverhalt stehen im Verhältnis von Abbildung
und Abgebildetem (vgl. ebd. 236f. mit Anm. 4 und die Weiterführung von Gumbrecht,
Fiktion 191f.).
149 So ist etwa der "Hirt des Hermas" Indiz und Beispiel für das Vorhandensein von Visions-
literatur in der römischen Christengemeinde des 2. Jahrhunderts.

lagen kein Sachverhalt zugeordnet ist"[150]. Der Rezipient ist "frei, verschiedene Relationen zwischen dargestellten Sachlagen und wirklichen Sachverhalten durchzuspielen"[151].

Es ist also zunächst einmal zu fragen, ob der "Hirt des Hermas" in einer pragmatischen oder in einer fiktionalen Kommunikationssituation anzusiedeln ist.

Man wird dabei kaum fehlgehen, wenn man die Schrift in die Kommunikationssituation des christlichen Gottesdienstes stellt. Gottesdienst als Verwendungssituation dieser Schrift wird, abgesehen von textinternen Indizien wie Anreden an die Adressaten, nicht zuletzt vom Canon Muratori vorausgesetzt[152]. In *diesem* Fall ist dessen Zeugnis unverdächtig, weil er gerade mit Hilfe seiner mindestens teilweise fiktionalen Argumentation den "Hirten des Hermas" aus dieser Kommunikationssituation verbannen will; seine Argumentation bezweckt Zensur. Schon diese Absicht ist ein Indiz, daß die Kommunikationssituation Gottesdienst zumindest mit negativen Sanktionen arbeitet. Dies wird durch andere Zeugnisse bestätigt, die etwa den Gottesdienstablauf regeln[153], Sprechverbote für bestimmte Gruppen von Gemeindemitgliedern erteilen[154] oder Kriterien für wahre und falsche Prophetie aufstellen[155]. Gottesdienst stellt mithin eine pragmatische Kommunikationssituation dar.

Es ist dabei allerdings nötig, die oben zitierte Definition der pragmatischen Kommunikationssituation zu modifizieren. Zumindest bei aktueller Paränese[156] gibt es keine vorfindliche Entsprechung von Sachlage und Sachverhalt. Deshalb: "Die pragmatischen Texte unterscheiden sich von den fiktionalen Texten nicht etwa dadurch, daß in ihnen dargestellte Sachlagen stets in der Wirklichkeit auffindbare Entsprechungen hätten, sondern vielmehr durch den Anspruch, solche Entsprechungen zu haben, ein Anspruch, der freilich in vielen Fällen vom Sprecher wissentlich nicht eingelöst wird. Dieser Anspruch des Sprechers in der pragmatischen Verständigungssituation stellt sich uns als

---

150 Stierle, Negation 237.

151 Gumbrecht, Fiktion 198. — Da in der gegenwärtigen Diskussion um Fiktionalität und Nichtfiktionalität fiktionale Texte der Antike kaum eine Rolle spielen, sei ausdrücklich betont, daß der eben zitierte Grundsatz auch von altphilologischer Seite bestätigt werden kann. Man vgl. nur die Konstatierung verschiedener Sinndimensionen, deren Erfassen/Nichterfassen vom jeweiligen Horizont der Rezipierenden abhängt, im Fall von Heliodors Roman (vgl. Merkelbach, Roman 297f., Dörrie, Nachwort, bes. 319-323).

152 Z. 77-80: *et ideo legi eum quidem oportet, se publicare vero in ecclesia populo neque inter prophetas completo numero neque inter apostolos in fine temporum potest.* — S. auch u. S. 99f.

153 Vgl. z. B. 1Kor 14.

154 Zum gottesdienstlichen Sprechverbot für Frauen s. u. S. 172.

155 Vgl. z. B. Did 11; Herm mand XI.

156 Zur Unterscheidung von aktueller und usueller Paränese vgl. Dibelius, Formgeschichte 239; ferner Schrage, Ethik 180-182, und Theißen, Auswertung 41-45.

eine Folge seines wesentlichen Ziels dar: er will durch das Konstituieren einer Sachlage den Hörer oder Leser dazu bewegen, diese in einen Sachverhalt der Lebenswelt umzusetzen oder hinter ihr einen Sachverhalt zu sehen, dessen Berücksichtigung wichtig für sein tägliches Handeln ist."[157]

Hinzuweisen ist in diesem Zusammenhang auf zwei defiziente Formen pragmatischer Kommunikation[158].

(1) Der Empfänger kann eine "Empfängerrolle" spielen, "während in der Perspektive des Kommunikationssubjekts die Kommunikation unter pragmatischen Bedingungen stand"[159].

(2) Der Sender kann eine "Senderrolle" spielen, während der Empfänger sich in pragmatischer Einstellung verhält. "Dies ist der Fall der Lüge, wo mit der Undurchschaubarkeit des Kommunikationsmodells gerechnet wird."[160]. Hier ist das Phänomen der Illusionsbildung anzusiedeln[161]; vorausgesetzt ist dabei eben, "daß es sehr schwer ist, den Unterschied zwischen konstituierten Sachlagen und realen Sachverhalten zu erkennen... gerade solche Texte sind illusionsbildend, die den Unterschied zwischen den in ihnen beschriebenen Sachlagen und der Wirklichkeit zu verwischen suchen."[162].

Läge eine solche Illusionsbildung bei jenen Lesern vor, die vis I,1f. als Zeugenaussage auffaßten? War Hermas, falls das zuträfe, dann notwendig ein Lügner?

Um weiterzukommen, ist das Problem der "Fiktivität in fiktionalen *und nichtfiktionalen* Texten"[163] ins Auge zu fassen.

7

Jeder Mensch partizipiert "an Schemata der illusionären Einschätzung der eigenen Lebenswelt; sie werden im Kontext der Sozialwissenschaft 'Ideologie'

---

157 Gumbrecht, Fiktion 199f. (im Original z. T. hervorgehoben). Vgl. auch ebd. 191f.

158 Ich formuliere sie in Entsprechung zu Stierle, Negation 239, der zwei defiziente Formen fiktionaler Kommunikation unterscheidet.

159 Stierle, Negation 239 (mit Beispiel). — Diese Haltung wird von urchristlichen Autoren der dritten Generation gegenüber dem, was sie μῦϑος nennen, eingenommen und propagiert.

160 Stierle, ebd. — Um eine solche Rezipientenhaltung zu verhindern, wurden Kriterien für wahre und falsche Prophetie entwickelt.

161 Vgl. dazu Lobsien, Theorie.

162 Gumbrecht, Fiktion 202 (im Original z. T. hervorgehoben).

163 So der Titel des Beitrags von Wellershoff (meine Hervorhebung).

genannt"[164]. Die "gesellschaftliche Konstruktion der Wirklichkeit"[165] arbeitet immer auch mit fiktionalen Schemata. Deren Funktion ist prinzipiell ambivalent: Als Schemata blenden sie stets Wirklichkeit aus, ermöglichen aber gerade infolge dieser Abstraktion und Komplexitätsreduktion ein Sich-Zurechtfinden in und einen Umgang mit Wirklichkeit. Es wäre zugleich falsch, diesen Schemata nur ein rezeptives oder neutralisierendes, nicht auch ein produktives Verhältnis zur Wirklichkeit zuzuschreiben[166]: Fiktionale Schemata — durchaus auch solche literarischen Ursprungs — können *neue* kollektive Wahrnehmungsformen von Wirklichkeit schaffen; man denke nur an die Werther-Rezeption im letzten Viertel des 18. Jahrhunderts.

So hat etwa Ernst *Leisi* das "Lieben nach Texten", d. h. die Strukturierung von Liebesbeziehungen nach literarischen Mustern, untersucht[167]. Falls unser drittes externes Kriterium auf vis I 1,1f. anzuwenden wäre, ließe sich nun sagen, daß die Nachahmung fiktionaler Texte *nicht notwendig* darauf schließen läßt, daß die geschilderte Sachlage einem realen Sachverhalt *nicht* entspricht. Sollte Hermas hier also romanhafte Züge verarbeitet haben, wäre über den Realitätsbezug seines Textes noch nicht entschieden; wohl aber wäre über seine Wahrnehmung von Wirklichkeit bereits einiges klar geworden.

Solche Wahrnehmung, Strukturierung und Wiedergabe von Realität mittels vorgeformter sprachlicher Muster findet sich im übrigen gerade in autobiographischen Texten. Darauf wird im nächsten Abschnitt genauer einzugehen sein. Hier nur ein Beispiel: Paulus strukturiert einen entscheidenden Abschnitt seiner Biographie, seine Berufung, mit Hilfe sprachlicher Mittel aus dem Schema der Prophetenberufung: vgl. Gal 1,15; Röm 1,1 mit Jes 49,1[168].

Da es unverstellte Wahrnehmung von Wirklichkeit nicht gibt, jegliches Wahrnehmen vielmehr bereits in bestimmter Weise strukturiert ist und seinerseits

---

164 Gumbrecht, Fiktion 204 (im Original z. T. hervorgehoben). Gumbrechts pointierter Bezug dieser Behauptung auf die heutigen Menschen ist eine ungerechtfertigte Einschränkung; auch die Antike kam nicht ohne ideologische Schemata aus (vgl. z. B. das Konzept des Barbarischen). — Selbstverständlich ist es denkbar, historisch graduelle Unterschiede der Fiktionalisierung von Wirklichkeit festzustellen. So lautet etwa die Diagnose von Marquard, Kunst 48 (im Original z. T. hervorgehoben): "Die moderne Wirklichkeit erhält in wachsendem Maße jene Färbung von Halbunwirklichkeit, in der Fiktion und Realität ununterscheidbar werden." Ähnlich (und offensichtlich unter Bezugnahme auf Nietzsches "Wie die 'wahre Welt' endlich zur Fabel wurde") Waldenfels, Fiktion 226: "Wird die 'wahre Welt' fraglich, so schwindet auch der Gegensatz einer 'scheinbaren Welt'."

165 Vgl. Berger/Luckmann, Konstruktion.

166 Zu dieser Differenzierung vgl. Waldenfels, Fiktion.

167 Leisi, Paar 74-109.

168 Dabei ist Jes 49,1 selbst möglicherweise wieder von Jer 1,5 abhängig; vgl. Westermann, Jesaja 168.

auch die Wirklichkeit und den Umgang mit ihr strukturiert[169], ist deutlich, daß
die obige Definition der pragmatischen Kommunikationssituation noch einmal
modifiziert werden muß: Der Begriff der Entsprechung, der eine Korrespondenztheorie der Wahrheit voraussetzt, muß wie diese selbst im Rahmen einer
Konsenstheorie interpretiert werden[170]. Daß die Verzeichnung von Wirklichkeit
und die Ausblendung von Wahrheit um so geringer werden, je weniger die
Herstellung des Konsenses mit Hilfe von personaler oder struktureller Gewalt
geschieht, ist dabei vorausgesetzt.

8

Wir können nun die Frage nach dem Verhältnis von Autobiographischem
und Fiktivem anders stellen, als dies in der bisherigen Diskussion um das Bad
der Rhode geschehen ist. Unsere Verhältnisbestimmung muß nicht mehr auf ein
Entweder-Oder hinauslaufen oder dieses stillschweigend schon immer voraussetzen. Wie in anderen narrativen Texten, seien sie nun fiktional oder nichtfik-
tional, findet auch in autobiographischen Äußerungen nie eine bloße Abbildung von Wirklichkeit statt. Schon in der Auswahl des Berichteten, bei umfangreichen Äußerungen aber vor allem auch im Arrangement vollzieht sich eine
bestimmte Strukturierungsarbeit, häufig unter Zuhilfenahme bereits vorhandener, oft literarischer, gerade auch fiktionaler Muster[171].

Umgekehrt sind die fiktionalen Muster nie unabhängig von der Lebenswelt
des jeweiligen Autors und den Verhaltensmustern und Wahrnehmungsrastern
seiner Zeit. Die Strukturierung des Autobiographischen liegt dabei nicht notwendig ein für allemal fest, sondern ist abhängig von der jeweiligen Kommunikationssituation und von der Funktion, die das Autobiographische darin
erfüllen soll. So ist die Frage nach dem Realitätsbezug des Autobiographischen im "Hirten des Hermas" nur im Zusammenhang mit der Frage nach der
Funktion des Autobiographischen in dieser Schrift zu beantworten.

Wenn nach *Dibelius* Hermas "das drastische Beispiel einer Christensünde in
autobiographischer Form an die Spitze seines Buches stellen" wollte[172], so ist
ihm darin zuzustimmen. Wenn er aber meint, "daß die Vorgeschichte des Buches zu dessen eigentlichem Inhalt in gar keine Beziehung gesetzt wird"[173], so
unterschätzt er die Expositionsfunktion des Erzählten beträchtlich (bzw. muß

---

169 Man vgl. nur das Thomas-Theorem, demzufolge Situationen, die von Menschen als real
    definiert werden, für die betreffenden Menschen auch reale Folgen haben.
170 Zum Ungenügen und zur Unverzichtbarkeit der Korrespondenztheorie der Wahrheit
    vgl. Puntel, Wahrheit.
171 Vgl. dazu z. B. Auernheimer, Sozialisationserfahrungen; Dekker, Egodocumenten 176.
172 Dibelius, Hirt 430.
173 Ebd. 427 (ebd. auch Argumente).

auf die Bestimmung der Funktion der Exposition überhaupt verzichten)[174] und leugnet die inhaltliche und formale Kontinuität zwischen vis I und der ganzen Schrift. Die Funktionsbestimmung der Badeszene ist deshalb auch von *Hellholm* nicht umfassend genug geleistet, wenn er schreibt: "(1) sie soll die Aufmerksamkeit des Lesers zu sich ziehen, ihn aufmerksam und aufnahmebereit stimmen und (2) sie soll den Hintergrund, die Komplikation, für den Dialog über die Gedankensünden, die Evaluation, schaffen."[175] Die Kontinuität mit dem Folgenden bezieht sich nicht nur auf die Gedankensünde, die vor allem in den mandata wieder begegnen, auch nicht nur auf die das ganze Buch durchziehende Bußthematik, sondern auf das Problem der mangelnden Verhaltenstransparenz überhaupt, die hier sogar für das Subjekt des Verhaltens geltend gemacht wird. Darüber hinaus scheint es mir, daß mit vis I 1 ein Identifikationsangebot für alle Leser gemacht wird (vgl. nur 1,9). Insofern paßt gerade der Auftakt der ersten visio gut in das hinein, was die ganze Schrift durchzieht: in das Programm und Verfahren der permanenten Korrektur.

9

Hellholm hat die Vermutung geäußert, daß die Gliederung eines Textes in einen 'diesseitigen' und einen 'jenseitigen' Teil ein gattungsspezifisches Merkmal von Apokalypsen sei[176]. Situiert man Apokalypsen generell in pragmatischen Kommunikationssituationen[177], so wird man über *Hellholm* hinaus in bezug auf die in den Apokalypsen jeweils vorliegenden 'diesseitigen' Teiltexte zwischen pseudepigraphischen und authentischen Apokalypsen zu unterscheiden haben. Nur bei authentischen Texten ist es den Adressaten möglich, den Realitätsbezug der jeweils als 'diesseitig' geschilderten Sachlagen zu überprüfen. Nur bei Texten, deren Autor noch lebt oder unmittelbar bekannt ist, kann die Frage, ob in dem betreffenden Text ein persönliches, ein typisches oder ein fiktives Ich redet[178], als entscheidende Frage überhaupt gestellt wer-

---

174 Diese wird auch von dem ansonsten weitgehend Dibelius folgenden Joly (ders. ed., Hermas 18) herausgestellt. Er sieht vor allem die Bußthematik exponiert.

175 Hellholm, Visionenbuch 194.

176 Ebd.

177 In diesem Fall wäre vorausgesetzt, daß die unmittelbaren Adressaten zwischen den in den jeweiligen Texten geschilderten Sachlagen und realen Sachverhalten eine evidente Beziehung herstellen konnten.

178 Zu dieser Unterscheidung vgl. Theißen, Aspekte 194-204. Im einzelnen gilt danach:
persönliches Ich schließt Selbstbezug ein, Bezug auf andere aus;
typisches Ich schließt Selbstbezug und Bezug auf andere andere ein;
fiktives Ich schließt Selbstbezug aus, Bezug auf andere ein.

den. Unter den beiden genannten Voraussetzungen, daß der "Hirt des Hermas"
in einer pragmatischen Kommunikationssituation anzusiedeln und als eine
authentische Schrift anzusehen ist, soll diese Frage im Hinblick auf das in der
Badeszene vorkommende Ich gestellt werden.

Drei Möglichkeiten stehen vorderhand zur Diskussion:

(1) Das "Ich" könnte das persönliche Ich des Hermas sein. Andere Personen
wären dann ausgeschlossen. Dieser Ausschluß anderer Personen trifft sicher-
lich auf die in vis I 1,1f. geschilderten Sachlagen zu: Sklavenstatus, Verkauf an
Rhode, die beiden Wiederbegegnungen mit ihr sind, zumal in ihrer Verknüpfung, individuelle Sachverhalte. Dies gilt auch für die geschilderte visionäre
Erfahrung (1,3-9). Zu beachten ist dabei, daß die Verifikation bzw. Falsifikation
der in vis I 1,1f. geschilderten Sachlagen über weite Strecken für die unmittelbaren Rezipienten unmöglich (oder als unwahrscheinlich vorausgesetzt) ist:
Rhode ist mindestens der überwiegenden Mehrzahl der Adressaten des Hermas nicht bekannt. Trifft dies zu, so gilt dasselbe für alles Geschilderte, soweit
es mit Rhode zusammenhängt: für den Verkauf, die erste Wiederbegegnung
und die Badeszene. Einer Verifikation entziehen sich aus anderen Gründen
auch die Gedanken des Hermas anläßlich der Badeszene sowie seine visionäre Erfahrung.

(2) Daß ein typisches Ich vorliegt, wäre von den eben angestellten Überlegungen her zu bestreiten. Erst in der Vision wird von Rhode eine Wendung
der individuellen Sachlage ins Typische vorgenommen. Typisch ist dabei nur
das Verallgemeinerbare und deshalb vom in vis I 1,1f. Erzählten Abstrahierende;
nämlich die "böse Begierde" (1,8). Aber selbst auf der Ebene der visionären
Kommunikation begegnet kein dem typischen Ich entsprechendes typisches
Du; die Verallgemeinerung geschieht nicht mit Hilfe der Repräsentation, sondern der Addition: "Aber du bete zu Gott, und er wird alle deine Sünden
heilen, ebenso wie deines ganzen Hauses und aller Heiligen." (1,9)

(3) Ein fiktives Ich schließlich, in das Hermas sich selbst nicht einschlösse,
begegnet — soweit ich sehe — in der ganzen Schrift sonst nicht, ist deshalb
auch an unserer Stelle unwahrscheinlich, nicht zuletzt auch wegen der gerade erwähnten Verfahrensweise der Rhode.

Es besteht nach alldem aber immer noch die Möglichkeit, daß das persönliche Ich des Hermas ein fiktionales Ich wäre, daß Hermas sich mithin nicht entsprechend den in einer pragmatischen Kommunikationssituation geltenden

Ebd. 195 Anm. 19 unterscheidet Theißen außerdem fiktives und fiktionales Ich: "Mit
dem fiktiven Ich identifiziert sich der Verfasser nicht. Mit einem fiktionalen Ich erzählt
er nur Erdichtetes, mit dem er sich identifizieren will." — Mit dem typischen Ich vergleichbar ist das von Roethe, Gedichte 197f., zu Reinmar konstatierte "paradigmatische
Ich".

Normen verhält, sondern lügt. Freilich gibt es dafür kein Indiz; auch die oben beschriebenen Schwierigkeiten der Identifizierbarkeit des Geschilderten sind kein solches. Zudem läßt sich kein rechter Zweck solchen Lügens einsichtig machen. Gegen Lüge spricht, daß gerade im Visionenbuch weitere autobiographische Sachlagen geschildert werden, um deren Verifizierbarkeit es besser bestellt ist als um die der Badeszene: Ob Hermas Frau und Kinder hatte, konnte leicht nachgeprüft werden. Wäre die Badeszene fiktional, so wären darüber hinaus am ehesten die Fiktionen im "Hirten des Hermas" zu vergleichen[179], etwa die Turmbauvision oder die similitudines. Deren Fiktionalität wird aber stets eingeschränkt, die geschilderten Sachlagen auf *bestimmte* Sachverhalte bezogen. Dies geschieht in einer Deutung, die weniges Geschilderte ungedeutet und damit mehrdeutig läßt. Von einer solchen Deutung könnte man im Fall der ersten Sätze des "Hirten des Hermas" allenfalls im Hinblick auf die Gedanken und Wünsche des Hermas reden. Das aber spricht dann dafür, daß die dort geschilderten Sachlagen nicht fiktional gemeint sind.

10

Ein Ergebnis der vorstehenden Untersuchung ist, daß die gegen die historische Verläßlichkeit des Autobiographischen in vis I 1,1f. vorgebrachten Argumente nicht durchschlagend sind. Es besteht daher kein Grund, die dort geschilderten Sachlagen für eine soziologische Verortung des Hermas *nicht* in Anspruch zu nehmen[180]. Freilich gilt es, auch die übrigen autobiographischen Äußerungen des Hermas, sein Haus, seine Frau und seine Kinder sowie seine beruflichen Aktivitäten betreffend, zu untersuchen[181]. Festzuhalten ist hier vor allem die Herkunft des Hermas aus dem Sklavenstand und seine Freilassung, d. h. der Statuswechsel, der sich in seiner Biographie vollzog. Was diese Fakten für den Inhalt seiner Schrift bedeuten, wird sich am ehesten durch eine Untersuchung der Thematik der Sklaverei im "Hirten des Hermas" aufzeigen lassen[182].

---

179 S. dazu im Blick auf deren Modellcharakter u. S. 241f.
180 Dies gilt auch gegenüber der Skepsis von Peterson, Analyse 275.282, der sogar die Ortsangabe und damit der historische Kontext des "Hirten des Hermas" zum Opfer fällt.
181 S. dazu u. Kap. III.
182 S. dazu u. Kap. VI.

III: DAS "HAUS" DES HERMAS
RÖMISCHE STRUKTUREN IM "HIRTEN DES HERMAS"

Eine Untersuchung des "Hauses" des Hermas ist für eine sozialgeschichtliche Untersuchung des "Hirten des Hermas" aus mehreren Gründen bedeutsam. Das "Haus" ist eine für die antike Gesellschaft konstitutive Größe und bildet neben der Polis zudem *den* Bezugspunkt antiken Gesellschaftsdenkens[1]. Nicht zuletzt aus diesem Grund orientieren sich urchristliche Gemeinschaftsformen unter anderem auch an der bereits bestehenden Gemeinschaftsform "Haus"[2]. Schließlich ist eine Analyse der Rede vom "Haus" bei Hermas deshalb vonnöten, weil diese Rede − ähnlich wie die Erzählung vom Bad der Rhode − von so einflußreichen Hermas-Interpreten wie *Dibelius* und *Joly* als Fiktion aufgefaßt und damit die historische Verläßlichkeit des Hermas mindestens angezweifelt worden ist.

1

An mehreren Stellen ist mit οἶκος die *Wohnung des Hermas* gemeint. Der Autor spricht dann zu seinen Lesern davon, wenn er die genaueren Umstände beim Beginn einer Vision beschreibt[3]. Ebenso reden in den Visionen Offenbarungsmittler[4] und -empfänger jeweils zueinander vom οἶκος als Wohnung des Hermas[5]; es geht dabei um die Ankündigung oder Feststellung des Wohnens himmlischer Wesen (Hirtenengel[6], Strafengel[7], Jungfrauen[8]) bei Hermas.

Vom οἶκος als *Wohnung* ist auch an zwei weiteren Stellen die Rede. Dort geht es nicht um die Wohnung des Hermas, sondern um Wohnungen, in denen bestimmte Christen andere als Gäste aufnehmen und bewirten[9]. Beide Stellen

---

1 Vgl. dazu z. B. Finley, Wirtschaft 7-11.
2 Vgl. dazu zuletzt Meeks, Christians 75-77; Klauck, Hausgemeinde; Malherbe, Aspects 60-91; Stuhlmacher, Philemon 70-75; Barton/Horsley, Group 15f.22.31-33.40f.; Bieritz/Kähler, Haus; Dassmann/Schöllgen, Haus. Zum Bedeutungsumfang von οἶκος vgl. Klauck, Hausgemeinde 15-20.
3 vis II 4.2; V 1; sim VI 1.1. Vgl. sim X 1.1 in domum, in qua eram.
4 Der Hirt: mand IV 4.3; sim IX 1.3; vgl. auch vis V 2. Der himmlische Vorgesetzte des Hirten: sim X 3.1; 4.5.
5 sim VII 1; IX 11.2.6; X 2.1; 3.3 (an den beiden letzten Stellen kann domus auch auf die Hausbewohner bezogen werden).
6 vis V 2; mand IV 4.3.
7 sim VII 1.
8 Vgl. sim X 3.5.
9 sim VIII 10.3; IX 27.2.

messen der Gastfreundschaft einen hohen Stellenwert bei der Beurteilung konformen bzw. abweichenden Verhaltens von Gemeindegliedern zu[10]. Es ist hier
nicht der Ort, auf die große Bedeutung der Gastfreundschaft für das frühe
Christentum ausführlich einzugehen[11]; nur so viel sei hervorgehoben: Da die
Gewährung von Gastfreundschaft eine genügend große Wohnung und die
Möglichkeit, mehr als deren ständige Bewohner materiell zu versorgen, voraussetzt, liegt hier ein zwar "nicht ganz sicheres Kriterium für einen gehobenen Sozialstatus, aber doch ein wahrscheinliches"[12] vor. Es wäre verlockend,
dieses Indiz mit einer von Hermas gerade den reichen Christen zugeschriebenen Form abweichenden Verhaltens in Verbindung zu bringen: dem Fehlen
eines dem Glauben entsprechenden Lebensstils.

Der Aspekt des Wohnraums und -orts ist außerdem noch in der zweimal gebrauchten Wendung *"Haus Gottes"* (οἶκος τοῦ θεοῦ) beinhaltet[13]. Diese Wendung
bezieht sich auf die als οἰκοδομή vorgestellte endzeitliche Kirche[14] und bleibt
anscheinend der bildlichen Ebene verhaftet.

Ebenfalls auf *Gebäude* — und zwar unter dem Aspekt ihres materiellen Wertes als Immobilien — beziehen sich schließlich die in sim I begegnenden Ausdrücke οἴκημα (1; neben οἰκοδομή), οἴκησις (4), οἰκία (4)[15] und οἶκος (9). Die in sim
I gemeinten Adressaten sind ebenso wie die gerade erwähnten gastfreien
Christen Begüterte[16]; ihnen wird Beschränkung auf das Genügende (αὐτάρκεια)
anstelle von Immobilienspekulation empfohlen. In diesem Zusammenhang ist es
nicht ohne Bedeutung, daß auch der Hausbesitzer Hermas als ehemals Reicher beschrieben wird[17].

---

10 Nach sim VIII 10,3 kann mit Gastfreundschaft abweichendes Verhalten anscheinend gar
   bis zu einem gewissen Grad kompensiert werden. Zum hohen Stellenwert der Gastfreundschaft bei Hermas vgl. auch mand VIII 10.
11 Vgl. dazu Stählin, ξένος 16-25; Puzicha, Christus; ferner Malherbe, Inhospitality; Braun,
   Hebräer 450. — Zur Gastfreundschaft in der Antike insgesamt vgl. auch Hiltbrunner/
   Gorce/Wehr, Gastfreundschaft.
12 Theißen, Schichtung 248. Zum Phänomen vgl. ebd. 245-249. — Ein weiteres Argument
   zur Stützung dieser These könnte sein, daß die kommunikative Betreuung von Gästen
   eine gewisse freie Verfügbarkeit des Gastgebers oder der Gastgeberin über die eigene
   Zeit voraussetzt.
13 sim IX 13,9; 14,1.
14 Die Gleichsetzung von οἶκος τοῦ θεοῦ und Kirche, die Klauck, Hausgemeinde 64, an
   den genannten Stellen vornimmt, ist mindestens für Hermas zu undifferenziert: Welche
   Kirche ist gemeint, die vorfindliche oder die wahre? — Zum sonstigen Vorkommen von
   "Haus Gottes" vgl. Klauck, ebd. 63-66.
15 In 8 umgedeutet auf bedürftige Christen.
16 S. dazu u. S. 192-208.
17 Vgl. vis III 6,7.

Indizien für relativen materiellen Wohlstand des Hermas sind neben dem Haus der Landbesitz[18], seine Eßgewohnheiten[19] und die Rede von Einschränkungen der geschäftlichen Aktivitäten[20] bzw. von geschäftlichen Einbußen[21].

An einer Reihe anderer Stellen bedeutet οἶκος nicht "Wohnung", sondern bezieht sich auf eine — zunächst nicht näher bestimmbare — Anzahl in einer Wohnung dauernd zusammenlebender *Personen*. Stets ist dabei der οἶκος des Hermas im Blick[22]; zweimal ist ausdrücklich vom "ganzen Haus" die Rede[23], und stets sind es die Offenbarungsmittler, die gegenüber Hermas davon sprechen.

Läßt sich der zu diesem οἶκος gehörende Personenkreis genauer beschreiben? Zunächst ist Hermas Glied des οἶκος, allerdings in einer ganz bestimmten, nur ihm zukommenden und ihn aus dem Kreis der übrigen Glieder heraushebenden Funktion: Er ist das "Haupt des Hauses" (ἡ κεφαλὴ τοῦ οἶκου)[24] und kann deshalb zu seinem οἶκος auch als in einer spannungsreichen Gegenüberstellung befindlich beschrieben werden.

In einem gewissen Gegenüber zum Haus — dem der Eltern gegenüber dem "Haus" bzw. den Kindern — befindet sich auch die Ehefrau des Hermas[25].

Zum οἶκος des Hermas gehören ferner Kinder, über deren Anzahl, Geschlecht und Alter dem Text nichts entnommen werden kann[26]. Während es an einer Stelle so aussieht, als seien οἶκος und Kinder im wesentlichen identisch[27], zeigen drei andere Belege durch die Nebeneinanderstellung von Kindern und Haus[28], daß der οἶκος des Hermas mehr umfaßt als Hermas, seine Frau und seine Kinder. Unklar bleibt, wie dieses Mehr auszufüllen ist. Immerhin sollte man

---

18 Vgl. vis III 1,2-4.

19 Nach sim V beteiligt sich Hermas an einem als Unterbrechung des Alltäglichen verstandenen Fasten, was z. B. den Bedürftigen nicht möglich war.

20 Vgl. vis I 3,1; III 6,7.

21 Vgl. vis II 3,1 μεγάλαι θλίψεις ἰδιωτικαί; auch Dibelius, Hirt 449, vermerkt hier "geschäftliche Schädigungen". Geschäfte sind auch in mand III 3-5 im Blick (s. dazu o. S. 21f.). Ein weiteres Indiz: vermutlicher Besitz von (relativ teuren) Papyrusrollen, auf denen er seine Botschaft niederschreibt. — Bildung (Lesen und Schreiben) ist ein unsicheres Indiz.

22 vis I 1,9; 3,1f., II 3,1; III 1,6; mand II 7; V 1,7; XII 3,6; sim V 3,9; VII 2.5-7; X 1,2 und wohl auch 3,2.

23 vis I 1,9; sim V 3,9. Vgl. dazu die nichtchristlichen und christlichen Parallelen bei Klauck, Hausgemeinde 53-55.

24 sim VII 3. Zu κεφαλή als Element der Vatersymbolik vgl. Artemidor, oneir. IV 24. — Ein weiteres Familienoberhaupt ist der οἰκοδεσπότης des Gleichnisses sim V 2,9.

25 vis I 3,1; II 2,3; 3,1; mand IV 1,1. Zur Frau des Hermas s. ausführlich u. S. 169-174.

26 vis I 3,2; II 2,3; 3,1; mand XII 3,6; sim V 3,9; VII 6.

27 vis I 3,2.

28 mand XII 3,6; sim V 3,9; VII 6.

nicht von vornherein ausschließen, daß ein ehemaliger Sklave, auch wenn er Christ geworden war — als solchen stellt Hermas sich selbst dar —, nun selbst zum Sklavenhalter geworden sein könnte, zumal wenn man bedenkt, daß er es nach den Andeutungen seiner himmlischen Gesprächspartner zumindest zeitweilig zu einem gewissen Wohlstand gebracht haben muß.

Der Vollständigkeit halber sei angemerkt, daß das Verbum κατοικεῖν bei Hermas häufig vorkommt, sei es auf das Wohnen der Christen in dieser Welt und im kommenden Äon, sei es auf das Wohnen himmlischer Personen bei Hermas (oder in dessen οἶκος) bezogen. Durchgehend wird bei Hermas die Situation *seßhafter* Christen vorausgesetzt.

2

Vor allem von *Dibelius* und *Joly*[29] ist die Wirklichkeitstreue der Rede vom "Haus" des Hermas im "Hirten des Hermas" in Frage gestellt und zugunsten einer Fiktionshypothese verneint worden. Vieles deute darauf hin, "daß diese erst so unwahrscheinlich lasterhafte und dann so unglaublich bußfertige Familie nicht in Wirklichkeit vorhanden, sondern von ihm (sc. Hermas) als eine Art Modell für Christensünde und Christenbuße konstruiert ist"[30]. Folgende Argumente werden für diese Fiktionshypothese geltend gemacht:

1. Die vielen Sünden, die den Kindern des Hermas zur Last gelegt werden, könnten selbst bei anderweitiger Inanspruchnahme des Hermas nicht so ignorierbar gewesen sein, wie der Text selbst (vis II 3,1) es suggeriere[31].

2. Verhaltensänderungen seien bei Kindern mit einem so stark von christlichen Normen abweichenden Verhalten, wie es den Kindern des Hermas zugeschrieben werde, sehr unwahrscheinlich[32].

3. Hermas räume seinen eigenen Kindern für Vergehen eine Bußchance ein, für die er sonst keine Bußchance sehe[33].

4. Der "Himmelsbrief" (vis II 2f.), der so detaillierte, auf einen kleinen Kreis beschränkte Anweisungen enthalte, könne, wenn die Kinder des Hermas nicht Repräsentanten bußbedürftiger Christen seien, kaum das Interesse der ganzen Gemeinde und auswärtiger Gemeinden hervorrufen[34].

5. Die stellvertretende Bestrafung des Hermas anstelle seines Hauses (sim VII) sei nur dann erklärlich, wenn keine realen Personen vorhanden seien, de-

---

29 Vgl. Dibelius, Hirt 445f.; Joly ed., Hermas 18f.
30 Dibelius, Hirt 445 (Sperrungen getilgt).
31 Ebd.
32 Ebd.
33 Ebd. Vgl. auch Joly ed., Hermas 19 n. 1: In sim VI 4,2 denke Hermas nicht an seine Kinder.
34 Joly, ebd. 19; Dibelius, Hirt 445.

nen die Strafe gelte[35].

6. In diesem Zusammenhang sei auch die Reaktion des Hermas (sim VII 3) als eines wirklichen Vaters kaum nachvollziehbar[36].

7. Die Rede des Hermas von seinem Haus sei allgemein und wenig detailliert[37].

8. Wenn Hermas schon seine eigene Lebensgeschichte fingiere oder zumindest stilisiere, sei zu erwarten, daß er bei den Angaben über sein Haus ähnlich verfahre[38].

Diese je für sich unterschiedlich gewichtigen Argumente für die Fiktivität der Rede vom "Haus" des Hermas, die entweder innere Widersprüche im Text oder historische Unwahrscheinlichkeit berichteter Sachverhalte oder beides behaupten, sollen insgesamt die These von der ausschließlich auf die Gemeinde, nicht auf eine etwaige Familie des Hermas bezogenen paränetischen Funktion dieser Rede stützen.

3

Wie jede Hypothese muß auch diese sich daran messen lassen, welche Aspekte derjenigen Wirklichkeit, die sie erklären will, durch sie tatsächlich erklärt werden, und welche Aspekte der Wirklichkeit sich der betreffenden Erklärung nicht fügen. Ich beschränke mich hier auf den negativen Aspekt der Kritik dieser Hypothese und gehe im folgenden nur auf die sich ihr sperrenden Momente des "Haus"-Komplexes ein — mit dem Ziel, die Fiktionshypothese, zumindest in ihrer vorliegenden Form, zu erschüttern. Folgende der Hypothese widerstreitende Gesichtspunkte lassen sich namhaft machen:

1. Die Fiktionshypothese kann nicht erklären, wieso das "Haus" des Hermas so differenziert geschildert und als distinkte Größe präsentiert wird, d. h. welche Funktion die differenzierende Rede von der Frau, den Kindern und dem "ganzen Haus" des Hermas haben soll und weshalb das "Haus" des Hermas und alle Christen mehrmals *nebeneinander* gestellt werden[39].

2. Zumindest hinsichtlich der Schilderung des abweichenden Verhaltens kann von mangelnder Detaillierung nicht die Rede sein (gegen Argument Nr. 7).

3. Verhaltensänderungen, die bei Hermas solchen Christen zugetraut werden, die nicht zu seinem "Haus" gehören, sind z. T. nicht weniger "unwahr-

---

35 Dibelius, Hirt 446.

36 Joly ed., Hermas 18f.

37 Ebd. 19.

38 Dibelius, Hirt 446. Vorausgesetzt ist die Fiktivität von vis I 1, s. dazu o. S. 23-49.

39 Vgl. etwa vis I 1,9; II 2,4.

scheinlich" als die seinen Kindern zugemuteten[40] (gegen Argument Nr. 2).

4. Hinzu kommt, daß im Hinblick auf das "Haus" des Hermas von vis I bis hin zu sim VII stets von erwarteter, nicht von erfolgter Verhaltensänderung die Rede ist; das "Unwahrscheinliche" wird also nicht als eingetreten behauptet (gegen Argument Nr. 2).

5. Die Differenz zwischen der für die Kinder des Hermas behaupteten Bußmöglichkeit und der für die übrigen Christen abgelehnten Bußchance verringert sich, wenn man Stellen wie vis II 3,4 und sim VIII 8,4 neben die von *Dibelius* angeführten Stellen sim VIII 6,4 und IX 19,1 setzt. Im übrigen bestreitet sim VIII 6,4 den Lästerern und Verrätern nicht die Bußchance als solche, sondern konstatiert nur, daß diese faktisch von ihnen nicht wahrgenommen worden sei. Der verbleibende Widerspruch zu sim IX 19,1 ließe sich dann so erklären, daß dort eine — in sim IX auch sonst zu beobachtende[41] — Verschärfung in der Bewertung abweichenden Verhaltens vorliegen könnte. Im übrigen würde der Widerspruch zwischen den Möglichkeiten der Kinder und denen der anderen Christen keineswegs aufgelöst, sondern verschärft, wenn die Kinder eine Chiffre für bußbedürftige Christen wären (gegen Argument Nr. 3).

6. Wenn unbeschränkte Verallgemeinerbarkeit Voraussetzung für die Veröffentlichung und überortsgemeindliche Verbreitung des "Himmelsbriefs" wäre, ließen sich weder die Anweisungen und Bemerkungen, die nur Hermas betreffen, noch die Anrede an Maximus (vis II 3,4) hinreichend erklären (gegen Argument Nr. 4)[42].

7. Der Sinn stellvertretender Strafübernahme bleibt als solcher, unabhängig von der Existenz oder Nichtexistenz von Personen, für die sie in Frage käme, von der Fiktionshypothese unerklärt (gegen Argument Nr. 5).

8. Daß der Schluß des Arguments Nr. 8 kein notwendiger ist (und das Argument selbst mit einer erfolgreichen Bestreitung der Fiktionshypothese zu vis I 1 fällt[43]), hat *Dibelius* selbst gesehen[44].

Es gilt also, für die offen bleibenden Fragen nach neuen Antworten zu suchen.

---

40 Der Maßstab der Wahrscheinlichkeit von Verhaltensänderungen müßte im übrigen von den Vertretern der Fiktionshypothese an dieser Stelle und bei ihren Argumenten Nr. 1 und 6 erst benannt werden.

41 Vgl. nur sim IX 17,5-18,2 mit IV 4.

42 Zur in vis II 2f. vorausgesetzten Kommunikationsstruktur s. u. S. 63f.

43 S. dazu o. S. 23-49.

44 Dibelius, Hirt 446.

4

Ich setze ein mit sim VII. Danach ist Hermas der Behandlung durch den aus sim VI bekannten Strafengel ausgesetzt. Als er den Hirtenengel um Intervention bittet, erfährt er, daß der Grund für sein Strafleiden nicht in seinen eigenen Sünden, sondern in denen seines Hauses liegt[45]. Hermas erduldet demnach stellvertretend ein Strafleiden. Dieses auffällige Phänomen, das, wie gesagt, durch die Fiktionshypothese seine Erklärungsbedürftigkeit nicht verliert, gilt es zu erklären.

Zunächst ist darauf hinzuweisen, daß der Gedanke stellvertretenden Leidens dem frühen Christentum geläufig war, nicht zuletzt deshalb, weil diese Vorstellung unter den Interpretationen des Kreuzestodes Jesu bald eine der wichtigsten wurde[46].

Auch in der hellenistisch-römischen Umwelt des frühen Christentums gibt es – bereits in der Antike mehrfach gesammelte – Belege für stellvertretendes Leiden und Sterben für die Stadt oder das Land, für Freunde und Verwandte[47]. Gerade unter den römischen Christen gab es offenbar auch Fälle von stellvertretender Haftübernahme und Selbstverkauf in die Sklaverei, letzteres zum Zweck des Freikaufs anderer christlicher Sklaven[48].

Die Sachlage von sim VII ist aber in zweierlei Hinsicht von diesen disparaten Vorstellungen unterschieden: Erstens ist das stellvertretende Leiden, das Hermas erduldet, ein Strafleiden, und zweitens ist es nichts weniger als ein freiwilliges Leiden.

Die weitverbreitete Praxis, menschliche Sündenböcke zu opfern[49], ist als Analogie zu sim VII ebenfalls zu vage. Hermas wird nicht geopfert, und er leidet nicht, um einen Gott zu versöhnen, sondern um das Verhalten seines Hauses zu beeinflussen. Auch die in der römischen Sage und Geschichte vor allem mit den Trägern des Namens P. Decius Mus verbundene Praxis der devotio[50] bietet allenfalls auf einer sehr abstrakten Ebene eine Analogie.

---

45 sim VII 2.
46 Vgl. dazu Hengel, Atonement 33-75. Die theologische Einzigartigkeit der Deutung des Todes Jesu als Stellvertretung hat das frühe Christentum nicht daran gehindert, den Vorbildcharakter Jesu im allgemeinen (vgl. z. B. sim V 6,7-7,4) und seines Leidens im besonderen (vgl. z. B. Origenes, c. Cels. I 31) zu betonen.
47 Vgl. etwa die Belege bei Hengel, Atonement 6-15; dazu z. B. Philostratos, vit. Apoll. VII 14. Für Leiden anstelle von Familienangehörigen genügt der Hinweis auf die von Hengel, ebd. 9, erwähnten griechischen Sagengestalten Alkestis und Makaria. Weiteres bei Versnel, Types; ders., Self-Sacrifice; Speyer, Zorn 138f.
48 Vgl. 1Cl 55,2.
49 Vgl. dazu z. B. Burkert, Structure 59-77.
50 Vgl. dazu kurz Eisenhut, Devotio, sowie die Arbeiten von Versnel.

Näher bei sim VII steht die nicht nur im Judentum[51] und Christentum[52], sondern auch in der heidnischen Antike[53] belegte (Bereitschaft zur) Übernahme stellvertretenden Strafleidens; allerdings handelt es sich dabei um eine freiwillige Angelegenheit.

Stellvertretendes unfreiwilliges Strafleiden ist nun freilich für das alte Israel[54], das antike Judentum[55], das klassische Griechenland[56], aber auch für das Rom der ausgehenden Republik und des frühen Prinzipats[57] belegt. Im Unterschied zu Hermas sind es allerdings stets die Kinder, die für die Vergehen der Eltern büßen müssen[58]. Der umgekehrte Fall scheint kaum belegt zu sein.

Allenfalls ließe sich auf die Erzählung von dem Vergehen von Elis Söhnen hinweisen; doch sind die Überlieferungsverhältnisse dieser Erzählung unklar: In 1Sam 2,12-26 scheinen allein die Söhne schuldig zu sein, während Eli in der Rolle des hilflosen Mahners präsentiert wird; nach 2,27-36 (besonders deutlich V. 29) wird auch Eli beschuldigt[59].

Insgesamt reichen diese Belege nicht zur Erhellung des Hintergrunds von sim VII aus.

Ein möglicher Hintergrund für das Verständnis unserer Stelle ist bisher noch nicht besprochen worden. Er legt sich von der Funktion der stellvertretenden Bestrafung des Hermas her nahe. Der Hirtenengel benennt sie ausdrücklich: Hermas leidet hier als "Haupt des Hauses". Nun kannte bereits das altrömische Recht die Haftung des paterfamilias "für den Schaden (noxa), den sein Hauskind oder Sklave einem Dritten durch Delikt zugefügt hatte. Sie geht von dem Recht des Geschädigten auf Rache am Schädiger aus, von der der p.f. (sc. paterfamilias) den Schädiger loskaufen konnte... Erheblich jünger ist die (mittelbare) Haftung des p.f. für Geschäftsschulden des Gewaltunterworfenen. Sie wurde durch Klagen verwirklicht, in deren Formeln der p.f. als zu verurteilen-

---

51 Vgl. Bill. II 275.279; III 261; grApkEsra 1,11.

52 Vgl. Röm 9,3.

53 Vgl. Philostratos, vit. Apoll. IV 16; Ner. 204f.

54 Vgl. Ex 20,5, Dt 5,9.

55 Vgl. Joh 9,2.

56 Vgl. Bultmann, Johannes 251 Anm. 2.

57 Vgl. etwa Horaz, carm. III 6,1-8 (dazu Syndikus, Horaz II 86-97), und Liebeschuetz, Continuity 93f.

58 Wie Joh 9,3 zeigt, wurde einer solchen Anschauung im frühen Christentum widersprochen.

59 Vgl. auch, daß im Fall von Ex 32,20-25 die Stellvertretung für die Konsequenzen der Sünde abgelehnt wird.

der Hafter neben den nur 'natürlich' verpflichteten Gewaltunterworfenen gestellt wird..."[60]. Könnte es sein, daß die himmlische Strafpraxis, die gegenüber
Hermas angewandt wird, analog zur römischen Rechtspraxis gegenüber dem
paterfamilias verfährt?

Aus der Stellvertretung des paterfamilias für seine familia ließen sich jedenfalls leicht
weitere Passagen im "Hirten des Hermas" erklären, die bisher nur ungenügend verstanden worden sind:

1. In vis I 1,9 verheißt die als Offenbarungsmittlerin fungierende ehemalige Herrin
des Hermas, Rhode, dem Visionär, sein Gebet zu Gott könne die Vergebung nicht nur
seiner eigenen Sünden, sondern auch der seines Hauses und der aller Christen bewirken. Es war eine Aufgabe des paterfamilias, im Rahmen einer lustratio Übel an allem,
was seiner Macht unterstellt war, u. a. mit Hilfe von Gebeten für domus und familia
abzuwenden[61].

2. Aus der eben skizzierten Verantwortung des paterfamilias für das von den Göttern
abhängige Wohl der familia erklärt sich die Korrektur des Gebetsverhaltens des Hermas
durch die Greisin in vis III 1,6: Statt nur seine (!) Sünden zu bekennen, soll er auch um
Gerechtigkeit bitten, um an dieser Gerechtigkeit für sein Haus (!) Anteil zu erlangen.

3. Es ist seit jeher aufgefallen, daß in vis I 3,1 Rhodes Offenbarung bezüglich des
Motivs des Zorns Gottes gegen Hermas (vis I 1,6) von der Greisin korrigiert wird[62]:
Nicht Hermas' eigene Sünde, sondern die seines Hauses wird zum Motiv für den Zorn
Gottes gegen Hermas erklärt. Die Analogie zu sim VII ist deutlich: Hier wie dort werden Hermas selbst Sünden zugeschrieben[63]. In beiden Fällen gelten diese Sünden jedoch nicht als hinreichende Gründe für himmlische Mahn- oder Strafaktionen gegen
Hermas. Letztere sind vielmehr durch das Verhalten seines Hauses veranlaßt[64]. Der
göttliche Zorn gegen Hermas und die Behandlung durch den Strafengel werden also
jeweils dadurch legitimiert, daß Hermas für das Verhalten seines Hauses verantwortlich
gemacht wird. Und zwar gilt er allein als verantwortlich und haftbar. Nur über ihn
kann der Himmel auch auf das "Haus" Einfluß nehmen[65]: Der göttliche Zorn und seine
Offenbarung, die Sendung und Aktivität des Strafengels gelten ausschließlich dem
paterfamilias. Obwohl die Sünden der Kinder z. T. auch gegen Hermas' Frau gerichtet

---

60 Bund, pater familias 546f. Ausführliche Informationen bietet Kaser, Privatrecht I §§
   11-16.141.147.
61 Vgl. Cato, agr. 141,1-3; 143,1; ferner Terenz, Ad. 703-705. — Falls Klauser, cathedra 33f. mit
   Anm. 1, Recht hat, ist vis V 1 von einer (allerdings spärlich belegten) römischen Ge-
   betssitte, dem Hinsetzen nach beendigtem Gebet, her zu verstehen. — Ganz fremd sind
   derartige Vorgänge auch der Bibel nicht; vgl. Hi 1,5, den stellvertretenden Glauben
   anderer anstelle der jeweils Heilungsbedürftigen (Mk 2,5; 5,23f.26; 7,24-30; 9,23f.; Mt
   8,5-13) oder einen Ritus wie die Vikariatstaufe (1Kor 15,29; vgl. dazu Barth, Taufe 88-92,
   und Wolff, Korinther 185-191, jeweils mit Hinweisen auf weitere Literatur).
62 S. o. S. 13.
63 Vgl. vis I 2,4 mit sim VII 1f. Zur Frage des Hermas in sim VII 1 Ende vgl. auch vis I
   1,7.
64 Vgl. vis I 3,1 mit sim VII 2.
65 Besonders deutlich sim VII 3.

sind[66], treffen die himmlischen Sanktionen die Frau des Hermas nie so wie ihren Mann. Wenn Hermas in seiner Funktion als paterfamilias behaftet wird, ist es kein Zufall, daß er, nicht aber seine Frau himmlische Offenbarungen empfängt, die an eine beiden gemeinsame Familiensituation anknüpfen[67].

4. Auch die himmlische Botschaft vis II 2f. ließe sich hier zwanglos einordnen: Obwohl nicht nur Hermas selbst, sondern auch seine Kinder und seine Frau in dieser Botschaft der Sünde gezogen werden, ist die Botschaft und der Auftrag, sie den Endadressaten zu übermitteln, an ihn und nicht an seine Frau oder Kinder gerichtet[68].

Die eben angeführten Sachverhalte sprechen dafür, daß Hermas dabei jeweils im Hinblick auf seine Rolle als paterfamilias angesprochen wird. Damit ist die Faktizität dessen, was im "Hirten" über das Haus des Hermas gesagt wird, nicht positiv bewiesen. Immerhin aber ist ein Interpretationsrahmen bereitgestellt, innerhalb dessen Phänomene, die mit einer Fiktionshypothese allein nicht hinreichend erklärbar sind, plausibel werden. Da die Fiktionshypothese auch aus den in Abschnitt 3 genannten Gründen unwahrscheinlich ist, legt es sich nahe, im Haus des Hermas mehr als nur ein von ihm konstruiertes Modell zu sehen.

5

Römische Strukturen als *ein* Interpretationsrahmen für Inhalte des "Hirten des Hermas" lassen sich auch anderweitig feststellen oder wahrscheinlich machen.

1. Auf römische Familienstrukturen bezogen ist die Präsentation der Ehefrau des Hermas[69] und sind Aspekte der Schilderung der Greisin[70].

2. Ebenfalls auf familiäre Verhältnisse bezieht sich die Regelung der Ehescheidung mand IV 1. Auch dabei läßt sich zeigen, daß die dort propagierten Normen sich in Anlehnung und Abweichung am römischen Ehe- und Scheidungsrecht orientieren[71].

3. Daß gerade aus dem Bereich des Häuslichen römische Wirklichkeit in die Visionsschilderungen des Hermas Eingang gefunden hat, belegt die Tatsache, daß unter den wenigen Latinismen bei Hermas[72] sich vier bei der Schilderung

---

66 vis I 3,1; II 2,2.

67 S. u. S. 170.

68 S. u. S. 63.

69 Da sich bei der Präsentation von Hermas' Ehefrau und der Eltern-Kind-Beziehung in Hermas' Haushalt geschlechtsrollenspezifische Charakteristika zeigen, werden diese Phänomene bei der Analyse des Frauenbildes im "Hirten" behandelt, s. u. S. 169-174.

70 S. u. S. 174-177.

71 S. u. S. 185-190.

72 Zur Frage der Latinismen bei Hermas vgl. die detaillierte Untersuchung von Hilhorst, Sémitismes.

des Stuhls der Greisin in vis III 1,4 finden[73]: subsellium[74], cervical, linteum, carbaseum[75]. Es könnte allerdings sein, daß Hermas sich hier nicht nur an in Privathäusern üblichen Möbelstücken orientiert, sondern bei der Schilderung des Elfenbeinmöbels auch an die sella curulis denkt[76]. In diesem Fall könnte man versucht sein, das himmlische Vorgehen der Greisin mit der Praxis des römischen Magistrats zu vergleichen; doch angesichts der augenfälligen Unterschiede[77] muß dieser Gedanke Spekulation bleiben.

Aber auch unabhängig von solchen Möglichkeiten zeigen diese Beispiele – sie ließen sich vermehren[78] – die Präsenz römischer Strukturen im "Hirten des Hermas" zur Genüge.

Nicht zuletzt angesichts der häufigen Erwähnung des "Hauses" des Hermas stellt sich die Frage nach möglichen Entsprechungen zwischen der Struktur des Hauses und der Struktur der Gemeinde. Hat Hermas die (römische) Gemeinde, hat diese sich selbst als eine Art "Haus" aufgefaßt? Die Anhaltspunkte im "Hirten" sind dürftig:

1. Zweimal wird von der Kirche als dem "Haus Gottes" geredet. Dabei scheint "Haus" allerdings nur ein Synonym für die wesentlich häufigeren Begriffe "Bau" (οἰκοδομή) und "Turm" (πύργος) zu sein. Auf der Ebene der Metaphorik der Kirche als Bau spielt der οἶκος also keine besondere Rolle[79].

2. Im Rahmen der Hausstrukturen lassen sich die Anreden "Brüder" (ἀδελφοί) – vom Visionär aus – und "Kinder" (τέχνα) – von der mit der Kirche identifizierten Greisin aus – begreifen[80]. Es bleibt aber fraglich, ob diesen zur Zeit des Hermas bereits traditionellen Begriffen die Familienvorstellung noch anhaftet[81]. Ebenso fraglich ist, ob die andere, häufigere Selbstbezeichnung der

---

73 Vgl. ebd. 167 n. 2.

74 Zum subsellium vgl. Chapot, subsellium; Hug, subsellium.

75 Vgl. Tibull III 2,21 carbaseis velis. – Olck, carbasus.

76 Zur sella curulis vgl. Mommsen, Staatsrecht I 395.399-404; Chapot, sella 1179f.; Kübler, sella curulis. Da Elfenbein in der römischen Antike als wertvoll gilt (vgl. Gross, Elfenbein), wird es bei besonderen Stühlen wie der sella curulis als Verzierung verwendet. Von daher ist es wahrscheinlich, daß Hermas und seine Leser sich den in vis III 1,4 geschilderten Stuhl nicht als massiv elfenbeinern vorgestellt haben. – Auch das Wegtragen des Stuhls in vis I 4,3 und III 10,1 könnte von der Magistratspraxis her erklärt werden.

77 Vgl. nur die Einladung der Greisin an Hermas, neben ihr Platz zu nehmen vis III 1,8f.

78 Vgl. etwa den Begriff στατίων sim V 1,1, das Bild von Ulme und Weinstock sim II (dazu s. u. S. 113-126) oder die in sim V 2 geschilderte Situation (dazu s. u. S. 144-151).

79 S. o. S. 51.

80 S. u. S. 156-159.176f.

81 Nur einmal begegnet ἀδελφότης (mand VIII 10); die Paränese rekurriert also nur am Rande auf das (normative) Konzept der Brüderlichkeit.

Christen als "Sklaven Gottes" (δοῦλοι τοῦ θεοῦ) im Rahmen des antiken "Hauses" zu verstehen ist[82].

3. Gelegentlich steht die Struktur des römischen "Hauses" im Hintergrund der Beschreibung des Verhältnisses der Ekklesia zu Gott[83] und in der in sim V 2,9 angelegten, aber im weiteren Verlauf von sim V nicht explizit hergestellten[84] Entsprechung zwischen dem (als Urtext wohl vorauszusetzenden) οἰκοδεσπότης und Gott. Doch dominant sind Hausstrukturen weder in der Ekklesiologie noch in der Theologie des Hermas.

Das Ergebnis ist also im wesentlichen negativ: Dem "Hirten des Hermas" läßt sich nicht entnehmen, daß sein Verfasser — und, falls er hier repräsentativ ist, auch die Gemeinde - Kirche als "Haus" verstand. Daß das Haus mehrfach als Zwischengröße zwischen Individuum und Gesamtgemeinde fungiert, deutet darauf hin, daß die Gesamtgemeinde wohl schon durch ihre Größe eine Konzeption von der Art des οἶκος-Modells sprengte. Jedenfalls orientierten sich die Versuche des Hermas, die empirische Gemeinde wie auch die ideale Kirche begrifflich zu erfassen, nicht an Kategorien aus dem Bereich des "Hauses"[85].

Das bedeutet nun aber keineswegs, daß das Haus für die Konstitution von Gemeinde irrelevant gewesen wäre. Eher gilt das Gegenteil. Schon die Bedeutung, die der Gastfreundschaft zugemessen wird, beinhaltet eine Wertschätzung des Hauses. Mehr noch — zur Zeit des Hermas scheint das "Haus", in dem Christen leben, bereits weitgehend ein christianisiertes zu sein: Zumindest die Frau des Hermas ist Christin, und auch die Kinder sind entweder bereits Christen oder waren es (und sollten es wieder werden)[86]. Dem entspricht, daß bei der Behandlung der Scheidungsfrage vorausgesetzt ist, daß Christen *untereinander* heiraten[87]. Auch konnte nur dann, wenn das Zusammenleben von *Christen* in einem Haushalt selbstverständlich war, der Forderung tatsächlich entsprochen werden, den (von Hermas mehrfach angeprangerten[88]) Kontakt mit Heiden einzuschränken. Eventuell ist auch der von Her-

---

82 Nach vis III 9,10 haben die Presbyter die im "Haus" wichtige Aufgabe der "Erziehung" (vgl. auch Grapte, vis II 4,3); doch werden die Zöglinge im Kontext nicht als "Kinder", sondern als "Erwählte Gottes" bezeichnet. Das Familienmodell ist also nicht durchgehalten.

83 vis III 9,10; s. dazu u. S. 176f.

84 Vgl. das Fehlen des Ausdrucks οἰκοδεσπότης im Deutungsbegehren 4,1 und in der Deutung 5,2.

85 Das unterscheidet Hermas von den etwa zeitgleichen Pastoralbriefen, für die das Haus Modell für Gemeinde ist (vgl. dazu kurz Bieritz/Kähler, Haus 485f.).

86 Dies gilt unabhängig davon, ob Hermas' Familie tatsächlich existierte. Vorausgesetzt ist in jedem Fall das im wesentlichen *christliche* Haus.

87 mand IV 1; s. dazu u. S. 187f.

88 S. dazu u. S. 212.

mas den begüterten Christen empfohlene Freikauf von "bedrängten Seelen"[89]
als Befreiung christlicher Sklaven aus nichtchristlicher Umgebung und dann
wohl auch als deren Integration in christliche Haushalte zu verstehen. Die
Gemeinde ist auf dem Weg, eine sich ausbreitende, alles Nichtchristliche zu-
rückdrängende Gesellschaft zu werden, und dabei gilt das Haus zumindest
bei Hermas als der Ort eines mit Hilfe christlicher Tugenden zu gestaltenden
Lebens in moralischer Reinheit[90].

89 sim I 8; s. dazu u. S. 142.
90 Vgl. sim X, bes. 3,2.

IV: ÖFFENTLICHKEIT, HIERARCHIE UND DIE ROLLEN DES HERMAS

1

Wie komplex die Kommunikationssituation ist, die im "Hirten des Hermas" vorausgesetzt wird, läßt sich besonders gut an vis II veranschaulichen. Einige Stationen der Kommunikation sind in 2,4 aufgezählt: Gott beauftragt ein Ich, das sich ebensogut auf das von der Greisin dem Visionär überreichte Büchlein (1,4) wie auf die Greisin selbst beziehen kann[1], dem Visionär eine mit dem Inhalt des himmlischen Büchleins identische Botschaft zu übermitteln. Der Visionär wiederum soll diese Botschaft den in ihr bezeichneten Gruppen und Individuen weitergeben. Adressaten sind die Kinder (2,2f.) und die Frau des Hermas (2,3), die Vorsteher der Gemeinde (2,6f.), Hermas selbst (3,1.2a) und ein gewisser Maximus (3,4a); außerdem gibt es Verheißungen und Drohungen, die an "alle" gerichtet sind (2,4f.8; 3,2b.3.4b).

Der Versuch, sich vorzustellen, wie der Visionär diesen Übermittlungsauftrag habe ausführen sollen, ruft eine Reihe von Fragen hervor: Genügte es, den jeweiligen Adressaten nur das sie direkt Betreffende auszurichten? Oder sollten alle alles hören? Und wie, in welchem Rahmen, mit welcher Legitimation sollte das alles vor sich gehen?

Mit dem damit angesprochenen Problem der Öffentlichkeit in der römischen Gemeinde hängen die Probleme der Veröffentlichung der an Hermas gerichteten himmlischen Botschaften eng zusammen. Letztere spiegeln sich wiederum besonders deutlich in vis II. Sie beginnen damit, daß die Übermittlung der Botschaft von der Greisin an Hermas zunächst scheitert. Infolge der zu sehr begrenzten Aufnahmefähigkeit des Visionärs muß an die Stelle der mündlichen Mitteilung die schriftliche treten (1,3f.). Deren Verständnis und Verständlichkeit eröffnet sich Hermas wiederum nicht automatisch, sondern erst nach seiner Bitte an den hinter der Übermittlerkette stehenden göttlichen Sender (χύριος) um Verstehenshilfe (ἀποκαλύπτειν), mithin durch Metakommunikation (2,1). Metakommunikation liegt auch in dem eingangs paraphrasierten Satz der himmli-

---

1 Im zweiten Fall wäre das Büchlein bloßer Repräsentant der Greisin (so Hellholm, Visionenbuch 150); aber Eindeutigkeit ist hier nicht zu erreichen, zumal von sich selbst in erster Person redende Texte in der Antike keine Seltenheit sind. Am häufigsten begegnet die Ich-Rede von Texten in inschriftlichen Selbstvorstellungsformeln (vgl. z. B. Pfohl ed., Inschriften Nr. 2.5.23.42.47.65.93.146.149; ders., Monument 8f.33; ders., Form 64.73; ders., Gedanken 87.88; ferner Ploss, Inschriftentypus). Von den Inschriften aus ist diese Redeform später auch in die Literatur eingegangen (den Übergang markiert Theokrit 18,48), vgl. A. P. VI 49.124.125.127.264; Ovid, am. prooem.

schen Botschaft (2,4) vor. Schließlich ist Metakommunikation − Symptom und Lösungsversuch für Kommunikationsprobleme in einem − auch nötig, um die Identität der Greisin zu klären (4,1)[2] und um den Visionär zur Ausführung seines Auftrags zu bewegen; die Greisin fragt nach, ob Hermas den Presbytern das Büchlein bereits übergeben habe[3], was dieser verneint (4,2). Daraufhin weist sie ihn an, eine detaillierte Kommunikationsstrategie zu befolgen: Die Gemeinden außerhalb Roms sollen durch Clemens verständigt werden, die Witwen und Waisen durch Grapte. Beide erhalten von Hermas je eine Reproduktion des abgeschriebenen Büchleins (4,3), Clemens zu dessen schriftlicher Vervielfältigung, Grapte zu mündlicher Weiterverbreitung. Hermas selbst soll die verbleibende Abschrift des Büchleins mit den Presbytern der Ortsgemeinde lesen (ebd.).

Doch auch bei dieser Kommunikationsstrategie bleiben Fragen offen. Da die Veröffentlichung der himmlischen Botschaft auf *alle* Auserwählten abzielt (4,2), fragt es sich, wie diejenigen Glieder der Ortsgemeinde verständigt werden, die weder Witwen und Waisen noch Presbyter sind. Und weshalb erfolgt eine gesonderte Unterrichtung der Witwen und Waisen, weshalb eine eigene Veröffentlichung für die Presbyter? Unklar ist ferner, wieso diese Kommunikationsstrategie, selbst wenn sie erfolgreich gewesen sein sollte, offenbar nicht ausreicht. *Daß* sie nicht genügte, zeigt sich nicht zuletzt darin, daß der Text der Abschrift des himmlischen Büchleins samt den mit ihm verbundenen Kommunikationsakten und -problemen noch einmal in schriftlicher Form, als Teil eines größeren Ganzen, eben als vis II des "Hirten", veröffentlich wurde.

Diese zu vis II aufgeworfenen Fragen verweisen auf Sachverhalte und Probleme von grundsätzlicher Bedeutung, die im folgenden zu untersuchen sind: Welche Formen und Strukturen von Öffentlichkeit sind im "Hirten des Hermas" vorausgesetzt? Welche Rolle(n) und Funktion(en) übernimmt Hermas im Rahmen der Gemeindeöffentlichkeit?

2

"Öffentlichkeit ist jene Sphäre, in der ein Sozialsystem sich in seiner Herrschaft und Mitgliedschaft selbst darstellt und in der zwischen beiden Bereichen eine intensive Kommunikation stattfindet. Gegenstand der Kommunikation ist hauptsächlich der Normfindungs- und Normanerkennungsprozeß."[4] Als institutionalisierte Kommunikationsstruktur gibt es Öffentlichkeit in jeder Gesellschaftsform. Allerdings sind die Strukturen von Öffentlichkeit bisher nur für die

---

2 S. dazu auch u. S. 178.
3 Zum Aspekt der Kontrolle s. auch u. S. 147f.
4 Siebel, Einführung 212.

bürgerliche Gesellschaft der Neuzeit gründlicher untersucht worden[5], während bei der Erforschung der mittelalterlichen Feudalgesellschaft[6] und der griechischen und römischen Antike Öffentlichkeit als Forschungsgegenstand erst in Ansätzen erkannt ist[7].

Sofern sie komplex genug ist, gibt es in ein und derselben Gesellschaft zur selben Zeit verschiedene, z. T. konkurrierende Öffentlichkeiten nebeneinander. Diese sind unterschiedlich strukturiert, verschiedene Gruppen innerhalb der Gesellschaft sind an ihnen jeweils beteiligt oder nicht beteiligt[8].

Jede Form von Öffentlichkeit ist durch einen doppelten Ausschluß gekennzeichnet. Ausgeschlossen sind sowohl bestimmte (Gruppen) mögliche(r) Partizipierende(r) als auch bestimmte Lebensbereiche und Themen. In diesem doppelten Ausschluß manifestiert sich Herrschaft, ebenso in asymmetrischer Kommunikation der an Öffentlichkeit Partizipierenden; letztere verweist auf hierarchische Strukturen innerhalb der beteiligten Gruppe. Die Herstellung von Öffentlichkeit durch die Ausgeschlossenen oder die in asymmetrischer Kommunikation Benachteiligten ist als Alternative zum erzwungenen Schweigen, zum Unterbleiben solcher Herstellung mithin Herstellung von Gegenöffentlichkeit[9].

Die Grenzen zwischen den unterschiedlichen Öffentlichkeiten, zwischen Öffentlichkeit und Gegenöffentlichkeit sind durchlässig, allerdings mit der Tendenz zum Ausschluß des jeweils Anderen[10]. Insbesondere die Gegenöffentlichkeit tendiert zum umfassenden Zugriff auf die an ihr Partizipierenden und deren Lebensbereiche. Was der Öffentlichkeit an Lebensbereichen entzogen

5 Grundlegend Habermas, Strukturwandel; vgl. auch ders., Öffentlichkeit; Hentig, Meinung; Hölscher, Öffentlichkeit; Jäger, Öffentlichkeit; O'Neill, Revolution 12-29; Ruppert, Wandel 104-154; Sanders, Institution 78-113; Sennett, Verfall.

6 Ansätze bei Dempf, Imperium 21-33; zum Verhältnis von Öffentlichem und Privatem im Bußinstitut Duby, Ritter 77f.; zur literarischen Öffentlichkeit Morsch, schoene 22-51; Seitz, Spruchdichtung; Thum, Öffentlich-Machen.

7 Meier, Entstehung, und Dahlheim, Geschichte, sind derzeit noch Ausnahmen, die sich dieser Fragestellung öffnen. Vgl. ansonsten noch immer Habermas, Öffentlichkeit 15-17. Teilaspekte des Forschungsgegenstands, etwa die Strukturen der literarischen Öffentlichkeit (Buchproduktion usw.), sind natürlich seit langem untersucht — allerdings nicht im Blick auf die übergreifende Fragestellung. — Zur Medienwelt im 1. Jh. n. Chr. vgl. u. a. auch Kelber, Markus 22f. u. ö.

8 Vgl. etwa das Nebeneinander von bürgerlicher und proletarischer Öffentlichkeit; dazu z. B. Negt/Kluge, Öffentlichkeit; auch Bürgerliche und proletarische Öffentlichkeit; ferner Berger/Heßler/Kavemann, 'Brot' 221-250.

9 Vgl. Hübsch, Öffentlichkeit.

10 Daraus erklärt sich z. B., daß bei Hermas die außergemeindliche Wirklichkeit nur am Rande und undifferenziert in den Blick kommt; s. dazu u. Kap. VIII.

ist, ist der Gegenöffentlichkeit gerade öffentlich – und umgekehrt[11].

Literarische Öffentlichkeit ist ein Teilbereich von Öffentlichkeit. In der Öffentlichkeit sind die Funktionen von Mündlichkeit und Schriftlichkeit und ihr Verhältnis zueinander andere als in der Gegenöffentlichkeit. Das gilt auch für die Textproduzenten, ihre Rolle, Legitimation und Intention[12]. Weder in der Öffentlichkeit noch in einer asymmetrisch strukturierten Gegenöffentlichkeit darf jeder Partizipierende veröffentlichen[13] bzw. an der Veröffentlichung gehindert werden. Verfahren der *Zensur*, der Erlaubnis, des Verbots oder der Verhinderung von Kommunikation werden etabliert. Gerade im Hinblick auf die Zensur werden Prozeduren der Legitimation öffentlichen Auftretens und Redens oder Schreibens entwickelt, Möglichkeiten der Tarnung erprobt[14], Freiräume gesucht.

3

Wie die dem "Hirten des Hermas" zu entnehmenden Informationen zeigen, ist irdische Gemeindeöffentlichkeit in Rom eine differenzierte Öffentlichkeit. Wir erfahren von sieben Formen von Öffentlichkeit.

1. *Die Öffentlichkeit des Oikos des Hermas.* Sie ist auf Hermas, seine Frau, seine Kinder und die weiteren zum Oikos gehörenden Person bezogen[15]. Vorausgesetzt ist damit, daß der Oikos wenn nicht als ganzer, so doch wenigstens zu großen Teilen, christlich ist[16] – ein Phänomen, in dem sich die Tendenz zum Ausschluß des Anderen zeigt. Die Öffentlichkeit des Oikos wird durch Hermas als den paterfamilias hergestellt. Es handelt sich um eine hierarchisch strukturierte Öffentlichkeit mit asymmetrischer Kommunikation. Ihre Funktion besteht darin, kontinuierlich christliches Verhalten im Oikos zu propagieren, und zwar je nach der individuellen Lage der Adressaten mit dem Ziel, deren

---

11 In der Sphäre des Oikos sind andere Lebensbereiche öffentlich als im Bereich der Polis; in dieser partizipieren andere an der Öffentlichkeit als in jenem. Während die Öffentlichkeit der Polis durchaus eine repräsentative sein kann, ist an der Öffentlichkeit des Oikos jeder beteiligt, wenn auch im Rahmen asymmetrischer Kommunikationsstrukturen.

12 Vgl. dazu Koszyk, Vorläufer; Wohlfeil, Einführung 124-133; Bürger/Bürger/Schulte-Sasse eds., Aufklärung.

13 Vgl. nur die Schweigegebote für Frauen im frühen Christentum, s. u. S. 172.

14 Eine Tarnung vor außergemeindlicher Öffentlichkeit könnte im "Hirten" darin liegen, daß eines der sichersten Identifikationsmerkmale für die Christlichkeit eines Texts, die Erwähnung des Namens Jesus Christus, fehlt.

15 S. dazu o. Kap. III.

16 Dies dürfte nicht nur für den Oikos des Hermas, sondern für viele Haushalte gelten, in denen Christen lebten; vgl. neben den o. S. 61f. genannten Anhaltspunkten z. B. auch Aristides, apol. 15,6 oder die Haustafeltradition.

Verhalten zu verstärken oder zu korrigieren. Dabei kommt dem paterfamilias das Belehren zu[17], den Kindern und der Frau die Annahme und Befolgung der Belehrung[18]. Entsprechend den Rollen in dieser asymmetrischen Kommunikationsstruktur sind zwei Funktionsstörungen der Öffentlichkeit des Oikos denkbar. Zum einen kann der paterfamilias seiner Rolle nicht gerecht werden, indem er etwa die ihm übertragene Funktion der Belehrung nicht intensiv und extensiv genug oder aber auch mit ungeeigneten Mitteln wahrnimmt[19]. Zum anderen können die Adressaten der Belehrung der ihnen zugeschriebenen Rolle nicht gerecht werden, indem sie etwa die Befolgung der Belehrung verweigern[20], die Struktur häuslicher Rollenverteilung überhaupt in Frage stellen[21] oder die asymmetrische Kommunikationsstruktur dadurch aufzuheben versuchen, daß sie den paterfamilias und dessen Frau zur Aufgabe der Herstellung einer explizit christlichen Öffentlichkeit zwingen wollen[22]. Das Medium dieser Form von Öffentlichkeit ist vorwiegend oder ausschließlich die mündliche Kommunikation[23]. Die Öffentlichkeit des Oikos ist jederzeit herstellbar. Ihre regelmäßige tägliche Herstellung gilt als erwünscht[24].

2. *Die Öffentlichkeit der Zusammenkunft der Presbyter.* Diese Form der Öffentlichkeit ist eine zwar nicht alltägliche, vermutlich aber regelmäßige Einrichtung. Sie hat für die Organisation der Öffentlichkeitsstrukturen der Gesamtgemeinde deshalb wohl ein höheres Gewicht als die Öffentlichkeit etwa eines Oikos oder der versammelten Gemeinde. Zur Zeit des Hermas dürfte es sich im wesentlichen um eine nicht strikt hierarchisch strukturierte Institution gehandelt haben; die Kommunikation unter den Presbytern ist formal ein Austausch unter Gleichen.

Diese Behauptung bedarf näherer Begründung. Ausgangspunkt ist folgender Befund: Hermas bezeugt die Existenz von Presbytern[25], von Episkopen[26] und von Diakonen[27]

---

17 Vgl. vis I 3,1f. (νουθετεῖν).

18 Vgl. vis I 3,2; II 2,3f.; 3,1.

19 Anschauungsmaterial bietet das Rollenverhalten des Hermas selbst; ausführlich dazu u. S. 170f.

20 Vgl. vis II 2,2.

21 Vgl. vis I 3,1.

22 Dies könnte das Motiv der Kinder des Hermas gewesen sein, ihre Eltern zu verraten (vis II 2,2). Trifft das zu, so ist der Verrat, d. h. wohl die Denunziation vor den Behörden, als Veröffentlichung der geheimen Herstellung von Gegenöffentlichkeit in der Öffentlichkeit der römischen Gesellschaft zu interpretieren.

23 Von privatem (Vor-)Lesen christlicher Schriften wird bei Hermas nichts angedeutet; die ersten Belege dafür stammen aus späterer Zeit (vgl. Leipoldt/Morenz, Schriften 118-122).

24 Vgl. vis I 3,2 ὁ λόγος ὁ καθημερινὸς ὁ δίκαιος.

25 vis II 4,2f.; III 1,8 (vgl. 1Cl 44,5; 47,6. 54,2; 57,1). Sie sind mit den (προ-)ἡγούμενοι vis II 2,4; III 9,7 (vgl. 1Cl 1,3; 21,6) identisch.

in der römischen Gemeinde. Da in 1Cl die Episkopen ein Teil der Presbyter sind[28], die Tätigkeitsbereiche von Episkopen und Diakonen sich zumindest teilweise (Armenfürsorge) überschneiden, liegt auch für die von Hermas vorausgesetzten Gemeindeverhältnisse nahe, daß die Episkopen und die Diakone zu den Presbytern gehörten. Offen bleibt zum einen, ob es neben den Episkopen und Diakonen noch weitere Presbyter gab, zum anderen, ob das Verhältnis von Episkopen und Diakonen ein egalitäres oder ein hierarchisches war.

Die tendenziell symmetrische Kommunikationsstruktur innerhalb des Presbyterkollegiums, dessen Funktionen wohl die Aufrechterhaltung der Kontakte zwischen den einzelnen Hausgemeinden[29], die Nachwahl und Einsetzung von Presbytern und die Regelung von gesamt- und übergemeindlichen Belangen umfaßten, wird nach den Angaben und Andeutungen des Hermas in der Praxis in Frage gestellt. "Unfrieden" und "Streben nach Vorsitz" sind die Etikettierungen des Hermas für die Kommunikationsstörungen im Presbyterkollegium.

Die von Hermas mehrfach angesprochenen Streitigkeiten (διχοστασίαι o. ä.) bezeichnen bestimmte Arten von Spannungen, zu deren Charakterisierung zur Zeit des Hermas offenbar nur ein Stichwort nötig war. Infolge der knappen Ausdrucksweise an vielen Stellen sind wir weitgehend auf analytische Verfahren angewiesen, um Art und Umfang dieser Spannungen zu bestimmen. Neben einigen Stellen, die unbestimmbar bleiben[30], lassen sich Spannungen unter Amtsträgern von solchen zwischen (Gruppen von) Gemeindegliedern ohne Amt unterscheiden[31]. Daß es sich bei den Spannungen

---

26 vis III 5,1; sim IX 27,2 (vgl. 1Cl 42,4f.; 44,1-4). Ihre Aufgabengebiete sind Armenfürsorge (sim IX 27,2; daß hier neben Witwen und Bedürftigen die Waisen nicht genannt sind, ist wohl eher eine Nachlässigkeit, als daß man daraus eine unterschiedliche Kompetenzverteilung für Diakone — vgl. sim IX 26,2 — und Bischöfe ableiten dürfte; vgl. auch Noethlichs, Materialien 39f.), Gastfreundschaft (sim IX 27,2; vgl. auch 1Tim 3,2; Tit 3,8, Justin, apol. I 67,6) und nach 1Cl 44,4f. (vgl. dazu Fischer, Väter 10.81 Anm. 258; ferner Noethlichs, Materialien 36f.) Leitung des Gottesdienstes. Mindestens die dritte, vermutlich aber auch die erste Aufgabe impliziert regelmäßige und häufig wiederkehrende Tätigkeiten.

27 vis III 5,1; sim IX 26,2 (evt. auch 15,4); vgl. 1Cl 42,4f. Als Aufgabengebiet wird die Armenfürsorge erkennbar (sim IX 26,2). — In mand II 6; sim I 9; II 7.10 ist διακονεῖν nicht auf die Diakone oder andere Funktionsträger beschränkt. Vom διακονεῖν der Episkopen spricht sim IX 27,2.

28 Vgl. 1Cl 44,1-4 mit 44,5.

29 Das schließt auch Goppelt, Zeit 140 (vgl. 130), aus vis II 4,3.

30 vis III 12,3; sim VIII 10,1; IX 23,2; unbestimmbar bleiben auch die Urheber der in sim IX 23,3-5 erwähnten "ernste(n) Gefährdungen des Gemeindelebens" (Dibelius, Hirt 631).

31 Bei den zuletzt genannten Spannungen ist zu fragen, ob die Streitigkeiten, die sich auf Mitglieder mit hohem Sozialstatus beziehen (vis III 6,3; 9,2; wohl auch mand II 3, weil im Anschluß 4-6 Begüterte im Blick sind; sodann sim VIII 7,2 und vielleicht 8,5 sowie 9,4), auf Konflikte verweisen, die nur unter diesen auftraten, oder ob hier Beziehungen zwischen reichen und armen Gemeindegliedern angesprochen sind.

unter Amtsträgern um Konflikte innerhalb des Presbyterkollegiums gehandelt haben dürfte, ergibt sich aus folgenden Beobachtungen:

1. Auf die Presbyter deutet der Sprachgebrauch[32].

2. Auseinandersetzungen mit Lehrern, d. h. Streit um die rechte Lehre, werden — abgesehen davon, daß sie von Hermas weder als gravierend noch als ständig akut bezeichnet werden — nie mit der für "Streitigkeiten" charakteristischen Terminologie (vor allem καταλαλεῖν vs εἰρηνεύειν) beschrieben.

3. Auseinandersetzungen mit Propheten sind auf einen Einzelfall beschränkt[33], die Streitigkeiten treten jedoch häufiger auf.

Es handelt sich demnach wahrscheinlich um Probleme, die mit der Durchsetzung eigener Vorstellungen und dem Gewinn und Ausbau von Einflußmöglichkeiten innerhalb des Presbyterkollegiums zusammenhängen[34]. Dem entspricht, daß Hermas die "Streitigkeiten" nicht auf dogmatischer, sondern auf ethischer Ebene wahrnimmt und zu korrigieren sucht[35].

Das Medium dieser Form von Öffentlichkeit dürfte wiederum vorwiegend die mündliche Kommunikation gewesen sein. Daß Hermas in vis II 4,3 damit beauftragt wird, mit den Presbytern ein Schriftstück zu lesen, ist eine Ausnahme, nicht die Regel; ebenso außergewöhnlich ist, daß sich an der genannten Stelle ein nicht zu den Presbytern gehörender Christ Zugang zum Presbyterkollegium verschaffen will[36]. Freilich wird diese Form von Öffentlichkeit nicht als eine hermetisch abgeschlossene vorzustellen sein; andernfalls wäre den von ihr Ausgeschlossenen nicht so viel über die genannten Kommunikationsstörungen bekannt geworden, daß die Presbyter daran hätten behaftet werden können. Über den Ort der Zusammenkunft wissen wir nichts; es liegt nahe, daß sich das Kollegium in den Wohnungen der Presbyter traf.

3. *Die Öffentlichkeit der versammelten Gemeinde*[37]. Die gottesdienstliche Zu-

---

32 Zwar werden an keiner Stelle πρεσβύτεροι genannt; doch sind die προηγούμενοι τῆς ἐκκλησίας καὶ πρωτοκαθεδρῖται (vis III 9,7.10), die pastores (sim IX 31,4-32,2; zum Titel vgl. Eph 4,11; IgnPhld 2,1; Rom 9,1) und wohl auch die auf πρωτεῖαι und δόξα Bedachten (sim VIII 7,4-6) mit ihnen identisch. S. auch o. S. 67 Anm. 25.

33 mand XI. S. dazu u. S. 71f.75.77.84.86.102-104.

34 Vgl. vis III 9,7-10; sim IX 31,4-32,2 und wohl auch sim VIII 7,4-6.

35 Vgl. die Forderung, Frieden zu halten (εἰρηνεύειν) vis III 9,10; sim IX 32,2, die am Ideal der konfliktfreien Vergangenheit orientiert ist (vgl. vis III 5,1).

36 Daher könnte sich auch Hermas' Zögern erklären, sich diesen Zugang zu verschaffen, vgl. vis II 4,2.

37 Zum Gottesdienst der römischen Gemeinde in nachapostolischer Zeit vgl. Hahn, Gottesdienst 82-84; Nagel, Geschichte 24f.32-35. — Hermas ist hier als Quelle unergiebig; einzig vis III 10,9 kann als Reminiszenz der Präfation angesehen werden (vgl. Dibelius, Hirt 479; Goppelt, Zeit 149; vgl. daneben noch vis III 7,4 und dazu Dibelius, Hirt 469). Den Nachweis einer aus Hermas ersichtlichen Beziehung zum Laubhüttenfest hat Ford, Background, nicht zuletzt infolge ihres unkritischen Umgangs mit der zum Vergleich herangezogenen heterogenen Quellenbasis nicht erbringen können.

sammenkunft fand – wie auch andernorts üblich[38] – in Rom in Privathäusern statt[39], in denen sich jeweils nur ein Teil der Gemeinde versammelte, und zwar zur Zeit des Hermas wohl noch in ganz gewöhnlichen, auch sonst genutzten Räumen[40]. Dies ist bedingt durch die Größe der über die ganze Stadt verstreuten Gemeinde; Tendenzen zur Bildung von Gruppen innerhalb der Gemeinde wurden dadurch gefördert[41]. Ob die damalige Gemeinde darüber hinaus auch als Gesamtheit zusammenkam, ist unsicher[42].

Vergleichbar ist die Situation der Christen in Korinth um die Mitte des ersten Jahrhunderts, wie sie besonders von *Theißen*[43] herausgearbeitet worden ist: Einzelne Teile der Gemeinde versammeln sich in Hausgemeinden[44]; darüber hinaus scheint sich die Gesamtgemeinde gelegentlich in *einem* Haus, dem des Gaius, getroffen zu haben[45].

Die Öffentlichkeit der versammelten Gemeinde ist vermutlich eine regelmässige Institution; Justin bezeugt regelmäßige Versammlungen am Sonntag[46]. Diese Form der Öffentlichkeit ist wahrscheinlich hierarchisch strukturiert; Presbyter (Episkopen, Diakone) machen dort regelmäßig ihren Einfluß geltend und sind bei der Ausübung ihrer Funktionen durch ihre Rolle legitimiert. Ihre Einflußnahme auf die übrigen Versammelten dürfte nicht zuletzt mittels der Predigt, d. h. asymmetrischer Kommunikation, erfolgen[47]. Neben der mündlichen Kommunikation hat hier auch die regelmäßig vollzogene Verlesung von Schriften eine wichtige Bedeutung[48]. Die öffentlich verlesenen Schriften dienen u. a. auch zur Legitimation der Predigtinhalte, sind also letzteren gegenüber von höherer

---

38 Allgemein zur Hausgemeinde vgl. Filson, Significance; Gnilka, Philemonbrief 17-33; Klauck, Hausgemeinde; Rordorf, Gottesdiensträume; Stuhlmacher, Philemon 70-75.

39 Für Rom ist der erste explizite Beleg, von Röm 16,5 abgesehen, MartJustini 3,1 (dazu Goppelt, Zeit 140). Cyprian, ep. 63,16 bezeugt noch für das dritte Jahrhundert die Existenz von Hausgemeinden.

40 Vgl. Petersen, House-Churches 265f. – Die wahrscheinlich erst seit Ende des zweiten Jahrhunderts (vgl. Eck, Eindringen 392f.; Gross, Katakomben 155) verfügbaren Katakomben und Coemeterien dienten nicht als Gottesdiensträume (vgl. z. B. Petersen, House-Churches 265; Goppelt, Zeit 140 Anm. 10).

41 Vgl. Filson, Significance 110; ausführlich Lampe, Christen 301-345.

42 Vgl. auch Meeks, Christians 143. Unklar ist Justin, apol. I 67,3.7, im Vergleich mit Mart Justini 1 (vgl. dazu Rordorf, Gottesdiensträume 114 mit Anm. 15; Klauck, Hausgemeinde 70). Zum Problem der Veröffentlichung der Botschaften des Hermas s. u. S. 98-104.

43 Vgl. Theißen, Integration 308; ders., Legitimation 228; ders., Schichtung 250f.; auch Meeks, Christians 142f.

44 Rückschluß von 1Kor 11,22 und Röm 16,23 her.

45 Vgl. 1Kor 11,20; Röm 16,23.

46 Justin, apol. I 67,7.

47 Vgl. Justin, apol. I 67,4. Bei Hermas vgl. das παιδεύειν vis III 9,10.

48 Vgl. Justin, apol. I 67,3.

Autorität[49]. Im Zusammenhang mit öffentlicher Schriftverlesung ist wohl auch der für Apokalypsen ungewöhnliche[50] ausdrückliche Verweis auf die heute verlorene Schrift Eldad und Modat (vis II 3,4)[51] zu verstehen[52].

Neben Predigt und Schriftverlesung gab es vermutlich für alle die Möglichkeit, öffentlich zu beten[53]. Diese Situation setzt Hermas in mand XI 9.14 voraus, wo er von einer "Versammlung (συναγωγή) gerechter Männer"[54] spricht und auf das dort geschehene Bittgebet (ἔντευξις) abhebt. Die Institution des Bittgebets bildet nach Hermas den Rahmen für die spontane, nicht regelmäßig geübte Einflußnahme der Propheten auf die Öffentlichkeit der versammelten Gemeinde. Diese Einflußnahme wird nicht wie die der Presbyter durch die Rolle als solche legitimiert; denn zur Zeit des Hermas steht die Legitimität der Propheten-

---

49 Für einen tieferen Einblick in das Interaktionsverhalten innerhalb der Gemeinde wäre eine (hier nicht zu leistende) Analyse des Schriftgebrauchs der aus Rom stammenden Texte wichtig. Hierzu einige Bemerkungen: Wenn in einem Text Zitate begegnen, kann daraus nicht von vornherein gefolgert werden, daß die Schriften, denen die Zitate entnommen sind, der ganzen Gemeinde bekannt gewesen seien. Vielmehr fällt auf, daß z. B. 1Cl kaum Evangelien, Justin kaum Briefe zitiert; Markion kennt Evangelien und Briefe, während sich bei Hermas mit Ausnahme von vis II 3,4 überhaupt keine Zitate und nur wenige Anspielungen finden (erklärlich durch die Gattung Apokalypse, die in aller Regel nicht mit Legitimation durch die Schrift arbeitet). Der Schluß liegt nahe, daß dieser Sachverhalt u. a. auch durch mangelnden Kontakt zwischen einzelnen Hausgemeinden bedingt ist. Folgende Fragen stellen sich: Welche Schriften waren der ganzen Gemeinde, welche vermutlich nur Teilen der Gemeinde bekannt? In welcher Form (Einzelschrift, Sammlung, Florilegium) lagen sie vor? Wer hatte Zugang zu ihnen? Wer erwarb die Schriften (Individuen, die Gesamtgemeinde bzw. deren Beauftragte)? Wurden sie vervielfältigt? Wo wurden sie aufbewahrt (privat, zentral)? Welche Geltung hatten die einzelnen Schriften?

50 Vergleichbar sind allenfalls die zwar nicht in Apokalypsen im engeren, aber doch in Offenbarungsliteratur im weiteren Sinn zu findenden Literaturhinweise in den Zwölfertestamenten (Sim 5,4; Levi 10,5; Dan 5,6; Napht 4,1; Benj 9,1). – Das von Ebach, Apokalypse 16-20, beschriebene Verfahren der Zitatcollage in Apokalypsen liegt auf einer anderen Ebene als der der Legitimation durch die Schrift; implizite Aufnahme ist etwas anderes als expliziter Verweis. Für Hermas ist Zitatcollage als literarisches Verfahren irrelevant.

51 Dem Zitat nach zu schließen, dürfte es sich um eine Apokalypse gehandelt haben; die Schrift gehörte dann zu den wenigen Apokalypsen, die Propheten der hebräischen Bibel zugeschrieben wurden (vgl. Aune, Prophecy 109 mit n. 54; hinzuzufügen wäre äthHen, da Henoch in Jud 14 als Prophet gilt).

52 Ein weiterer, allerdings indirekter Reflex gottesdienstlicher Schriftlesungen könnte in sim IX 11,8 vorliegen.

53 Vgl. Justin, apol. I 67,5. Von der Situation des öffentlichen Bittgebets her könnte die Befremdlichkeit von vis I 1,9 (s. dazu o. S. 58) aufzulösen sein.

54 Zur androzentrischen Ausdrucksweise s. u. S. 161-164.

rolle selbst zur Debatte[55]. Die Legitimation für das spontane Eingreifen der Propheten bildet vielmehr ihr Erfülltwerden vom Geist[56]; der Geist als Handlungssouverän läßt nicht zu, daß der Prophet durch Aufforderungen anderer zum Sprechen gebracht wird. Freilich kann ein Prophet seiner Rolle nur dadurch gerecht werden, daß er unter den genannten Rahmenbedingungen tatsächlich seine Einflußmöglichkeiten nutzt. Ein während des Gebets schweigender oder gar der Versammlung fernbleibender Prophet genügt den Rollenerwartungen derjenigen Kreise in der Gemeinde, deren Repräsentant Hermas ist, nicht und kann daran als Pseudoprophet erkannt werden[57]. Die im Sinne des Hermas ihren Rollenerwartungen entsprechenden Propheten sind nicht nur aufgrund ihrer begrenzten Einflußmöglichkeiten, sondern auch (und damit zusammenhängend) aufgrund ihrer Stellung innerhalb der Hierarchie der Funktionsträger gegenüber den Presbytern zweitrangig[58]. Konflikte können sich dadurch ergeben, daß ein Prophet diese Zweitrangigkeit (und damit die herrschende Definition seiner Rolle) nicht akzeptiert[59].

Die Versammlung der Gemeinde stellt aber nicht nur im Hinblick auf die Propheten eine ausgezeichnete Möglichkeit zu sozialer Kontrolle dar. Wenn sich für Hermas konformes Verhalten nicht zuletzt im Halten der Gemeinschaft mit den Gläubigen zeigt[60], so ist dabei in erster Linie an die Gemeinschaft in der gottesdienstlichen Versammlung zu denken.

In dieser Hinsicht scheinen vor allem begüterte Gemeindeglieder abweichendes Verhalten an den Tag gelegt zu haben. Gerade ihnen wird der Vorwurf der Gemeinschaftslosigkeit mehrfach gemacht. Als Motive werden der Reichtum und die Inanspruchnahme durch Geschäfte[61] oder aber die Vermeidung von Bitten bedürftiger Gemeindeglieder um materielle Unterstützung[62] unterstellt[63].

---

55 Vgl. Aune, Prophecy 226-228.

56 mand XI 9.

57 Vgl. mand XI 13.14.

58 Indizien: In den Aufzählungen christlicher Ämter (vis III 5,1; sim IX 15,4; 16,5; 25,2) werden Propheten nicht erwähnt. Die Propheten haben keine Ehrenplätze (vgl. vis III 9,7) inne; das Streben nach solchen Ehrenplätzen gilt vielmehr als unzulässige Grenzüberschreitung (mand XI 12). Die himmlische Botschaft aus vis II soll an die Presbyter weitergeleitet werden (vis II 4,2f.), nicht an Propheten. Die Presbyter sind es, denen Hermas in vis III 1,8 den Vortritt lassen will. Vgl. auch Aune, Prophecy 209-211.

59 Vgl. mand XI 8.12. Dies ist *ein* Aspekt des in mand XI zum Ausdruck kommenden Konflikts zwischen dem Pseudopropheten und denjenigen, für die Hermas spricht.

60 Vgl. vis III 6,2; mand XI 13; sim VIII 8,1; 9,1; IX 20,1f.; 26,3. Vom Kontext her ist wohl auch mand X 1,6b hierher zu rechnen.

61 sim VIII 8,1; 9,1; IX 20,1; vgl. Gülzow, Sklaverei 88.

62 sim IX 20,2; vgl. vis III 9,2-6.

4. *Die Öffentlichkeit eines Treffens von Witwen und Waisen.* Von dieser Institution erfahren wir durch vis II 4,3. Der Zweck dieser Einrichtung dürfte hauptsächlich in der materiellen Unterstützung bestimmter Gruppen von Bedürftigen bestanden haben; in diesem Fall ist anzunehmen, daß es sich um eine regelmäßige Einrichtung gehandelt hat. Ob es darüber hinaus noch weitere Ziele gab, läßt sich nicht mit Sicherheit feststellen. Immerhin ist nicht auszuschließen, daß mit der materiellen Unterstützung auch eine predigtartige Belehrung verbunden war oder zumindest sein konnte, falls das "Unterweisen" (νουθετεῖν) von vis II 4,3 auf eine regelmäßige und nicht nur auf eine außerordentliche Tätigkeit zu beziehen ist. In jedem Fall wird auch diese Öffentlichkeit durch Spezialisten (Episkopen, Diakone) hergestellt; damit liegt eine hierarchische, asymmetrische Kommunikationsstruktur vor. Konflikte können sich ergeben, wenn die Spezialisten oder die Almosenempfänger den ihnen zugeschriebenen Rollenerwartungen nicht genügen, also etwa, wenn Diakone die ihnen zur Verteilung anvertrauten Gelder unterschlagen[64] oder wenn Personen Almosen empfangen, die nicht bedürftig (genug) sind[65]. Wo sich die Witwen und Waisen trafen, ist nicht sicher zu ermitteln; als Treffpunkt käme wohl u. a. auch die Wohnung des jeweils zuständigen Episkopen oder Diakons in Betracht, wenngleich nicht zu beweisen ist, daß alle Spezialisten über eigene Wohnungen verfügten[66]. Unklar ist auch, ob es nur eine zentrale oder mehrere dezentrale Institutionen der Armenfürsorge gab. Für die Abfassungszeit von vis II 4,3 ist freilich ersteres wahrscheinlicher, wollte man nicht annehmen, daß bestimmte Gruppen der Gesamtgemeinde (z. B. etwaige nicht Grapte anver

---

63 Daß die gottesdienstliche Versammlung eine gute Möglichkeit sozialer Kontrolle war, Sklaven aber nicht in derselben Weise wie Freie oder Freigelassene über ihre Teilnahme oder ihr Fernbleiben entscheiden konnten, ihre Loyalität gegenüber der Gemeinde daher nicht ganz einfach zu kontrollieren war, könnte eines der Motive gewesen sein, den Freikauf von Sklaven aus nichtchristlichen Häusern (s. dazu u. S. 142) zu propagieren.

64 Vgl. sim IX 26,2.

65 Hermas reflektiert das Problem in mand II 4-6, hat dabei allerdings nicht eine institutionalisierte Armenfürsorge im Blick, sondern die direkte Unterstützung eines Gemeindegliedes durch ein anderes. Im übrigen erfahren wir von bestimmten genauer festgelegten Zugangsbedingungen und Kriterien für Unterstützungswürdigkeit, wie sie etwa in 1Tim 5,9f. aufgestellt werden, in der römischen Gemeinde nichts.

66 Als Diakone wurden vermutlich auch Sklaven berufen; diese Vermutung basiert auf einem vergleichenden Rückschluß (vgl. 1Kor 16,15; Plinius, ep. X 96,8). Konstruktive oder analytische Verfahren versagen bei den römischen Quellen unseres Zeitraums. Auch aus dem gegen einige Diakone erhobenen Vorwurf der Unterschlagung von Gemeindeeigentum (sim IX 26,2; zum περιποιεῖσθαι vgl. vis I 1,8; dort von den Reichen) kann nicht auf die soziale Stellung der Beschuldigten geschlossen werden.

traute Witwen und Waisen) von der Kenntnisnahme der himmlischen Botschaft ausgeschlossen werden sollten.

5. *Die Öffentlichkeit des Unterrichts.* Die Existenz dieser Form von Öffentlichkeit wird durch die Erwähnung von Lehrern im "Hirten des Hermas" gesichert. Da Hermas, sofern er sich auf seine eigene Zeit bezieht[67], nur von solchen Lehrern spricht, die seinen eigenen dogmatischen und moralischen Standards nicht entsprechen[68], ist es nicht leicht, sich ein Bild vom christlichen Lehrbetrieb in Rom zu machen. Anzunehmen ist, daß die Lehrer die Katechumenen zu unterrichten hatten. Darüber hinaus ist aber auch Einfluß auf bereits Getaufte erkennbar[69]. In welchem Rahmen dieser Unterricht stattfand bzw. welche Einflußmöglichkeiten und -mittel den Lehrern überhaupt zur Verfügung standen, bleibt im Dunklen, ebenso, ob neben der mündlichen Kommunikation auch das Medium der Schrift eine Rolle spielte.

Reflexe von Unterrichtssituationen könnten in vis III 7,3, wo anfangs taufwillige, aber angesichts der mit der Mitgliedschaft in der Gemeinde verbundenen ethischen Forderungen von der Taufe Abstand nehmende Personen gemeint sind[70], und in sim IX 31,1-3 vorliegen, wo um Reiche geworben wird, die noch zögern, sich taufen zu lassen. Doch ist in beiden Fällen nicht ausgeschlossen, daß hier (auch) die Öffentlichkeit der versammelten Gemeinde und deren Wirkung auf (noch) nicht Getaufte eine Rolle spielte.

Zwei Konfliktmöglichkeiten sind hier wahrscheinlich. Zum einen können inhaltliche Differenzen zwischen (Gruppen von) Lehrern untereinander als Streit um die rechte Lehre ausgetragen werden; dabei können — je nach der Tragweite der Differenzen und den mutmaßlichen Konsequenzen für den Alltag der Gemeinde — auch andere Rollenträger in solche Konflikte eingreifen. Zum anderen können sich Konflikte daraus ergeben, daß Lehrer Einflußbereiche und -möglichkeiten beanspruchen und benutzen, die ihnen von anderen Rollenträgern in der Gemeinde nicht zugestanden werden.

---

67 Als eine neben anderen Amtsträgern in der Vergangenheit tätige Gruppe werden die Lehrer in vis III 5,1; sim IX 15,4; 16,5; 25,2 erwähnt. — In 1Cl werden Lehrer nicht genannt (vgl. dazu Goppelt, Zeit 132).

68 mand IV 3,1; sim VIII 6,5; IX 19,2f.; 22,2.

69 Vgl. mand IV 3,1; sim VIII 6,5. Von dieser Gruppe von Lehrern, die die Unmöglichkeit einer Vergebung von Christensünden vertritt, sind die in sim IX 19,2f. genannten Lehrer zu unterscheiden, da sie den "Begierden der sündigen Menschen" entgegenkommen.

70 Vgl. dazu Dibelius, Hirt 470. Da ein Widerspruch zwischen den ethischen Forderungen des sich im "Hirten" spiegelnden Christentums und der Lebenspraxis in besonderem Maß für Reiche anzunehmen ist, sind die an dieser Stelle genannten Personen tendenziell den Begüterten zuzuordnen.

Ob unter den von Hermas bekämpften Lehrern Gnostizisten waren[71], ist fraglich, zumal eindeutige Bezugnahmen auf das Eindringen oder die Wirkung gnostizistischer Lehren in der römischen Gemeinde in seiner Schrift fast ganz fehlen. Freilich hat es an Versuchen, im "Hirten des Hermas" Reaktionen auf gnostizistische Kreise und Lehrer zu finden, nie gemangelt. Die meisten der zum Nachweis dieser These herangezogenen Stellen können die Beweislast jedoch nicht tragen:

(1) Der in vis III 7,1[72] beschriebene Personenkreis wird weder durch "Zweifel" noch durch andere Eigenschaften als spezifisch gnostizistischer gekennzeichnet, vielmehr handelt es sich hier um "Zweifel am Christentum überhaupt, der zum Suchen eines neuen Weges, d. h. eines nichtchristlichen Heils-Mysteriums treibt"[73]. Im übrigen ist an dieser Stelle vorausgesetzt, daß die betreffenden Personen sich selbst nicht mehr zur Gemeinde rechnen — im Unterschied zum frühen Gnostizismus in Rom.

(2) Daß der Pseudoprophet von mand XI ein gnostizistischer Lehrer sei, kann man bezweifeln[74], daß er gar mit Valentin zu identifizieren sei[75], ist angesichts unserer spärlichen Kenntnisse von Valentins Leben und Lehre bloße Spekulation.

(3) Die ungünstige Quellenlage spricht auch gegen die Annahme, das Gleichnis vom treuen Sklaven und seine christologischen Deutungen (sim V 2.5f.) seien auf Valentin selbst zurückzuführen[76]. Auch eine Interpretation des Gleichnisses nach Maßgabe von EvPhil 2 (= NHC II,3 p. 52,2-5) ist alles andere als zwingend, zumal wenn sie gegen den Wortlaut von sim V interpretiert[77].

---

71 In diesem Fall hätten wir einen groben Anhaltspunkt für ihre soziale Stellung, da Gnostizismus als Indikator für die Zugehörigkeit zu höheren Schichten gelten kann, vgl. van Baaren, Definition; Green, Themes; ders., Gnosis 95-98; Kippenberg, Verortung; ders., Intellektualismus; Lampe, Christen 249-268; Mendelson, Notes; Munz, Problem; Pokorný, Hintergrund; Ritter, Christentum 23 Anm. 132; Rudolph, Gnostizismus 119-124; ders., Problem; ders., Gnosis 228; Stroumsa, Gnosis; Theißen, Auswertung 49f. Anm. 30; Wengst, Häresie 59f. Anm. 140; ders., "Paulinismus" 60f. mit Anm. 32. — Terminologisch folge ich der Konvention des Gnosis-Kongresses von Messina 1966, wonach "Gnostizismus" für die entwickelten theologischen Systeme des 2./3. Jahrhunderts reserviert wird (vgl. Rudolph, Gnosis 64f.).

72 Nach Koschorke, Polemik 59 Anm. 36, läge hier antignostische Polemik vor.

73 Dibelius, Hirt 469f.

74 Vgl. ebd. 539: "Die Frage..., ob Hermas bestimmte Gnostiker treffen wollte, muß verneint werden, da er nichts über irgendeine Absplitterung von der Gemeinde, auch nichts über etwaige Lehrdifferenzen sagt. Vielmehr haben wir nach seinen Worten keinen Anlaß, das geschilderte Treiben nur in gnostischen Kreisen zu suchen." Vgl. auch Reiling, Hermas 65f.

75 So Speigl, Staat 120f.

76 So ebd. 119f. Anm. 59.

77 Vgl. ebd.: Der Sklave habe "eine ganz unsklavische Gesinnung..., er denkt nicht an sich, sondern an den Besitz seines Herrn." Man kann sich schwer vorstellen, wie Speigl mit der aus NHC II,3 p. 52,2-5 gewonnenen Prämisse, ein Sklave denke nur an seine Freilassung und nicht an die Interessen seines Herrn (zur teilweisen Berechtigung dieser

(4) Die ebenfalls in sim V begegnende Mahnung, die σάρξ nicht zu beflecken (6,7-7,4), kann zwar gegen libertinistische Gnostizisten gerichtet sein, doch wissen wir aus anderen Quellen nichts von libertinistischem Gnostizismus im Rom des frühen zweiten Jahrhunderts. Auch könnte "schon ein rein ethisches Interesse zu dieser Polemik gegen einen jener Zeit immerhin naheliegenden Libertinismus geführt"[78] haben. Zudem ist die zurückgewiesene Vorstellung von der Vergänglichkeit der σάρξ (7,2) "not an exclusively Gnostic idea"[79].

(5) In sim VIII 6,5 "it is very doubtful whether Gnostic teachers are envisaged since the main point against the hypocrites is that they do not allow the sinners to repent"[80].

(6) Die in sim IX 19,2f. erwähnten Lehrer können, müssen aber nicht Gnostizisten sein[81].

(7) Einzig die polemische Kennzeichnung ϑέλοντες πάντα γινώσκειν, καὶ οὐδὲν ὅλως γινώσκουσι sim IX 22,1 deutet darauf hin, daß die in sim IX 22 angegriffenen Lehrer Gnostizisten sind[82].

(8) Ohne nähere Begründung bleibt schließlich folgende Annahme: "Die Polemik des Hermas gegen die Reichen hat womöglich auch ihnen (sc. den Valentinianern) gegolten"[83].

Aus alldem ist zu folgern: Die Existenz von Gnostizisten in Rom zur Zeit des Hermas ist aus dem "Hirten des Hermas" nicht mit Sicherheit zu erschließen und nur an wenigen Stellen, die entstehungsgeschichtlich zum späten Teil der Schrift gehören, wahrscheinlich. Jedenfalls erfahren wir weder von einer etwaigen eigenen gnostizistischen Gemeinschaftsbildung noch von dem Charakter der gnostizistischen Lehren. Anspielungen auf eines der großen dualistischen Systeme, etwa auf den Valentinianismus, fehlen.

Ansicht vgl. De Martino, Wirtschaftsgeschichte 198), die verbreitete servus-bonus-Thematik (s. dazu u. S. 145f. mit Anm. 54) in christlichen und nichtchristlichen Texten interpretatorisch anders als in sim V 2 bewältigen könnte. — Auch die folgende Behauptung (ebd.) läßt sich nicht halten: "Das Fleisch (männlich) befleckte den Geist (weiblich) nicht." Von einer männlichen σάρξ spricht sim V 6,5 ebensowenig wie von einem weiblichen πνεῦμα. Wollte man sich hier festlegen, so wäre das πνεῦμα, da mit dem Sohn Gottes identifiziert (sim V 5,2), eher als männlich aufzufassen. — Im übrigen würden die erheblichen Schwierigkeiten, denen eine Analyse von sim V 5f. Rechnung zu tragen hat (vgl. dazu Pernveden, Concept 42-52), mit einer solchen These eher vergrößert als behoben.

78 Dibelius, Hirt 574; ähnlich Bultmann, Theologie 184. — Zum Problem Gnostizismus und Libertinismus vgl. Beyschlag, Veränderung 41 Anm. 32.

79 Reiling, Hermas 66; vgl. auch ebd. n. 3.

80 Ebd. 66. Polemik gegen Gnostizisten vermuten Bultmann, Theologie 172; Joly ed., Hermas 37f.; Speigl, Staat 120 mit Anm. 64; schwankend Dibelius, Hirt 596f., und Koschorke, Polemik 59 Anm. 36.

81 Vgl. Dibelius, Hirt 628f.; entschiedener Bultmann, Theologie 172.

82 So Dibelius, Hirt 630f.; Bultmann, Theologie 172; Beyschlag, Clemens 174; Hornschuh, Studien 28 Anm. 28; Joly ed., Hermas 37; Koschorke, Polemik 59 Anm. 36; Reiling, Hermas 66.

83 Theißen, Starke 285 Anm. 23.

6. *Die Öffentlichkeit des Mantikers und seiner Klienten.* Hier liegt eine eigenständige Form von Öffentlichkeit vor[84], die von Hermas zur Öffentlichkeit der versammelten Gemeinde in einen Gegensatz gestellt wird. Die Klienten nehmen, vielleicht im Haus des Mantikers selbst, an einer Séance teil, wobei sie dem Mantiker Fragen stellen[85] und gegen Bezahlung Antwort erhalten (mand XI)[86]. Da die Klienten den Mantiker eigens aufsuchen, genießt er ein höheres Prestige als die in der Versammlung der Gemeinde agierenden Propheten[87]. Die vorherrschende Kommunikationsweise dürfte die mündliche Rede gewesen sein. Die Konfliktmöglichkeiten dürften den im Hinblick auf die Lehrer vermuteten Reibungsflächen entsprochen haben: Konflikte unter den Spezialisten selbst (Prophet vs Pseudoprophet) und Konflikte des Mantikers mit anderen Rollenträgern.

7. *Die zwischengemeindliche Öffentlichkeit.* Nach vis II 4,3 soll Clemens die Abschrift der himmlischen Botschaft vis II 2f. an "die Städte außerhalb" (Roms) weiterverbreiten. Die Begründung "denn das ist ihm überlassen (ἐπιτέτραπται)" deutet darauf hin, daß die Herstellung (und Aufrechterhaltung?) von brieflichem Kontakt mit anderen Gemeinden als eine nicht nur einmalige Aufgabe des Clemens angesehen wurde; er gilt vielmehr als Spezialist dafür. Wie häufig dieser Kontakt hergestellt wurde (und mit wem), ist uns nicht bekannt, ebensowenig, wie sich Clemens dabei legitimierte[88]. Die schriftliche Kontaktierung ist Ausdruck und Mittel einer asymmetrischen Kommunikationsstruktur: Die Kommunikation wird einseitig hergestellt[89]. Die erwünschte Einflußnahme auf die Adressaten kann durch die Anwesenheit der Briefboten bis zu einem gewissen Grad kontrolliert und verstärkt werden[90]. Die Adressaten zu beeinflussen, ist

---

84 Daß die von Aune, Prophecy 227f., verwendete Etikettierung "private séance" bzw. "session" hier nicht greift, sieht er selbst, wenn er ebd. 227 bemerkt, daß "the word *private* needs qualification" (Hervorhebung im Original).

85 Von der Art dieser Fragen kann man sich anhand der erhaltenen Orakelfragen (vgl. z. B. Aune, Prophecy 52-54; Henrichs, Orakelfragen; Rees, Religion 87) eine Vorstellung machen.

86 Für die Interpretation des Mantikers verweise ich auf Aune, Prophecy 210f.226-228.

87 So mit Aune, Prophecy 210f. Die in mand XI 1 beschriebene Sitzordnung scheint das zu bestätigen. Vgl. auch die in mand XI 12 erwähnten Ambitionen auf die πρωτοκαθεδρία, die an vis III 9,7; sim VIII 7,4.6 erinnern und wohl auch nicht als traditionell abzutun sind (später begegnet der Vorwurf, den ersten Rang zu beanspruchen, häufig, aber nicht ausschließlich in antignostizistischer Polemik, vgl. Beyschlag, Kallist 107 Anm. 14; ders., Simon 51 Anm. 90, sowie NHC VII,3 p. 79,21-30).

88 Der einzige erhaltene Beleg einer Korrespondenz mit einer anderen Gemeinde, 1Cl, spricht mit der Autorität der Gesamtgemeinde.

89 Vgl. dazu auch 1Cl.

90 Vgl. 1Cl 65,1.

denn wohl auch die wichtigste Funktion dieser Form von Öffentlichkeit. Dabei kann es sich (wie im Fall des 1Cl) um Krisenintervention gehandelt haben; aber da die Überlieferung schweigt, läßt sich nicht feststellen, ob dies der einzige Anlaß war, Briefe an andere Gemeinden abzufassen[91].

Eine christlich motivierte Teilnahme von Gemeindegliedern an nichtchristlicher Öffentlichkeit (so später die Apologeten) ist bei Hermas nicht bezeugt[92], sieht man von der einen Stelle vis I 4,2 (in Verbindung mit 3,3) ab, wo auf indirekte Weise ein Bezug zu christlicher Missionspredigt vorliegen könnte[93]. Allerdings haben wir keine direkten Zeugnisse über Missionspredigten in Rom zur Zeit des Hermas[94]; ein besonderes Missionsinteresse, ein bestimmtes Missionsprogramm und spezielle Träger der Mission[95] sind entsprechend der in der alten Kirche allgemein üblichen Praxis nicht festzustellen. Die Werbung von Nichtchristen wird sich vermutlich vor allem im kleinen Kreis des Oikos abgespielt haben[96].

91 Die materielle Unterstützung anderer Gemeinden durch die römische Gemeinde ist eine weitere Form zwischengemeindlicher Interaktion, die aber schriftliche Kommunikation nicht notwendig beinhaltet. Sichere Belege dafür finden sich allerdings erst in der zweiten Hälfte des zweiten Jahrhunderts (Dionysios von Korinth und Dionysios von Alexandria, beide bei Eusebius, h. e. IV 23,10 bzw. VII 5,1f.); προκαθημένη τῆς ἀγάπης IgnRom praescr ist wohl nicht karitativ (so u. a. Gülzow, Sklaverei 78 mit Anm. 2), sondern martyrologisch zu deuten (vgl. Staats, Begründung; Lampe, Christen 71); vgl. zur Stelle auch Paulsen, Ignatius 65.

92 Damit ist ein wichtiger Unterschied zu der heutigen Diskussion um eine über die Kirche hinausgehende, von ihr selbst hergestellte oder mitbestimmte Öffentlichkeit benannt (vgl. dazu u. a. Dirks/Post, Kirche; Dörger, Kirche; Huber, Kirche). — Zum Verhältnis von Kirche und nichtchristlicher Öffentlichkeit vgl. neben MacMullen, Christianizing, u. a. auch Magaß, Semiotik; ders., exempla.

93 Nach der Verdrängungsreaktion des Hermas und dem, was wir sonst von urchristlicher Missionspredigt wissen (vgl. dazu etwa MacMullen, Christianizing 26; als Beispiel Röm 1,20ff.), dürfte inhaltlich dabei die Rede vom Zorn Gottes eine große Rolle gespielt haben.

94 Die Missionspredigt wird im Zusammenhang mit der universalen Ausbreitung des Christentums durch Apostel und Lehrer (sim IX 15,4; 16,4f.; 17,1; 25,2; vgl. VIII 3,2; vgl. dazu Goppelt, Zeit 124 Anm. 11) erwähnt, scheint aber als (im wesentlichen) bereits abgeschlossener Prozeß vorgestellt zu sein.

95 Man könnte an Lehrer denken, zumal diese in Verbindung mit der Ausbreitung des Evangeliums in der Vergangenheit genannt sind (s. Anm. 94). Aber mehr als eine Vermutung ist das nicht. Von missionarischen Effekten von Konfession und Martyrium deutet Hermas nichts an (es sei denn, man wollte die "Schößlinge" sim VIII 3,7 und die "Früchte" sim VIII 1,16; vgl. 3,6; IX 28,1-4 darauf beziehen, wozu kein unmittelbarer Anlaß besteht).

96 Vgl. als Illustration Celsus bei Origenes, c. Cels. III 55.

Dennoch gab es für Christen eine Art unfreiwilliger Partizipation an nicht-christlicher Öffentlichkeit. In der Situation der Verfolgung, vor allem vor Gericht, konnten sie sich öffentlich als Christen bekennen oder ihre Zugehörigkeit zur Gemeinde verleugnen.

Die Thematik der Christenverfolgung und ihrer Rechtsgrundlagen kann im Rahmen der vorliegenden Arbeit nicht umfassend behandelt werden[97]. Vorauszusetzen ist, daß das Christentum zur Zeit des Hermas längst kriminalisiert ist, ein staatliches Aufspüren von Christen nicht stattfindet, Christsein als individuelles Verbrechen gilt und eine feste Gerichtspraxis vorhanden ist. Im folgenden beschränke ich mich auf die Hermas selbst zu entnehmenden Angaben.

Daß die gegen Christen vorgebrachte Anklage auf das nomen ipsum[98] bezogen ist, scheint festzustehen. Dem entspricht die Betonung des "Namens" bei Hermas als der entscheidenden Differenz zwischen Gemeinde und Welt[99].

Im behördlichen Verfahren[100], bis zu dessen Beginn die Angeklagten wohl z. T. inhaftiert gewesen waren[101], hatten die Christen zwischen dem Bekenntnis zum christlichen Glauben einerseits und der Verleugnung ihres Glaubens und der Lästerung Christi[102] andererseits, wohl in Verbindung mit einem Opfer an die Staatsgötter und evt. den Kaiser[103], zu wählen.

Dieser Verhaltensalternative entspricht die von Hermas verwendete Terminologie: "Bekennen" (ὁμολογεῖν/ὁμολόγησις) bezieht sich ausschließlich[104], "Leugnen" (ἀρνεῖσθαι/

97 Vgl. die knappe Skizze von Andresen, Geschichte 11. Die Literatur zum Thema ist uferlos; vgl. z. B. die Angaben bei Scholz, Behörden 156 Anm. 2.

98 Plinius, ep. X 96,2 (= nomen Christianum, vgl. Freudenberger, Verhalten 73).

99 ὄνομα kann allein stehen, durch Hinzufügung von κύριος, θεός oder υἱὸς τοῦ θεοῦ expliziert, als ἔνδοξον bzw. μέγα qualifiziert oder durch ein Äquivalent (z. B. νόμος) ersetzt sein, ohne daß Bedeutungsunterschiede erkennbar würden. Der Name ist Inhalt der Missionspredigt (sim IX 16,5), Gegenstand der Erkenntnis (sim IX 16,7), des Glaubens (sim IX 17,4) und des Lobpreises (vis II 1,2; III 4,3; IV 1,3; sim IX 18,5). Er wird in der Taufe (vis III 7,3) empfangen (sim IX 12,4.8; 13,2.7) und von den Berufenen (sim VIII 1,1; IX 14,3) als fester Besitz (sim IX 19,2) getragen (φορεῖν sim IX 13,2f.; 14,5f.; 15,2; 16,3; 17,4; βαστάζειν sim VIII 10,3; IX 28,5). Seinetwegen kann der Christ leiden (vis III 1,9; 2,1; 5,2; sim IX 28,2f.5f.), sich schämen (sim VIII 6,4; IX 21,3; vgl. 14,6) oder zum Apostaten werden (sim VI 2,3). Der Name ist das Fundament der Kirche (vis III 3,5; sim IX 14,5). Durch ihn kommt die Rettung (vis IV 2,4) bzw. das Eingehen in die himmlische Stadt (sim IX 12,5) zustande. Damit ist der "Name" die Bezeichnung schlechthin für Grund und Gegenstand christlichen Glaubens und Hoffens sowie für das unterscheidend Christliche. Hierin stimmen die christlichen und nichtchristlichen Quellen überein.

100 In sim IX 28,4 sind ἐξουσία und ἐξετάζειν (vgl. dazu Bauer, Wörterbuch 545 sv ἐξετάζω 2) juristische termini technici.

101 Dies geht, abgesehen von Berichten von stellvertretender Haftübernahme (1Cl 55,2) und Unterstützung Inhaftierter (vgl. vielleicht auch die ἀναγκαί mand VIII 10), aus vis III 2,1 hervor.

102 Vgl. dazu Freudenberger, Verhalten 145-153.

103 Vgl. das Götzenopfer sim IX 21,3; ferner Freudenberger, Verhalten 121-145.

104 sim IX 28,4.7.

ἀπαρνεῖσθαι/ἄρνησις) zwar nicht immer[105], aber doch in den meisten Fällen[106] auf das Gerichtsverfahren. Ebenfalls in diesen Zusammenhang ist das "Lästern" (βλασφημεῖν/ βλασφημία) zu stellen[107]. Das Verhalten der Lästerer, die z. T. neben Apostaten[108] und Denunzianten[109] gestellt werden, ist für Hermas das entscheidende Kriterium für die Aussichtslosigkeit bzw. Verweigerung der Umkehr[110]. Weniger eindeutig auf das Gerichtsverfahren bezogen ist "abfallen" (ἀποστάτης/ἀφιστάναι). Wenn an einigen Stellen auch ein Bezug[111] vorliegt, so kann der Abfall doch auch in einer durch die gesellschaftliche Stellung und Verpflichtung bedingten privaten Entfremdung von der Gemeinde liegen[112]; manchmal ist eine Entscheidung darüber, ob das eine oder das andere vorliegt, nicht möglich[113].

Während der Leugner straffrei ausgeht, hat das Bekenntnis zum Christentum grundsätzlich negative Auswirkungen. Von verschiedenen Strafen berichtet vis III 2,1: Geißelung[114], Vermögenseinziehung[115], Tierkämpfe, Kreuzigung[116].

105 sim VIII 8,4 spricht von "diversen Verleugnungen" (ποικίλαι ἀρνήσεις); im Unterschied zu den in 6,4 Genannten besteht hier noch eine reale Bußchance. Der Grund dafür liegt wohl darin, "daß hier nur Gelegenheitsleugner gemeint sind, die etwa im geselligen Verkehr ihr Christsein preisgeben, nicht es in einer Verfolgung abschwören" (Dibelius, Hirt 598f.). Vgl. auch vis III 6,5; ferner sim IX 23,1.3; 26,5.

106 vis II 2,7f.; sim I 5; VIII 3,7; 8,2; IX 28,4.7f.

107 Vgl. dazu Freudenberger, Verhalten 147.

108 sim VIII 6,4; IX 19,1.

109 sim VIII 6,4; IX 19,1.3.

110 Vgl. sim VI 2,3 mit 2,4. Auch in sim VIII 6,4 ist die Verweigerung der Buße wohl der Leugnung zuzuschreiben, da ἐπαισχύνεσθαι allein nach sim IX 21,3 nicht zum Ausschluß von der Umkehr führt. — Vgl. ferner sim VIII 8,2; IX 18,3; 19,1.3.

111 sim VIII 6,4; 8,2; IX 19,1.

112 vis III 7,2; sim VIII 8,4f.

113 vis I 4,2; sim VIII 9,3 (beide Male neben den Heiden genannt).

114 Die Folter wurde um diese Zeit wahrscheinlich noch nicht gegen Freie eingesetzt (vgl. Freudenberger, Verhalten 97-99.109.119; Gross, Verbera 1186). Die so bestraften Christen dürften damit Unfreie gewesen sein.

115 Sämtliche Einzelbestimmungen in vis III 2,1 sind Explikationen des Oberbegriffs "leiden" (παθεῖν), der hier nicht technisch im Sinn eines mit dem Tod endenden Martyriums gebraucht ist, sondern auf Konfrontation mit den und Repression durch die staatlichen Behörden überhaupt geht. Da die anderen Einzelbestimmungen sämtlich im Sinn konkreter Strafen oder Repressalien verwendet werden, liegt dies auch bei den "großen Bedrängnissen" (θλίψεις μεγάλαι) nahe. (Wollte man hier apokalyptischen Sprachgebrauch im Sinne unkonkreter Rede annehmen und infolgedessen einen Bezug auf konkrete Repressionsmaßnahmen leugnen, so läge bei Hermas eine singularische Verwendung von θλῖψις weit näher; vgl. vis II 2,7; IV 2,5; 3,6.) In dieselbe Richtung weist die Erwähnung "großer privater Bedrängnisse" des Hermas (vis II 3,1; s. dazu o. S. 52 mit Anm. 21). — Dann ist es auch nicht abwegig, die von den Märtyrern im strengen Sinn unterschiedenen "wegen des Gesetzes Bedrängten" (sim VIII 3,7) wenn nicht mit Geldstrafen, so doch mit deren Androhung, zumindest aber mit Gerichtsverfahren in Verbindung zu bringen.

Daß unterschieliche Strafzumessungen vorlagen, geht auch, allerdings nicht mit für unsere Fragestellung wünschenswerter Klarheit, aus der von Hermas anderweitig verwendeten Terminologie hervor. Während "bezeugen" (μαρτυρεῖν) und wohl auch "prüfen" (δοκιμάζειν)[117] nicht in Zusammenhang mit Bewährung in Verfolgung verwendet wird, ist dies bei den mit "leiden" (παθεῖν) zusammengesetzten Wendungen der Fall[118]. An einigen Stellen ist deutlich, daß durch das "Leiden" sowohl Märtyrer im engeren Sinn als auch zugleich Konfessoren gekennzeichnet werden[119], während je einmal das Leiden als Unterscheidungskriterium zwischen beiden Gruppen dient[120] oder kein genauerer Bezug festgestellt werden kann[121].

Unklar ist, ob die christlichen Denunzianten, von denen gelegentlich die Rede ist[122], ihre Glaubensgenossen als Ankläger vor Gericht brachten oder ob sie selbst angeklagt waren und erst im Verlauf des Verfahrens zu Denunzianten wurden.

Die soziale Stellung der Angeklagten kann konstruktiv aus Angaben der Quellen, analytisch aus den Angaben über Strafen und darüber hinaus aus Erwägungen allgemeinerer Art erschlossen werden. Hermas stellt mehrmals zwischen Leugnung[123], Gotteslästerung[124] und Apostasie[125] einerseits und dem Reichtum der Christen, auf die er sich jeweils bezieht, andererseits einen Zusammenhang her. Begüterte Christen scheinen also eher dazu tendiert zu haben, ihr Christsein vor Gericht und in der Öffentlichkeit[126] zu verleugnen. Einige Strafen — Folter und Kreuzigung — hingegen beziehen sich auf eine andere Personengruppe; sie sind entweder gegen Unfreie oder

---

116 Die Kreuzigung wird bei römischen Bürgern kaum angewandt (vgl. Hengel, Crucifixion 39-45). Sie gilt als typische Sklavenstrafe (vgl. ebd. 51-63).

117 Bei den "Geprüften" (vgl. vis I 2,4) handelt es sich um Christen mit einem ethisch beispielhaften Lebenswandel. Dies gilt auch für vis IV 3,4; vgl. Dibelius, Hirt 489.

118 Darüber hinaus scheint auch sim VIII 10,4 (vgl. Dibelius, Hirt 600) die Martyriumssituation vorauszusetzen.

119 So wird offensichtlich in sim IX 28 von Märtyrern wie von (noch lebenden) Konfessoren zugleich geredet (vgl. Kötting, Stellung 10 Anm. 18). Die Alternative Konfessoren (so z. B. ebd.) — Märtyrer (so die ebd. Genannten) in vis III 1,9 wird wegen des Zusammenhangs mit den in 2,1 genannten Strafen hinfällig.

120 In sim VIII 3,6-8 werden neben Christen mit einer ethisch vorbildlichen Lebensführung (8) die "um des Gesetzes willen Bedrängten (θλιβέντες)", die nicht gelitten haben (7), als von denen, die "um des Gesetzes willen gelitten haben (παθόντες)" (6), unterschiedene Gruppe genannt. Letztere sind wohl Märtyrer im strengen Sinn, die θλιβέντες Konfessoren (auf Gerichtsverfahren deutet ἀρνεῖσθαι, s. o. S. 80). — An anderen Stellen wird πάσχειν von einem zeitlich begrenzten Strafleiden gebraucht (sim VI 3,4.6; 5,4.6) — ebenfalls ein Zeichen für das Fehlen eines stringenten Sprachgebrauchs.

121 vis III 5,2.

122 sim VIII 6,4; IX 19,1.3. Nichtchristliche Denunzianten werden nicht erwähnt. Das heißt nicht, daß es sie nicht gegeben haben mag, nur sind sie für Hermas — wie Nichtchristen überhaupt — kein Thema.

123 vis III 6,5; sim VIII 8,2.5.

124 sim VI 2,3 (aufwendiger Lebenswandel!); VIII 8,2.

125 sim VIII 8,2.4f.; 9,3.

126 Vgl. sim VIII 8,4f.

gegen Personen ohne römisches Bürgerrecht gerichtet[127]. Bedenkt man zudem, daß die sozial Höhergestellten infolge ihres Einflusses wohl seltener angeklagt wurden[128] und im Verfahren, auch wenn sie ihren Glauben nicht leugneten, mit geringeren Strafen zu rechnen hatten[129], und berücksichtigt man die Zusammensetzung der Gemeinde, so ist ein Großteil der Märtyrer und Konfessoren wohl zu den Angehörigen der Unterschicht zu rechnen[130]. Über die Schichtzugehörigkeit der christlichen Denunzianten läßt sich nichts sagen.

Die Anzahl der vor Gericht gestellten Christen dürfte im Vergleich zur Größe der römischen Gemeinde gering einzuschätzen sein. Das fast völlige Fehlen von auf Rom bezogenen Nachrichten über staatliche Verfolgungen[131] und Einzelmartyrien[132] weist ebenso darauf hin wie die Tatsache, daß Hermas den Märtyrern und Konfessoren einen Ehrenrang innerhalb der Gemeinde zuweisen kann[133].

Die erzwungene Veröffentlichung oder Verheimlichung des Christseins steht schon jenseits der differenzierten Öffentlichkeit der Gemeinde. Sie verweist in ihrer Weise darauf, daß die institutionalisierten Kommunikationsstrukturen der Gemeinde, gesamtgesellschaftlich gesehen, Elemente einer Gegenöffentlichkeit sind.

4

Die wichtigsten Ergebnisse der Untersuchung zu den verschiedenen Formen der Gegenöffentlichkeit sind in der Übersicht S. 83 zusammengestellt. Versucht man, die Funktionen der einzelnen Teilöffentlichkeiten aufeinander zu beziehen, so ergibt sich folgendes:

Den Bereichen des Oikos, der versammelten Gemeinde und des Unterrichts gemeinsam ist die Funktion der Belehrung. Dabei dürfte dem Unterricht am ehesten die Vermittlung von Grundlagen zukommen, deren Kenntnis und − bei ethischen Normen − wohl auch Befolgung als Bedingung für die Mitgliedschaft in der Gemeinde galten. In der versammelten Gemeinde werden diese Grundlagen ausgebaut und verstärkt worden sein, ebenso im Oikos. Dieser bot

---

127 S. o. Anm. 114.116.

128 Vgl. Eck, Eindringen 402 Anm. 116.

129 Zu den juristischen Konsequenzen der Dichotomisierung der römischen Gesellschaft in honestiores und humiliores vgl. kurz Dahlheim, Geschichte 199f.

130 Zu Sklaven als Konfessoren vgl. Gülzow, Sklaverei 91. − Vgl. auch die Vermutung von Kötting, Stellung 10 Anm. 18, zur Zeit des Hermas sei die Anzahl der (härter bestraften) Märtyrer größer gewesen als die der Konfessoren.

131 Barnes, Legislation, nennt für unseren Zeitraum nur Kaiserreskripte.

132 Das Martyrium des Ignatius von Antiochia fand zwischen 108 und 117 statt (vgl. Fischer, Väter 114f.). Bei der Konfession bzw. dem Martyrium des Telesphorus (vgl. Hauck, Telesphorus; Speigl, Staat 112f.) sind die Unklarheiten zu groß, als daß man Sicheres sagen könnte.

133 Vgl. vis III 1,8-2,2.

ÖFFENTLICHKEITSBEREICH	BETEILIGTE	KOMMUNIKATIONSFORM	FUNKTION	ZUSTANDEKOMMEN	KONFLIKTMÖGLICHKEITEN
OIKOS	paterfamilias, Frau, Kinder, Sklaven	mündlich	Belehrung	ständig	abweichendes Rollenverhalten des paterfamilias und/oder seiner Adressaten
PRESBYTERKONVENT	Presbyter	mündlich	Organisationsfragen, Entscheidungen von gesamtgemeindlicher Bedeutung	gelegentlich? regelmäßig?	Rangstreitigkeiten
VERSAMMELTE GEMEINDE	Presbyter, Propheten, Lehrer, übrige Gemeinde	mündlich schriftlich	Belehrung, Prophetie, Gebet, Feier	regelmäßig	Wegbleiben abweichendes Verhalten der Propheten
DIAKONIE	Episkopen, Diakone, Witwen und Waisen	mündlich	materielle Unterstützung, Belehrung?	wahrscheinlich regelmäßig	Unterschlagung von Geldern, unberechtigter Geldempfang
UNTERRICHT	Lehrer, Katechumenen, Getaufte?	mündlich schriftlich	Belehrung	wohl regelmäßig	Konflikte mit anderen Führungspersonen
MANTIK	Mantiker, Klienten	mündlich	Beantwortung von Fragen nach der Zukunft	gelegentlich? regelmäßig?	Konflikte mit anderen Führungspersonen
ZWISCHENGEMEINDLICHE KOMMUNIKATION	Spezialist (Presbyter?), Briefboten	schriftlich	Krisenintervention, Austausch und Kontrolle von Einfluß	gelegentlich	Verweigerung der Adressaten

Gemeindeöffentlichkeit im Pastor Hermae

zugleich die intensivste Möglichkeit zu sozialer Kontrolle des propagierten erwünschten Verhaltens und übernahm damit eine Funktion, die im Unterricht und in der Gemeindeversammlung kaum oder nur sehr pauschal wahrgenommen werden konnte.

Nun gehörten aber weder alle Gemeindeglieder einem Oikos an, noch waren sie gar alle Mitglieder eines christlichen Oikos. Sie konnten mithin einerseits nicht an der im christlichen Oikos möglichen verstärkten Belehrung partizipieren, waren andererseits auch nicht so leicht sozialer Kontrolle durch die Gemeinde oder deren jeweilige Repräsentanten ausgesetzt. Wenn aber beides als erwünscht galt, boten sich der Gemeinde zwei Möglichkeiten: einmal die Integration solcher Gemeindeglieder in einen christlichen Oikos[134], zum anderen die Einrichtung einer Form von Öffentlichkeit, die die Funktion des für die Betroffenen nicht vorhandenen Oikos zumindest ansatzweise übernahm.

Eine solche zum Oikos komplementäre Funktion könnte die Institution der Witwen- und Waisenversorgung gehabt haben, vor allem, wenn man annimmt, daß die Belehrung, von der vis II 4,3 spricht, ein regelmäßiger Bestandteil dieser Einrichtung war. Freilich fragt es sich, inwieweit sich hier die Möglichkeit zu sozialer Kontrolle bot[135]. Unbestreitbar Oikosersatz ist die Armenfürsorge jedenfalls in einer anderen Hinsicht, nämlich bei der materiellen Unterstützung der Betroffenen. Mit dieser Funktion bietet sie den Witwen und Waisen die materiellen Voraussetzungen dafür, an der anderen für sie in Frage kommenden Form christlicher Öffentlichkeit, der Gemeindeversammlung, auf Dauer teilnehmen zu können.

Individuelle psychische Bedürfnisse der Entscheidungshilfe und Stabilisierung befriedigt die Öffentlichkeit der Mantik[136] und ergänzt damit andere Öffentlichkeitsbereiche.

Der Presbyterkonvent hat die Funktion, die verschiedenen Teilöffentlichkeiten zu koordinieren und gegebenenfalls in seinem Sinn zu beeinflussen. Solche Einflußnahme ist am direktesten da möglich, wo Presbyter selbst an einem

---

134 Das könnte *ein* Motiv des Freikaufs von Sklaven aus nichtchristlichen Häusern (s. dazu u. S. 142) gewesen sein.

135 Nicht auszuschließen ist, daß im Blick auf die armen Gemeindeglieder kein besonders starkes Interesse an sozialer Kontrolle bestanden haben könnte. Hermas spricht nie (zumindest soweit wir erkennen können) von abweichendem Verhalten Bedürftiger, geht vielmehr von deren uneingeschränktem Akzeptiertsein durch Gott aus (vgl. bes. sim II) — eine Ansicht, die aus Hermas' Sicht bei seinen Adressaten ohne weitere Begründung konsensfähig war.

136 Vgl. mand XI 2 und dazu Reiling, Hermas 65.77-79. Die Antworten auf die Orakelfragen ließen sich, wenn sie erhalten wären, wohl (unter Berücksichtigung von Aune, Prophecy 55-57) in vorhersagende, diagnostische und präskriptive einteilen.

Öffentlichkeitsbereich in ihrer Rolle als Presbyter partizipieren, also in der Gemeindeversammlung und in der Witwen- und Waisenfürsorge, oder ihren Einfluß an Einzelpersonen delegieren[137]. Relativ gering sind die Möglichkeiten direkter Einflußnahme des Presbyterkonvents im Blick auf den Oikos, die Mantik und wohl auch den Unterricht. Hier ist aber um so eher mit indirekter Einflußnahme zu rechnen, je stärker die Presbyter den Einfluß anderer Rollenträger als Konkurrenz zu ihrer Macht wahrnehmen.

Der schriftliche Kontakt mit anderen Gemeinden weitet wohl im wesentlichen den Einfluß des Presbyteriums über die Gemeindegrenze aus und stabilisiert im Erfolgsfall vermutlich auch dessen Macht in der römischen Gemeinde.

Da — schon im Blick auf die Erforschung der Rollen des Hermas in den verschiedenen Teilöffentlichkeiten der Gemeinde — den Konfliktmöglichkeiten besondere Aufmerksamkeit geschenkt wurde, sei hier ausdrücklich betont, daß jeder Öffentlichkeitsbereich immer auch einen bestimmten Integrationseffekt auf die daran Beteiligten hat. Dieser ist, abgesehen vom Oikos, am höchsten beim Gottesdienst und bei den sozialen Leistungen. Die Gemeinschaft im gottesdienstlichen Ritual[138], vor allem in der gemeinsamen Feier des Herrenmahls[139], ist für Gemeindeglieder aus allen Schichten besonders bedeutsam. Der integrierende Charakter des Gottesdienstes wird auch daran deutlich, daß er für Hermas nicht hauptsächlich Entstehungs- und Austragungsort und Medium sozialer Konflikte gewesen zu sein scheint[140].

Auch die sozialen Leistungen sind als vorwiegend stabilisierender und integrierender Faktor anzusehen. Wenn ihr Umfang Hermas auch nicht genügte, boten doch gerade sie die Gewähr für den Fortbestand der Gemeinde, da sie sowohl den theologisch legitimierten Forderungen der unterstützungsbedürftigen Gemeindeglieder als auch den Möglichkeiten der wohlhabenderen Gemeindeglieder, sich aktiv am Gemeindeleben zu beteiligen, und dem Bedürfnis, den an sie herangetragenen Forderungen zu entsprechen, entgegenka

---

137 So im Blick auf Clemens (vis II 4,3), falls dieser nicht zu den Presbytern gehört haben sollte.

138 Daß Gottesdienst ein wichtiger Integrationsfaktor und als solcher ein grundlegendes Strukturelement christlichen Lebens ist, macht vor allem die neuere, humanwissenschaftliche Erkenntnisse einbeziehende Liturgiewissenschaft deutlich (vgl. z. B. Jetter, Symbol 115-121; ferner ebd. 15.98 u. ö.). Exegetische und kirchengeschichtliche Forschung scheint diese Ergebnisse noch kaum rezipiert zu haben (Ausnahmen sind etwa Theißen, Integration, und Wiefel, Erwägungen).

139 Vgl. auch Theißen, Integration 313-315; ferner Meeks, Christians 157-162.

140 Bei der Prophetie handelt es sich um Konflikte zwischen verschiedenen Funktionsträgern, und das Fernbleiben vom Gottesdienst ist z. T. als Vermeidung möglicher Konflikte zu deuten (s. o. S. 72). — Zur ganz anderen Situation in Korinth zur Zeit des Paulus vgl. Theißen, Integration; ders., Starke.

men. Während durch die sozialen Leistungen für jene die materiellen Exi-
stenzbedingungen bereitgestellt oder verbessert wurden, gaben sie diesen
die Gelegenheit zur Bestätigung ihrer Existenzberechtigung durch die Gemeinde, konnten die sozialen Spannungen reduzieren und ein Auseinander-
brechen der Gemeinde verhindern.

Der Integrationseffekt des Unterrichts ist demgegenüber geringer einzuschätzen, weil dabei vermutlich vor allem die kognitive Ebene angesprochen
wurde.

Relativ am geringsten wird wohl die Integration in der mantischen Séance
gewesen sein. Hier wurde in erster Linie eine Beziehung zwischen zwei Individuen, einem Experten und einem Klienten, aufgebaut. Zwar geht aus mand
XI 1 hervor, daß die Klienten als Gruppe mit dem Mantiker zusammenkamen;
aber wir erfahren nichts von einem etwaigen Ritual, das die Gemeinschaft untereinander oder die Beziehungen des Individuums zur Gesamtgemeinde gestärkt haben könnte.

Aus der Übersicht gehen auch die strukturell garantierten Einflußmöglichkeiten der einzelnen (Gruppen von) Funktionsträger(n) hervor:

In vier Öffentlichkeitsbereichen haben die Presbyter Einfluß: in der versammelten Gemeinde, in der Witwen- und Waisenfürsorge, im Presbyterkonvent
und wohl auch in der zwischengemeindlichen Kommunikation[141]. Soweit sie
Mitglieder eines Oikos waren (und dann mit hoher Wahrscheinlichkeit dort die
privilegierten Rollen des paterfamilias oder der materfamilias einnahmen),
agierten sie dort zwar nicht in ihrer Rolle als Presbyter; doch konnte diese ihre
Autorität als paterfamilias oder materfamilias nur verstärken. Daß unter den
Klienten des Mantikers auch einige Presbyter waren, ist zwar nicht von vornherein auszuschließen, jedoch dann unwahrscheinlich, wenn mand XI 12 mit
dem Vorwurf des Strebens nach πρωτοκαθεδρία nicht nur ein Privaturteil des
Hermas gegenüber dem Mantiker wiedergibt, sondern zumindest auch bei
denjenigen, die sich ebenfalls um eine absolute Führungsposition zu bemühen
berechtigt glaubten, in dieser Beziehung auf Konsens hoffen konnte. Aber
auch abgesehen davon hätte sich ein Presbyter als Klient des Magiers diesem

---

141 Bei letzterer ist nicht nur an vis II 4,3 zu denken, sondern auch zu erwägen, ob nicht
   bei der den Christen aus anderen Gemeinden gewährten Gastfreundschaft neben anderen Gesichtspunkten auch das Motiv der sozialen Kontrolle der Gäste eine Rolle
   spielte, und zwar einer Kontrolle vor allem durch diejenigen, denen unerwünschte
   Einflußnahme auf die verschiedenen Öffentlichkeitsbereiche der Gemeinde am meisten
   schaden konnte. Immerhin stehen in sim IX 27,2 die Episkopen und die Gastfreien direkt nebeneinander (wenn auch kaum anzunehmen ist, daß das καί vor φιλόξενοι ex-
   plikativ zu verstehen ist).

jedenfalls in einem bestimmten Öffentlichkeitsbereich untergeordnet[142] und damit zumindest in einem Teilbereich seine eigene Machtlosigkeit offenkundig gemacht[143] und sich den ihm in anderen Öffentlichkeitsbereichen untergeordneten Gemeindegliedern gleichgestellt.

Demgegenüber haben die Lehrer und die Propheten nur in je einem Bereich aufgrund ihrer Rolle Einfluß, letztere noch dazu in einem Kontext, in dem sie ihren Einfluß mit dem anderer Rollenträger teilen müssen, falls sie sich nicht wie der Mantiker dazu entschließen wollen, sich einen eigenen Öffentlichkeitsbereich zu schaffen, in dem sie uneingeschränkt dominieren.

Daraus läßt sich schließen, daß der Einfluß der Lehrer und der Propheten wesentlich geringer war als der der Presbyter. Das impliziert zumindest eine faktisch vorhandene Hierarchie unter den Funktionsträgern. Freilich machen die Rangstreitigkeiten im Presbyterkonvent, die umstrittene Position des Mantikers und die Probleme, die Hermas mit Lehrern hatte, deutlich, daß die Ordnung innerhalb dieser Hierarchie umstritten war.

Nicht umstritten ist hingegen, soweit wir aus Hermas erkennen können, das Vorhandensein von Hierarchie und damit Ungleichheit in der Gemeinde überhaupt. So wird das mit der Rolle des Presbyters verbundene Prestige in vis III 1,8 daran deutlich, daß Hermas ihnen beim Platznehmen auf der Bank der Greisin den Vortritt lassen will, obwohl sie in der geschilderten Szene gar nicht anwesend sind. Hierarchische Strukturen manifestieren sich hier in der zeitlichen *Reihenfolge*, in der Personen mit unterschiedlichem Status bestimmte Handlungen vollziehen[144]. In vis III 1,9; 2,4 hingegen markiert die unterschiedliche *soziale Wertigkeit des Raumes* die Differenz zwischen dem Prestige der Märtyrer und Konfessoren einerseits, des Hermas andererseits: Hermas will sich rechts von der Greisin hinsetzen, darf aber nur links Platz nehmen. In sim VIII 2,1 werden die Märtyrer im engeren Sinn durch das nur ihnen verliehene *Sta-*

---

142 Was wohl bald in anderen Öffentlichkeitsbereichen der Gemeinde publik geworden wäre und dem Mantiker überdies eine willkommene Legitimationsmöglichkeit für seine Tätigkeit gegeben hätte.

143 Zudem entspricht die Charakterisierung der Klienten des Mantikers als Leere, Zweifler, Götzendiener mit ihrer pauschalen, uneingeschränkten Abwertung der Betreffenden nicht den Verfahrensweisen von Hermas' Kritik an den Presbytern. Diese genießen stets einen mit ihrer Rolle gegebenen Vertrauensvorschuß und sollen zu einem rollengerechten Verhalten bewegt werden. Anders als den Klienten des Mantikers wird ihnen nie die Berechtigung ihres Anspruchs, Christen zu sein, bestritten.

144 Ein anderes, aller weniger eindeutiges Indiz für das höhere Prestige der Presbyter ist die Tatsache, daß ihnen nicht nur in vis II 2,6, sondern auch in vis III 9,7-10 eine eigene Anrede zuteil wird.

tussymbol des Kranzes von den Konfessoren unterschieden[145]. Ohne daß bestimmte Erkennungsmerkmale genannt würden, spricht man sim IV 4,2 den unverheiratet bleibenden Witwern und Witwen größeres Prestige bei Gott zu als denen, die eine zweite Ehe eingehen. Entsprechendes gilt nach sim V 3,3 für diejenigen, die nicht nur die Gebote des Herrn erfüllen, sondern darüber hinaus "etwas nicht im Gebot beinhaltetes Gutes" vollbringen − gemeint ist die in sim V 3,7 beschriebene Form des "sozialen Fastens"[146]. In den mit Hilfe des Bildes vom Turmbau durchgeführten Gemeindeanalysen vis III, sim VIII (Deutungsabschnitte) und IX kommt Hierarchie durch den Platz, den bestimmte Typen von Steinen (= Christen) im oder um den Turm herum zugewiesen bekommen[147], und die unterschiedliche Größe der Steine[148] zum Ausdruck. Freilich handelt es sich bei allen angeführten Phänomenen um imaginäre Indizien für Hierarchie, ohne daß wir über etwaige reale Entsprechungen in der Gemeindewirklichkeit etwas sagen könnten. Daß es keinerlei Entsprechungen gegeben haben sollte, ist aus wissenssoziologischer Perspektive[149] mehr als unwahrscheinlich.

5

Auch die Personen der himmlischen Welt stehen nämlich in hierarchischen Beziehungen zueinander. Versucht man, in der verwirrenden Vielfalt von Beziehungen zwischen den verschiedenen himmlischen Wesen eine Ordnung zu entdekken, so empfiehlt es sich, die dreimal referierte Grundstruktur himmlischer Hierarchie[150] zum Ausgangspunkt zu nehmen: An der Spitze steht Gott, gefolgt vom Gottessohn[151]; den dritten Rang nehmen die sechs ersterschaffenen Engel ein[152], den vierten die übrigen Engel.

---

145 Es existiert m. W. keine umfassende Arbeit, die das Vorhandensein (und Versuche zur Überwindung) hierarchischer Strukturen im frühen Christentum in Verbindung mit Phänomenen wie Reihenfolge, sozialem Raum und Statussymbolik untersucht. Anregungen für eine solche Untersuchung, zu der der Essay von Magaß, Semiotik, ein erster Schritt ist, bieten etwa Bourdieu, Raum; Goffman, Individuum (bes. 54-96; zur Reihenfolge ebd. 63-66); Ardener ed., Women; Kolb, Statussymbolik.

146 S. dazu u. S. 136.

147 Vgl. die vier Schichten des vom übrigen Bau unterschiedenen Fundaments sim IX 15,4, den Unterschied zwischen den Christen, die im Turm, und denen, die nur in den Mauern wohnen dürfen (letztere sind in sim VIII 6,6; 7,3; 8,3 erwähnt; vgl. auch vis III 7,6), sowie die Differenz zwischen den Steinen, die infolge ihrer größeren Stärke aussen, und denen, die in der Mitte des Baus verwendet werden sim IX 7,5-9,3.

148 Vgl. sim IX 7,5.

149 Zu wissenssoziologischen Fragestellungen in der Exegese s. u. S. 150f.

150 vis III 4,1f.; sim V 5f., IX 12.

Diese Hierarchie existiert zu einem bestimmten Zweck: die Kirche zu konzipieren, nach bestimmten Konstruktionsprinzipien zu errichten und zu vollenden[153]. Gott ist dabei vor allem als Schöpfer im Blick, wobei der Schöpfung von vornherein die Konzeption der Kirche zugrunde liegt und sie auf deren konstruktive Realisierung abzielt[154]. Der Gottessohn ist Herr der Kirche[155] und zugleich ihr normatives Konstruktionsprinzip, das, weil die Schöpfung auf die Kirche bezogen ist, in der ganzen Schöpfung veröffentlicht werden muß[156]. Den sechs Engeln ist die ganze Schöpfung unterstellt[157]. Vor allem aber leiten sie die Konstruktion der Kirche[158] – eine Aufgabe, die der Gottessohn an sie delegiert hat und die sie in Beziehung auf ihn wahrzunehmen haben[159]. Zwischen der auf die Schöpfung und der auf die Kirche bezogenen Aufgabe besteht insofern ein enger Zusammenhang, als die Schöpfung in Kirche umgewandelt werden soll[160]. Die vielen Engel schließlich haben die Funktion, die Kirche nach den Anordnungen der sechs Engel zu konstruieren[161].

Um die Übereinstimmung des Konstrukts mit den Konstruktionsprinzipien zu sichern, ist noch während der Konstruktion eine Prüfung notwendig. Diese wird durch den Gottessohn vollzogen und führt zu dem Ergebnis, daß die Transformation von Schöpfung in Kirche nur teilweise gelungen ist, und dies nicht etwa deshalb, weil die an der Konstruktion beteiligten Instanzen (die sechs Engel und die vielen Engel) der Erfüllung ihrer Aufgaben absichtlich nicht nach-

151 Daß in vis III 4,1f. der Gottessohn nicht explizit begegnet, hängt damit zusammen, daß ihm in vis III die Greisin in mancher Hinsicht funktional entspricht, vgl. jeweils den Vorzug gegenüber den sechs Engeln, das Gefolge, die verdoppelte Präsentation in der Vision als Person einerseits, als Bauwerk (vis III 3,3) bzw. Baugrund und Tor (sim IX 12,1-5) andererseits. Vgl. auch sim IX 1,1.

152 Die Anzahl wird in sim V 5,3 nicht erwähnt.

153 Die Ausdrucksweise ist hier bewußt etwas vage gehalten, um die Gedankenverbindung zwischen dem visionären Konzept von Kirche als Bau und dem soziologischen Konzept von Kirche als sozialem Konstrukt, als einem nach bestimmten Normen aufgebauten gesellschaftlichen Phänomen zu ermöglichen.

154 Z. B. vis I 1,6.

155 Z. B. sim IX 5,2.

156 Z. B. sim VIII 3,2.

157 vis III 4,1.

158 vis III; sim IX.

159 Vgl. dazu sim IX 12,8.

160 Besonders augenfällig in sim IX 4,5.

161 vis III; sim IX.

gekommen wären[162]. Die von ihnen als solche nicht erkannten Mängel zeigen vielmehr, daß sie ihrer Aufgabe faktisch nicht gewachsen waren.

Das Versagen und damit die Mängel werden nun aber nicht durch eine von vornherein bestehende Unzulänglichkeit der Konstrukteure erklärt, sondern durch den Einfluß von Störfaktoren auf die Konstruktionselemente. Die Elemente sind nämlich konkurrierenden Einflüssen ausgesetzt. Daß Hermas diese Einflüsse in verschiedenen Stadien seiner ekklesiologischen Reflexion verschieden bestimmt, zeigt eindrücklich, wie sehr er genötigt ist, sich an diesem Krisenphänomen abzuarbeiten. Ob nun der Engel der Gerechtigkeit dem Engel der Bosheit[163] oder die Personifikationen der zwölf Tugenden denen der zwölf Laster gegenüberstehen[164] oder ob mehr oder minder disparat und detailliert von konkurrierenden pneumatischen Einflüssen auf die Glieder der Kirche die Rede ist – das Resultat ist stets eine Differenzierung innerhalb der Kirche, die deren intendierte Einheit aufhebt.

Um diese Krise der Einheit der Kirche zu bewältigen, ist der Gottessohn mithin genötigt, Interventionsmaßnahmen anzuordnen. Zunächst werden die mangelhaften Konstruktionselemente aus der Konstruktion entfernt, aber in nächster Nähe situiert. Da die beabsichtigte Lösung der Krise auf die Reintegration der Betroffenen abzielt, wird die neue Rolle eines Re-Konstrukteurs nötig, der die ursprünglichen Konstrukteure für eine bestimmte Zeit ablöst: der Bußengel. Die gelegentlichen Versuche des Hermas, innerhalb der Rekonstruktionsaufgabe zu differenzieren und dem Bußengel etwa einen Strafengel als Vor-Arbeiter zur Seite zu stellen oder ihm die zwölf personifizierten Tugenden unterzuordnen, machen wiederum deutlich, daß hier der seine Reflexionen ständig bewegende Problemkern liegt.

Wie gerade die zwölf Jungfrauen zeigen, sind bei der Rekonstruktionsarbeit die auf alle Menschen wirkenden Einflußfaktoren nicht ausgeblendet. Dabei werden auch die negativen Einflüsse insofern in den Dienst der Reintegration gestellt, als sie eine Scheidung zwischen den für die Rekonstruktion brauchbaren und den unbrauchbaren Mängelexemplaren bewirken (so der Engel der Schwelgerei und des Trugs[165]) bzw. letztere endgültig in Schöpfung zurückverwandeln. Es handelt sich dabei nun um nichttransformierbare und damit für ihren eigentlichen Zweck, in Kirche transformiert zu werden, untaugliche Schöpfung.

---

162 Dies gilt auch für sim IX 4,6-8, wo eine faktische Fehlleistung der vielen Engel vorliegt, die von den sechs Engeln auch sofort erkannt und korrigiert wird.
163 mand VI.
164 Bes. sim IX 15,1-3.
165 sim VI 1,5-2,4.6.

Die zum ursprünglichen Plan zusätzlich hinzukommenden, außerordentlichen Maßnahmen erfordern darüber hinaus noch die Schaffung von Rollen mit den Aufgaben, das Faktum und Ausmaß der Krise den von ihr Betroffenen mitzuteilen und eine Lösung in Aussicht zu stellen. Die himmlischen Offenbarungsmittler[166] erreichen die Endadressaten dabei über einen irdischen Offenbarungsmittler, Hermas. Auch die Institution dieser himmlischen Rolle (und ihrer irdischen Entsprechung) dient dem Ziel der Reintegration.

Daß Hermas angesichts dieser Krise kein definitives Konzept himmlischer Hierarchie hat, zeigen seine wiederholten Anläufe, vor allem diejenigen Elemente dieser Hierarchie präziser zu fassen, mit deren Hilfe die Bedingung der Möglichkeit und die Wirklichkeit der Krise erfaßt und ihre Bewältigung angestrebt werden können. Es sind eben diese Präzisierungsversuche, die das Bild der himmlischen Welt im "Hirten des Hermas" jedenfalls für eine Lektüre unübersichtlich machen, die neuzeitliche systematische Standards anlegt[167]. Dennoch sind die gleichbleibenden Grundstrukturen eines bestimmten *Konzepts* unverkennbar[168].

6

Fragt man nun nach den Beziehungen zwischen himmlischer und irdischer Hierarchie, so ist an eine völlige Entsprechung, wie sie etwa zeitgleich bei Ignatius von Antiochia vorliegt[169], bei Hermas nicht zu denken. Gegen eine platte Widerspiegelung irdischer Hierarchie im Himmel spricht, daß es etwa zur irdischen Institution der Witwen- und Waisenversorgung keine himmlische Analogie gibt. Umgekehrt läßt sich etwa der Funktion des Tierengels[170] keines der uns bekannten Aufgabengebiete des Gemeindelebens zuordnen. Auch für die repräsentative Funktion einer ganzen Reihe himmlischer Wesen, beim Kommen und Gehen der jeweiligen Hauptperson (Greisin, Gottessohn) deren Gefolge zu

---

166 Rhode (vis I 1,4-9), die Greisin (vis I 2-IV 3), der Hirt (vis V-sim X); dessen himmlischer Vorgesetzter (sim X); auch die beiden Jünglinge, die über die Greisin Auskunft geben (vis II 4,1; III 10,7-13,4).

167 S. auch o. Kap. I.

168 Die These von Dibelius, Hirt 423, Hermas besitze keine Theologie, wäre von daher kritisch zu überprüfen. Wenn man sich von der Erwartung einer auf Vollständigkeit bedachten systematischen Explikation von Theologie freimacht, wird man im "Hirten" mehr Systematisches und mehr Expliziertes finden können als nur sim V (ebd.). Das einheitsstiftende Moment einer so verstandenen Theologie des Hermas scheint mir im übrigen in der Pneumatologie zu liegen; doch bedürfte diese These genauerer Begründung, als das im Zusammenhang dieser Arbeit möglich und nötig ist.

169 Vgl. dazu kurz Pagels, Versuchung 77f.

170 vis IV 2,4.

bilden[171], finden sich keinerlei Anzeichen einer Entsprechung in der Gemeinde-wirklichkeit[172]. Dies dürfte nicht zuletzt mit dem Fehlen einer institutionalisierten Repräsentanz Christi, etwa des Monepiskopats, in der römischen Gemeinde dieser Zeit zusammenhängen. Schließlich ist daran zu erinnern, daß die visio-näre Vorstellungskraft des Hermas mit himmlischer Hierarchie in gewissen Grenzen *spielen* kann: Die unter den sieben Frauen aus vis III 8, unter den zwölf Jungfrauen und den zwölf Frauen aus sim IX 15 aufgestellte interne Hier-archie bleibt im Textzusammenhang ohne besondere Funktion. Auffällig ist daran immerhin, daß der himmlische Spiel-Raum der Vorstellungskraft auch da mit hierarchischen Strukturen erfüllt wird, wo eine unmittelbare Nötigung für uns nicht ersichtlich ist. Worauf es hier aber insbesondere ankommt: Solches Jonglieren ist im Fall überirdischer Hierarchie doch wohl leichter möglich als im Blick auf irdische Macht- und Herrschaftsverhältnisse.

Unbeschadet solcher Differenzen gibt es aber auch eine Reihe von Entspre-chungen. Zunächst ist hier auf das Verhältnis der sechs Engel zu den vielen Engeln und die ihm in mancher Hinsicht ähnelnde Beziehung zwischen den Presbytern und den einfachen Gemeindegliedern hinzuweisen. Die ersten bei-den Gruppen sind wie die beiden letzten am Aufbau der Kirche beteiligt. Die-se Beteiligung ist für jede der beiden Gruppen eine gewöhnliche, keine au-ßerordentliche Aufgabe. Wie die sechs Engel haben die Presbyter dabei Lei-tungsfunktion, während die beiden anderen Gruppen jeweils untergeordnete, ausführende Organe sind. Dem entspricht auch das zahlenmäßige Verhältnis der jeweiligen Leitungsorgane zu den jeweils ausführenden Gruppen. Entspre-chungen liegen also im Blick auf die Rollen und deren hierarchisches Ver-hältnis vor. Unterschiede, die zeigen, daß auch hier nicht einfach irdische Verhältnisse in den visionären Himmel projiziert sind, finden sich vor allem im Blick auf den in sim IX geschilderten Handlungsablauf: Die in sim IX 5,1f. von den sechs Engeln angeordnete Baupause und die folgende Delegation der Bauleitung an den Hirten lassen keinen Rückschluß auf die irdischen Gemein-deverhältnisse in Rom — etwa eine Unterbrechung der Tätigkeit der Presbyter — zu.

Eine andere Entsprechung ist in sim IX 31,6 angelegt. Dort stellt sich der Hir-tenengel mit den irdischen pastores insofern auf eine Stufe, als beide jeweils die ihnen unterstellten Gruppen ohne Nachlässigkeit zu leiten und dafür dem Gottessohn oder Gott (die Stelle ist nicht ganz eindeutig) Rechenschaft abzu-

171 vis I 4,1; III 10,1; sim IX 6,2; X 4,5.
172 Nicht ausgeschlossen, vielmehr naheliegend sind hier Entsprechungen in der Öffent-lichkeit der römischen Gesellschaft. Man denke nur an das Gefolge des Magistrats bei öffentlichen Anlässen.

legen haben. Allerdings gibt es keinerlei Anzeichen für darüber hinausgehende funktionale Entsprechungen zwischen dem Hirtenengel und den Gemeindeleitern.

Größer sind die Gemeinsamkeiten des Hirtenengels mit Hermas. Beide übernehmen im Blick auf die Buße außerordentliche Rollen mit vorher im Himmel bzw. im Gemeindeleben so nicht eigens vorgesehenen Aufgaben. Vor allem ist Hermas als Sprachrohr des Hirten (wie vorher der Greisin) unersetzbar mit jenem verbunden, soweit es dessen Rollen als Offenbarungsmittler, Visionsvermittler und angelus interpres angeht. Aber die Entsprechungen gehen noch weiter: Hermas wird als Weisungsempfänger vom Hirten in sim VIII und IX sogar in das in der Vision geschaute Geschehen, zwar in untergeordneter Position, aber doch handelnd einbezogen. Er partizipiert damit an dessen Rolle als Bußengel. Es ist jedoch gerade dabei zu fragen, ob es zu diesen visionären Prüfungsszenen eine analoge Situation in der Gemeindewirklichkeit gegeben hat. Diese Frage — sie stellt sich auch bei der vorausgehenden Feststellung der Sündhaftigkeit durch Michael bzw. den Herrn des Turms, beim zeitweiligen Entfernen der Betroffenen aus dem Turm, bei der Wiedereingliederung der Umgekehrten bzw. der endgültigen Entfernung der Verstockten — läßt sich erst dann sinnvoll beantworten, wenn sie im folgenden in den gesamten Umfang der außerordentlichen Rolle(n) und Tätigkeit(en) des Hermas in der römischen Gemeinde gestellt wird.

Zunächst ist festzuhalten: Die Entsprechungen zwischen der hierarchisch strukturierten, differenzierten Gemeindeöffentlichkeit und dem ebenfalls hierarchisch geordneten visionären Himmel beschränken sich auf einige Teilbereiche und bestimmte Gesichtspunkte, während anderes jeweils ohne Pendant bleibt. Am engsten sind die Verbindungen jedenfalls zwischen dem Hirten und Hermas. Daß nicht die gesamte Hierarchie der himmlischen Welt samt der Rollendifferenzierung, den Rollenbündeln, den außerordentlichen Kriseninterventionen und der vielfältigen Delegation von Macht aus der Gemeindewirklichkeit ableitbar ist, läßt sich dem Eigengewicht der verarbeiteten Traditionen oder dem mit vorfindlicher irdischer Realität Unverrechenbaren echten visionären Erlebens zuschreiben, ohne daß beides einander ausschließt[173]. Darüber hinaus verweist es auch auf den Kontext des Wirkens des Hermas: die Ungereimtheiten der Wirklichkeit und die Dissonanzen der Welt.

7

Bevor wir uns der Rolle des Hermas endgültig zuwenden, ist noch ein Blick auf das Verhältnis von Mündlichkeit und Schriftlichkeit im Bereich der himmli-

---

173 Genaueres s. u. S. 106.

schen Welt und vor allem in der Kommunikationsbeziehung zwischen den Repräsentanten des Himmels und Hermas zu werfen.

Soweit wir von mündlicher Kommunikation der himmlischen Wesen untereinander erfahren[174], steht sie mit der Strukturierung der Kirche in Zusammenhang. Sie beschränkt sich im wesentlichen auf kurze Anweisungen und kontrollierende Nachfragen. In dieser asymmetrischen Kommunikationsstruktur mit ihrer Delegation von Macht und Aufgaben, in die Hermas als im visionären Geschehen Agierender vom Hirten in sim VIII und IX einbezogen wird, spiegelt sich die hierarchische Struktur der himmlischen Welt[175].

Ebenfalls auf die Kirche bezogen ist eine bestimmte himmlische Verwendungsweise des Mediums der Schrift, deren Produkte einer Veröffentlichung in der irdischen Gemeinde entzogen bleiben. So weiß Hermas nur von der Existenz und der Art des Inhalts himmlischer Bücher, ohne über konkrete inhaltliche Informationen zu verfügen. Er nennt zwei solcher Bücher[176]. Beide sind aus der Tradition überkommen. Das eine ist eine Art himmlischer Bürgerliste[177], bei Hermas unüblicherweise pluralisch als "Bücher des Lebens" bezeichnet[178]. Das andere ist ein Buch der Werke, in das Sünden und gute Werke eingetragen werden[179], auch in diesem Fall geht Hermas über die traditionellen

---

174 Vgl. die direkte Rede in vis III 1,7; sim VIII 2,5; IX 4,8; 7,2; 10,6; 11,8 sowie die mit κελεύειν, ἐπιτάσσειν, προστάσσειν (vgl. auch ἀποστέλλεσθαι) etikettierten Sprechakte.

175 Vgl. auch die Rechenschaftspflicht der Greisin (vis III 9,10) und des Hirten (sim IX 31,6).

176 Das Buch, das die Greisin bei sich hat und aus dem sie Hermas vorliest (vis I 2,2; 3,3-4,2), ist dabei nicht berücksichtigt. Es ist weder inhaltlich als Schicksalsbuch zu bestimmen (so Koep, Buch 40), da es detaillierte oder globale Angaben über das Ergehen von Individuen und Gruppen nicht enthält (vgl. dagegen die ebd. 3-13.18-27.40-45 und von Nötscher, Bücher, untersuchten Schicksalsbücher), noch von seiner Funktion her: Anders als im Fall der Schicksalsbücher wird der Inhalt des Buches der Greisin einem Menschen mitgeteilt.

177 Zur Bedeutung irdischer Bürgerlisten für das Verständnis des Lebensbuches vgl. Koep, Buch 38f.68-72.

178 vis I 3,2; sim II 9. Hierher gehören auch mand VIII 6 und das in sim V 3,2; IX 24,4 begegnende Konzept des numerus iustorum (dazu ausführlich Stuhlmann, Maß 109-222). Zum Konzept des "Buchs des Lebens" vgl. umfassend Koep, Buch 31-39.68-127, und Campos, Libro; ferner Bergmeier, Glaube 58-62; Hengel, Judentum 366f.; Stuhlmann, Maß 131-145. Der Plural begegnet sonst nur äthHen 47,3; bRH 16b. Unspezifisch ist natürlich öfters von himmlischen Büchern die Rede (äthHen 81,2; 103,2; 106,19; 108,3; 4Esra 6,20 usw.). − Sollte im Plural bei Hermas eine durch die große Zahl der Christen bedingte Notwendigkeit, eine *mehrbändige* himmlische Akte anzulegen, reflektiert sein?

179 vis I 2,1; sim V 3,8. Zum Konzept des "Buchs der Werke" vgl. umfassend Koep, Buch 14-18.27-30.46-68; ferner Nötscher, Bücher. Phaedrus IV 11,8, von Cancik, Libri 550f. Anm. 6c, mit vis I 2,1 verglichen, gehört nicht hierher, sondern bezieht sich auf ein himmlisches Schicksalsbuch (s. dazu o. Anm. 176). − Da ἀφαιρεῖσθαι und προστιθέναι auch Fachausdrücke für an Texten vorgenommene Kürzung (im Fall von Abschriften) oder partielle Tilgung (im Fall von Originalen) und für Hinzufügung sind, könnte man

Vorgaben hinaus, indem er mit der Eintragung auch von Gedankensünden rechnet[180].

Während diese Schriften zum himmlischen Gebrauch bestimmt sind und den Christen als Handlungsmotivation das Wissen um ihre Existenz genügt, begegnen daneben schriftliche Texte anderer Art, deren Funktion gerade darin besteht, daß ihr Inhalt den Christen zugänglich gemacht wird.

In vis I hält die Greisin ein Buch in Händen[181] (2,2), aus dem sie vorliest, nachdem sie sich mit Hermas unterhalten und ihm mündliche Anweisungen erteilt hat. Aus dem von Hermas Wiedergegebenen (3,4) und aus der Charakterisierung des von ihm Verdrängten (3,3; 4,2) läßt sich schließen, daß es sich bei dem verlesenen Text um eine kombinierte Unheils- und Heilsankündigung handelt, wobei die letztere eine bedingte Verheißung enthält[182]. Es liegt hier im Gegensatz zu den Büchern des Lebens und zum Buch der Werke nicht eine ständige, bis auf weiteres unabgeschlossene Verwendung des Mediums der Schrift vor, sondern das Festhalten eines zu besonderen Zwecken bei einer bestimmten Gelegenheit zu publizierenden Texts. Der schriftlichen Konservierung der Botschaft in Form eines Buchs entspricht nach der mündlichen Übermittlung die Konservierung des Texts im Gedächtnis des Hörers nur teilweise (3,3) — ein Textverlust, der sich im Blick auf die Adressaten allerdings als nicht gravierend herausstellt (4,2). Hervorzuheben ist, daß der verlesene Text seinerseits mit der Wendung "die Verheissung, die er verheißen hat" (3,4) auf bereits veröffentlichte, als der Gemeinde zugänglich vorausgesetzte Texte Bezug nimmt[183].

Auch in vis II liest die Greisin aus einem Büchlein vor (1,3). Anschließend fragt sie Hermas, ob er das Gelesene der Gemeinde weitervermitteln könne. Wie in vis I wird jedoch eine Differenz zwischen Schrift und Gedächtnis konstatiert. Der zu befürchtende Textverlust wird auf Anraten des Hermas durch Kopieren der schriftlichen Vorlage zu

erwägen, ob beim Tilgen (sim IX 28,3) bzw. Hinzufügen von Sünden (vis II 2,2; V 7; mand IV 3,7; XII 6,2; sim VI 1,4; VIII 11,3; vgl. sim VI 2,3) unter anderem auch der Gedanke an himmlische Buchführung mitschwingt.

180 Eintragung von Gedankensünden ins Buch der Werke begegnet zwar noch in einer mittelgriechischen Jesajalegende (zitiert bei Koep, Buch 29 Anm. 6). Doch reicht diese eine Stelle (auch abgesehen von den nicht zufriedenstellend geklärten Datierungsfragen) nicht aus, vis I 2,1 als traditionell zu erweisen, zumal Hermas die Ausdehnung der himmlischen Buchführung auf das Gebiet der menschlichen Gedanken subjektiv gerade als Neuigkeit empfindet.

181 Parallelen sind bei Gruber, Erscheinung 179f., angeführt.

182 Berücksichtigt man das von Hermas Verdrängte, so ergeben sich unverkennbare Ähnlichkeiten des gesamten vorgelesenen Texts zu den von Aune, Prophecy 300-302, als prophetische Orakel identifizierten Passagen. Die Gewichtung des Verhältnisses von hymnischen Elementen und Verheißung ist bei einer formkritischen Bestimmung von vis I 3,4 dann gegenüber Dibelius, Hirt 440 (vgl. auch Hellholm, Visionenbuch 147) umzukehren und der Text primär von prophetischer Rede her zu verstehen.

183 Ob dabei genauer an *schriftliche* Texte zu denken ist, läßt sich nicht ermitteln. Immerhin macht der wiederholte Bezug auf die Verheißungen (vgl. noch vis II 2,6; III 2,1; V 7; sim I 7) den Eindruck, daß es sich um eine den Adressaten inhaltlich genauer bekannte Größe handelt.

vermeiden gesucht (1,3f.). Dadurch ist zwar der Textverlust als solcher verhindert[184]. Die Kommunikabilität des Texts aber wird durch die sogleich auftretenden Dechiffrierungsschwierigkeiten in Frage gestellt[185]. Daß nach zweiwöchigem Fasten und Beten das Verständnis der Kopie gewährt wird (2,1), demonstriert eindrücklich, daß das Interpretationsmonopol beim Himmel liegt und nur von diesem delegiert werden kann. Der kopierte Text ist formkritisch als ein prophetisches Heils-Unheilsorakel mit den Elementen Anklage, Botenformel, Begründung, bedingte Heilsankündigung und Seligpreisung zu bestimmen[186]. Durch die auf verschiedene Adressaten(gruppen) bezogene Wiederkehr der Botenformel kommt die zu Beginn dieses Kapitels beschriebene komplexe Kommunikationssituation zustande[187]. Wie in vis I handelt es sich um einen Text, der auf eine Krise Einfluß zu nehmen versucht, und wie in vis I 3,4 bezieht sich vis II 2,2-3,4 auf Texte, die den Einzeladressaten bekannt sind (2,6; 3,4).

184 Das Original bleibt dem Himmel vorbehalten. Es wird dem Kopisten nach Abschluß seiner Tätigkeit wieder entzogen.

185 Daß bei Hermas' vergeblichen Entzifferungsversuchen (1,4) die Erinnerung an das Vorgelesene, und sei sie noch so bruchstückhaft (er hatte in 1,3 nicht behauptet, gar nichts behalten zu haben), keine Hilfe ist, liegt daran, daß die Schrift das Gedächtnis ersetzt.

186 Damit erweitere ich die Analysen von Aune, Prophecy 300, die auf vis II 2,6-8 und 3,4 beschränkt sind. Der ganze Text ist als prophetisches Heils-Unheils-Orakel verständlich, wenn man bei den von Aune, ebd., angeführten Kriterien die Möglichkeit berücksichtigt, daß der menschliche Übermittler der Botschaft zugleich auch deren Adressat sein kann.

187 Die seit Stübe, Himmelsbrief 37, vertretene und vor allem durch Dibelius, Hirt 443, üblich gewordene Bestimmung von vis II 2,2-3,4 als Himmelsbrief ist aufzugeben. Unser Text hat nicht nur formal, inhaltlich und von der Funktion her wenig mit Himmelsbriefen (zu diesen vgl. die bei Speyer, Bücherfunde 17 Anm. 4, genannte knappe Auswahl aus der Sekundärliteratur) gemein, sondern unterscheidet sich von ihnen auch im Blick auf die Art der Übermittlung: Speyer, ebd. 17, definiert "Himmelsbrief" als "eine himmlische Botschaft, die von Gott verfaßt, plötzlich von einem Menschen, der nicht in besonders engem Verhältnis zu Gott stehen muß, oft aber ein Freund Gottes ist, gefunden wird. Der Himmelsbrief wird entdeckt und nicht überreicht." Analogien zu unserem Text sind eher zu finden in der Übergabe des Gesetzes an Mose (vgl. dazu Berger, Jubiläen 281 Anm. 10), in der Übergabe himmlischer Schriften an Henoch (äthHen 39,2; vgl. auch 82,1: Henoch übergibt sie weiter an seine Kinder) und an Jakob (Jub 32,21-26 — eine besonders enge Parallele zu vis II 1,3f.) sowie in dem ganzen Komplex der traditio legis samt seinen traditionsgeschichtlichen Wurzeln (vgl. unter diesem Gesichtspunkt in unserem Zusammenhang besonders Berger, Ursprung). Auch außerhalb der jüdisch-christlichen Tradition findet sich das Motiv der Übergabe himmlischer Schriften an Menschen. Vgl. für Griechenland z. B. Pausanias X 38,13, für Ägypten z. B. PMagHarris 501, col. XI,2f.: "Ich bin mit einem guten Buch ausgerüstet, welches Re in meine Hand gegeben hat, das die Löwen zurücktreibt und die Menschen verdrängt..." (zitiert nach der Übersetzung von Lange, Papyrus 94). Weiteres bei Speyer, Bücherfunde 15f. Anm. 1.

In vis II 4,3 fordert die Greisin Hermas auf, von der in seinem Besitz befindlichen Kopie des himmlischen Originals zwei Abschriften anzufertigen und an die beiden Multiplikatoren Clemens und Grapte weiterzugeben. Die Vervielfältigung der schriftlichen Botschaft erleichtert nicht nur die allgemeine, sondern ermöglicht auch eine schnelle Verbreitung des Texts.

In vis V 5-7 schließlich wählt der Hirt die Form des Diktats, um den himmlischen Botschaften, die er zu übermitteln hat, die ihnen gebührende dauernde Präsenz auf Erden zu verschaffen. Im Medium der Schrift konserviert und zu jeder beliebigen Zeit reproduzierbar, können die Gebote und Gleichnisse die Funktion erfüllen, "daß du sie dauernd liest und sie halten kannst" (5). Adressaten sind dabei alle Christen, nicht allein Hermas, der das Niederschreiben der Gebote und Gleichnisse auch in sim IX 1,1; X 1,1 erwähnt.

Zu solcher auf das Medium der Schrift bezogenen Kommunikation steht das mündliche Reden himmlischer Wesen mit Hermas in einem ganz bestimmten Verhältnis. Rhode hatte gesprochen (vis I 1), die Greisin in vis I ebenfalls (z. T. mit Bezug auf Rhodes Äußerungen), aber auch vorgelesen. In vis II hatte sie sich auf das Vorlesen beschränkt und das Kopieren des Texts gestattet. In vis III hatte sie zwar gesprochen, dieses Sprechen in vis II 4,2 einleitend aber so auf die Kopie der Schrift bezogen, daß es als deren schriftlich niederzulegende Ergänzung aufzufassen sein mußte. Auch in vis IV redete sie, setzte aber, wie aus vis IV 3,6 hervorgeht, die durch Hermas vollzogene Verschriftlichung des Gesprochenen voraus. Sieht man von den mündlichen Informationen der beiden angeli interpretes vis II 4,1 und III 10,7-13 und von der Himmelsstimme vis IV 1,4 einmal ab, so ist eine immer stärkere Tendenz zur Konservierung des Mündlichen im Schriftlichen festzustellen. Sie gipfelt im Schreibbefehl des Hirten vis V, der alle künftigen Kommunikationsakte des Himmels mit Hermas einschließt. Auch wenn die häufigen Dialoge in den mandata und similitudines oft an nur mündliche Kommunikation denken lassen, ist die Verschriftlichung des Mündlichen doch stets vorausgesetzt, wie aus den gelegentlichen Rückverweisen auf bereits Niedergeschriebenes (mand IX 4; sim V 3,7) hervorgeht.

Die Schrift ist demnach für die vom Himmel in der Kommunikation mit Hermas verfolgten Zwecke offenbar ein tauglicheres Mittel als die bloß mündliche Unterredung. Das schriftlich Festgehaltene macht die himmlische Krisenintervention in der Gemeinde zu einer in der Materie auf Dauer präsenten Instanz mit dem Ziel, das im Medium der Schrift Konservierte und beliebig Reproduzierbare den Adressaten einzuverleiben und sie in materielle Repräsentanten und leibliche Zitate des normativen himmlischen Texts zu verwandeln[188]. Die Rolle, die Hermas im Gefolge der Kommunikation des Himmels mit ihm in der Gemeinde übernimmt, ist deshalb bald mit schriftlicher Textproduktion unmittelbar verbunden.

---

188 Darauf läuft die adressatenbezogene Konservierungsterminologie (μνημονεύειν, τηρεῖν, φυλάσσειν) letztlich hinaus.

8

Diese neu übernommene Rolle gilt es nun genauer zu bestimmen. Vergegenwärtigen wir uns zunächst die Rollen, die Hermas in der differenzierten Gegenöffentlichkeit der Gemeinde schon vor den außerordentlichen himmlischen Aufträgen innehat.

Zunächst hat er als paterfamilias die führende Position in der Öffentlichkeit seines Oikos inne. Dabei ist seine Stellung allerdings nicht unangefochten, weil weder er noch seine Familie ein adäquates Rollenverhalten an den Tag legen[189]. Zur Öffentlichkeit des Presbyterkonvents hat er keinen regulären Zugang[190]. An der Versammlung der Gemeinde nimmt er wohl teil; von einer besonderen Funktion, die er dabei ausgeübt hätte, erfahren wir ebensowenig wie von abweichendem Verhalten, etwa in Form des Wegbleibens. Weder als Funktionsträger der Gemeinde noch als Betroffener partizipiert er an der Witwen- und Waisenfürsorge[191]. Daß er am Katechumenenunterricht teilgenommen hat, läßt sich annehmen. Ob die Informationen, auf die er sich in mand IV 3,1 bezieht, auf Unterrichtserfahrungen oder auf andere Kontakte mit Lehrern zurückgehen, ist nicht zu entscheiden, zumal wir über institutionalisierte und außerordentliche Einflußmöglichkeiten von Lehrern zu wenig Sicheres wissen. Nichts spricht dafür, daß Hermas die mantischen Séancen aus eigener Anschauung, womöglich als Klient des Mantikers, kennt. Sein Einfluß in den verschiedenen Formen gemeindlicher Öffentlichkeit ist demnach gering. Selbst da, wo seine Einflußmöglichkeiten, weil mit einer führenden Rolle verbunden, noch am größten einzuschätzen sind — im Oikos —, zeitigen sie nicht den gewünschten Erfolg.

Um die Rolle genauer zu erfassen, in der Hermas von einem bestimmten Zeitpunkt an in der Gemeindeöffentlichkeit agiert und deren Übernahme er durch die Behauptung ihm zuteilgewordener himmlischer Aufträge begründet, ist zunächst nach der Eigenart der Einflußnahmen zu fragen, zu denen er sich aufgefordert sieht.

Von Anfang an ist Hermas selbst Objekt der ihm befohlenen Einflußnahme. Sein eigenes Verhalten wird als korrekturbedürftig kritisiert und in die für alle geltenden sittlichen Mahnungen einbezogen[192]. Insbesondere sein Verhalten in der Rolle des paterfamilias ist der himmlischen Kritik unterworfen[193]. Zugleich aber wird er in dieser Rolle dadurch gestärkt, daß er die Änderung

---

189 S. o. S. 66f. und u. S. 170f.
190 Vgl. nur vis III 1,8 und s. dazu o. S. 87.
191 Hermas erfüllt weder vom Geschlecht noch vom Familienstand noch von der Bedürftigkeit her die Voraussetzungen.
192 Vgl. vis I 1,8f., 2,3-3,2; II 3,1; III 1,6; V 5; mand I 2; II 7; III 5 u. ö.
193 vis I 3,1f.; II 3,1.

seines Verhaltens als paterfamilias in Richtung auf größere Rollenkonformität mit dem Empfang himmlischer Anweisungen begründen kann. Der damit verbundene Autoritätszuwachs wird jedenfalls in vis II 2,3f. reflektiert, wo Hermas seinem Oikos gegenüber ausdrücklich in der Rolle des Offenbarungsmittlers agiert.

In vis II 1,4 erhält er den Auftrag, den Erwählten Gottes die von ihm sogleich kopierte himmlische Botschaft zu übermitteln. Die darin enthaltenen Auftragsformeln beziehen sich auf die Familie des Hermas (2,3), die Gemeindevorsteher (2,6) und Maximus (3,4). Daß aber nicht nur die genannten Gruppen und Individuen, sondern die ganze Gemeinde erreicht werden sollte, wird durch den Auftrag 1,3, durch die Verallgemeinerungen 2,4f.7f.; 3,2f.4b und durch die detaillierten, auf die Gesamtheit der Christen bezogenen Anweisungen 4,2f. erwiesen.

Betrachtet man vis II 2,2-3,4 nicht von vornherein als eine literarische Fiktion, die mit den im Text genannten einzelnen Adressaten nichts zu tun, sondern nur innerhalb der ganzen Schrift eine Funktion hat[194], so müssen Erwägungen gestattet sein, die sich auf die genauere Art und Weise einer möglichen Übermittlung der Botschaft durch Hermas an die Endadressaten beziehen. Zwei Möglichkeiten sind vorstellbar.

Denkbar wäre einmal, daß Hermas den einzelnen Adressaten die jeweils sie betreffenden Teile der Botschaft übermittelt hätte. Am einfachsten würde sich dies in der so gut wie dauernd bestehenden Öffentlichkeit des Oikos gegenüber den Familienangehörigen bewerkstelligen lassen. Sollte Maximus (was wir nicht wissen) nicht zufällig ein weiteres Mitglied des Hauses des Hermas gewesen sein, müßte ihm Hermas wohl einen eigenen Besuch abstatten. Ein weiterer Gang wäre nötig, um die Presbyter zu verständigen — am ehesten bei einer ihrer Zusammenkünfte[195]. Das Problematische an dieser ersten Möglichkeit liegt darin, daß die an alle Christen gerichteten Passagen ausgeblendet blieben. Zudem würde Hermas als einziger vom Gesamtumfang der Botschaft wissen.

Es ist deshalb eher an die andere Möglichkeit zu denken, daß die Veröffentlichung der gesamten Botschaft im wesentlichen in einer einzigen Form gemeindlicher Öffentlichkeit geschehen sein könnte. In Gemeindeversammlungen[196] wäre eine Verlesung der Kopie der himmlischen Botschaft durch Hermas denkbar. Er würde sich bei diesem außerordentlichen Auftreten durch den Empfang der Botschaft und den Publikationsauftrag legitimieren. In diesem Rahmen könnte man sich die christlichen Angehörigen des Oikos des Hermas ebenso wie Maximus als Anwesende vorstellen; dazu kämen wohl weitere Teilnehmer, die als Adressaten der allgemeineren Passagen der Botschaft

---

194 Dibelius, Hirt 445f. Seine Fiktionshypothese beruht auf der Annahme, daß die im Text erwähnten Familienangehörigen das Hermas keine realen Personen gewesen seien. Dagegen sind o. S. 54-56 Einwände geltend gemacht worden.

195 Die komplizierte Alternative zu dieser Annahme wären Einzelbesuche des Hermas.

196 Wie Lampe, Christen 301-345, gezeigt hat, ist die Annahme einer Zusammenkunft der gesamten Gemeinde an einem Ort für das frühe stadtrömische Christentum unwahrscheinlich. Es ist mithin an die Versammlung einzelner Hausgemeinden zu denken.

in Betracht kämen. Die Öffentlichkeit der versammelten Gemeinde böte im übrigen eine gute Möglichkeit zu sozialer Kontrolle, indem ein größeres Publikum über die an Einzelne gerichteten Forderungen informiert wäre und das künftige Handeln der besonders Angeredeten im Angesicht eines breiteren Forums stattfinden würde[197]. Problematisch bleibt bei dieser zweiten Möglichkeit allerdings die Verständigung der Presbyter in ihrer Gesamtheit. Der kurze Dialog zwischen der Greisin und Hermas in 4,2 könnte implizieren, daß eben hier auch für Hermas ein Problem lag[198]. − All diese Erwägungen stehen, das sei noch einmal betont, unter der eingangs genannten Voraussetzung[199].

Zugang zum Presbyterium (vgl. vis II 4,2f.) kann sich Hermas durch Vorweisen der Kopie und durch Bezugnahme auf den Auftrag der für ihn seit vis II 4,1 eindeutig als Ekklesia identifizierbaren Greisin verschaffen. Das Ziel dieser Einflußnahme besteht nach den Worten der Greisin im gemeinsamen Lesen der Kopie. Doch soll wohl mehr als bloße Kenntnisnahme erreicht werden. Erstens unterstellt sich Hermas, indem er ihnen die Kopie zugänglich macht, der Kontrolle der Presbyter und erkennt ihre gemeindeleitende Rolle damit als legitim an. Zweitens verschafft er sich die Gelegenheit, von der Spitze der gemeindlichen Hierarchie in seiner neuen Rolle als Empfänger einer himmlischen Botschaft anerkannt zu werden. Drittens können die einzelnen Presbyter als Multiplikatoren die an alle Christen gerichtete Botschaft in den ihnen unterstellten Hausgemeinden weiter verbreiten.

Dieselben beiden Legitimationsmöglichkeiten (Kopie, Auftrag durch die Greisin) hat Hermas, wenn er via Clemens und Grapte (vis II 4,3) Einfluß auf andere Gemeinden bzw. auf die Witwen- und Waisenfürsorge der römischen Gemeinde nehmen will. Damit dienen die in vis II 4,3 aufgetragenen Maßnahmen dazu, der Kopie eine über die Einzelgemeinde hinausgehende universale Geltung zu verschaffen und dabei jede dafür in Frage kommende Form von Öffentlichkeit zu benutzen.

Im weiteren Verlauf des "Hirten" wird Hermas' Möglichkeit, die jeweiligen himmlischen Botschaften allen Gliedern zumindest der römischen Gemeinde zu

---

197 Die größere Öffentlichkeit der versammelten (Haus-)Gemeinde als Instanz sozialer Kontrolle ist u. a. auch in Phil 4,2f. und im Phm im Blick.

198 Eine Stütze für die Annahme, Hermas habe die Kopie der himmlischen Botschaft im Rahmen der versammelten Gemeinde in Anwesenheit seiner Familie und des Maximus vorgetragen, könnte man darin sehen, daß letztere in 4,2 nicht (mehr) erwähnt werden (müssen, weil die Botschaft bereits zu ihnen gelangt war).

199 Auch wer wie Aune, Prophecy 300, davon ausgeht, daß Hermas in vis II 2,2-3,4 von ihm selbst bereits früher geäußerte prophetische Orakel (2,6-8; 3,4) verarbeitet habe (s. dazu auch o. Anm. 186), müßte sich die Frage nach dem Öffentlichkeitsrahmen stellen, in dem diese Orakel ggf. geäußert werden konnten, und käme dann vermutlich zu ähnlichen Antworten, wie sie hier erwogen werden.

vermitteln, als gegeben vorausgesetzt[200]. Mehrfach wird eine tatsächliche Wirkung des durch Hermas auf die Gemeinde ausgeübten Einflusses reflektiert[201]. Über die genauen Umstände der Veröffentlichung schweigt der Text. Dennoch lassen sich einige Vermutungen anstellen. Ausgangspunkt ist die Tatsache, daß die zu vermittelnden Botschaften vorwiegend, vielleicht ausschließlich, in schriftlicher Form vorlagen[202]. Setzt man voraus, daß die für eine allgemeine Verbreitung günstigste Form gemeindlicher Öffentlichkeit die der versammelten Gemeinde war und daß die Versammlungen in der Regel in den einzelnen Hausgemeinden stattfanden[203], so gestattete das Medium der Schrift zwei Möglichkeiten einer wörtlich identischen Vermittlung der Botschaften: das Anfertigen von Kopien, die an die Hausgemeinden weitergeleitet und von jeweils dazu bestimmten Personen verlesen wurden, oder die Zirkulation einer einzigen Vorlage in den Hausgemeinden, wobei dann offen bliebe, ob Hermas dabei die einzelnen Gemeinden besuchte und den Text selbst vorlas oder ob der Text ohne seine Mitwirkung zirkulierte. Für die Anfertigung von Kopien könnte man das in vis II 4,2f. vorgeschlagene Verfahren anführen. Für den ausschließlichen Vortrag der jeweiligen Botschaft durch Hermas sprechen die Auftragsformeln[204] und diejenigen Stellen, die sich auf die Rezeption der von Hermas gesprochenen Worte durch die hörende Gemeinde beziehen[205], die mithin einen direkten Kontakt zwischen Hermas und den Endadressaten voraussetzen.

Auch wenn man nicht ausschließen kann, daß beide Möglichkeiten zum Zuge kamen, spricht doch insgesamt mehr für die zweite. Hermas wäre demnach immer dann, wenn er eine himmlische Botschaft empfangen und niedergeschrieben hätte, in den einzelnen Hausgemeinden aufgetreten und hätte sie verlesen. Die schriftlichen Unterlagen wären dann wohl ohne große Änderungen[206] in das heute vorliegende Werk eingegangen.

Am ehesten in den Zusammenhang von Auftritten des Hermas in den Gemeindeversammlungen sind seine Versuche, auf andere Formen gemeindlicher Öffentlichkeit Einfluß zu nehmen, zu stellen. So fällt im Blick auf die Öffentlich-

200 Vgl. vis III 4,3; 8,10f.; IV 2,5; 3,6; V 7.
201 vis III 11,1-13,4; IV 1,3; sim VIII 6,3.4.6; 7,5; 8,2; 10,1; X 2,3f., 4,1.
202 Explizit vis II 2,2-3,4; vis Vff.; für vis III aus vis II 4,2, für vis IV aus IV 3,6 zu erschließen.
203 S. o. S. 69f. — Die Alternative wären außerordentliche Versammlungen der Gesamtgemeinde, wofür es jedoch keine Anhaltspunkte gibt.
204 Vgl. vor allem das ὑπάγειν vis IV 2,5; sim VIII 11,1.
205 vis III 3,1f.; 8,11; IV 3,6; mand XII 3,2; sim VIII 6,4. Vgl. auch vis III 4,3; ferner vis III 9,1f.; IV 2,6; V 7; mand XII 6,3; sim V 3,9; VIII 7,5; 8,2; 10,1.3; 11,2; IX 23,2; 33,1.3; X 2,3; 4,1.
206 Vgl. nur die stehengebliebenen ἀδελφοί-Anreden (s. u. S. 156 Anm. 1).

keit der mantischen Séance auf, daß Hermas zumindest in mand XI keinerlei direkte Beeinflussung des Mantikers versuchte. Offenbar schien eine direkte Intervention erfolglos, vermutlich weil die Position des Mantikers zu sehr gefestigt war. Deshalb sollte nicht dessen Verhalten korrigiert werden, sondern das derjenigen, die dieses Verhalten tolerierten, für wünschenswert hielten oder seine Dienste selbst in Anspruch nahmen. Beabsichtigt war, den Mantiker in seinem Wirkungsbereich zu isolieren (mand XI 4.21).

> Dabei ist auffällig, daß unter den vielen, größtenteils traditionellen Mitteln, die Rolle des Mantikers als illegitim zu erweisen, auch die von ihm hergestellte Form der Öffentlichkeit abzuwerten versucht wird: Mit κατὰ γωνίαν (mand XI 13) wird mißliebige Öffentlichkeit als illegitim abgetan[207]. Dahinter steckt der Vorwurf, es handle sich um gar keine richtige (d. h. legitimer Herrschaft unterworfene) Öffentlichkeit.

Dafür, daß die indirekte Einflußnahme des Hermas auf den Mantiker im Rahmen der Gemeindeversammlung stattfand, spricht vor allem, daß das Verhalten in der versammelten Gemeinde das entscheidende Unterscheidungsmerkmal zwischen dem Mantiker und dem legitimen Propheten ist (mand XI 9-14).

Auch bei der Beeinflussung der Lehrer dürfte die Gemeindeversammlung das Forum des Hermas gewesen sein. Auch hier erfahren wir jedenfalls nichts von direkten Interventionen in Unterrichtssituationen. Im entscheidenden Konfliktpunkt legitimiert Hermas in mand IV 3,2-6 die von ihm vertretene zweite Buße durch einen Bescheid des Hirten. Anders als im Fall des Mantikers wird weder die Legitimität der Lehrerrolle bestritten noch die Lehrmeinung von der Unmöglichkeit einer zweiten Buße (3,1) von vornherein als falsch abgetan. Vielmehr wird die Möglichkeit *einer* einzigen, auf einen bestimmten Personenkreis beschränkten zweiten Buße als eine genau umrissene legitime Ausnahme zu jener abgesehen davon gültigen Lehre präsentiert. Die Autorität der betreffenden Lehrer ist damit anerkannt; die von Hermas vorgetragenen Ausführungen des Hirten zeigen die Notwendigkeit einer Verständigung mit ihnen.

Die drei Gruppen von Christen, die in diesem Zusammenhang unterschieden werden − noch nicht, gerade erst und seit langem zum Glauben Gekommene (3,3f.) −, um deren Zukunftsaussichten es geht und die deshalb neben den Lehrern ebenfalls zu den Adressaten der Botschaft des Hirten zu rechnen sind, kann man sich am ehesten in den Hausgemeinden zusammen anwesend vorstellen.

Eine spätere Abwertung derselben Lehrer liegt vielleicht in sim VIII 6,5 vor. In diesem Fall hätte Hermas gegenüber mand IV an Einflußmöglichkeiten und

---

207 Der Vorwurf ist weitverbreitet; vgl. Reiling, Hermas 54f. Anm. 7.8. Aus der Perspektive der nichtchristlichen römischen Öffentlichkeit verhielt es sich mit den Christen und deren (Gegen-)Öffentlichkeit nicht anders: latebrosa et lucifugax natio, in publicum muta, in angulis garrula (Minucius Felix, Octavius 8,4).

Autorität gewonnen. Ein Legitimationszwang besteht für die zweite Buße in sim VIII jedenfalls nicht mehr. Möglicherweise kommt eine Verschiebung des Verhältnisses zwischen Lehrern, die die zweite Buße ablehnten, und solchen, die sie akzeptierten, hinzu.

Ebenfalls bloße Abwertungen, keine Auseinandersetzung oder gar Legitimationsversuche des Hermas liegen gegenüber den in sim IX 19,2f. und 22,2 genannten Gruppen von Lehrern vor, und zwar wie in sim VIII 6,5 im Rahmen einer kritischen Analyse der Gesamtgemeinde, die am ehesten in Gemeindeversammlungen veröffentlicht werden konnte.

Auch die Versuche, das Presbyterkollegium zu beeinflussen, erfolgten wohl (abgesehen von vis II 4,2f.) vor dem Forum der versammelten Gemeinde. Dafür spricht, daß sie in Botschaften, die entweder ausdrücklich an alle Christen gerichtet sind[208] oder inhaltlich die Gesamtgemeinde im Blick haben[209], integriert sind. Ziel der Einflußnahme ist die Beseitigung der Rangstreitigkeiten unter den Presbytern.

Das Verhalten der in der Gemeindeversammlung Anwesenden selbst soll in Richtung auf für alle gültige Normen beeinflußt werden (so vor allem in den mandata). Darüber hinaus finden sich (vorwiegend in den Gemeindeanalysen vis III, sim VIII und IX) nach einzelnen Adressatengruppen differenzierte Appelle.

Zusammenfassend läßt sich die Eigenart des neu erworbenen Einflusses des Hermas in der Gemeinde so beschreiben: Bevorzugter Ort der Einflußnahme auf Individuen, Gruppen und die Gesamtgemeinde sowie auf andere Bereiche gemeindlicher Öffentlichkeit war allem Anschein nach die versammelte Gemeinde. Demgegenüber treten direkte Interventionen in anderen Öffentlichkeitsbereichen in der Häufigkeit zurück (Presbyterkonvent) oder scheinen völlig zu fehlen (Unterricht, mantische Séance, Witwen- und Waisenfürsorge). Mittel der Einflußnahme ist die verbale Kommunikation, vermutlich in Form des Monologs, unterstützt durch schriftliche Vorlagen. Legitimiert wird das öffentliche Auftreten durch himmlische Offenbarungen und Beauftragungen; himmlische Botschaften bilden zugleich den Inhalt der Verkündigung des Hermas. Ziel der Einflußnahme ist, die jeweiligen Adressaten zu einem bestimmten, zumeist eigens genannten Normen entsprechenden Verhalten zu bewegen oder darin zu bestärken. Außer dem verbalen Appell sind keinerlei Mittel der Beeinflussung — etwa im Sinne empirischer Sanktionsmöglichkeiten — erkennbar. Immerhin konnte die versammelte Gemeinde, das Forum der Veröffentlichung der Appelle, als eine Instanz sozialer Kontrolle fungieren, und zwar im Sinne des Hermas um so

---

208 Vgl. vis III 9,7-10.
209 Vgl. vis III 5,1; sim VIII 7,4-6; IX 26,2; 27,2; 31,4-32,2.

besser, je bereitwilliger seine eigene Rolle, die damit verbundene Autorität und, wiederum damit zusammenhängend, die Plausibilität und Dringlichkeit seines öffentlichen Auftretens von ihr akzeptiert wurde.

Diese Rolle eindeutig zu bestimmen, ist nun allerdings nicht einfach. Einer vorschnellen Subsumtion des Hermas unter die urchristlichen Propheten steht die Tatsache entgegen, daß er im Text nirgends selbst als Prophet bezeichnet wird, vor allem aber, daß er sich selbst ganz anders präsentiert als ein wahrer Prophet, der den in mand XI aufgestellten Kriterien genügte. Während der wahre Prophet die zu vermittelnden Offenbarungen in der Gemeindeversammlung empfängt und sofort weitergibt, wobei der Geist unmittelbar durch ihn zur Gemeinde spricht, empfängt Hermas die himmlischen Botschaften stets dann, wenn er allein ist, und kann sie deshalb auch abgesehen von anderen Hinderungsgründen[210] nicht sogleich den Endadressaten weitervermitteln. Der Geist spricht nicht unmittelbar durch ihn, sondern mittelbar in Gestalt bestimmter himmlischer Wesen (Greisin, Hirt) zu ihm[211]. In Verbindung mit diesen Unterschieden fällt dann auch ins Gewicht, daß für die Rolle des Hermas der Empfang von Visionen und die Benutzung des Mediums der Schrift konstitutiv sind, für den wahren Propheten nicht[212]. Auch wenn man in Rechnung stellt, daß die Erscheinungsformen urchristlicher Prophetie vielfältiger waren, als mand XI zu entnehmen ist[213], wird eine Einreihung des Hermas unter die Propheten seiner Rolle in der römischen Gemeinde keinesfalls völlig gerecht.

Weil Schriftlichkeit für die Rolle des Hermas zwar konstitutiv ist, aber sein eigenes Auftreten in der Gemeinde nicht ersetzt, läßt sich die Funktion des Her-

---

210 Vgl. vis II 1,4f., III 8,11.

211 Die Herausarbeitung dieser Unterschiede ist das Ergebnis des eingehenden Vergleichs zwischen Hermas und dem wahren Propheten von mand XI bei Reiling, Hermas 157-170. Vgl. die Zusammenfassung ebd. 169: "What he has in common with the Christian prophet whom he describes in the 11th Mandate is that both have a message for the church. Both are used by the Lord, but in an opposite way: the prophet is used as a direct spokesman of the divine message, Hermas as a reporter of what the divine speakers have to say." Während dem zuzustimmen ist, erheben sich Bedenken gegen Reilings Annahme, der wahre Prophet in mand XI sei kein religiöser Spezialist gewesen, dagegen Aune, Prophecy 209f.

212 Die Versuche von Aune, Prophecy 210, Hermas' Auftreten mit dem eines wahren Propheten in Einklang zu bringen, gehen über das in mand XI explizit Gesagte hinaus (und manchmal auch hinweg). Selbst wenn es zuträfe, daß "the revelation conveyed by the 'man who has the Divine spirit' in Mand. xi.9 was not necessarily received following the prayer of the assembly, but an earlier revelation may have been delivered by the prophet at that point" (ebd.), würde Hermas dadurch allenfalls als die permanente Ausnahme zu den von ihm selbst propagierten Regeln erwiesen.

213 Zur urchristlichen Prophetie insgesamt vgl. zuletzt Hill, Prophecy, und Aune, Prophecy.

mas auch nicht ohne weiteres mit der Rolle anderer Verfasser von Apokalypsen gleichsetzen. Der auffälligste Unterschied zwischen dem "Hirten" und den anderen uns bekannten jüdisch-christlichen Apokalypsen[214] besteht darin, daß jener eine authentische, keine pseudonyme Schrift ist. Damit hängen unterschiedliche Legitimationsmöglichkeiten im Blick auf die Rollen zusammen, die die Verfasser dieser Schriften jeweils in der Gemeinschaft ausüben, auf die sie sich beziehen[215]: Hermas legitimiert sein Auftreten mit dem Empfang himmlischer Offenbarungen, während die übrigen Apokalyptiker allenfalls als Finder der von ihnen verfaßten Schriften auftreten, diese ihnen aber insofern keinen Zuwachs an Autorität verschaffen, als sie selbst sich nicht als Offenbarungsempfänger präsentieren. Als Offenbarungsempfänger hat Hermas auch andere Interventionsmöglichkeiten als der Finder einer Offenbarungsschrift. Letzterer muß den Text erst durch Deutung auf die gemeinte Situation beziehen, falls er das nicht den Lesern überläßt; bei Hermas ist der Situationsbezug in den Inhalten und dem Vermittlungsakt der zu publizierenden Botschaften bereits mitgegeben, Metakommunikation also nicht erforderlich[216]. Auch die Fortsetzung der Interventionen ist dort leichter, wo jemand als Offenbarungsempfän-

214 Die einzige Ausnahme ist die Johannesapokalypse. Die Rolle ihres Autors wurde in neuerer Zeit mehrfach als die eines Wanderpropheten bestimmt (Lampe, Apokalyptik 109.112; Müller, Offenbarung 50; differenzierter Aune, Prophecy 205-208.215; Metakritik an Aune bei Collins, Crisis 45f., vgl. auch Hill, Prophecy 87-93), ohne daß diese Rollenzuschreibung mit der Verwendung des Mediums der Schrift ausreichend vermittelt wurde. Die von Ebach, Apokalypse 17-20, für Apk beschriebene Collagetechnik könnte auch auf die Rolle des Lehrers deuten. Das Verhältnis von Prophetie und Tradition sowie von Propheten und Lehrern bedürfte von daher einer umfassenderen Erörterung.
215 Angesichts gelegentlicher Unklarheiten in der neueren Diskussion sei darauf hingewiesen, daß der Begriff "Apokalyptiker" keine Bezeichnung für eine vom Autor einer Apokalypse in einer Gemeinschaft ausgeübte Rolle ist, sondern ebenso wie "Romancier" o. ä. als Kürzel für den Verfasser einer Schrift fungiert, die einer bestimmten literarischen Gattung zugerechnet wird. Die differenzierte Erforschung der Rollen der Apokalyptiker steckt noch in den Anfängen. Einen beachtlichen Beitrag dazu hat Lampe, Apokalyptiker 85-93, geliefert, der in Blick auf einige jüdische Apokalypsen zwischen Gelehrten, Grammateis, Lehrern (vgl. dazu auch Janssen, Gottesvolk 96-100) einerseits, Landpriestern andererseits als Verfassern unterscheidet, deren unterschiedliche Rollen und soziale Herkunft sich u. a. in der Stellung zum Gewaltproblem zeigen.
216 Es liegt nicht zuletzt an den Eigenarten der in der Verwendung der Pseudonymität mitgesetzten Veröffentlichungsmöglichkeiten und -hindernissen, daß sich in pseudonymen Apokalypsen keine derart direkten Beeinflussungsversuche auf die Adressaten finden, wie sie etwa in vis II 2,2-3,4 und häufiger bei Hermas vorliegen. Allgemeiner und etwas vergröbernd ausgedrückt: Während der "Hirt des Hermas" eher auf Veränderung der Adressaten abzielt, geht es in vielen pseudonymen Apokalypsen vor allem um deren Stabilisierung.

ger bereits bekannt und anerkannt ist, als da, wo erneute Einflußnahme fortgesetzte Produktion von Neufunden bedeutete.

Die Frage der Echtheit der himmlischen Offenbarungen ist für die Bestimmung der Rolle des Hermas nicht an sich von Belang. Der Empfang solcher Offenbarungen galt im Rahmen antiker Religiosität allenthalben als möglich. Hermas blieb also innerhalb der Grenzen zeitgenössischer christlicher, ja gemeinantiker Plausibilitätsstrukturen, wenn er den Empfang himmlischer Offenbarungen behauptete. Ob er in seiner Rolle akzeptiert wurde, hängt damit in erster Linie von der Glaubwürdigkeit seiner Person und der Relevanz und Plausibilität der von ihm veröffentlichten Inhalte für die Adressaten, nicht so sehr von der Echtheit seiner Visionen ab. Damit ist die Frage nicht abgetan; sie scheint aber eher unsere neuzeitliche Frage zu sein als die der römischen Christengemeinde des frühen zweiten Jahrhunderts, zumal Hermas nirgends auch nur Reflexe einer Anzweiflung der Echtheit seiner Visionen erkennen läßt. Für die Beantwortung der Fragen stehen uns bisher allerdings keine zureichenden Kriterien zur Verfügung, die nicht gegen, sondern *für* die Authentizität der Schilderung visionärer Erlebnisse sprechen. In aller Vorsicht läßt sich als ein (sehr ergänzungsbedürftiges) Kriterium formulieren: Die Wahrscheinlichkeit, daß der Bericht eines authentischen visionären Erlebnisses vorliegt, ist um so größer, für je weniger sprachliche Präsentationsformen und inhaltliche Motive des Visionsberichts sich im Umkreis der geistigen Heimat des Berichtenden Vorbilder nachweisen lassen. Untersucht man daraufhin etwa vis V, so stellt sich heraus, daß sich für das Epiphanieschema, die Frage nach der Identität des Erscheinenden, dessen Selbstvorstellung und die Schreibanweisung genügend Vorbilder und Analogien nachweisen lassen. Das allein entscheidet noch nicht über die Authentizität des Berichteten; denn abgesehen davon, daß sich die Präsentation von tatsächlich und vorgeblich Wahrgenommenem stets in gleichem Maße und häufig auch in gleicher Weise geprägter Formen bedient, handelt es sich bei den genannten Elementen überwiegend um solche, die für die Erkennbarkeit eines Visionsberichts als solchen konstitutiv sind. Sehr selten hingegen sind folgende Züge: daß der Offenbarungsempfänger und der Offenbarungsmittler beide auf einem Bett sitzen, daß ersterer die Erscheinung als Versuchung interpretiert und sich darin täuscht, daß er über die Selbsttäuschung erschrickt, daß ein Schutzengel als Offenbarungsmittler auftritt. All diese an sich sehr seltenen Züge sind zumal in ihrer Kombination singulär; nach dem oben angeführten Kriterium hätte der Visionsbericht mithin zumindest authentische Züge. Freilich müßte jeder Visionsbericht für sich genau untersucht werden, freilich bedürfte es allgemeinerer Erwägungen über die bei der literarischen Präsentation von visionären Erlebnissen wirksamen Faktoren[217], bevor man über die Eigenart der Visionsberichte des Hermas ein präzises Urteil fällen könnte. Daß es differenziert ausfallen würde, kann schon nach den Analysen von *Dibelius* und *Peterson* nicht zweifelhaft sein, wenngleich beide ihr Augenmerk zu stark auf die Entdeckung traditioneller Einzelzüge, nicht auf die Frage der Konventionalität oder Eigentümlichkeit ihrer Kombination richten.

Fassen wir das bisher Gesagte zusammen, so ergibt sich positiv, daß für die Rolle des Hermas sowohl das öffentliche Auftreten in der Gemeinde als auch

217 Hierbei wäre ein Blick auf die psychoanalytischen Forschungen über die komplexen Beziehungen zwischen Traum und Traumbericht lohnend.

die damit verbundene und darauf bezogene Produktion und Verbreitung schriftlicher Texte konstitutiv ist; beides wird durch den Empfang himmlischer Offenbarungen und Aufträge legitimiert. Negativ bedeutet das, daß diese Rolle sich nicht ohne weiteres in das uns bekannte Spektrum frühchristlicher Führungsrollen einordnen läßt. Könnte es sein, daß Hermas' neu übernommene Rolle so singulär war, daß nicht nur für uns, sondern auch für seine Zeitgenossen eine Einordnung schwierig, eine besondere, ausdrückliche Rollendefinition aber vielleicht gerade deshalb unnötig war, weil die Existenz dieser Rolle mit deren einzigem Träger untrennbar verbunden war, mit ihm stand und ging? Man sollte in dieser Frage nicht eine bloße Rückprojektion der Irritationen neuzeitlicher Hermasrezipienten auf die unmittelbaren Adressaten des Hermas sehen; denn immerhin gibt es genügend Indizien dafür, daß gerade die Inhaber von Führungspositionen in der römischen Gemeinde die Rolle des Hermas in bereits vorhandenen, mithin traditionellen Wahrnehmungsrastern und Rollendefinitionen nicht erfassen konnten und deshalb für sie eine Abgrenzung des Kompetenzbereichs des Hermas und seine Einordnung in die Hierarchie nicht unproblematisch war.

Auf Probleme der Einordnung des Hermas in das hierarchisch strukturierte soziale Spektrum der Gemeinde verweisen je auf ihre Art vor allem vis III 1,8-2,2; 4,3 und 8,10f. Hinzu kommt, daß Hermas, wenn er von seiner Würdigkeit als Offenbarungsempfänger spricht, vor allem in den ältesten Teilen seines Werkes stets deutlich macht, daß ihm diese Würde keineswegs aufgrund eigener Verdienste zukommt[218]. Allerdings zeigt sich auch, daß im weiteren Verlauf der Textproduktion das Problem der adäquaten Einordnung des Hermas in die Gemeindeöffentlichkeit an Gewicht verliert, auch wenn er über weite Strecken mit den anderen Bußbedürftigen auf eine Stufe gestellt wird[219]. Doch wird in mand XII 3,3 mit der Erwähnung der διακονία, die Hermas im Auftrag des Hirten ausüben soll, seine Rolle etwas[220] fester umrissen und auf die Bußverkündigung bezogen. Auch wird er, wie bereits erwähnt, in sim VIII und IX in das visionäre Geschehen als Gehilfe des Hirten einbezogen. Aber noch die zwei-

---

218 vis II 1,2 betont die eigene Sündhaftigkeit, III 4,3 die größeren Verdienste anderer Christen, IV 1,3 die Stärkungsbedürftigkeit des Hermas.

219 Vgl. die Parallelisierungen zwischen Hermas und allen Christen: mand III 5; IV 2,4; 4,4; V 2,8; VI 1,5; VII 4; VIII 12; X 3,4; XII 3,1; 6,5; sim IV 8; V 3,4.9; VI 1,2; VIII 11,4.

220 διακονία bzw. διακονεῖν werden bei Hermas im Blick auf drei verschiedene Subjekte verwendet. Sie beziehen sich auf gezielte Aufträge, die begüterten und reichen Christen zugemutet werden (mand II 6; sim I 9; II 7.10), auf die Aufgaben, die mit der Rolle des Diakons verbunden sind (vis III 5,1; sim IX 26,2; vgl. 27,2), auf bestimmte Aufgaben, die Hermas im Auftrag des Bußengels bzw. dessen himmlischen Vorgesetzten übernimmt (mand XII 3,3; sim VIII 4,1f.; vgl. X 2,4; 4,1).

malige Bestätigung des Hermas in seinem ministerium, die der Gottessohn in sim X 2,4 und 4,1 vollzieht, macht deutlich, wie legitimationsbedürftig die Rolle des Hermas war und blieb[221].

Die zwischen den älteren und den jüngeren Teilen des Texts erkennbaren Verschiebungen in der Wertung der Rolle des Hermas lassen sich m. E. am ehesten so erklären, daß Hermas sich in dieser Rolle in der Gemeindeöffentlichkeit unbeschadet der bleibenden Legitimationsprobleme[222] im Lauf der Zeit immer besser etablieren konnte. Mehrere Faktoren konnten eine solche Entwicklung begünstigen. Zunächst ist das Problem, um dessen Lösung Hermas sich bemüht, die Christensünde, als ein das Gemeindeleben belastendes Problem offenbar von einer breiteren Basis erkannt und anerkannt gewesen[223]. Sodann bestätigt der immerhin partielle Erfolg seiner Mission, der im "Hirten" zur Genüge reflektiert wird[224], Hermas in seiner Rolle nicht nur, sondern wertet seine Tätigkeit wohl auch auf. Schließlich hängt der zunehmende Einfluß des Hermas, der in der späteren öffentlichen Verlesung des "Hirten" in den Gemeindeversammlungen gipfelt, wohl auch damit zusammen, daß der neue Träger einer außerordentlichen Rolle sich den Presbytern, also der Gemeindeleitung, unterordnet[225], nie eine Veränderung, sondern stets die Verbesserung der hierarchischen Strukturen in der Gemeinde propagiert[226] und − doch wohl auch im Interesse der Presbyter − dezidiert gegen einen ihrer Konkurrenten um die Spitzenposition, den Mantiker, Stellung bezieht (mand XI) bzw. zur Insubordination neigende Multiplikatoren anprangert (sim IX 22).

Die aus diesen Indizien zu erschließende Unterordnung des Hermas unter die Presbyter ermöglicht nun auch eine Antwort auf die oben[227] angeschnittene Frage nach Entsprechungen zwischen den visionären Prüfungsszenen sim VIII 4f. und IX 7-9, an denen Hermas beteiligt wird, und der irdischen Gemeindewirklichkeit: Der Prüfungs-

221 Die gegenüber den Lehrern von mand IV vorgenommenen Legitimationen, Verwahrungen (vgl. ἀφορμή) und Präzisierungen mand IV 3,3 und wohl auch 1,11 betreffen, soweit erkennbar, nicht die Rolle des Hermas als solche, sondern die in dieser Rolle verkündigten Inhalte.

222 Immerhin ist auch zwischen mand XII 3,2f. und sim X eine Entwicklung darin zu sehen, daß Hermas an der erstgenannten Stelle vom Hirten, später vom Gottessohn zu seinem Dienst beauftragt wird, was unter Berücksichtigung von sim IX 1,1-3 eher im Sinn einer Stärkung von Hermas' Position zu deuten ist denn als eine durch verstärkten Legitimationsdruck auf seine Rolle nötig gewordenen Maßnahme.

223 So sind sich zumindest die Lehrer aus mand IV 3,1 mit Hermas in der Wahrnehmung des Problems einig, auch wenn ihre Lösungsvorschläge offensichtlich in eine andere Richtung gehen.

224 S. o. S. 101 mit Anm. 201.

225 Vgl. vis III 1,8; 5,1 und s. o. S. 100.

226 Die Presbyter sollen zu rollenkonformem Verhalten bewegt werden.

227 S. o. S. 93.

szene entspricht die öffentliche Verkündigungstätigkeit des Hermas. Das z. T. recht handfeste visionäre Geschehen — Steine werden entfernt, weggeworfen, behauen — erlaubt keine Rückschlüsse auf eine mehr und andere als sprachliche Mittel benutzende Vorgehensweise des Hermas[228]; die Veränderungen im Verhalten von Gemeindegliedern werden stets auf seinen *verbalen* Einfluß zurückgeführt[229]. Über praktizierte Ausschlüsse aus der Gemeinde ist uns für die römischen Verhältnisse zur Zeit des Hermas nichts bekannt. Sollte es sie gegeben haben, was vom "Hirten des Hermas" her eher unwahrscheinlich ist, ließe es sich nur schwer verstehen, daß die Gemeindeleitung dabei die Definitionsmacht und die Ausschlußgewalt nicht für sich in Anspruch genommen, sondern an Hermas delegiert hätte, falls man die Prüfungsszenen für etwaige Ausschlußkompetenzen des Hermas in Anspruch nehmen wollte. Auch ein bestimmter irdischer Prüfungs*termin* ist kaum anzunehmen: Anders als im visionären Geschehen wären etwa die Apostaten und diejenigen, die der Gemeinde aus anderen Gründen für immer ferngeblieben waren, kaum erschienen, ganz abgesehen von den Märtyrern im engeren Sinn.

9

Wir fragen nun noch einmal nach der Funktion des Hermas in der Gegenöffentlichkeit der römischen Gemeinde.

Die Gegenöffentlichkeit der römischen Gemeinde ist bezogen auf die Öffentlichkeit der römischen Gesellschaft. In der Gesellschaft, nicht außerhalb ihrer, bildet die Gemeinde eine in sich gegliederte Gegenöffentlichkeit. Sie fungiert dabei als Sammelbecken der und des von der Öffentlichkeit Ausgeblendeten.

Die Gegenöffentlichkeit erhebt umfassenden Anspruch auf die an ihr Partizipierenden. Faktisch wird dieser Anspruch aber nicht abgegolten. Viele Christen partizipieren zugleich an anderer Öffentlichkeit. Trotz der Institutionalisierung von Gegenöffentlichkeit im christlichen Oikos bleiben Bereiche von Unveröffentlichtem, Privatem bestehen. Im Öffentlichen wie im Privaten ist die Übereinstimmung von offen sichtbarem, hörbarem, spürbarem Verhalten und den verborgenen Gedanken und Wünschen nicht überprüfbar. Begünstigt wird das durch die zunehmende Gemeindegröße: Indem die Zahl der Partizipierenden wächst, wird das Verhalten der Einzelnen für die jeweils anderen immer weniger überschaubar[230]. Zugleich nimmt die soziale Differenzierung in der Gemeinde zu. Die mit den unterschiedlichen gesellschaftlichen Standorten verbundenen verschiedenen Lebensstile treffen auch in der gemeindlichen Gegenöffentlichkeit aufeinander und machen die Frage nach den Normen

228 Auch in vis I 3,2 wird verbale Einflußnahme recht drastisch umschrieben.
229 S. o. Anm. 201 und 205 und vgl. die Erwartungen, die Hermas in sim VIII 11,3 und X 2,3 äußert.
230 Zum Problem, die Größe der Gemeinde zur Zeit des Hermas zu bestimmen, s. u. Anhang.

christlichen Lebens und ihrer Durchsetzbarkeit dringlich. All diese Faktoren führen zu einer Krise der Gegenöffentlichkeit: Durch den faktischen Ausschluß von Lebensbereichen und durch den Selbstausschluß von Teilnahmeberechtigten nähert sich ihre Struktur faktisch der der Öffentlichkeit an.

Für den Himmel jedoch ist die menschliche Sphäre keines Sich-Verbergens fähig. Vor Gott als dem καρδιογνώστης (mand IV 3,4) gibt es nicht die Trennung von Privatem und Öffentlichem, Offenem und Heimlichem, Bewußtem und Unbewußtem[231]. Auch die Diskrepanzen und Widersprüche zwischen diesen Bereichen sind für den Himmel transparent.

Das für den Himmel transparente Private, Verborgene, Unbewußte der Christen wird der in der Krise befindlichen Gegenöffentlichkeit der Gemeinde in Form des dem Hermas Eröffneten veröffentlicht. Dadurch erhält die Gemeinde die Möglichkeit passiver Teilnahme an himmlischer Öffentlichkeit. Wie diese Teilnahmemöglichkeit an dem, was dem Himmel offen zugänglich ist, eine außerordentliche ist, so auch der Akt und die Mittel der Veröffentlichung. Die neue Rolle des Vermittlers Hermas paßt nicht von vornherein in bereits bestehende Strukturen gemeindlicher Öffentlichkeit hinein; sie muß sich erst akkommodieren. Dies und die Veröffentlichung der himmlischen Botschaft gelingt nicht zuletzt deshalb, weil in der Gemeinde ein Krisenbewußtsein bereits vorhanden ist.

Ziel ist, die Totalität irdischer Gemeindeöffentlichkeit (wieder-)herzustellen. Das der Gemeindeöffentlichkeit Entzogene wird durch die Veröffentlichung der himmlischen Botschaften sozialer Kontrolle und individueller Selbstkontrolle unterstellbar und faktisch unterstellt. Weil der Anspruch auf Totalität geht, ist der Offenbarungsempfänger notwendig nicht nur Vermittler, sondern zugleich selbst Adressat der himmlischen Veröffentlichungen. Zugleich muß universelle Verbreitung dieser Veröffentlichungen in der Gegenöffentlichkeit angestrebt werden.

Das Verhältnis von Publikation und Publikum ist also in der Gegenöffentlichkeit der Gemeinde ein anderes als in der Öffentlichkeit der Gesellschaft: In der literarischen Öffentlichkeit werden nur einige erreicht, andere absichtlich oder faktisch ausgeschlossen.

Die himmlischen Veröffentlichungen wollen im wesentlichen nicht die irdischen Gemeindestrukturen verändern. Sie wollen aber die Struktur der Gegenöffentlichkeit transparenter und funktionsfähiger machen. Wären die jeweiligen Öffentlichkeitsbereiche nämlich funktionsfähig, so wäre die von Hermas neu übernommene Rolle überflüssig. Daß die himmlische Krisenintervention nicht einmalig bleibt und damit die neue Rolle des Hermas nicht sogleich wieder

---

231 Zur Vorstellung von der Kardiognosie Gottes vgl. zuletzt Theißen, Aspekte 88-101. S. auch o. S. 13 Anm. 2.

verschwindet, vielmehr die Krisenintervention fortgesetzt und mitsamt der Rolle des Hermas das Außerordentliche institutionalisiert werden muß, verweist auf die Permanenz der Krise: Durch die fortgesetzte Hinzufügung der Sünden wird nicht nur die himmlische Buchführung[232], sondern auch die irdische Textproduktion und -publikation durch Hermas in Gang gehalten[233].

Die totale Öffentlichkeit in der Gemeinde ist faktisch nicht zu erreichen. Daher wird die Institutionalisierung einer Gegenöffentlichkeit *in* der Gegenöffentlichkeit nötig. Nicht nur die verschiedenen Auftritte des Hermas in der versammelten Gemeinde dienen der Präsenz solcher Gegenöffentlichkeit zweiter Ordnung, sondern auch die Zusammenstellung und Verbreitung der einzelnen Botschaften im "Hirten des Hermas". Indem die Aktivitäten des Hermas immer auch die sozial Schwachen, die Armen, Witwen und Waisen, ins Blickfeld der Gegenöffentlichkeit rücken, wird die Gegenöffentlichkeit ständig an ihre ursprünglichen Funktionen erinnert. Die Gegenöffentlichkeit in der Gegenöffentlichkeit ist also Symptom und Überwindungsversuch einer Krise zugleich.

10

Die große Bedeutung, die den Problemen von Öffentlichkeit und Kommunikation im "Hirten des Hermas" zugemessen wird, zeigt sich nicht zuletzt in dem dort propagierten Leitbild christlicher Existenz. Neben die beiden Aspekte des Glaubens und der Werke im engeren Sinn tritt als eigener Gesichtspunkt die Kommunikationsbereitschaft und Gemeinschaftsfähigkeit.

Dazu gehört zunächst die Bereitschaft, an der Öffentlichkeit der Gemeinde zu partizipieren (κολλᾶσθαι). Wichtig ist weiter die ἁπλότης, die unverstellte, spontane Bereitschaft, im Umgang mit anderen selbst Offenheit zu beweisen und die jeweiligen Kommunikationspartner auch auf die Gefahr der Fehleinschätzung hin als offene Gegenüber anzusehen[234]. Damit hängt, wie auch der Anschluß von mand III an mand II zeigt, die Forderung der Wahrhaftigkeit zusammen[235]. Schließlich gehört auch die Bereitschaft zur Kooperation und zum Verzicht auf Machtkämpfe, das εἰρηνεύειν, zu diesem auf Kommunikation bezogenen Aspekt des Leitbilds christlicher Existenz.

Von diesem Ideal her werden entsprechende Formen abweichenden Ver-

---

232 S. o. Anm. 179.
233 S. auch o. Kap. I.
234 Vgl. vor allem mand II und sim IX 24,1-3, wozu sachlich wegen der dort genannten νηπιότης (vgl. dazu mand II 1 und sim IX 24,1f.) auch sim IX 29,1-3 gehört. Ferner: vis I 2,4; II 3,2; III 1,9; 8,5,7; 9,1; sim IX 15,2.
235 Vgl. außer mand III (s. dazu auch o. S. 20-22) noch mand VIII 9; XII 3,1; sim IX 15,2; 19,2; 25,2.

haltens wahrgenommen: Verzicht auf Gemeinschaft[236], heuchlerische Teilnahme an der Gemeindeöffentlichkeit[237], Verleumdung[238], Lüge[239], nachtragendes
Verhalten[240] sowie Konkurrenz und Rangstreitigkeiten[241].

Die Bedeutung, die gelingende Kommunikation angesichts vorhandener
Kommunikationsstörungen im "Hirten" gewinnt, enthüllt noch einmal das Ausmaß der Krise der christlichen Öffentlichkeit und verweist auf die mangelnde
Transparenz des Verhaltens und der Haltung der Gemeindeglieder[242]. Die
himmlische Krisenintervention via Hermas ist selbst als heilsame Störung der
gestörten Kommunikation, als Kritik an den Verständigungsverhältnissen und
Impuls zu deren Verbesserung beabsichtigt.

---

236 S. o. S. 72.
237 Vgl. vis III 6,1; mand II 5; VIII 3; sim VIII 6,2.5; IX 18,3; 19,2; 27,2.
238 Vgl. mand II 1-3; VIII 3; sim VI 5,5; VIII 7,2; IX 15,3; 23,2f.; 26,7.
239 Vgl. vor allem mand III; ferner mand VIII 3.5; sim VI 5,5; IX 15,3.
240 Vgl. vis II 3,1; mand VIII 3.10; IX 3; sim VIII 6,5; IX 19,2f.; 23,3f.
241 S. o. S. 68f.
242 Vgl. dazu sim IIIf. (s. u. S. 215f.).

V: ULME UND WEINSTOCK – UND ANDERE BEZIEHUNGEN ZWISCHEN ARMEN UND REICHEN IM "HIRTEN DES HERMAS"

Die Probleme der armen und die der reichen Christen sind im "Hirten des Hermas" ein Dauerthema. Eben weil die reale Lage der Armen ungünstig und Hermas den Reichen das Unvorteilhafte auch ihrer eigenen Situation immer wieder einzuschärfen bemüht ist, ist die Quellenlage günstig für die Beantwortung der folgenden Fragen[1]: Wie werden Armut und Reichtum von Hermas wahrgenommen? Was gilt als problematisch? Welche tatsächlichen Beziehungen zwischen Armen und Reichen in der Gemeinde lassen sich erkennen, welche sind Hermas erwünscht? Und wie steht es um den "Zwischenbereich", um diejenigen Christen also, die nicht zu den Armen gehören, aber auch nicht als reich bezeichnet werden können?

Um diese Fragen geht es in den folgenden Abschnitten. Dabei setze ich ein mit der für die Beziehung zwischen Armen und Reichen in der Gemeinde zentralen Stelle sim II, wo mit Hilfe eines traditionellen, aber von Hermas kreativ aufgenommenen Modells nicht nur die Problematik dieser Beziehung sichtbar, sondern auch ein bestimmter Problemlösungsversuch präsentiert wird. Die dabei gewonnenen Ergebnisse werden anschließend in das aus dem gesamten Text zu erhebende Bild von Armut und Reichtum eingeordnet. Danach werden die zwischen den Armen und den Reichen stehenden Christen in die Untersuchung einbezogen. Schließlich wird die in sim II vorgeschlagene Lösung des Problems der Armut in den Rahmen der übrigen bei Hermas als bestehend vorausgesetzten Institutionen der Armenfürsorge und der von ihm selbst zusätzlich vorgebrachten Lösungsversuche gestellt.

I

Beginnen wir mit sim II. Bei dem dort gewählten Bild der sich um die Ulme rankenden Rebe handelt es sich um ein dezidiert *römisches* Motiv. Die Verbindung von Ulme und Weinstock begegnet *nur* in römischer Literatur. Kultureller Hintergrund des literarischen Motivs ist die Praxis des italischen Weinbaus[2].

---

1 Der Standort derer, die heute in den Industrieländern solche Fragen stellen, wird infolgedessen daran kenntlich, ob sie sich an der günstigen Quellenlage freuen oder sich daran ärgern, ob sie also aus den Quellen nur die historischen Informationen fließen sehen oder die Ströme von Schweiß, Tränen und Blut wahrnehmen, die diese Informationen transportieren, ja: *sind* (vgl. dazu auch Benjamin, Begriff 696f.).

2 sim II ist damit ein sicheres Indiz für die o. S. 59f. global erörterten römischen Strukturen im "Hirten". Zu den bei Hermas in puncto Weinbau vorausgesetzten italischen Verhältnissen s. u. S. 150.

Bildspender ist also die römische Landwirtschaft[3]. Wenn Cato d. Ä. (234-149) in seiner Schrift "De agri cultura" darauf hinweist, daß Weinreben an Bäume gebunden werden sollen[4], reflektiert er eine zu seiner Zeit bereits übliche Praxis. Wichtig für die Einschätzung der poetischen Verwendung des Motivs von Weinrebe und Ulme ist, daß schon Cato für dieses Zusammengebundensein das Verbaladjektiv "maritus" — eigentlich "verheiratet" — gebraucht[5]. Die in keiner Hinsicht hervorgehobene oder auffällige Verwendungsweise legt nahe, daß Cato hier einen im Weinbau schon üblichen Fachausdruck einfach aufnimmt[6].

Der an Metaphern arme Stil Catos, der ausdrückliche Hinweis des Vergilkommentators Servius, "maritare" sei ein landwirtschaftlicher Fachausdruck[7], und die Tatsache, daß das Verbum in der landwirtschaftlichen Fachliteratur, soweit sie sich mit italischem Weinbau beschäftigt, nicht nur vereinzelt, sondern als stehender Ausdruck allenthalben begegnet[8], sind im übrigen die wichtigsten Argumente, die man gegen die These Wilhelm *Kroll*s anführen kann: *Kroll* hatte in seinem Kommentar zu Catull c. 62,49-58 behauptet, das mehrfache Vorkommen von "maritare" in der römischen Dichtung deute auf hellenistische Vorlagen hin.[9] Er vermochte aber weder Belege für ein etwaiges griechisches Äquivalent zu "maritare" ausfindig zu machen, noch konnte er erklären, weshalb die römischen Agrarschriftsteller seit Catos Zeiten denselben Begriff[10] wie die römischen Lyriker im selben, auf Baum und Rebe bezogenen Zusammenhang ungebrochen verwendeten. Seine Annahme ist überflüssig und kompliziert den Sachverhalt unnötig. Sie ist deshalb auch auf allgemeine Ablehnung gestoßen[11].

Die späteren Agrarschriftsteller — Columella (Mitte 1. Jahrhundert n. Chr.)[12], Plinius d. Ä. (23/4-79)[13], der anonyme Verfasser der Schrift "De arboribus"

---

3 Über die verschiedenen Arten des Weinbaus in der Antike vgl. kurz Hehn/Schrader, Kulturpflanzen 73. Zum Weinbau in Italien vgl. White, Farming 229-246.

4 agr. 32f.

5 agr. 32,2 arbores facito uti bene maritae sint vitesque uti satis multae adserantur.

6 So auch Hooper/Ash eds., Cato 7 n. 2.

7 Servius, ad Georg. I 2.

8 Belege sammelt Della Corte, Catullo 75 (dort muß es Palladius, opus agr. III 10,7, heissen). Ferner: de arb. 16,3; Plinius, n. h. XVII 203 u. ö.

9 Kroll, Catullus 128 (auch zitiert von Alfonsi, vite 84f.).

10 Das Verbum ist für das Verbinden von Reben mit Bäumen anscheinend vor Horaz, epod. 2,10 nicht belegt (vgl. Hey, marito 402f. C 1a). Das wird Zufall sein, denn schon Cato hat das Adjektiv.

11 Gegen Kroll äußern sich u. a. Svennung, Bildersprache 76f.; Braga, Catullo 67; Fraenkel, Vesper 322 mit Anm. 26; Fedeli, Carmen 73. Vgl. auch Kölblinger, Topoi 46f.

12 IV 1,6; V 6 (dort über die Anlage von Baumpflanzungen); XI 2,79; vgl. auch III 11,3. — Vgl. ferner Cicero, sen. 15,52-54; auch ders., Tusc. V 13,37.

13 n. h. XIV 10; XVI 72; XVII 199-215 (Weinbau an Bäumen); XVIII 266. — XVII 199 nennt Plinius weitere, verlorene römische Agrarschriftsteller zum gleichen Thema.

(wohl 2./3. Jahrhundert[14])[15], Palladius (wohl 5. Jahrhundert)[16] und ein unbekannter, in den "Geoponica" (10. Jahrhundert) verarbeiteter Autor[17] — bestätigen Catos Angaben und ergänzen sie durch detaillierte Anweisungen zur Anlage und Pflege von Baumpflanzungen im Weinbau. Ulmen[18] und Pappeln[19] spielen dabei in den Empfehlungen dieser Autoren die überragende Rolle. Die Kontroverse, ob nun die Pappeln an erster Stelle stehen oder den Ulmen der Vorzug zu geben sei[20], ist als solche dabei nur von geringer Bedeutung. Es handelt sich hier zu einem guten Teil um eine Auseinandersetzung mit landwirtschaftlicher Fachliteratur, nicht aber mit landwirtschaftlicher Praxis[21].

Wenn auch nicht mit letzter Sicherheit auszumachen ist, ob Weinbau mit Ulmen *nur* in Italien praktiziert wurde[22], so ist jedenfalls die aus dem Bereich der Heirats- und Eheterminologie gegriffene und in die Winzersprache übergegangene Begrifflichkeit des Verbindens von Rebe und Baum typisch römisch. Nicht nur das bereits besprochene "maritare" begegnet hier; auch "nubere" wird für denselben Vorgang verwendet[23]. Von "Mitgift" ("dos", "dotare") ist die

14 So Richter, liber 56.

15 de arb. 16 (insgesamt über Baumpflanzungen im Weinbau).

16 opus agr. III 10.

17 Geop. IV 1,2. Zu den Geoponica vgl. kurz Hunger, Literatur II 273f.

18 Zur Ulme überhaupt vgl. Schuster, Ulme; zur Ulme im Weinbau vgl. White, Farming 236.

19 Neben den in Anm. 20 zu nennenden Belegen vgl. Plinius, n. h. XIV 10 in Campano agro populis nubunt, maritasque conplexae atque per ramos earum procacibus bracchiis geniculato curso scandentes cacumina aequant; XVIII 266 vertit populi albae etiam vitibus nuptare.

20 Vorzug der Pappel: Columella V 6,5 und die von Columella abhängigen de arb. 16,1 und Palladius, opus agr. III 10,4; Vorzug der Ulme: Plinius, n. h. XVII 200.

21 Wie selbstverständlich die Verwendung von Ulmen im Weinbau war, zeigt sich nicht zuletzt darin, daß Vergil im Proömium seines landwirtschaftlichen Lehrgedichts "Georgica" auf den Inhalt des zweiten, der Baumzucht und dem Weinbau gewidmeten Buches mit der knappen Wendung ulmis adiungere vitis vorverweisen kann (1,2; Reben an Ulmen begegnen 2,221.360f.367f.). Möglicherweise ebenfalls aus einem landwirtschaftlichen Lehrgedicht stammt Annianus, carm. fr. 3 Morel; dazu zuletzt Steinmetz, Untersuchungen 316f. — Ulme und Weinstock spielen bei Vergil auch in ecl. 2,70 und evt. 10,67 eine Rolle. Bei Horaz kennzeichnen sie das Wunschbild des intakten italischen Landlebens, epod. 2,9f.; epist. I 16,3; carm. IV 5,29-32; vgl. auch carm. II 15,4f. In der Nachfolge Vergils steht Calpurnius, ecl. 2,59.

22 Der Name eines Weinortes auf Kos, Ptelea (vgl. Schol. Theokr. 7,65) und die bei Athenaios III 78b erwähnten Namen von Nymphen sind vage Anhaltspunkte, nicht mehr, für die Möglichkeit, daß Weinbau an Ulmen gelegentlich auch in Teilen Griechenlands praktiziert wurde. — Nach Richter, Vergil 235, stammt der Weinbau an Bäumen aus dem Orient.

23 S. o. Anm. 19.

Rede[24]. Der einzeln stehende, mit der Rebe nicht verbundene Baum kann "Witwe" ("vidua") genannt werden[25]. Ist die Verbindung hergestellt, kann die Rebe auch einmal als "Gattin" ("coniunx") des Baumes bezeichnet werden[26]. Über die Eheterminologie hinaus geht Plinius, wenn er an einer Stelle von der "Freundschaft" ("amicitia") zwischen Weinstock und Ulme spricht[27].

Catull (wohl 84-54) ist nach unseren Kenntnissen der erste gewesen, der das Bild der sich um die Ulme windenden Rebe literarisch verwendet. Vermutlich vom ehelichen Hintergrund der Winzerfachsprache wie auch von einem bereits bei Euripides belegten Motiv des den Baum umarmenden Efeus[28] gleichermaßen beeinflußt, gestaltet er in dem Epithalamion c. 62 ein Bild, in dem die Beziehung zwischen den Pflanzen der Beziehung zwischen Braut und Bräutigam entspricht:

> Wie ein einsamer Weinstock auf trocken baumlosem Boden
> niemals sich aufrankt und niemals Trauben zur Reife bringt, sondern
> unter der Last des Gewichts den schwachen Körper hinabneigt
> und schon bald mit den Wurzeln die obersten Triebe berührt, wie
> niemand diesen umhegt, kein Winzer und auch nicht ein Jüngling,
> wie ihn jedoch, wird er an die stützende Ulme gebunden,
> jeder mit Freuden pflegt, viele Winzer und auch mancher Jüngling:
> so ist die Jungfrau, die unfruchtbar altert, solange sie keusch bleibt.
> Erst wenn sie rechtzeitig einen glücklichen Ehebund eingeht,
> hat sie Wert für den Mann, fällt sie weniger lästig dem Vater[29].

---

24 Plinius, n. h. XVIII 266 ulmum, inquit (sc. die Sonne), vite dotatam habes, et huius vertam... Vgl. auch Columella II 3,5.

25 Columella IV 22,6; V 6,31. – Vgl. dazu auch die Deutung von Platanen, Ulmen und Pappeln bei Artemidor, oneir. II 25 (und dazu wiederum IV 57). – Die Ulme selbst gilt der antiken Botanik als unfruchtbar (ἄκαρπος): Theophrast, h. pl. III 5,2.

26 Columella V 6,18.

27 n. h. XVI 72 inter...frugiferas materie vitiumque amicitia accipitur ulmus.

28 Catull greift das bei Euripides, Med. 1213; Hec. 398; Eubulos fr. 104,3-5 Kock; Horaz, carm. I 36,18; epod. 15,5; Ovid, met. IV 365; Festus, verb. sign. 100; Achilleus Tatius I 15,2f., vgl. auch Theokrit 20,21ff.; Anth. Lat. 711,2f. belegte Motiv (zu einem Teil der Stellen vgl. Kölblinger, Topoi 44-46) in c. 61,34f. auf.

29 62,49-58 (Übersetzung von Wolfgang Tilgner). Text:

> Ut vidua in nudo vitis quae nascitur arvo,
> numquam se extollit, numquam mitem educat uvam,
> sed tenerum prono deflectens pondere corpus
> iam iam contingit summum radice flagellum;
> hanc nulli agricolae, nulli coluere iuvenci;
> at si forte eadem est ulmo coniuncta marito,
> multi illam agricolae, multi coluere iuvenci:

Die Funktion des Bildes ist argumentativ und paränetisch. Den zögernden Jungfrauen wird der Wert der Ehe gegenüber der dauernden Jungfräulichkeit mit Hilfe der nur auf dem Hintergrund des italischen Weinbaus[30] plausiblen Stützung der Rebe durch die Ulme, aufgrund deren Lebensfähigkeit und Ertrag der Rebe überhaupt erst als möglich gilt, demonstriert. Dieses Argument dient dazu, letzte Widerstände auf seiten der Mädchen gegen Heirat und Hochzeit zu beseitigen. Die Gestaltung des Bildes ist aufschlußreich für das Eheverständnis nicht nur Catulls, sondern der zeitgenössischen römischen Gesellschaft überhaupt[31]. Die Beziehung von Rebe und Baum hat hier ihre Entsprechung *nicht* in der Beziehung von "virgo" und "iuvencus". Zwar wird die Jungfrau dem Weinstock gleichgesetzt, dem Jüngling aber entspricht im Bild der (Wein-)Bauer[32]. Im Klartext: Wie erst die an die Ulme gebundene Rebe für den Winzer nützlich ist, so ist erst die verheiratete Frau einem Mann teuer ("cara") und ihrem Vater weniger lästig ("minus est invisa")[33]. Nur wenn die Frau sich durch Eheschließung kultivieren und domestizieren läßt, wie ein Produktionsmittel einem Produzenten zur Verfügung steht, mithin nur in Entfremdung und Fremdbestimmung hat sie eine Existenzberechtigung[34].

Leider fehlt eine detaillierte Geschichte des Epithalamions[35], die die wenigen erhaltenen Belege für diese Gattung nicht nur nach verarbeiteter Tradition und poetischer

sic virgo, dum intacta manet, dum inculta senescit;
cum par conubium maturo tempore adepta est,
cara virgo magis et minus est invisa parenti.

Zur Gesamtinterpretation vgl. Fraenkel, Vesper, und Della Corte, Catullo; zu unserer Stelle auch Kölblinger, Topoi 46f. Zur Ursprünglichkeit von marito in V. 54 vgl. Della Corte, ebd. 77. Möglicherweise ist der vorliegende Text in Unordnung; Luck, Role 25, schlägt vor, entweder nach V. 56 eine Lücke anzunehmen oder V. 56 vor V. 53 einzuordnen. Vgl. bei Catull auch c. 61,106-109.

30 Daß Catull hier keine große Rücksicht auf die Gegebenheiten und Schwierigkeiten des Weinbaus nimmt, hat Kroll, Catullus 128, gezeigt. Atypisch ist z. B. auch die Bezeichnung der *Rebe*, nicht des Baumes (so die Belege o. Anm. 25 sowie Horaz, carm. IV 5,30; Martial III 58,3; Iuvenal VIII 78), als vidua. Deshalb muß man Catull aber noch nicht jegliche Kenntnis des Weinbaus absprechen.

31 Zum Verhältnis von griechischem und römischem Hintergrund von c. 62 vgl. Williams, Tradition 201f.; ferner Luck, Role 23-25.

32 Die Ulme bleibt hier merkwürdigerweise ohne Entsprechung. Man kann eine solche auch nicht dadurch herstellen, daß man den agricola mit dem Vater und die Ulme mit dem vir von V. 58 gleichsetzt; denn ausdrücklich werden zweimal agricola und iuvencus parallelisiert (V. 53.55).

33 Vgl. dazu auch Hallett, Fathers 103.

34 Vgl. dazu etwa auch c. 61,151-155.211-230. Vgl. auch Williams, Aspects.

35 Vgl. Keydell, Epithalamium (mit Lit.); ferner Wheeler, Tradition; Jachmann, Sappho; Kaibel, ΕΠΙΘΑΛΑΜΙΟΝ; auch Bromberg, Concordia ch. I. Regelmäßig vernachlässigt wird Martial IV 13.

Innovation untersucht, sondern auch zu den jeweiligen kulturellen, gesellschaftlichen und rechtlichen Verhältnissen in Beziehung setzt, die den Kontext eines Epithalamions bilden. Sonst könnte sich möglicherweise mit größerer Bestimmtheit sagen lassen, daß Catull in c. 62 unter anderem auch auf bestimmte zeitgenössische Verhältnisse reagiert. Die rechtliche, gesellschaftliche und wirtschaftliche — nicht allerdings die politische[36] — Stellung der Frauen hatte sich in den letzten Jahrzehnten der römischen Republik verbessert[37]. Zugleich scheint zumindest für Frauen der Oberschicht die Ehe nicht mehr die einzig mögliche Lebensform gewesen zu sein[38]. Sollte sich darin, daß Catull in c. 62 — unter anderem eben auch mit dem Bild von Weinstock und Ulme — *argumentieren* muß, Erwünschtes mithin nicht fraglos voraussetzen kann, nicht auch diese verbesserte Stellung der römischen Frau spiegeln? Ist es völlig undenkbar, die Verwendung des Motivs mit der — aus patriarchalischer Sicht — Krise altrömischer Werte und Normen in Verbindung zu bringen?[39]

Im Gefolge Catulls verwendet Ovid (43 v.-17 n. Chr.) das Motiv als Metapher für die Liebenden. Hatte jener die metaphorische Verwendung des Motivs auf die Ehe beschränkt, ist sie bei diesem nun allerdings nicht mehr daran gebunden. Es dürfte kein Zufall sein, daß "maritare" bei Ovid in diesem Zusammenhang nicht begegnet. Bezeichnend für seine Gestaltung des Motivs ist die folgende Stelle aus den "Metamorphosen": Der Gott Vertumnus liebt die Nymphe Pomona. In Gestalt einer alten Frau nähert er sich ihr. Wie die Jünglinge in Catulls Epithalamion c. 62 sucht er die Jungfrau von der Notwendigkeit und dem Sinn — nun nicht der Ehe, sondern — einer Liebesbeziehung zu überzeugen. Ovid verwendet das traditionelle Motiv so, daß er ihm eine neue Seite abgewinnt: Vertumnus spricht nicht bloß von einer rebenumrankten Ulme; als willkommenes Demonstrationsobjekt steht eine solche beiden just vor Augen[40]:

Stattlich stand vor ihr eine Ulme mit glänzenden Trauben.
Als sie die und die Rebe gepriesen, die ihr gesellt war,
sprach sie: "Stünde der Baum allein und ohne die Ranken,
hätte er nur seine Blätter, sonst nichts, weshalb man ihn suche,
sie auch, die Rebe, die so ihm verbunden, sie ruht an dem Stamme,
wäre sie dem nicht vermählt, sie läge drunten am Boden.
Du aber lässest dich nicht vom Beispiel des Baumes belehren,
fliehst die Liebesvereinigung und sorgst nicht, dich zu vermählen.
Wolltest du doch![41]

36 Dies betont mit Recht und Nachdruck Kreck, Untersuchungen 32-46.
37 Vgl. dazu Thraede, Ärger 71-87; Schottroff, Frauen 91-100; Hallett, Fathers passim.
38 Vgl. dazu die gute, knappe Übersicht von Lyne, Poets 1-18.
39 Wohl von Catull abhängig ist Antipatros von Thessalonike (A. P. IX 231). Das Bild von Weinstock und Platane symbolisiert hier eheliche Treue auch über den Tod hinaus. Wohl unter Antipatros' Einfluß verwendet Thallos von Milet ebenfalls das Motiv von Platane und Weinstock (A. P. IX 220), allerdings im Blick auf eine Liebesbeziehung.
40 Wie bei Hermas sim II 1.

Die Übereinstimmungen mit Catull liegen auf der Hand. Allerdings sind Weinstock und Ulme hier ungezwungener und eindeutiger als bei jenem auf das Paar bezogen[42].

In einem Epithalamion, das um das Jahr 88/89 im 4. Buch seiner Epigramme veröffentlicht wurde, nahm Martial (ca. 40-ca. 104)[43] das Motiv auf und stellte sich damit in die von Catull inaugurierte Tradition:

Nicht besser verbinden mit zarten Reben sich Ulmen...[44]

Die Verbindung von Ulme und Weinstock — in "iungere" schwingt die Anspielung auf die in der dextrarum iunctio der Brautleute vollzogene Bekräftigung des Ehekontraktes mit — ist hier ein Symbol für die Eintracht des Ehepaares, wie denn auch der Segen der Göttin Concordia ausdrücklich für das Paar erfleht wird[45].

---

41 met. XIV 661-669 (Übersetzung von Erich Rösch). Text:

Ulmus erat contra speciosa nitentibus uvis:
quam socia postquam pariter cum vite probavit,
"at si staret" ait "caelebs sine palmite truncus,
nil praeter frondes, quare peteretur, haberet,
haec quoque, quae iuncta est, vitis requiescit in illo:
si non nupta foret, terrae adclinata iaceret.
tu tamen exemplo non tangeris arboris huius
concubitusque fugis nec te coniungere curas.
atque utinam velles!...

Zu caelebs (V. 663) vgl. Horaz, carm. II 15,4; zu nupta (V. 666) s. o. Anm. 19.

42 Weitere Aufnahmen des Motivs bei Ovid: am. II 16,41f.; her. V 47f.; met. X 99f.; Fasti III 411-414; trist. II 143f.; V 3,35f.; Pont. III 8,13. Vgl. auch met. I 296.298. — Wie Ovid (trist. V 3,35f.) verbindet auch Manilius (astron. V 238) mit unserem Motiv eine Anrufung des Bacchus.

43 Die gängige Ansicht, Martial selbst sei unverheiratet gewesen, wird mit Recht hinterfragt von Ascher, Martial.

44 IV 13,5 nec melius teneris iunguntur vitibus ulmi.

45 IV 13,7. Zur Rolle der Concordia beim römischen Verständnis von Hochzeit und Ehe vgl. Reinsberg, Concordia. Gängig ist die Ansicht, erst Antoninus Pius sei für die Übertragung des Wertbegriffs concordia von der politischen auf die familiäre Ebene verantwortlich; vgl. z. B. Reinsberg, ebd. 313; auch die Dissertation von Bromberg, Concordia (ich beziehe mich auf die Selbstanzeige in HSCP 66 (1962) 249-252) verfolgt die Concordia-Thematik anscheinend erst seit der Zeit der Antonine. Schon daß Apuleius die eheliche concordia parodieren kann (met. IX 27,5), setzt die bereits erfolgte und weithin akzeptierte Übertragung vom Politischen auf die legalisierte Zweierbeziehung voraus. Die zitierte Stelle aus Martial, Statius, Silvae V 1,44, sowie Tacitus, Agricola 6,1, und — ex negativo — ICl 11,2 zeigen, daß man dabei in der Datierung mindestens zwei Generationen zurückgehen müßte. Aber der Übertragungsprozeß dürfte noch früher stattgefunden haben, wie Columella, agr. XII praef. 7, und zuvor schon Ovid, met. VII 752;

Martials Zeitgenosse Statius (ca. 40-ca. 96) verwendet das Motiv ebenfalls. In der "Thebais" (entstanden zwischen 78 und 90) interpretiert er die Verbindung von Rebe und Ulme als Freundschaft[46].

Wie bei Martial auf die Ehe und ihre Eintracht bezogen ist unser Motiv in dem wohl erst posthum veröffentlichten Lobgedicht des Statius auf seine Frau Priscilla[47].

Vielleicht hat sich im Fall Martials, Statius' und Quintilians[48] im Vergleich zu ihren Vorgängern noch etwas geändert: Sollte es unter Domitian wirklich eine Krise des italischen Weinbaus gegeben haben[49], so wäre der Plausibilitätsgrad des von ihnen verwendeten alten Motivs gesunken. Von einer solchen Krise ist allerdings weder bei diesen drei Autoren noch auch bei Iuvenal etwas zu spüren, der wohl zwischen dem letzten Jahrzehnt des ersten und dem dritten des zweiten Jahrhunderts schreibt. Die

ulmosque Falernos[50],

die eine Frau von ihrem Mann verlangt, beziehen sich selbstverständlich auf den Besitz von Weinbergen. An anderer Stelle situiert Iuvenal das Motiv in einen neuen, in der Tradition — soweit wir sie kennen — nicht vorgegebenen Kontext. Der nur aufgrund von Herkunft ererbte Ruhm genügt nach Iuvenal nicht. Er muß durch die eigene Leistung ergänzt werden. Im Bild gesprochen:

stratus humi palmes viduas desiderat ulmos[51].

VIII 708, zeigen (vgl. auch ebd. III 473; XIII 875; am. II 6,13). Der älteste mir bekannte Beleg ist Cicero, Pro Cluentio 12. Noch früher kennt der Hellenismus die Eintrachtsideologie für die Ehe, vgl. bereits PsAristoteles, Oecon. I 4 p. 1344a18 (zur Verbindung mit dem aristotelischen Konzept der Freundschaft vgl. Victor, OIKONOMIKOΣ 138), sowie dann auch Philo, spec. leg. I 138; quaest. in Gen. II 26 (vgl. auch vit. Mos. I 7) und (vielleicht schon vor Philo zu datieren?) Chariton III 2,16 (zur Eintracht im Bereich des Oikos vgl. auch I 3,7); später z. B. Dio Chrys., or. 38,15. Viele Belege bei Ameling, Atticus II 118f.

46 Theb. VI 104-106. S. o. S. 116 mit Anm. 27. In Theb. VIII 544-547 geht es um die aufopfernde Sorge der Ulme um die Rebe.

47 Silvae V 1,43-50. Das Motiv der Liebe zwischen Ulme und Weinstock begegnet bereits bei Ovid, am. II 16,41f. — Zum Motiv der Liebe zwischen Pflanzen vgl. die von Philostratos, imag. I 9,6; Amm. Marc. XXIV 3,13; Nonnos, Dion. III 142f. geschilderte Liebe der männlichen und der weiblichen Palmen zueinander. Vgl. dazu Rommel, Exkurse 68f., sowie Artemidor, oneir. I 77.

48 Quintilian verwendet das Motiv als Metapher für den Wortschmuck der Rede (inst. or. VIII 3,8).

49 Die Zeugnisse dafür sind allerdings nicht eindeutig; vgl. die kritisch abwägende Stellungnahme von De Martino, Wirtschaftsgeschichte 257f.327f.

50 sat. VI 150.

51 sat. VIII 78. Vgl. Catull. c. 62,51.

d. h. das eigene Verdienst muß für die von den Alten überkommenen Vorschußlorbeeren die notwendige Stütze abgeben. Auch hier ist das Motiv als Beziehungsmetapher gebraucht, allerdings nicht für erotische oder familiäre Beziehungen zwischen Mann und Frau — eine solche Verwendung des Motivs wäre Iuvenal wohl auch kaum zuzutrauen —, auch nicht in erster Linie für die Beziehung zwischen Generationen[52], sondern um das Verhältnis und die Gewichtung verschiedener Komponenten im Begriff des Ruhms zum Ausdruck zu bringen[53]. Diese Verwendung des Motivs ist nicht nur neu, sondern bleibt auch singulär. Nicht singulär hingegen ist das Verfallsdenken, das im Bild impliziert ist[54].

Ein zusammenfassender Überblick über die Belege ergibt folgendes: Das Motiv von Weinstock und Ulme wird in der römischen Literatur im wesentlichen in zwei Zusammenhängen gebraucht: als Symbol für eine eheliche oder eine Liebesbeziehung und als Element des Topos vom einfachen Landleben[55]. Bei allen Differenzierungen im einzelnen ergibt sich, daß das Motiv in der Regel Krisensymptom und Lösungsversuch in einem ist. Während der Krise der Ehe seit dem Ausgang des zweiten Jahrhunderts v. Chr. wird mit dem Bild von Weinstock und Ulme die Ehe als eine noch immer sinnvolle Institution proklamiert — ein Appell vor allem an potentielle Bräute. Die angestrebte Lösung besteht also im Rückgang hinter fraglich gewordene Strukturen, deren Fraglichkeit aber eben darin bestehen bleibt, daß Weinstock und Ulme als *Argument* benutzt werden. Im Blick auf den Strukturwandel der Landwirtschaft dient das Bild als Kontrast des Nützlichen gegenüber der reinen Annehmlichkeit. Auch hier ist es (unbeschadet der unterschiedlichen Einschätzung der Realisierbarkeit) das angestrebte Ziel, die veränderte Lage rückgängig zu machen.

2

Für sim II ergibt sich zunächst, daß Hermas hier ein beliebtes Motiv römischer Dichtung aufnimmt. Da er Weinstock und Ulme auf Personen bezieht, läßt sich die Herkunft der von ihm verwendeten Tradition noch genauer bestim-

---

52 Daß bei gloria hier ausschließlich an Männer gedacht ist, muß nicht nur an Iuvenals besonders ausgeprägtem Antifeminismus (vgl. Bond, Anti-feminism) liegen: Vom Ruhm einer Frau spricht als erster anscheinend Apuleius, vgl. Knoche, Ruhmesgedanke 421.

53 Zur Abwertung des Gentilruhms vgl. z. B. auch Seneca, ep. 44.

54 In der Zeit nach Hermas, sim II, begegnet das Motiv noch bei Apuleius, apol. 88,3; Nemesianus, ect. 4,47; Commodian, instr. I 30 (ebenso wie Caesarius von Arles, sermo XXVII, von Hermas abhängig); Carmina Latina Epigraphica 155,12; Sidonius Apollinaris, carm. II 327f. Undatiert ist Anthol. Lat. 469,1-3. Vgl. noch Paulus Silentiarios, A. P. 5,255,13-16.

55 Zu letzterem vgl. die Belege o. S. 115 Anm. 21.

men: Auf menschliche Beziehungen wird das Motiv im Epithalamion, im lyrischen Preis der Ehe und in Grabinschriften sowie in Liebeslyrik und im mythologischen Epos bezogen, nicht aber in der Bukolik oder in Prosa. Hermas' Umgang mit dieser Tradition ist schon insofern originell, als er das Motiv aus der Dichtung in einen Prosatext transponiert. Zu Hilfe dürfte ihm dabei gekommen sein, daß die Funktion des auf Ehe oder Liebe bezogenen Motivs bereits im Kontext der Dichtung stets eine paränetische war und insofern der in sim II beabsichtigten Verwendungsweise entsprach.

Originell ist auch die Art der Beziehung, um deren Illustration es Hermas hier geht: Auf das Verhältnis von Arm und Reich ist unser Motiv weder vorher noch − die von Hermas abhängigen Commodian und Caesarius ausgenommen − nachher bezogen worden. Im Blick waren sonst Ehe- und Liebesbeziehungen von unterschiedlicher Intensität[56]. In der Tradition handelt es sich also stets um die Beziehung zwischen genau zwei Personen, wie es das verwendete Bild auch nahelegt. Es wird zu fragen sein, was es bedeutet, wenn Hermas eben dieses Motiv im Zusammenhang mit zwei sozialen Typenbegriffen verwendet, die eine Eins-zu-Eins-Relation weder notwendig noch faktisch implizieren.

Im Vergleich mit der überwiegenden Mehrzahl der Belege ungewöhnlich, wenn auch nicht völlig ohne Parallele ist die vorausgesetzte Situation: Hermas und der Hirtenengel reden nicht nur *über* Weinstock und Ulme, sondern auch *angesichts* der entsprechenden Pflanzen. Das hat eine Entsprechung in der Vertumnus-Pomona-Episode in Ovids "Metamorphosen".

Ein genauerer Vergleich zeigt neben Gemeinsamkeiten auch wichtige Unterschiede. Zwar wird die in der Szene realiter vorhandene Natur in beiden Fällen von einem überirdischen Wesen einem ihm gegenüber inferioren Adressaten gedeutet. Aber während Vertumnus' Ziel einzig darin besteht, mit Hilfe der Paränese an der Adressatin sein (den Inhalt der Paränese durchkreuzendes) Eigeninteresse zu befriedigen, ist dies im Verhältnis des Hirten zu Hermas gerade nicht der Fall: Weder identifiziert sich der Hirt mit Weinstock oder Ulme noch wird Hermas selbst hier auf die Rolle des Armen oder des Reichen festgelegt. Auch geht bei Hermas anders als bei Ovid die Initiative vom Empfänger der Deutung, nicht vom Deutenden aus, wie auch der Monolog des Vertumnus sich formal von der zumindest in sim II 1-4 ausgeprägten Dialogisierung unterscheidet.

Eine direkte oder indirekte Abhängigkeit des Hermas von Ovid ist angesichts der Unterschiede nicht anzunehmen. So wird man mit einer in der Tradition angelegten, aber selten realisierten Möglichkeit rechnen und die "Materialisierung" des die Paränese illustrierenden Motivs als Analogie zur, aber nicht als Imitation der von Ovid präsentierten Realisierung ansehen.

56 Einzig Iuvenal verwendet das Motiv anders, im Hinblick auf das Verhältnis verschiedener Generationen.

Freilich ist *diese* Art der "Materialisierung" paränetischer Illustration bei Hermas ohne Parallele. Nur hier wird eine für alle erfahrbare Wirklichkeit, sonst stets eine mit dem Erscheinen der Offenbarungsmittler initiierte, nur dem Visionär zugängliche Realität vom Offenbarungsmittler paränetisch interpretiert[57].

Die von Hermas durchgeführte Reinterpretation des traditionellen Motivs beinhaltet auch insofern Neues, als der Akzent von Anfang an (sim II 1) auf die *Früchte* von Weinstock und Ulme gelegt wird. Die Tradition war in Übereinstimmung mit der Sichtweise des italischen Weinbaus stets von der Unfruchtbarkeit der Ulme ausgegangen – eine Perspektive, die auch in der ersten Deutung durch den Hirtenengel sim II 3 zum Ausdruck kommt. Das Gewicht, das Hermas auf die Frucht der Ulme legt, wird auch daran deutlich, daß er in 8 zu dem bekannten Verfahren der Korrektur greift und das zu Korrigierende mit einer distanzierenden Formel (παρὰ τοῖς οὖν ἀνθρώποις...δοκεῖ) einleitet. Damit bekommt das Folgende, so trivial es ist, ausdrücklich den Charakter einer himmlischen Offenbarung.

Was das Bild insgesamt leistet, läßt sich erst dann genauer bestimmen, wenn die Eigenart der intendierten Beziehung zwischen Armen und Reichen herausgearbeitet ist. Es handelt sich bei dieser Beziehung aller Wahrscheinlichkeit nach um eine langfristige direkte Beziehung zwischen je einem Armen und je einem Reichen.

Die *Langfristigkeit* ergibt sich aus der ständigen Bemühung um den Armen, die dem Reichen ans Herz gelegt wird (6: ἔτι καὶ ἔτι σπουδάζει), aus dem doch wohl auf Dauer angelegten Effekt dieser Bemühungen für den Armen (ebd. ἵνα ἀδιάλειπτος γένηται ἐν τῇ ζωῇ αὐτοῦ), aus denjenigen Elementen in der "Offenbarung" der Früchte der Ulme, die einen längeren Zeitraum implizieren (8: ἀβροχία, ἀδιάλειπτος) und aus der Verwendung des Bildes von Weinstock und Ulme überhaupt: Daß im Weinbau eine *dauerhafte* Verbindung zwischen den beiden Pflanzen hergestellt wurde, machte vor Hermas ihre bildliche Verwendung gerade für die auf Dauer angelegte Beziehung der Ehe möglich. Schließlich dürfte auch der Ausdruck κοινωνός (9) eine längerfristige Beziehung im Blick haben.– Wäre an eine kurzfristige Beziehung gedacht, so müßte man annehmen, das Bild sei unglücklich gewählt. Es fragte sich auch, ob bei einer kurzfristigen Unterstützung, einer vielleicht einmaligen Hilfeleistung, der in sim II betriebene argumentative Aufwand nötig gewesen wäre.

Wiederum das Bild ist es, das eine *direkte* Beziehung zwischen Armem und Reichem nahelegt. Dafür spricht auch die Art der verwendeten Verben, z. B. ἐργάζειν εἰς (5.7). Schließlich ist das vom Armen als Gegenleistung für die Unterstützung erwartete Dankgebet für den Geber (6) am einfachsten unter der Voraussetzung vorstellbar, daß nicht nur der Betende den Geber, sondern auch dieser den Betenden persönlich

---

57 Auch vis IV ist keine genaue Entsprechung; dort geht der Begegnung mit dem Ungeheuer bereits eine himmlische Botschaft voraus.

kennt[58]. Die Annahme von Zwischeninstanzen wie etwa einer für die römische Gemeinde auch belegten institutionalisierten Witwen- und Waisenfürsorge (vis II 4,3), die
wohl auch auf Gelder aus gottesdienstlichen Sammlungen (vgl. Justin, apol. I 67,6) zu-
rückgriff, würde *hier* den Sachverhalt nur unnötig komplizieren.

Auch für die Vermutung einer (oder mehrerer) *Eins-zu-Eins-Beziehung* läßt sich
wieder das Bild (und seine Verwendung in der Dichtung) anführen. Hinzu kommt, daß
von Arm und Reich durchgängig im Singular geredet wird[59]. Zu verweisen ist noch
auf das zweimalige ἀμφότεροι (7.9).

Für eine auf Dauer angelegte direkte Beziehung zwischen einem Reichen
und einem Armen bot das Beziehungsrepertoire der zeitgenössischen römischen Gesellschaft eine seit langem institutionalisierte Möglichkeit: das Klientelverhältnis. "Mit dem Verfall der Nobilität unter dem Prinzipat sinkt auch die
Klientel zu polit. Bedeutungslosigkeit ab und verschwindet aus dem öffentlichen Leben. Als gesellschaftlich-wirtschaftliche Institution besteht sie jedoch
weiter. Über den Alltag des röm. Klienten in der Kaiserzeit (Morgenempfang
beim Patron, Rangordnung, Bekleidungsvorschrift, Geschenke, sportula (eine
Art privater Arbeitslosenunterstützung, für die sich unter Trajan als fester Tarif
6 1/4 Sesterzen pro Tag einbürgern)) sind wir durch Martial und Iuvenal gut
unterrichtet."[60] Die Herstellung einer solchen Klientelbeziehung zwischen
christlichem Reichen und christlichem Armen dürfte Hermas hier im Blick haben.

Daß es hier um die Propagierung eines solchen Klientelverhältnisses geht, macht
auch verständlich, weshalb die in sim II das Verhältnis begründende Handlungsinitiative vom Reichen ausgeht. Auch die Gegenleistung des Armen, das Gebet für den Reichen, ist im Rahmen der Beziehung eines Klienten zu seinem Patron nicht ganz
außergewöhnlich[61].

Eine solche Beziehung ist vielleicht in der Geschichte des Urchristentums
nichts völlig Neues. Manches spricht dafür, daß das Verhältnis des Paulus zu
der in Röm 16,2 erwähnten Phoibe von ihm als eine Beziehung eines Klienten
zu seiner Patrona (wofür προστάτις ein Synonym sein kann) aufgefaßt wird[62]. Al-

---

58 Ex negativo könnte man noch erwägen, ob das Problem von mand II 4-6, die mögliche Unwürdigkeit des Empfängers, sich vielleicht hier nicht stellt, weil eine länger-
dauernde direkte Beziehung im Blick ist.

59 8b spricht nicht dagegen, sondern ist als Verallgemeinerung zu verstehen, die alle
Eins-zu-Eins-Beziehungen im Blick hat.

60 Hausmaninger, Clientes 1225. Vgl. auch Garnsey/Saller, Empire 148-159.

61 Vgl. z. B. Martial I 29. — sim V 2,10 ist wohl von einem ähnlichen Hintergrund her zu
verstehen.

62 Vgl. Meeks, Christians 60 mit n. 62. Ebd. 60 spricht Meeks die Vermutung aus, auch
die in Röm 16,13 genannte Mutter des Rufus sei vielleicht eine Patronin des Paulus gewesen. Vgl. auch die allgemeinen Erwägungen von Countryman, Patrons, und ders.,
Christian 162-166.

lerdings muß das nicht notwendig ein Klientelverhältnis im strengen Sinn bedeuten. Nicht ganz klar ist auch, ob man 1Cl 38,2 für eine solche Klientelbeziehung in Anspruch nehmen kann und den in sim II vorgebrachten Vorschlag dann nicht als Innovation, sondern als Werbung für eine in der römischen Gemeinde bereits propagierte, vielleicht schon bestehende Einrichtung zu verstehen hätte.

1Cl 38,1f. fordert: "Gerettet werde nun unser ganzer Leib in Christus Jesus, und jeder ordne sich seinem Nächsten unter, entsprechend der ihm verliehenen Gnadengabe. Der Starke sorge für den Schwachen, der Schwache achte den Starken. Der Reiche unterstütze den Armen, der Arme danke Gott, daß er jenem gab, wodurch seine Not ausgeglichen wurde. Der Weise zeige seine Weisheit nicht in Worten, sondern in guten Werken. Der Demütige stelle sich nicht selbst ein gutes Zeugnis aus, sondern lasse es sich von einem anderen ausstellen. Wer im Fleisch rein ist, rühme sich nicht, da er weiß, daß es ein anderer ist, der ihm die Enthaltsamkeit gibt." Hier begegnet die Forderung der Unterstützung des Armen durch den Reichen und des dieser Unterstützung korrespondierenden Dankgebets allerdings nur als Teil einer umfassenderen Reihe von Forderungen[63], die wiederum in den Zusammenhang einer ekklesiologischen Reflexion eingebettet sind. Weder der ekklesiologische Kontext noch die nivellierende Zusammenstellung mit anderen Forderungen finden sich bei Hermas[64].

Die Übereinstimmungen zwischen 1Cl 38,2 und sim II liegen — abgesehen von vielleicht zufälligen lexikalischen Berührungspunkten — in der Handlungsinitiative des Reichen, in dem der Unterstützung korrespondierenden Gebet des Armen und dessen genauerer Bestimmung als Dankgebet sowie im Verständnis des Reichtums als einer Gabe Gottes.

Trotz dieser Übereinstimmungen bleibt es fraglich, ob bereits in 1Cl 38,2 ein Klientelverhältnis im Blick ist. Die dort vorausgesetzte Handlungsinitiative des Reichen ist auch bei anderen Formen der Armenfürsorge denkbar[65], wie auch das Gebet des Armen anderen Formen der Unterstützung korrespondieren

---

63 Die Bezeichnung oder der Kontext der jeweils angesprochenen Gruppen verweisen z. T. auch auf soziale Bezüge. Für ἰσχυρός und ἀσθενής wird dies aus dem Kontext ersichtlich; bei σοφός und ταπεινόφρων ist es von der Bezeichnung her mindestens möglich. Ob allerdings auf bestimmte Gruppen in Korinth (vgl. 1Cl 38,1f. mit 1Kor 1,26f., und vgl. dazu Theißen, Schichtung 232-234) oder Rom Bezug genommen wird, bleibt unsicher, zumal der Abschnitt Anlehnungen an das in 1Cl 13,1 angeführte Mischzitat aus Jer 9,23 und 1Sam 2,10 aufweist (σοφός, ἰσχυρός, πλούσιος, die Kritik des Sich-Rühmens).
64 Einzelne Gedanken wie die geschlechtliche Askese oder der Begriff "Demütigung" finden sich freilich auch bei Hermas, allerdings in anderen Kontexten. Das Leib-Modell (vgl. 1Cl 37,5f.) spielt im "Hirten" keine große Rolle (vgl. sim IX 13,5.7; 17,5; 18,3f.).
65 Vgl. z. B. sim I 9.

kann[66]. Zudem kann die Auffassung vom Reichtum als einer Gabe Gottes nicht nur bei der Propagierung eines Klientelverhältnisses in Anspruch genommen werden[67]. Im übrigen dürfte der in sim II betriebene argumentative Aufwand dafür sprechen, daß Hermas hier entweder zu einer in der römischen Gemeinde noch nicht üblichen oder − falls vereinzelt Klientelverhältnisse zwischen Christen bereits bestanden haben sollten − zumindest nicht allgemein üblichen Praxis anstiften wollte.

Das Bild von Weinstock und Ulme ist auch bei Hermas Krisensymptom und Lösungsversuch in einem. Wie in sim II das traditionelle Motiv auf einen neuen Bereich übertragen ist, so unterscheidet es sich von der Tradition auch darin, daß dort die Lösung der Krise im Rekurs auf die in die Krise geratene Institution der Ehe bestand, während man von einer Krise christlicher Klientelverhältnisse selbst dann nicht reden könnte, wenn diese schon vor Hermas vereinzelt bestanden haben sollten. Bei Hermas ist das Motiv weder Ausdruck einer rückwärts gewandten Utopie noch der Versuch, ins Wanken geratene gesellschaftliche Institutionen zu stützen, sondern Zeichen einer sozialen Phantasie, die bisher nicht oder nicht genügend genützte Möglichkeiten sozialer Beziehungen zur Lösung des Problems der Armut in der christlichen Gemeinde entdeckt und fördert.

Die Initiative zur Institutionalisierung solcher Beziehungen liegt dabei stets bei den Reichen. Dennoch sind die Armen mehr als nur Objekte von Wohltätigkeit: Ohne sie kann das "gerechte Werk" (sim II 9) nicht geschehen, können die Reichen vor Gott keine Gnade finden; *sie* gleichen das religiöse Defizit der Reichen aus. Freilich geschieht solche Aufwertung der Armen in einem Kontext, der impliziert, daß die Reichen reich und die Armen arm bleiben, soziale Unterschiede in der Gemeinde mithin weiter bestehen. Doch wo im Alltag häufig das nackte Überleben auf dem Spiel steht, ist die Klientelbeziehung nicht nur zu solchem Alltag, sondern auch zu anderen Formen der Armenfürsorge eine erstrebenswerte Alternative, weil sie eine gesicherte Zukunft möglich und absehbar macht.

---

66 Vgl. z. B. sim V 3,7. Dort ist zwar von einem Fürbittgebet die Rede, aber man wird darin keine Alternative zu dem in 1Cl 38,2 und sim II 6 erwähnten Dankgebet sehen dürfen, zumal in sim II 5 Bitt- und Dankgebet nebeneinander stehen, in 6 neben εὐχαριστεῖν auch von ἔντευξις die Rede ist und in 8 ausdrücklich Fürbitte der Armen für die Reichen propagiert wird.

67 Vgl. sim I 9; auch mand II 4.

3

Was erfahren wir nun von Hermas über Arme und ihren Alltag in der römischen Gemeinde[68]?

Eigene Gruppen in der Gemeinde bilden die Witwen und Waisen. Für die Existenz eines zu Hermas' Zeit andernorts schon belegten Witwenstands mit diakonischen Aufgaben[69] gibt es in seiner Schrift keinerlei Anzeichen. Vielmehr werden Witwen und Waisen fast ausnahmslos zusammen genannt[70], und stets sind sie Objekt von Wohltätigkeit, d. h. wohl vorwiegend finanzieller Unterstützung. Ihre Zahl war so groß, daß eine eigene Regelung für ihre Versorgung erforderlich war[71].

"Witwe" und "Waise" sind nicht nur bei Hermas, sondern im christlichen und jüdischen, griechischen und römischen Sprachgebrauch überhaupt reserviert für Angehörige bestimmter wohldefinierter Gruppen, die Objekt von Wohltätigkeit werden konnten[72]. Für einen anderen, von Hermas wohl ebenfalls technisch verwendeten Begriff, die "Bedürftigen" (ὑστερούμενοι), trifft das jedoch nicht zu[73].

Die Bedürftigen werden mehrmals zusammen mit Witwen und Waisen genannt[74], sind diesen also wohl gleichgestellt, was die für sie in Frage kommenden sozialen Leistungen der Gemeinde angeht. Ähnlich wie Witwen und Waisen können sie für ihren Lebensunterhalt nicht oder nicht in ausreichendem Maß selbst sorgen[75]. Sie sind deshalb entweder auf die öffentliche Le-

---

68 Eine etwas ausführlichere, z. T. etwas anders gewichtete Analyse der Aussagen des Hermas über Arme und Reiche bietet Osiek, Rich.
69 Vgl. 1Tim 5,3-16; IgnSm 13,1; PolPhil 4,3.
70 vis II 4,3; mand VIII 10; sim I 8; V 3,7; IX 26,2. Witwen allein: sim IX 27,2.
71 S. u. S. 135.
72 Zum Schicksal von Witwen und Waisen in der nichtchristlichen Antike vgl. den Überblick von Weiler, Schicksal; zu Witwen vgl. ferner Stählin, χήρα (jew. mit Lit.).
73 Zwar werden in urchristlichen Schriften ὑστερεῖν (Lk 22,35; Did 11,12), ὑστερεῖσθαι (Lk 15,14; 2Kor 11,9; Phil 4,12; Barn 10,3; Dg 5,13) und ὑστέρησις (Mk 12,44; Phil 4,11) im Sinn materieller Armut verwendet, jedoch nie als termini technici. Zu beachten ist der an einigen Stellen deutlich zutage tretende Zusammenhang mit mangelnder Lebensmittelversorgung, vgl. Lk 15,14; Phil 4,11f.; ferner 1Kor 8,8 und (dort allerdings auf das Herrenmahl bezogen) IgnEph 5,2; vermutlich auch Hb 11,37 (zu diesen Stellen vgl. Wilckens, ὕστερος 595-597.599; ferner Theissen, Schichtung 249). — In der Profangräzität fehlt die technische Verwendung; Wilckens, ebd. 591, bringt nur wenige Belege bei, und bei Bolkestein, Wohltätigkeit, fehlen die Begriffe im Register.
74 mand VIII 10; sim V 3,7; vgl. IX 27,2.
75 Vgl. sim V 3,7; vis III 9,2-6. — Gerade die zweite Stelle zeigt die in der Ausdrucksweise des Hermas begründete Problematik für vertretbare Rückschlüsse deutlich: Nacheinan-

bensmittelversorgung oder, falls sie zu dieser keinen Zugang haben, auf die Unterstützung durch die Gemeinde angewiesen. Parallele Bezeichnungen wie "Hungernde" (πεινῶντες) oder "Bedrängte" (θλιβόμενοι)[76] bestätigen dies.

Die gelegentliche Parallelisierung von "Bedürftige" und "Bedrängte"[77] und die an anderen Stellen begegnende Charakterisierung bestimmter Personen, vielleicht einer bestimmten sozialen Gruppe, durch die Begriffe "Bedrängnis" (θλῖψις) und "bedrängen" (θλίβειν) führt zur Frage nach dem Verhältnis der Begriffe zueinander[78].

Nun ist der Gebrauch von "Bedrängnis/bedrängen" bei Hermas alles andere als einheitlich und eindeutig[79]. Jedoch gibt es einige klare Belege, die auf die materielle Lage der "Bedrängten" Bezug nehmen. So wird dazu aufgefordert, "bedrängte Seelen (frei-) zu kaufen"[80]. Es handelt sich dabei wohl um eine auf die spezifische Situation der römischen Gemeinde zur Zeit des Hermas zugeschnittene Forderung[81]. Unter anderem ist hier wohl an christliche Sklaven in heidnischer Hand zu denken[82]. Allerdings ist der Personenkreis nicht auf sie beschränkt, zumal gleich im Anschluß Witwen und Waisen erwähnt werden. An einer anderen Stelle wird gefordert, "Schuldner und Bedürftige nicht zu bedrängen"[83]. Hier geht es offenbar um Freie aus den unteren Schichten[84].

---

der werden οἱ ἔχοντες den ὑστερούμενοι (4), οἱ ὑπερέχοντες den πεινῶντες (5) und οἱ γαυρούμενοι ἐν τῷ πλούτῳ wieder den ὑστερούμενοι (6) gegenübergestellt; aber offensichtlich sind hier nur zwei verschiedene Gruppen im Blick.

76 Vgl. vis III 9,5 mit 9,2.4.6 bzw. mand II 5 mit 4.
77 Daß in mand II 4-6 eine Parallelisierung vorliegt, könnte mit dem Hinweis darauf bestritten werden, daß die Bedürftigen (4) bzw. die mit ihnen identischen λαμβάνοντες (5) in θλιβόμενοι einerseits und ἐν ὑποκρίσει Nehmende andererseits unterteilt werden (5). Jedoch deutet diese Unterscheidung berechtigten und unberechtigten Almosenempfangs eher darauf hin, daß die zweite Gruppe nicht zu den echten (und damit im Sinne des Hermas: überhaupt nicht zu den) Bedürftigen gerechnet werden kann.
78 Aus der Aussage: "Alle Bedürftigen sind Bedrängte" kann nicht von vornherein auf die Identität beider Gruppen geschlossen werden. Hinzu kommt, daß θλίβειν bei Hermas ein weites Bedeutungsspektrum hat.
79 Für eine ausführliche semantische Analyse vgl. zuletzt Bauckham, Tribulation; ferner O'Hagan, Tribulation.
80 sim I 8 ἀγοράζετε ψυχὰς θλιβομένας.
81 Zur Begründung vgl. Gülzow, Christentum 89f. Vgl. auch ebd. 91 Anm. 4 und ders., Gegebenheiten 207f.
82 S. dazu u. S. 142.
83 mand VIII 10 χρεώστας μὴ θλίβειν καὶ ἐνδεεῖς. — χρεώστης ist hapaxlegomenon, ἐνδεής kommt bei Hermas sonst nur in anderer Bedeutung vor.

Auf die Lage der Bedürftigen bzw. der Bedrängten wird auch die ausführliche Charakterisierung Unterstützungsbedürftiger in sim X 4,2f. zu beziehen sein: "Und wer nämlich bedürftig ist und im täglichen Leben Mangel leidet, ist in großer Qual und Not... Denn wer von solchem Mangel gequält wird, wird mit gleicher Qual gequält, wie (sie) der Gefangene zu leiden hat. Denn viele fügen sich wegen solcher Nöte, wenn sie sie nicht ertragen können, den Tod zu."[85]

sim II erlaubt über das bisher Gesagte hinaus keine weiteren Differenzierungen: Dem Armen (πτωχός bzw. πένης)[86] fehlt das Lebensnotwendige[87], das ihm der Reiche bieten kann. So können die Armen ohne Schwierigkeiten mit den Bedürftigen und (falls nur teilweise mit diesen identisch) den Bedrängten unter Einschluß der Witwen und Waisen gleichgesetzt werden.

Daß Differenzierungen, wie sie hier versucht werden, dem Bewußtsein und den Absichten des Hermas und wohl auch der Gemeinde seiner Zeit unwichtig waren, zeigt u. a. die unterschiedslose Anwendung der Bezeichnungen für karitative Aktivitäten im Blick auf alle hier aufgeführten Gruppen: σκέπτεσθαι bezieht sich auf Witwen und Bedürftige[88], ἐπισκέπτεσθαι auf Witwen und Waisen[89], διακονεῖν/διακονία auf Witwen, Waisen, Bedürftige, Bedrängte und Arme[90]. In praxi scheint es gerade dort, wo solche Differenzierungen als wichtig und nötig erschienen, zu Schwierigkeiten gekommen zu sein: Nach mand II 4-6[91] gab es offenbar Personen in der Gemeinde, die man dem Augenschein nach nicht eindeutig den rechtmäßigen oder unrechtmäßigen Almosenem-

84 Auch in späterer Zeit werden neben den Witwen als auf Unterstützung Angewiesene die Bedrängten genannt, so in zwei aus der römischen Gemeinde stammenden Briefen (Cyprian, ep. 8,3; Cornelius bei Eusebius, h. e. VI 43,11; vgl. Harnack, Mission 842 Anm. 3). — Aus der Zeit vor und neben Hermas vgl. für θλίβεσθαι 1Tim 5,10; Did 5,2 = Barn 20,2 (hier vielleicht Schuldner?); IgnSm 6,2 und die Stellen bei Bauer, Ignatius 269; für θλῖψις vgl. Jak 1,27; 2Kor 8,13 (hier wohl vorwiegend finanzieller Mangel); Phil 4,14 (hier sowohl auf die Haft als auch auf die materielle Notlage des Paulus bezogen).

85 Vgl. dazu Dibelius, Hirt 643f. Zum Freitod aus Mangel am Nötigsten vgl. auch Epiktet, Diss. I 9,16; III 13,14; 26,29; Vergil, Aen. VI 434-437; Livius IV 12,11; Plinius, n. h. II 156. Es handelt sich also wohl um einen nicht ganz seltenen Ausweg aus bitterer Armut. — Man vgl. auch das Seufzen der Bedürftigen vis III 9,6 und dazu neben den Stellen bei Dibelius, Hirt 476, und Mußner, Jakobusbrief 196, noch 1Cl 15,6 (= Ps 11,6).

86 4 bzw. 5-10. Ein Unterschied, wie er im klassischen Griechisch besteht, läßt sich nicht erkennen; vielleicht hat Hermas hier zwei verschiedene Traditionen zusammengearbeitet (1-4 und 5-10).

87 τὰ δέοντα (5) (vgl. ζωή sim IX 26,2; ferner sim X 4,2) bezieht sich vielleicht vorwiegend auf Nahrungsmittel (vgl. auch sim V 3,7).

88 Witwen: sim IX 27,2. Bedürftige: ebd.

89 Witwen: sim I 8. Waisen: mand VIII 10; sim I 8.

90 Witwen: sim I 9; IX 26,2. Waisen: sim I 9; IX 26,2. Bedürftige: mand II 6 (= Bedrängte). Bedrängte: sim I 9. Arme: sim II 7.10.

91 Allerdings liegt hier wohl traditionelles Gut vor (vgl. Did 1,5 und Dibelius, Hirt 500f.; zur Forderung, den Armen bereitwillig zu geben, vgl. auch Carmen de moribus Christianorum 20b = Wolbergs ed., Gedichte 18); doch eine Stelle wie sim IX 20,2 legt nahe, daß das Problem in Rom akut war.

pfängern zuordnen konnte. Der Unterschied zwischen beiden Gruppen könnte u. a. im Empfang bzw. Nichtempfang öffentlicher (und bereits vorhandener privater) Unterstützungen gelegen haben.

Die Gemeindeglieder aus der Unterschicht nahmen wohl am intensivsten Anteil am Gemeindeleben, waren aber auch am stärksten von der Unterstützung durch die Gemeinde abhängig. Inwieweit sie aktiv bei Führungsaufgaben in der Gemeinde mitwirkten, ist unklar. Anzunehmen ist, daß sie im Bewußtsein der "überlieferte(n) religiöse(n) Vorzugsstellung des Armen"[92] lebten. Neben der Erfahrung der sozialen Distanz zu den Gemeindegliedern aus der Mittel- und Unterschicht, wie sie einerseits durch deren Zurückhaltung ihnen gegenüber, andererseits durch das Angewiesensein auf ihre Unterstützung zum Ausdruck kommt, dürfte auch diese Armenfrömmigkeit Spannungen verursacht oder verstärkt haben.

4

Auch bei denen, die Sozialleistungen der Gemeinde nicht beanspruchen konnten, sind Differenzierungen nicht ohne weiteres möglich. Eine oberflächliche Lektüre hinterläßt den Eindruck, daß für Hermas jeder als reich gilt, der mehr als das Lebensnotwendige verfügbar hat und vom Überschuß den Armen geben kann. Dies trifft auf eine ganze Reihe unterschiedlicher Gruppen zu. Eine Begriffsanalyse kann auch hier manches deutlicher machen.

An zwei Stellen wird die Unterstützung der armen Gemeindeglieder mittels des "Ertrags der Arbeit" (κόποι) gefordert oder beschrieben[93]. Die Wortwahl deutet auf Handwerker oder Kleinhändler, nicht auf besonders Reiche.

Schwieriger ist das Verhältnis von "Geschäften" (πραγματεῖαι/πράξεις) und "Reichtum" (πλοῦτος) zu bestimmen. Mehrmals unterscheidet Hermas die "Reichen" von den "geschäftlich Engagierten"[94]. Bei letzteren ist infolge ihrer Charakterisierung – sie gehen total in ihren Geschäften auf, pflegen keine Gemeinschaft mit anderen Christen, arbeiten z. T. mit Betrug und ziehen in kritischen Situationen eine gesicherte materielle Existenz dem Bekenntnis zum Christentum vor[95] – wohl vorwiegend an Händler zu denken[96].

---

92 Dibelius, Hirt 555. Vgl. ders., Brief 58-66; Bammel, πτωχός 895-899.913f.; Mußner, Jakobusbrief 76-84; Schottroff/Stegemann, Jesus 29-47; Wengst, Demut 35-67.

93 mand II 4; sim IX 24,2f.

94 sim VIII 8,1-9,3; IX 20. Auch in mand X 1,4 stehen "Geschäfte" und "Reichtum" nebeneinander.

95 Terminologie: πραγματεῖαι (mand III 5; X 1,4a; sim VIII 8,1f.) πολλαί (mand X 1,4b; sim IX 20,1f.) bzw. ποικίλαι (sim IX 20,1f.) bzw. πονηραί (vis II 3,1); πράγματα βιωτικά (vis III 11,3; mand V 2,2); πράξεις (sim IV 5b; IX 20,4) πολλαί (mand VI 2,5; sim IV 5a) bzw. βιω-

Sofern Reiche geschäftlich engagiert sind, werden die Geschäfte neben dem Reichtum eigens erwähnt[97]. Als Reichtum ist vorwiegend Eigentum an Immobilien, Wertgegenständen und Geld im Blick. So werden in sim I Äcker, Häuser, kostbare Einrichtungen, Wohnungen, Güter, ferner allgemein Reichtum und als Habitus Verschwendung aufgezählt[98]. Der Reichtum verschafft Ansehen bei Nichtchristen und erfordert den Umgang mit ihnen. Er kann zur Absonderung von und Arroganz gegenüber anderen Christen und zur Leugnung des Christseins führen[99].

Die Charakterisierung der Reichen stimmt in wesentlichen Punkten mit der der Geschäftsleute überein. Es handelt sich also wohl nicht um zwei scharf voneinander abzuhebende Gruppen, sondern um eine vertikal stärker in sich gegliederte Schicht. Was sich aus Lasterkatalogen, Anspielungen auf die Ernährungsweise und aus Sozialleistungen erschließen läßt, kann deshalb nur ganz pauschal auf Begüterte bezogen werden.

In dem Lasterkatalog mand VI 2,5[100] werden besonders Verhaltensweisen Begüterter kritisiert: Jähzorn[101], Vielgeschäftigkeit, Fressen und Saufen, Luxus, sexuelle Begierden, Habsucht, Arroganz, Prahlerei[102].

Die auch in den Lasterkatalogen (mand V 2,2; VI 2,5) sich spiegelnde bessere Ernährungsweise der nicht auf Unterstützung angewiesenen Gemeindeglieder wird — ebenfalls kritisch[103] — in vis III 9,2-6 thematisiert. Besonders aufschlußreich aber ist die For-

τικαί (vis I 3,1); τὰ πολλὰ πράσσειν (sim IV 5). Vgl. Gülzow, Sklaverei 88 Anm. 2. Geschäftliche Inanspruchnahme: ἐμφύρειν (mand X 1,4; sim VIII 8,1; IX 20,1f.), συναναφύρειν (vis II 3,1), περισπᾶσθαι (sim IV 5; vgl. II 5); vgl. auch die vis III 11,3 erwähnten psychosomatischen Folgen. Keine Gemeinschaft: sim VIII 8,1; IX 20,1f. Betrug: mand III 3-5. Verleugnungsanfällig: vis III 6,5; sim VIII 8,2.

96 Zumindest muß dieser Personenkreis für seinen Lebensunterhalt selbst sorgen können.
97 vis III 6,5. Vgl. auch sim IX 20,4.
98 Äcker, Häuser: 1.4.8.9. Teure Einrichtung, Wohnungen: 1. Güter: 4.9 (vgl. vis III 9,6; anders vis I 1,8). Reichtümer: 8 (vgl. sim II 5). Verschwendung: 10f.
99 Ansehen: sim VIII 9,1. Umgang mit Heiden: ebd.; vgl. mand X 1,4 (dazu den Freund mand V 2,2). Absonderung, Arroganz: s. u. S. 132f. Verleugnung: vis III 6,5.
100 Ähnliche Lasterkataloge: mand VIII 3; XII 1,3-2,2; sim VI 2,2.4. Konkreter auf kleine Händler zugeschnitten ist wohl mand V 2,2: βιωτικὰ πράγματα (s. o. Anm. 95), ἐδέσματα, μικρολογία (laut Bauer, Wörterbuch 1031 sv μικρολογία = "Lappalie"; Dibelius, Hirt 516, denkt an "Geiz", "Knauserei"), δόσις ἣ λῆψις ("Ausgabe und Einnahme", vgl. Bauer, ebd. 406 sv δόσις 2).
101 Vgl. den Zusammenhang mit den Zweifeln (mand X 1,1f.; 2,2.4; ferner vis III 11,2), von denen besonders die reicheren Gemeindeglieder geplagt werden.
102 Auch die Stellen, die von "diesem Äon" reden, stehen sämtlich in einem mittelbaren oder unmittelbaren Zusammenhang mit einem "Reichtum", der sich näherer Differenzierung entzieht; s. u. S. 199 Anm. 53.
103 Die Kritik der Eßgewohnheiten ist wohl stoischer Herkunft, vgl. Dibelius, Hirt 475f.

derung des sozialen Fastens[104]: Der Fastende darf nur Brot und Wasser zu sich nehmen. Angehörige der Unterschicht aßen im Alltag kaum Fleisch, sondern vorwiegend
Getreideprodukte, insbesondere Brot[105]. Für sie wäre ein solches Fasten kaum ein Verzicht gewesen. Die Adressaten dieser Forderung sind vielmehr in der Mittel- und
Oberschicht zu suchen, allerdings nicht nur unter den besonders Reichen, sondern auch
unter den kleinen Geschäftsleuten[106].

Nicht genauer einzuordnen ist die Gruppe der Hausbesitzer, in deren Häusern sich
die Hausgemeinden trafen[107], und die Fremden Unterkunft und Verpflegung bieten
konnten[108].

Welche Auffassung vom Christsein diese begüterten Gemeindeglieder hatten, ist aus ihrer (meist negativen) Charakterisierung zu erschließen. "Öffentliche und berufliche Verpflichtungen führten dazu, daß die Christen mit geho-
benem Sozialstatus wohl mehr in die heidnische Gesellschaft integriert waren
als die Christen aus kleinen Verhältnissen."[109] Reichtum und Inanspruchnahme
durch die "Welt" waren auch die Ansatzpunkte für Vorwürfe, denen die reichen Gemeindeglieder seitens anderer Gruppen in der Gemeinde ausgesetzt
waren.

Es handelt sich im wesentlichen um folgende Vorwürfe:

1. distanziertes Gottesverhältnis infolge des Reichtums oder der Inanspruchnahme
durch Geschäfte[110]. Hierin kommt wohl die Perspektive der Armenfrömmigkeit zum
Ausdruck, wonach Reichtum an sich religiöse Minderwertigkeit oder Disqualifikation
beinhaltete. Anhaltspunkte im konkreten Verhalten der Reichen werden nicht deutlich,
abgesehen von dem gelegentlich erwähnten religiösen Desinteresse (mand X 1,4) und
der Kraftlosigkeit des Gebets (sim II 5).

2. Gemeinschaftslosigkeit, entweder als Folge des Reichtums und der Geschäfte[111]
oder um der Forderung, die Armen am Eigentum teilhaben zu lassen, nicht entsprechen zu müssen[112]. Hier ist eine stärkere Orientierung am konkreten Verhalten der Kri-
tisierten wahrscheinlich.

104 sim V 3,7; s. u. S. 136.
105 Zur schichtspezifischen Ernährung in der Antike vgl. Theißen, Starke 275-279; ferner
Gerkan, Einwohnerzahl 172-174.
106 Dazu paßt, daß Witwen- und Waisenfürsorge prinzipiell von allen, faktisch also von
allen nicht mittellosen Christen gefordert ist, vgl. Dibelius, Hirt 527; Mußner, Jakobusbrief 113.
107 Vgl. Petersen, House-Churches 270f.; Stuhlmacher, Brief 71; Wiefel, Erwägungen 49;
Filson, Significance 111.
108 S. o. S. 50f.
109 Theißen, Starke 281. Vgl. auch Countryman, Christian 135f.
110 vis I 1,8; mand X 1,4; sim II 5; IV 5-7; VI 1,6-2,4; VIII 9,1-3.
111 sim VIII 8,1; 9,1; IX 20,1f.; vgl. Gülzow, Sklaverei 88.
112 vis III 9,2-6.

3. Stolz auf den Reichtum[113] und aufgrund des Reichtums[114].

4. Spaltung der Gemeinde (sim VIII 9,4).

Angesichts dieser Vorwürfe ist zu vermuten, daß Reichtum auch für reiche Christen in ihrer Auffassung vom Christsein zum Problem geworden war. Eine Lösungsmöglichkeit boten die sozialen Leistungen, deren Träger wohl hauptsächlich sie waren. "Sie allein konnten der Gemeinde Obdach geben, die Rechtsgeschäfte führen, die Armenpflege wirksam betreiben, Äcker kaufen oder den vorhandenen Grund und Boden als Begräbnisplatz zur Verfügung stellen. Und nur sie konnten die heidnische Polemik hinsichtlich der Zusammensetzung der Gemeinden wirksam widerlegen. Dies waren die Voraussetzungen dafür, daß sie sich selber als eine eigene Gruppe fühlten, wozu das Auge der Armen sie ohnehin schon gemacht haben dürfte."[115]

Konnten die sozialen Leistungen von den Begüterten aber teilweise als notwendiges Übel aufgefaßt werden, so dürfte die bei ihnen begegnende Auffassung vom Christsein weniger durch materielle und gemeinschaftsorientierte Gesichtspunkte, mehr durch intellektuelle Bedürfnisse und individuelle Suche nach Heil bestimmt gewesen sein. Dazu passen auch die Verwürfe der Asozialität und der Arroganz am besten. Diskrepanz zwischen Glauben und Leben trat hier wohl am häufigsten auf. Doch mindestens für einen Teil der Reichen war das Bedürfnis, den Normen der Gemeinde entsprechend zu leben, wesentlich und zeitigte gelegentlich auch rigorose Folgen (Markion). Auch daß Gemeindeämter z. T. von Begüterten übernommen wurden[116], zeigt, daß hier differenziert werden muß.

Für die nicht zu den "Reichen" gehörenden Handwerker und Kleinhändler sind Auffassungen von Christsein zu vermuten, die sich mindestens graduell von denen der Begüterten unterscheiden. Obwohl ihre materielle Lage sie eher in die Nähe der Unterschicht als zu den Reichen stellen ließe, sind sie von den armen und ärmsten Gemeindegliedern dadurch unterschieden, daß sie infolge eines einigermaßen geregelten (wenn auch meist bescheidenen) Einkommens die Sozialleistungen der Gemeinde kaum beanspruchen mußten, ja sich sogar aktiv daran beteiligen konnten. Andererseits trennt wohl nicht nur ihren Repräsentanten Hermas von den Reicheren "ein lebendiges Empfinden für die überlieferte religiöse Vorzugsstellung des Armen"[117]. Aus dem Widerspruch zwischen den materiellen Gegebenheiten und der theologischen Ten-

---

113 vis I 1,8; III 9,6.

114 sim VIII 9,1.

115 Gülzow, Sklaverei 97.

116 S. o. S. 73.

117 Dibelius, Hirt 555.

denz, aber wohl auch daraus, daß sie zwischen den Armen und den Reichen standen, von jeder dieser Gruppen eher in die Nähe der jeweils anderen gerückt wurden und eines eigenen festen Standpunktes entbehrten, ergibt sich für sie eine "eigentümliche Problematik"[118]. Viele der in der damaligen Lage vorgeschlagenen und erprobten Versuche, das Problem von Armut und Reichtum in der Gemeinde zu lösen, dürften deshalb aus den Reihen dieser Händler und Handwerker gekommen sein.

5

Bevor diese Lösungsversuche im Zusammenhang betrachtet werden, ist es nötig, sich noch einmal den zwischen reichen und armen Gemeindegliedern bestehenden Spannungen zuzuwenden. Unter deren Ursachen dürften die wichtigsten sein

− die materielle Ungleichheit zwischen beiden Gruppen, die als solche ungelöst bleibt und vielleicht nicht einmal thematisiert worden ist und die sich in der Gemeinde in der weitgehenden Abhängigkeit der Armen von der Unterstützung hauptsächlich durch die Reichen äußert,

− die damit verbundene soziale Ungleichheit in der Gemeinde, die sich etwa in der (von der sozialen Zusammensetzung der Gemeinde abweichenden) Besetzung der mit Prestige verbundenen Ämter äußert,

− Differenzen in religiösen Grundüberzeugungen, vor allem eine unterschiedliche Einschätzung der "Armenfrömmigkeit",

− Differenzen in der Lebensführung, d. h. Unterschiede in der Beurteilung der Bedeutung der eigenen Praxis, des Lebens in und des Verhaltens zu der nichtchristlichen Umwelt sowie des Gemeindelebens und der persönlichen Frömmigkeit für das Heil.

Von diesen Konfliktursachen wird im wesentlichen nur die zuletzt genannte thematisiert. Der Konflikt zwischen Arm und Reich wird als ethisches Problem wahrgenommen[119]. In dieser Richtung setzen auch die Lösungsversuche an.

Die erste Ursache (samt entsprechenden gesamtgesellschaftlichen Lösungsversuchen) wird nicht thematisiert. Die zweite wird nur auf der Ebene der Ämter und zwischen den Amtsträgern als Konflikt interpretiert. Die dritte wird nur in Verbindung mit der vierten manifest, ohne daß spezifisch dogmatische Lösungsversuche (etwa Häresieverdacht) ausgesprochen würden. Die Reduktion des Konflikts auf ein ethisches Problem zeigt sich auch deutlich in der Frage der Abgrenzung der Gemeinde nach außen, ohne die Möglichkeit einer "ethischen Häresie"[120] zu erwägen.

---

118 Ebd.
119 Zum Reichtum als Problem in der christlichen Literatur des zweiten Jahrhunderts vgl. auch Countryman, Christian, passim, und Beyschlag, Christentum 37 mit Anm. 23.
120 Zur Problematik des Begriffs vgl. Steck, Wahrheit 39-41.

Der Konflikt äußert sich vorwiegend in Vorwürfen der Armen gegen die Reichen und in der (Selbst-)Verteidigung letzterer[121].

Für diesen Konflikt und für den Umgang mit Problemen von Armut und Reichtum überhaupt gab es in der Gemeinde eine ganze Reihe von einander ergänzenden Lösungsversuchen und -vorschlägen.

6

Eine von Hermas häufig erwähnte Zielgruppe materieller wie geistig-geistlicher Unterstützung waren die Witwen, Waisen und Bedürftigen[122]. Dabei ist vorwiegend an Zuwendungen zur Sicherung des Lebensunterhalts, vor allem finanzieller Art[123], zu denken. Die Mittel stammten mindestens zum Teil aus dem Gemeindevermögen und wurden durch Bischöfe und Diakone verteilt[124]. Daneben ist aber auch — vor allem in Zusammenhang mit der Praxis des sozialen Fastens — an direkte persönliche Zuwendungen durch reiche oder zumindest finanziell unabhängige Gemeindeglieder zu denken.

Für Sklaven bestand zusätzlich zu Leistungen, die ihnen als Bedürftigen erwiesen werden konnten, die Möglichkeit, auf Gemeindekosten oder durch private Aktionen freigekauft zu werden[125]. Allerdings handelt es sich dabei wohl um Ausnahmen, nicht um regelmäßig geübte Praxis.

Die Gemeinde oder auch einzelne vermögende Gemeindeglieder konnten für das Begräbnis armer oder versklavter Gemeindeglieder finanzielle Unterstützung gewähren oder Grund und Boden zur Verfügung stellen[126]. Bei Hermas wird dergleichen allerdings nicht erwähnt.

Diese umfangreichen sozialen Leistungen erforderten eine zumindest teilweise institutionalisierte Organisation. Daneben verdienen aber auch die individuellen spontanen und unregelmäßigen Leistungen und Aktionen Beachtung.

---

121 Fraglich ist, ob die mehrfach erwähnten Streitigkeiten, in die Mitglieder der Mittel- und Oberschicht verwickelt sind, auf Konflikte unter ihnen selbst verweisen, oder ob hier Beziehungen zwischen reichen und armen Christen angesprochen sind: vis III 6,3; 9,2; wohl auch mand II 3 (im Anschluß 4-6 sind Begüterte im Blick, s. o. S. 129f.) und vielleicht sim VIII 8,4 (Gelegenheitsleugner, s. o. S. 80 Anm. 105, deutet eher auf hohen Sozialstatus, s. o. S. 81f.) und sim VIII 9,4 (Gemeinschaftslosigkeit, s. o. S. 72).

122 S. die Belege o. S. 127; ferner ὑπηρετεῖν mand VIII 10 (bezogen auf die Witwen); später Justin, apol. I 67,6; Dionysius von Korinth bei Eusebius, h. e. IV 23,10.

123 Aber auch in Form von Naturalien? Vgl. vis III 9,2-6.

124 S. o. S. 73f. ferner Justin, apol. I 67,6 (Gemeindevorsteher).

125 S. u. S. 142.

126 Eine einheitliche Regelung der Begräbnisfürsorge durch die Gemeinde (Ansätze dazu bezeugt Justin, apol. I 67,6) scheint sich endgültig erst Anfang des dritten Jahrhunderts durchzusetzen; vgl. Gülzow, Sklaverei 143f.; ders., Gegebenheiten 191f.224.

Zu den institutionalisierten Voraussetzungen ist, wenngleich eindeutige Belege fehlen, wohl auch schon für die Zeit des Hermas eine Gemeindekasse zu rechnen[127]. Immerhin wird in sim IX 26,2 von Unterschlagungen durch Diakone berichtet. Auch in sim IX 25,2 dürfte unredlicher Umgang mit (Gemeinde-?)Geldern gemeint sein[128].

Das Gemeindevermögen kam, von Sonderzuwendungen abgesehen, wohl vor allem durch die sonntägliche Kollekte zustande[129]. Es wurde von Bischöfen und Diakonen verwaltet und zur Unterstützung der Bedürftigen sowie für weitere Zwecke wie Beherbergung von Gästen, Einfluß auf Gerichtsverfahren gegen Christen oder Straferleichterungen für bereits Verurteilte, Zuwendungen an andere Gemeinden usw. verwendet[130]. Auch die Institution der Witwen- und Waisenfürsorge zur Zeit des Hermas dürfte vorwiegend mit Hilfe des Gemeindevermögens bestritten worden sein.

Nicht institutionalisiert sind zumeist individuelle Zuwendungen an Bedürftige[131]. Wohl um eine größere Regelmäßigkeit und damit eine gewisse Sicherung der materiellen Existenz in der Unterstützung der Armen zu gewährleisten, findet sich aber auch hier der Versuch einer Institutionalisierung: das soziale Fasten[132].

Die Eigenart des sozialen Fastens wird in sim V 3,7 beschrieben: "So sollst du es (sc. das Fasten) praktizieren: Erfülle, was geschrieben steht; an deinem Fasttag nimm nichts zu dir außer Brot und Wasser, und von den Lebensmitteln, die du essen wolltest, berechne die Höhe der Kosten für den Tag, an dem du es praktizieren wolltest, gib es (sc. das Geld) einer Witwe, einer Waise oder einem Bedürftigen, und so demütige dich, daß durch deine Demütigung der Beschenkte sich sättige und für dich zum Herrn bete." Daß diese Praxis nur Personen möglich war, die für ihren Lebensunterhalt selbst sorgen konnten, ist klar. So wird auch der Begriff "Demütigung", der soziale Wertung impliziert[133], am ehesten verständlich.

127 Ob das römische Gemeindevermögen zur Zeit des Hermas neben Geld auch Liegenschaften umfaßte (für andere Gemeinden vgl. Staats, Deposita 9 Anm. 20), bleibt offen.
128 Vgl. Dibelius, Hirt 632.
129 Vgl. etwas später Justin, apol. I 67,6, und außer den Belegen bei Staats, Deposita 5f., z. B. Tertullian, apol. 39,5-7. Für Korinth bereits durch 1Kor 16,2 bezeugt.
130 Zur Zeit des Hermas dürfte der Großteil der Gemeindeeinnahmen bald wieder ausgegeben worden sein. Von größeren Rücklagen wird nichts berichtet, und Hermas betont den Zusammenhang von Spende und wirksamer sozialer Leistung.
131 Vgl. vis III 9,2-6; mand II 4-6; VIII 10; sim I 8-11.
132 Spätere Belege bei Schermann, Kirchenordnung I 79; Countryman, Christian 127 n. 34. Vgl. ferner Gülzow, Sklaverei 99 mit Anm. 3; Dibelius, Hirt 566f.; Ritter, Christentum 6f.; zur sozialen Motivation vgl. Nagel, Motivierung 75f.
133 Vgl. vis III 10,6; mand II 2; sim VII 4,6; VIII 7,6 (vgl. auch mand VIII 10; XI 8) und dazu van Unnik, Bedeutung, der jedoch zu Unrecht den atl. Hintergrund dieser "Demütigung" (vgl. etwa Jes 58,3-8) leugnet. Ausführlich zum Thema jetzt Wengst, Demut.

Während alle diese Leistungen von nicht mittellosen Christen (in unterschiedlichem Umfang) getragen werden konnten, dürften sich zwei Formen der Unterstützung Bedürftiger vor allem auf erwünschte Initiativen von Reichen beziehen: die Stundung von Schulden (mand VIII 10) und die Errichtung von Klientelverhältnissen.

Nur insofern Reichtum zu solchen Zwecken eingesetzt wurde, konnte Hermas ihn als legitim ansehen[134]. Damit hängt wohl auch seine Forderung zusammen, Reichtümer zu verringern, sich auf *ein* Geschäft zu beschränken[135] und so faktisch auf sozialen Aufstieg zu verzichten. Freilich gelang es auf Dauer nicht, die zunehmende soziale Distanz zwischen Arm und Reich in der Gemeinde zu überwinden. Trotz bereits bestehender Sozialleistungen und der beträchtlichen sozialen Phantasie eines Hermas konnten die Unterschiede allenfalls gemildert, nicht aber beseitigt werden. Insofern ist die ambivalente Wertung des Reichtums bei Hermas — Hindernis auf dem Weg zum Heil (wenn Verhaltensweisen Reicher kritisiert werden sollen) *und* gute Gabe Gottes (wenn eben diese Reichen zur Wohltätigkeit veranlaßt werden sollen) — zugleich Zeugnis einer nicht befriedigenden theologischen Reflexion *und* Ausdruck der weiter bestehenden sozialen Spannungen. Beachtenswert bleibt das Zeugnis des Hermas nicht zuletzt deshalb, weil es von einem ehemals Reichen (vis III 6,7) stammt, den wirtschaftlicher und sozialer Abstieg (und wohl auch die vor dem sozialen Aufstieg als Sklave gemachten Erfahrungen[136]) zumindest zeitweise zu jenem Perspektivenwechsel befähigte, zu dem er — zugunsten der Armen — die Reichen der Gemeinde bewegen wollte.

---

134 Vgl. sim I 6; IX 30,4f. Zu den Verschiebungen in der Wertung des Reichtums in diesen
   Stellen gegenüber vis III 6,5f. und mand X 1,4-6 vgl. Countryman, Christian 146 n. 12.
135 Vgl. mand VIII 10; sim IV 5-8.
136 S. u. S. 138-141.

VI: SKLAVEREI IM "HIRTEN DES HERMAS"

Angesichts der Vielzahl von Erwähnungen von Sklaven und der sie betreffenden Meinungen und Regelungen im übrigen frühchristlichen Schrifttum[1] mutet es seltsam an, daß im "Hirten" Sklaverei explizit fast gar keine Rolle spielt – seltsam vor allem deshalb, weil diese bis über die Mitte des zweiten Jahrhunderts hinaus bei weitem umfangreichste frühchristliche Schrift sowohl in ihren umfangreichen paränetischen Passagen als auch in ihren differenzierten Gemeindeanalysen für die Behandlung der Sklaverei einen angemessenen Ort hätte finden können. Daß die Sklaverei bei Hermas diesen Ort nicht erhält, ist bisher m. W. nicht zu erklären versucht worden. Am Ende der vorliegenden Untersuchung werde ich einen Erklärungsvorschlag anbieten. Doch zuvor gilt es, das spärliche und disparate Material zu untersuchen, das sich bei Hermas zum Thema Sklaverei findet. Dieses Material läßt sich in fünf Kategorien einteilen:

1. Aussagen des Hermas über seine eigene Sklavenherkunft
2. Äußerungen über christliche Sklaven
3. Äußerungen über Sklaverei überhaupt
4. Verwendung der christlichen Selbstbezeichnung "Sklaven Gottes"
5. Sklaverei als christologisches Interpretationsmuster[2].

1

Seinen eigenen Worten zufolge war Hermas selbst zu Beginn seines Lebens ein Sklave gewesen. Dies geht aus dem ersten Satz seiner Schrift hervor: "Der, der mich aufzog, verkaufte mich an eine gewisse Rhode nach/in Rom (ὁ θρέψας με πέπρακέν με 'Ρώμην)."[3]

---

1 Die Literatur zum Thema Urchristentum und Sklaverei ist uferlos. Für einen ersten Überblick vgl. die bibliographischen Hinweise bei Theißen, Studien 337f., und bei Herrmann/Brockmeyer, Bibliographie I 177-183.

2 Zu methodischen Problemen bei der Verifizierung von Reflexen erlebter Unfreiheit in literarischen Texten der Antike vgl. Christes, Unfreiheit. Anders als Christes dies bei Phaedrus (vgl. dazu auch Bradley, Slaves 150-153) und Publilius Syrus tun kann, gehe ich im folgenden nicht von vornherein davon aus, daß Hermas Sklave war. Obwohl ich das für wahrscheinlich halte, ist das Problem des Realitätsbezugs des Autobiographischen im "Hirten des Hermas" in der Forschung derzeit umstritten; der Gang der folgenden Untersuchung soll deshalb nicht durch eine Annahme vorherbestimmt sein, die nicht auf allgemeinen Konsens rechnen kann.

3 vis I 1,1.

"Aufzieher" (θρέψας) ist ein gebräuchlicher Ausdruck sowohl für den Pflege-vater als auch für den Adoptivvater als auch für den Sklavenhalter[4]. Daß es sich hier um einen Sklavenhalter handelt, wird durch den Verkaufsakt gesi-chert, zumal der Verkauf sei es eigener, sei es adoptierter Kinder zur Zeit des Hermas unüblich war[5]. Hermas, der "Zögling" (θρεπτός) seines Herrn[6], dürfte bereits als Sklave geboren sein[7]; dies ist wahrscheinlicher als die Annahme, er sei als Säugling ausgesetzt worden[8]. Ist dem so, dann ist "Hermas" als Skla-venname zu verstehen. Als solcher ist er auch anderweitig belegt[9], ohne je-doch ausschließlich für Sklaven reserviert zu sein.

Wo Hermas aufgezogen wurde, läßt sich nicht genau feststellen[10]. Anzuneh-men ist aber, daß das Ziel seiner Aufzucht der spätere Verkauf war[11]. Unklar bleibt auch die genauere Art seiner Erziehung[12], wenn auch wahrscheinlich ist, daß sie u. a. Lese- und Schreibunterricht umfaßt hat.

Nach dem Verkauf befand sich Hermas seinen eigenen Worten zufolge eine unbestimmte Zeit im Besitz der Rhode. Dieses Besitzverhältnis muß aber zum Zeitpunkt der Abfassung von vis I bereits beendet gewesen sein. Am wahr-scheinlichsten bleiben, da von Flucht oder Weiterverkauf nichts berichtet wird,

---

4 Zahlreiche Belege für alle Bedeutungen finden sich in den folgenden beiden Studien: Cameron, ΘΡΕΠΤΟΣ, und Nani, ΘΡΕΠΤΟΙ. Zur Bedeutung "Pflegevater" vgl. Cameron, ebd. no. 1.2.4-6.9-12.15.18.19 sowie Homer B 54f.; Ω 59f. (jeweils Pflegemütter). Zu "Adop-tivvater" vgl. Cameron no. 26 (und ders. p. 47). Zu "Sklavenhalter" vgl. ebd. no. 30.40. 45.53-55 und vielleicht 56; Studia Pontica III no. 5 (zitiert bei Börner, Untersuchungen IV 181); Herondas V 83; IG IX 1,193, Z. 16ff.

5 Vgl. Kaser, Privatrecht I 342; II 131.205.

6 Zu den θρεπτοί vgl. neben Cameron und Nani noch: Börner, Untersuchungen II, Reg. sv θρεπτός; ders., Untersuchungen IV, Reg. sv θρέμμα; ferner Biezuńska-Malowist, expositio; Boyaval, CEML 465; Bryce, Families 310-312; Raffeiner, Sklaven 90-92.

7 Zur Sklavenaufzucht vgl. die Literatur bei Brockmeyer, Sklaverei 340 Anm. 29; dazu Finley, Slavery 130.

8 Daß die expositio keineswegs immer den Tod des Kindes bedeutete (zu diesem Aspekt vgl. zuletzt Engels, Problem, und Eyben, Family Planning 12-19), sondern oft dessen Verwendung als Sklave, zeigen Biezuńska-Malowist und MacMullen, Relations 13f.92; auch Bradley, Slaves 57f.

9 Vgl. Gülzow, Christentum 85f. Anm. 3. — Zum Namen "Hermas" in Rom vgl. Solin, Per-sonennamen I 338.

10 S. dazu o. S. 24 mit Anm. 20.

11 Zum Sklavenhandel vgl. Harris, Study; Brockmeyer, Sklaverei, Reg. sv; Herrmann/ Brockmeyer, Bibliographie I 268-272, und als Illustration die Spezialstudien von Finley, Timotheos, und ders., Slave Trade; wichtig Bradley, Slaves 52-63.

12 Zur Sklavenerziehung vgl. Mohler, Education; Forbes, Education. Die Ausführungen von Marrou, Geschichte 492f., sind danach zu ergänzen.

die Freilassung[13] oder Selbstfreikauf. Freigelassenenstatus ist jedenfalls vorausgesetzt, wenn Hermas von sich als paterfamilias eines "Hauses" (οἶκος) spricht[14]. Bestätigt wird das auch durch gelegentliche Angaben über Eigentum und Freizügigkeit des Hermas.

Nach seinen eigenen Angaben hat Hermas also einen sozialen Aufstieg erreicht. Er partizipiert dabei an den Aufstiegschancen, die für die römische Gesellschaft seiner Zeit überhaupt charakteristisch sind[15]. Eben weil solche Aufstiegsphänomene für seine Umwelt alltäglichen Charakter besaßen, ist die von Hermas präsentierte Biographie auch für seine Adressaten plausibel. Nichts spricht von vornherein gegen die Herkunft des Hermas aus dem Sklavenstand. Ebensowenig ist ausgeschlossen, daß zum Haus des Freigelassenen Hermas selbst wieder Sklaven gehörten[16].

Auch sonst finden sich bei Hermas Hinweise auf vertikale Mobilität im Hinblick auf Glieder der römischen Gemeinde. Auf sozialen *Aufstieg* bezieht sich sim VIII 9,1: "Diese (sc. ein bestimmter Typ von Sündern) sind gläubig geworden, wurden aber reich und bekamen höheres Prestige (γενόμενοι ἐνδοξότεροι) bei den Heiden. Große Überheblichkeit zogen sie an und wurden hochmütig und verließen die Wahrheit und hielten keinen Kontakt mit den Gerechten, sondern lebten mit den Heiden zusammen, und dieser Weg schien ihnen angenehmer." Charakteristisch für die Sicht des Hermas ist, daß wirtschaftlicher Aufstieg von Christen tendenziell mit abweichendem Verhalten korreliert wird. Hermas' eigene Strategie, den Zusammenhalt der Gemeinde zu sichern, läuft auf das Gegenteil hinaus: die Verwendung von Reichtum zur Unterstützung Armer, nicht zur Vermehrung von Reichtum. Allerdings ist diese Korrelation nicht eindeutig; in sim IX 24,3 kann wirtschaftlicher Aufstieg auch als himmlischer Lohn für Engagement in der Wohltätigkeit interpretiert werden. Sozialer *Abstieg* ist in sim VI 3,4-6 im Blick: Hier geht es um möglicherweise zeitlich begrenzte geschäftliche Verluste und persönli-

13 Zur Freilassung vgl. Brockmeyer, Sklaverei 319 Anm. 10 (Lit.!); Herrmann/Brockmeyer, Bibliographie I 278-287; Bradley, Slaves 81-112. In Frage kämen manumissio vindicta oder manumissio in censu. — Falls Rhode römische Bürgerin war, wäre bei einer Freilassung durch sie (oder einen evt. auf sie folgenden Besitzer, falls dieser in Rom lebte und römischer Bürger war) zu bedenken: "In Rome, when a citizen slave owner did that (sc. freilassen) the freedman automatically became Roman citizen (with exceptions...)." (Finley, Freedom 87; vgl. auch Brockmeyer, Sklaverei 158).

14 S. o. Kap. III.

15 Vgl. nur den Überblick bei Theißen, Christologie 320-326. Die Berufung von Theißen, ebd. 322 Anm. 8, und von Lampe, Iunia 134 Anm. 8; ders., Christen 68 Anm. 196, auf die Ergebnisse von Alföldy, Freilassung, ist nach den kritischen Einwänden gegen diese Ergebnisse (vgl. dazu Alföldy im Nachtrag zu ders., Freilassung 369f., und vor allem Wiedemann, Regularity) etwas einzuschränken. Kritisch zu Alföldy auch De Martino, Wirtschaftsgeschichte 295f.; Bradley, Slaves 19f.82f.96.100; Hopkins, Conquerors 118.139; Harris, Study 134 n. 9.

16 S. o. S. 52f.

che Nachteile. Sozialer Abstieg wird hier als pädagogische Strafmaßnahme Gottes betrachtet und bei Rückkehr zu konformem Verhalten als reversibel in Aussicht gestellt. Ähnlich verhält es sich mit sim IX 30,5, wo Reiche im Blick sind, die sich im Glauben nicht ganz normkonform verhalten. Die Verminderung ihres Reichtums wird ebenfalls als göttliche Maßnahme gedeutet; doch steht nicht der Aspekt der Bestrafung im Vordergrund, sondern die Motivation zu karitativem Engagement.

Sozialer Abstieg ist wohl auch an jenen Stellen gemeint, wo das Stichwort θλίβειν bzw. θλῖψις auf eine Vermögenseinbuße, vermutlich Vermögenseinzug als gerichtliche Strafe, und die sich daraus für die jeweils Betroffenen ergebende verschlechterte materielle Lage zu gehen scheint. Am deutlichsten wird dies in vis III 2,1: Zusammen mit "Geißelungen" (μαστίγες)[17], "Inhaftierungen" (φυλακαί), "Kreuzigungen" (σταυροί) und "Tierkämpfen" (θηρία)[18] sind auch "große Bedrängnisse" (θλίψεις μεγάλαι) Explikationen des Oberbegriffs "leiden" (παθεῖν), der hier nicht technisch im Sinn eines mit dem Tod endenden Martyriums gebraucht ist, sondern auf die Konfrontation mit den und Repression durch die staatlichen Behörden überhaupt geht. Da die genannten Begriffe sämtlich im Sinn konkreter Strafen verwendet werden, liegt dies auch bei den "großen Bedrängnissen" nahe[19]. In dieselbe Richtung weist die Erwähnung "großer privater Bedrängnisse" des Hermas[20] in Verbindung mit der Information, Hermas sei ehemals ein reicher Christ gewesen[21]. – Dann ist es auch nicht abwegig, die von den Märtyrern im strengen Sinn unterschiedenen[22] "wegen des Gesetzes (sc. des christlichen Glaubens) Bedrängten"[23] wenn nicht mit Geldstrafen, so doch vielleicht mit deren Androhung, zumindest aber mit Gerichtsverfahren überhaupt in Verbindung zu bringen.

2

Zwei Stellen des "Hirten" dürften sich auf *christliche Sklaven* beziehen, genauer: auf solche christliche Sklaven, die unter nichtchristlichen Herren leben[24]. Die erste Stelle steht im Tugendkatalog mand VIII 10. Neben anderen Handlungen zugunsten sozial benachteiligter Christen wird empfohlen, "die

17 In dieser Bedeutung nur hier; sonst allgemein und übertragen (allerdings auch in einer Verfolgungssituation) "Plage" vis IV 2,6 und konkret "Geißel" (des Strafengels) sim VI 2,5; vgl. 3,1.
18 Die drei zuletzt genannten Begriffe begegnen bei Hermas, zumindest in dieser Bedeutung, nur hier.
19 Wollte man hier (wie dies bei Hermas an anderen Stellen der Fall ist) apokalyptischen Sprachgebrauch annehmen und infolgedessen einen Bezug auf konkrete Repressionsmaßnahmen leugnen, so läge für Hermas eine singularische Verwendung von θλῖψις weit näher (vgl. vis II 2,7; IV 2,5; 3,6).
20 vis II 3,1 (auch Dibelius, Hirt 449, vermutet hier "geschäftliche Schädigungen").
21 vis III 6,7.
22 Kriterium ist, daß diese "gelitten" haben.
23 sim VIII 3,7 ὑπὲρ τοῦ νόμου θλιβέντες.
24 Zur Existenz christlicher Sklaven in nichtchristlichen Haushalten vgl. Röm 16,10f.; 1Kor 1,11; Phil 4,22 und zu diesen Stellen z. B. Klauck, Hausgemeinde 28f.

142   Sklaverei im "Hirten des Hermas"

Sklaven Gottes aus Zwangslagen zu befreien" (ἐξ ἀναγκῶν λυτροῦσθαι τοὺς δού-λους τοῦ θεοῦ). Die zweite Stelle findet sich in sim I 8, wo die Christen — ge-meint sind wie in mand VIII 10 die Begüterten unter ihnen — dazu aufgefordert werden, zugunsten sozial benachteiligter Christen auf Immobilienerwerb zu verzichten[25]: "Anstelle von Äckern kauft also bedrängte Seelen nach Maßgabe eurer Möglichkeiten" (ἀντὶ ἀγρῶν οὖν ἀγοράζετε ψυχὰς θλιβομένας, καθά τις δυνατός εστι). Da sich die zweite Stelle trotz der Erwerbsmetaphorik nicht auf Mission bezieht — Mission ist bei Hermas kein Thema[26] —, kommen für beide Stellen gemeinsam zwei Deutungen in Frage, die einander nicht auszuschließen brauchen.

Es könnte sich einmal um verschiedene Bemühungen einschließlich der Auf-wendung von Geldern zum Freikauf gefangengenommener Christen handeln[27].

Zum anderen könnte es sich auf den Freikauf christlicher Sklaven aus nicht-christlichen Haushalten, in denen sie mannigfachem Druck ausgesetzt waren, beziehen[28].

Solcher Freikauf christlicher Sklaven wird implizit IgnPol 4,3 bezeugt, diese Praxis samt entsprechender Wünsche jedoch von Ignatius abgelehnt, zumindest wenn dabei die Gemeindekasse in Anspruch genommen werden muß.

25 Zu allen Einzelheiten bezüglich sim I s. u. S. 192-218.
26 Gründlich mißverstanden ist diese Stelle deshalb bei Bauer, Wörterbuch. ψυχή ist hier nicht Sitz und Trägerin der menschlichen Empfindungen und Gefühle (so 1766 sv ψυχή 1b; ebenso Knorz, Theologie 36), sondern metonymisch gebraucht: ψυχὴ θλιβομένη = θλιβόμενος bzw. θλιβομένη. Infolgedessen sind die für diesen Ausdruck aus der Profan-gräzität beigebrachten Analogien (Bauer 715 sv θλίβω 3) keine wirklichen. Schließlich ist ἀγοράζειν kaum übertragen ("gewinnen"), d. h. wohl auf missionarische Bemühun-gen hin zu deuten (so ebd. 24 sv ἀγοράζω 1), wie dies etwa für κερδαίνειν gelten wür-de (vgl. dazu Daube, κερδαίνω; zur Geschäftssprache bei Paulus vgl. z. B. Meeks, Chri-stians 64-67, mit weiteren Hinweisen), zumal zusätzlich fraglich ist, ob für Hermas Mis-sion vom einzelnen Gemeindeglied auszugehen ist, und unwahrscheinlich, daß sie sich auf bedrängte Seelen zu konzentrieren hat (nach sim IX 31,1-3 scheint eher ein Interesse an der Werbung Reicher, zumindest Begüterter bestanden zu haben).
27 So Dibelius, Hirt 527f. Hierbei handelt es sich dann wohl kaum um Sklaven; vgl. das bei Brockmeyer, Sklaverei 196, referierte Ergebnis der Untersuchungen Scheeles. — Zum Problem vgl. auch Gülzow, Christentum 91f. Anm. 4, und neben den dort aufgeführten Belegen z. B. noch Lukian, Peregr. 12; Const Apost V 1,3. Ausführlich zum Thema vgl. Osiek, Ransom (zu Hermas ebd. 371-373). Vgl. auch Peterson, Befreiung 111.
28 Dafür plädiert überzeugend Gülzow, Christentum 89f. Vgl. auch ders., Gegebenheiten 207f.; Lampe, Christen 72; Kreißig, Zusammensetzung 97.

Innerhalb eines möglicherweise auf eine ältere paränetische Heils-Gerichts-Ankündigung prophetischen Ursprungs[29] zurückgehenden Abschnitts, sim IX 28,5-8, kommt im Rahmen eines Vergleichs die *Sklavenbehandlung nichtchristlicher Herren* in den Blick: "Wenn die Heiden ihre Sklaven bestrafen, wenn einer seinen eigenen Herrn verleugnet, was meint ihr, wird der Herr euch tun, der über alle/s Gewalt hat?"[30] Angeredet sind diejenigen Christen, deren Standhaftigkeit in Verfolgungssituationen und hier wohl insbesondere vor Gericht fraglich erscheint.

Daß an dieser Stelle eine pauschale Wahrnehmung harter Züchtigung von Sklaven in nichtchristlichen Häusern vorliegt[31], scheint mir zweifelhaft[32]. Wo eine derartige Wahrnehmung vorliegt, wird sie in der Regel implizit abgelehnt, wenn in christlicher Paränese den Sklavenhaltern milde Behandlung ihrer Sklaven aufgetragen wird[33]. Von einer von vornherein negativen Wertung der beschriebenen Praxis nichtchristlicher Sklavenbesitzer ist an unserer Stelle jedoch nichts zu spüren. Im Gegenteil, der Schluß a minore ad maius, vom Verhalten der Heiden auf das Verhalten des Herrn[34], legt nahe, daß nicht nur das angekündigte Verhalten Gottes, sondern auch das zu diesem in Analogie gesetzte Verhalten der Sklavenhalter als berechtigt angesehen wird.

Beschrieben wird nicht eine grundlose Bestrafung, sondern die Bestrafung eines bestimmten Verhaltens der Sklaven: die Verleugnung ihres Herrn[35].

Diese Formulierung dürfte sich auf das anscheinend nicht ganz seltene Verhalten von Sklaven beziehen, die ihr Sklavesein leugneten und den Status eines Freien usurpierten. Dieses Delikt wurde strafrechtlich hart verfolgt[36].

In der vorliegenden Gestalt der Schrift ist sim IX 28,8 die Präzisierung und Weiterführung von sim IX 28,4: "Denn schlecht ist diese Absicht, daß ein Sklave seinen eigenen Herrn verleugnet."

29 So Aune, Prophecy 306-309.
30 sim IX 28,8a.
31 So Gülzow, Sklaverei 107 mit Anm. 1.
32 Zur Bestrafung von Sklaven allgemein vgl. die Quellenauswahl bei Wiedemann, Slavery 167-187, sowie Reg. sv punishment und die Analysen von Finley, Slavery 93-122. Zur Grausamkeit von Herren vgl. ferner z. B. (Phaedrus), Appendix Perottina 20, und für Aristophanes Ehrenberg, Aristophanes 192f.; für Menander z. B. dessen Samia 323.679.
33 Vgl. Kol 4,1; Eph 6,9; Did 4,10.
34 Da hier χύριος steht, könnte insbesondere eine Entsprechung der Herr-Sklave-Beziehung (χύριος — δοῦλος) zur Gott-Christen-Beziehung (χύριος — θεοῦ δοῦλος) unausgesprochen mitgemeint sein.
35 Bauer, Wörterbuch 214 sv ἀρνέομαι 3a, bezieht unsere Stelle fälschlich auf die Verleugnung Christi.
36 Vgl. Reinhold, Usurpation 296f. Zur Sklave-Herr-Relation vor Gericht vgl. Schumacher, Servus passim; auch Lampe, Christen 276f. Vgl. auch Plutarch, mor. 91d.

4

Mehr als vierzigmal begegnet bei Hermas die christliche Selbstbezeichnung "Sklave Gottes" (δοῦλος τοῦ θεοῦ) bzw. "des Herrn" (τοῦ κυρίου), wozu noch mehr als ein dutzendmal das verbale Äquivalent "Gott als Sklave dienen" (δουλεύειν) kommt. Die Bezeichnung ist traditionell. Ein Bezug auf die zeitgenössische römische Sklavenwirtschaft wird an keiner Stelle deutlich. Von daher ist zu fragen, ob hier nicht der ganz andere soziale Verhältnisse und andere Formen von Unfreiheit voraussetzende alttestamentliche Begriff den adäquaten Verstehenshintergrund für diese Ausdrücke bildet. Immerhin ist nicht auszuschließen, daß vor allem Heidenchristen ohne größere Vertrautheit mit der hebräischen Bibel oder der LXX und christliche Sklaven und Freigelassene unabhängig von ihrer ethnischen und religiösen Identität zumindest zuweilen aktuelle Assoziationen mit dieser Begrifflichkeit verbanden.

5

Am detailliertesten kommt die Wirklichkeit antiker Sklaverei in sim V in den Blick. Die Parabel in V 2,2-11 und ihre Deutung (V 4-6) enthalten eine Fülle von Zügen, zu deren Erklärung die Sozialgeschichte Wichtiges beitragen kann und die auf wissenssoziologische Aspekte der Christologie des Hermas aufmerksam machen. Ich beginne mit einer Analyse der Parabel.

sim V 2,2: Die Parabel beginnt wie eine Reihe synoptischer Gleichnisse im Nominativ[37]; εἶχέν τις erinnert an den ebenfalls bei den Synoptikern begegnenden Gleichnisanfang mit ἄνθρωπός τις[38]. In den synoptischen Gleichnissen wird "der Handlungssouverän in der Exposition gewöhnlich als erster, und zwar unter dem Stichwort 'ein Mensch/Mann'... eingeführt"[39]. Auch in unserer Parabel hat als Handlungssouverän der τις zu gelten.

Von dem Ungenannten wird zunächst der Besitz eines Ackers ausgesagt[40]. Er ist also ein Grundherr[41], und zwar ein vermögender, da er zugleich Besitzer vieler Sklaven ist, von denen zumindest ein Teil in der Landwirtschaft tätig ist[42]. Über die Größe seines Besitzes erfahren wir nichts; es ließen sich nur Spekulationen anstellen, die mit mehreren Unbekannten jonglieren. Immerhin ist der Landbesitz so groß, daß nur ein Teil davon zur Anlage eines Weinbergs verwendet wird.

---

37 Vgl. dazu Jeremias, Gleichnisse 99.
38 Vgl. Harnisch, Gleichniserzählungen 78; ferner Berger, Formgeschichte 53.
39 Harnisch, Gleichniserzählungen 78.
40 Vgl. dazu auch sim I 1.
41 Vgl. Finley, Wirtschaft 109-145; ferner ders., Slavery 133-137.
42 Zu Sklaverei in der römischen Landwirtschaft vgl. White, Farming 350-352.357-360.368-370; Kaltenstadler, Arbeitsorganisation 31-33.36-49; zur Relation Gutsherr — Sklave ebd. 43-45.

Da der Weinbau in der Landwirtschaft der Antike den meisten Gewinn ein-brachte[43] – zumindest nach dem ökonomischen Denken der antiken Agrarschriftsteller[44] –, ist das Anlegen eines Weinbergs leicht erklärlich[45].

In der Bibel begegnen mehrfach Gleichnisse, in denen Weinberge eine größere Rolle spielen. Daß zumindest *die* Züge in diesen Gleichnissen, die sich auf die Weinberge und ihre Bewirtschaftung beziehen, nur unter Einbeziehung sozial- und wirtschaftsge-schichtlicher Information voll verständlich werden, haben Otto *Kaiser* zu Jes 5,1-7[46], Bernhard *Lang* zu Ez 17,1-10 und Ez 19[47], Joachim *Jeremias* zu Lk 13,6-9[48], Martin *Hengel* zu Mk 12,1-12[49] und Luise *Schottroff* zu Mt 29,1-16[50] gezeigt[51]. – Auch das Anlegen (φυτεύειν) eines Weinbergs ist in Mk 12,1 parr. belegt[52].

Mit der Wahl und ausdrücklichen Charakterisierung eines der vielen Skla-ven als "treuesten und ihm (sc. dem Herrn) wohlgefälligen" (πιστότατον καὶ εὐά ρεστον) Sklaven wird ein bei antiken Schriftstellern häufiges Thema angeschla-gen: das des "treuen Sklaven". "The 'faithful slave' is a frequent enough theme among ancient writers, normally singled out as an exception and a model for which slaveowners were grateful in a situation in which they felt permanently exposed, in Pliny's words, to 'dangers, insults and outrages'. Something more than obedience was meant: obedience, after all, is the normal behaviour ex-pected and commonly received by superiors in every hierarchical situation, whether in a work-force, slave or free, the army or a bureaucracy. Something more was meant, too, than merely responding to the promise of rewards, up-grading, eventually manumission."[53]

Das Thema des treuen Sklaven begegnet u. a. auch in zwei synoptischen Gleichnis-sen: Mt 24,45-51 par. Lk 12,42-48 und Mt 25,14-30 par. Lk 19,12-27, die im Rahmen der gemeinantiken Vorstellung[54] situiert werden müßten[55].

---

43 Vgl. Pekáry, Wirtschaft 87.

44 Vgl. die Einschränkungen von Finley, Wirtschaft 138.

45 Zur Bedeutung des Weins in der antiken Landwirtschaft vgl. auch Finley, ebd. 159 Anm. 24; 204f. Anm. 47; Lang, Aufstand 31.88 Anm. 83.

46 Vgl. Kaiser, Jesaja 96-100.

47 Vgl. Lang, Aufstand 28-49.89-114.

48 Vgl. Jeremias, Gleichnisse 170f.

49 Vgl. Hengel, Gleichnis; zum Weinbau in den Zenonpapyri vgl. ferner Cadell, viticul-ture.

50 Vgl. Schottroff, Güte. – Auch der Weinbergbesitzer aus Mt 21,28-32 gehört wie der aus Mt 20,1-16 (vgl. dazu ebd. 71f.) nicht zu den Großgrundbesitzern.

51 Einer sozialgeschichtlichen Analyse bedürfte das Gleichnis von den beiden Sklaven in Dormitio Ioh. Thess. X, auf das Berger, Frage 423-432, im Rahmen einer anderen Frage-stellung aufmerksam gemacht hat.

52 Vgl. dazu Hengel, Gleichnis 17f.

53 Finley, Slavery 103f. Zu Finleys letzter Bemerkung vgl. Lk 17,7-10!

Die Interaktion des Herrn mit dem Sklaven wird motiviert durch die Abreise des Herrn. Sozialgeschichtlicher Hintergrund, der sich auch in synoptischen Gleichnissen spiegelt[56], ist die nur gelegentliche, vorübergehende Anwesenheit von Großgrundbesitzern auf ihren Ländereien. Üblicherweise wohnten sie in Städten[57].

Auch die in Aussicht gestellte Freilassung ist sozialgeschichtlich nicht außergewöhnlich[58]; sie diente der Motivation der Arbeitskraft der Sklaven.

Das Anlegen eines Zauns (χαρακοῦν), das dem Sklaven aufgetragen wird, ist nicht unüblich[59]. Es dient dem Schutz des Weinbergs gegen Verwüstung durch Tiere und gegen Diebe.

3: Dem Auftrag entspricht die Ausführung. Die Handlung wird fortgesetzt durch die Einführung des Unkrauts und dessen Wahrnehmung durch den Sklaven.

4: Der Sklave beschließt selbständig, den Garten umzugraben und zu jäten. Beides, das Umgraben[60] und das Jäten[61], gehörte zu den regelmäßigen Arbei-

---

54 Zur Thematik vom treuen Sklaven vgl. außer der bislang umfassendsten (aber ungenügenden) Erörterung von Vogt, Sklaverei 13f.83-96, und der kurzen Spezialstudie von Sergeenko, Servus (für deren Übersetzung ich Dirk Bockermann herzlich danke), über deren Ergebnisse man zumindest geteilter Meinung sein kann, z. B. die außerneutestamentlichen Belege bei Bauer, Wörterbuch 1317 sv πιστός Iaα; die Erörterungen bei Seneca, de benef. III 17,28; die exempla bei Macrobius, Saturnalia I 11,16ff. (hier finden sich Ergänzungen zu den von Hengel, Atonement 6-15, beigebrachten Belege für den Topos vom Opfer des eigenen Lebens für Stadt und Freunde); die Stellen bei Wiedemann, Slavery 236; die Grabschrift ILS 7370; die Erwähnung der fides eines Sklaven als Motiv für seine Freilassung bei Augustin, sermo 21,6; die Persiflage des Themas vom treuen Sklaven bei Lukian, bis acc. 16. — Möglicherweise ist diese Thematik auch in Lk 14,21-23 impliziert, und zwar dann, wenn V. 22 so zu verstehen ist, daß die Ausführung dem Befehl V. 21 bereits vorausgegangen ist; allerdings läge auf diesem Zug kein größeres Gewicht.

55 Zu εὐάρεστος als Forderung an christliche Sklaven gegenüber ihrem Herrn vgl. Tit 2,9 und dazu Dibelius/Conzelmann, Pastoralbriefe 106.

56 Vgl. Mk 12,1 par.; Mt 25,14f.; dazu vor allem Hengel, Gleichnis 21-23.

57 Vgl. MacMullen, Relations 1-27. — Die Untersuchungen von Theißen über die Spiegelung des Stadt-Land-Konflikts in der synoptischen Tradition ließen sich also auf Gleichnisgut ausdehnen.

58 Vgl. Aristoteles, Pol. 1330a30ff.; PsAristoteles, oikon. I 5,6; Xenophon, oikon. 5,16; Polybios X 17,6-15; Columella I 8,19; Philostratos, vit. soph. I 21 p. 517 Boiss. und zu den griechischen Belegen Klees, Herren 124-129.

59 Vgl. Jes 5,5; Ps 80,13; Mt 12,1 par.; sim IX 26,4.

60 Zum Umgraben eines Weinbergs (σκάπτειν) Belege bei Bauer, Wörterbuch 1493 sv σκάπτω. Wichtig: Lukrez VI 962; Vergil, georg. 2,262ff.354-357; Columella III 13; IV 5; XI 3,13.

ten, die an einem Weinberg vorzunehmen waren und die zur Ertragssteige-
rung nicht unerheblich beitrugen, wie nicht nur der Sklave des Gleichnisses
sieht, sondern auch die antiken Agrarschriftsteller betonen[62].

5: Nach einiger Zeit kommt der Herr und inspiziert den Weinberg. Eine solche Inspektion samt ihrer Funktion skizziert Columella:

> "Auch daran soll der Hausherr denken, daß er bei seiner Rückkehr aus der Stadt zu
> den Penaten betet, außerdem, wenn er zeitig daran ist, sofort, andernfalls am nächsten
> Tag seinen Besitz besichtigt, alle Teile seines Landes in Augenschein nimmt und prüft,
> ob durch seine Abwesenheit etwas an Zucht und Sorgfalt versäumt wurde, ob ein
> Rebstock, ein Baum, etwas von der Feldfrucht fehlt; dann soll er auch nach dem Vieh
> und den Sklaven sehen und nach dem Ackergerät des Guts und dem Hausrat. Hat er
> sich mehrere Jahre dazu entschlossen, dies alles zu tun, dann wird er auch im Alter die
> wohleingeführte Zucht aufrechterhalten, und mag er auch noch so sehr von den Jahren
> geschwächt sein, so wird er doch niemals von seinen Sklaven mißachtet werden."[63]

Es handelt sich bei der Inspektion um eine Form sozialer Kontrolle, wie sie
u. a. auch in diversen Herr-Sklave-Gleichnissen der Synoptiker begegnet[64].

Von der Institution des Inspizierens her fällt auch ein Licht auf mehrere andernorts
bei Hermas geschilderte Szenen.

In vis II 4,2 erscheint die Greisin, um den an Hermas ergangenen Auftrag, eine
himmlische Botschaft an die Presbyter weiterzugeben, zu kontrollieren. Atypisch ist,
daß das diesbezügliche Versäumnis des Hermas nicht geahndet wird.

Eine komplexe Inspektionsszene führt sim VIII vor Augen. Der "Engel des Herrn"
beauftragt den Hirtenengel, die Christen, denen eine Bußchance gewährt wurde, zu
mustern (2,5); die Bedeutsamkeit dieses Aktes wird dadurch verstärkt, daß der Engel
des Herrn seinerseits eine Nachkontrolle ankündigt (ebd.). Danach geht er weg (2,6);
dasselbe tun der Hirtenengel und Hermas (2,9). Die Inspektion selbst (4,1-5,6) geschieht
unter Assistenz des Hermas (4,1f.); sie beinhaltet die Übergabe der zuvor an sie ausge-
händigten Weidenzweige durch die Christen, den Befehl des Hirtenengels, sich bestimmten Gruppen zuzuordnen, und die Befolgung dieses Befehls.

Wie der Herr des Baus den Turm vor dessen Vollendung inspiziert, wird in sim IX
6,1-7,1 geschildert; bereits die Erwartung einer solchen Inspektion setzt eine Reihe von
Aktivitäten in Gang (5,2.6f.; vgl. 7,6). Wiederum erhält der Hirtenengel den Auftrag, die

---

61 Zum Unkrautjäten (ἐκτίλλειν) im Weinberg vgl. Columella IV 3-5.14; auch Vergil, georg. 2,410-413. Columella IV 14,2 setzt voraus, daß die Rebstöcke noch jung sind; damit
   ist unsere Parabel zu vergleichen, in der der Weinberg erst angelegt wird. — Zum Er-
   sticktwerden (πνίγεσθαι) der Kulturpflanzen durch Unkraut vgl. auch Xenophon, oikon.
   17,14; Mt 13,7 vl.

62 Vgl. neben den Stellen in den beiden vorigen Anmerkungen auch mand X 1,5; sim IX
   26,4.

63 Columella I 8,20 (Übersetzung von Will Richter). Eine solche Inspektionsszene findet
   sich geschildert bei Phaedrus II 8, bes. V. 20-28.

64 Vgl. Mk 12,1-12 parr.; Mt 18,23-35; 25,14-30 par.; Lk 16,1-8; 12,41-46 par.

Inspektion fortzusetzen (7,2), wiederum entfernen sich sowohl der Auftraggeber (7,3) als auch der Hirtenengel samt Hermas (7,6). Letztere kehren nach zwei Tagen zurück (7,7) und führen die Inspektion durch (8,1-9,7).

Schließlich ist auch in sim IX 11,8f. eine Inspektionsszene beschrieben. Der Hirtenengel hatte Hermas in die Obhut von zwölf Jungfrauen gegeben (10,6) und war dann abgereist (ebd.). Nach seiner Rückkehr befragt er zunächst die Jungfrauen, dann Hermas, ob der Auftrag weisungsgemäß durchgeführt wurde. Hermas, dem gegenüber die Jungfrauen diesen Auftrag unter anderem als Druckmittel eingesetzt hatten (11,2), bestätigt die korrekte Behandlung (11,9).

6: Die Einführung neuer Personen − des Sohns und der Freunde − ist nicht befremdlich[65], wenn man hier den juristischen Sachverhalt einer manumissio inter amicos geschildert sieht[66]. Die Freunde haben dabei die Funktion von Zeugen, die für den Vollzug dieser privaten Form der Freilassung nötig sind[67]. Der Sohn wird in seiner Funktion als Erbe hinzugezogen.

7: Daß der Sklave als Miterbe eingesetzt wird, ist nach römischem Erbrecht möglich, wenn er zugleich freigelassen wird[68]. Dies ist hier der Fall.

8: Die Reaktion des Sohnes − auch in *der* Form, daß er von sich in dritter Person spricht − ist dann weniger befremdlich[69], wenn es sich hier um einen Rechtsakt handelt, bei dem er eine ganz bestimmte Funktion zu übernehmen hatte: die der Zustimmung[70].

9: Auch weitere vorgebliche Befremdlichkeiten[71] lassen sich z. T. aus dem römischen Personenrecht erklären. Daß der Sklave die ihm zugedachte Ehrenstellung noch nicht eingenommen hat, erklärt sich am leichtesten aus der Rechtswirksamkeit der inter amicos vorgenommenen Freilassung: "Die auf solche Art Freigelassenen sind zunächst nicht rechtlich, sondern nur *faktisch* in Freiheit gesetzt (in libertate esse), sie gehören rechtlich noch ihren Herren

---

65 So Dibelius, Hirt 563f. − Die Einführung dieser Person geschieht im übrigen nicht unvermittelter als die des Unkrauts (2,3) oder, um ein unverdächtiges Beispiel zu nehmen, die des Mitsklaven Mt 18,28.

66 Vgl. dazu Gaius, inst. I 1,44; Plinius, ep. VI 16,4, X 104.

67 Vgl. Kaser, Studienbuch § 16 I 1e. − Freilassungsabsichten, gegenüber Freunden geäußert, finden sich z. B. auch bei Petronius 71,1 (allerdings geht es dort um die manumissio testamento, vgl. dazu Kaser, ebd. § 16 I 1c). − Auch daß die Freunde als Berater charakterisiert werden, entspricht dem römischen Verständnis von amicitia; vgl. nur Apuleius, met. VII 14,2.

68 Vgl. Kaser, Studienbuch § 68 III 3.

69 Vgl. Dibelius, Hirt 563f.

70 Vgl. die ntl. Sklave-Sohn-Relationen (Joh 8,35f.; Mk 12,1-12; Gal 3,26-4,11), die ebenfalls einer sozialgeschichtlichen Beleuchtung bedürften.

71 Vgl. Dibelius, Hirt 563f.

und sind vermögensunfähig"[72].

Vorausgesetzt ist die Situation eines Gastmahls[73]. Ehrung von Sklaven bei Gelegenheit eines Gastmahls mit Speisen und Getränken ist auch sonst belegt[74]. Im Ausdruck ἐδέσματα πολλά liegt ein Lieblingsausdruck des Hermas vor[75]. Der Sklave ist nach Erhalt der "vielen Speisen" vorübergehend in einer Lage, die, wenn sie ein Dauerzustand ist, bei Hermas vor allem von Reichen eingenommen wird; sie kennzeichnen hier also sozialen Aufstieg des Sklaven. Indem er die über das Genügende hinausgehenden Speisen unter seine Mitsklaven verteilt, verhält er sich so, wie es den begüterten Christen nach sim I 6-9 empfohlen wird.

Ein allerdings gescheitertes Teilen von Vergünstigungen mit den Mitsklaven wird in einem synoptischen Gleichnis berichtet: Mt 18,23-35[76]. − Im Hintergrund unseres Gleichnisses könnten auch die Speisungsgeschichten der Evangelien und die Berichte über die Gütergemeinschaft der Urgemeinde stehen[77].

10: Die Mitsklaven bedanken sich nicht nur, sondern beten auch um eine grössere Gunst (μείζονα χάριν) für den Sklaven[78]. Was darunter zu verstehen ist, bleibt ungesagt. Immerhin ist zu bedenken, daß Freilassung und Einsetzung als Erbe keineswegs "schon die höchste und unüberbietbare Gnade"[79] bedeutet. Eine Steigerung würde etwa in der manumissio vindicta liegen, mit der der Erwerb des römischen Bürgerrechts verbunden ist[80], oder in einer Adoption[81] oder auch in einer Erhöhung des in Aussicht gestellten Erbteils.

11: Das hier Berichtete läßt sich als eine Bestätigung der in 7 getroffenen Entscheidung verstehen: Der "treue" Sklave hat sich als ihrer würdig erwiesen.

---

72 Kaser, Studienbuch § 16 I 1e.

73 Vgl. dazu kurz Gross, Convivium; ders., Symposion. − Das Gastmahl ist konstitutiv für die synoptischen Gleichnisse Lk 14,12-14 und 14,16-24.

74 Vgl. etwa Petronius 50,1.64,13; Ehrung mit anderen Arten von Geschenken: ebd. 69,5.

75 Vgl. vis III 9,3; mand VI 2,5; VIII 3; XII 2,1.

76 Ebenfalls als scheiternde Solidarität wird in Mt 20,1-16 das Verhalten der zuerst angeworbenen Tagelöhner gegenüber den zuletzt gemieteten angesichts der Zuteilung gleichen Lohns geschildert. − Mt 24,45 ist hier nicht zu vergleichen; dort geht ein Auftrag des Herrn voraus.

77 Man beachte, daß in Joh 6,11 und Ag 4,35 wie an unserer Stelle διαδιδόναι verwendet wird.

78 Über Gebete von Sklaven handelt umfassend Bömer, Untersuchungen IV, 201-205 (epigraphisches Material) und 205-236 (Komödie).

79 So Dibelius, Hirt 563.

80 Gaius, inst. I 17. Zur manumissio vindicta vgl. Kaser, Studienbuch § 16 I 1a.

81 Sklaven konnten mit gleichzeitiger manumissio vindicta adoptiert werden, vgl. Kaser, ebd. § 60 III 3a.

Die Befremdlichkeiten des Gleichnisses erweisen sich mithin als scheinbar, wenn man durchweg nicht jüdische[82], sondern römische Verhältnisse als adäquaten Verstehenshintergrund von sim V 2 namhaft macht. Weder sind die "Motive" des Weinbergs, des Unkrauts und der Abreise des Herrn ausschließlich jüdisch noch ist es die Belohnung aufgrund überschüssiger Werke[83]. Was letztere angeht, so sind sie mit dem Motiv des "treuen" Sklaven, der mehr tut, als ihm aufgetragen wurde, automatisch mitgegeben; und erstere setzen ökonomische und ökologische Verhältnisse voraus, wie sie keineswegs ausschließlich in Palästina, sondern in der ganzen antiken Mittelmeerwelt bestanden. Damit soll nicht ausgeschlossen werden, daß der *Deutungs*horizont der Parabel spezifisch israelitisch-jüdischen Ursprungs sein könnte; das Bildmaterial und die erzählten Begebenheiten aber sind es nicht.

Gerade was den Weinbau angeht, so spiegeln sich bei Hermas an anderer Stelle, in sim II, ausgesprochen italische Verhältnisse. Dies zeigt sich nicht nur in der Verwendung des dezidiert römischen Bildes von Ulme und Weinstock, dem eine vorwiegend italische Anbaupraxis von Ulmen im Wingert entspricht, sondern auch von dem als üblich vorausgesetzten Hochbinden der Reben[84], in Palästina wucherten die Reben am Boden[85].

Das Gleichnis als Ganzes beschreibt einen Einzelfall sozialen Aufstiegs. Es ist damit auf dem Hintergrund der Aufstiegsmöglichkeiten der zeitgenössischen römischen Gesellschaft plausibel[86] — so wie vor diesem Hintergrund auch die von Hermas präsentierte rudimentäre Autobiographie plausibel wird.

Die vertikale Mobilität der zeitgenössischen Gesellschaft als Plausibilitätsbasis des Gleichnisses — mit solcher Korrelation von Sinnsystemen und sozialen Systemen argumentiert man wissenssoziologisch. Obwohl zum einen die Wissenssoziologie selbst sich mehrfach mit Religionen beschäftigt hat[87] und zum anderen wissenssoziologische Ansätze in der Literatursoziologie eine beachtliche Rolle spielen[88], hat auch eine soziologisch orientierte Exegese die von

82 Wie Dibelius, Hirt 565.
83 Gegen Dibelius, ebd.
84 sim II 3f.
85 Vgl. Lang, Aufstand 31. Die römischen Agrarschriftsteller kennen diese Praxis aus den Provinzen (Columella V 4,2), z. B. aus Spanien (Varro, re rust. I 8,1).
86 S. o. Anm. 15.
87 Vgl. nur Berger, Engel; ders., Zwang.
88 Vgl. nur Scharfschwerdt, Grundprobleme 57-94 u. ö.; auch Link/Link-Heer, Propädeutikum Kap. 3 und Kap. 9.

der Wissenssoziologie gebotenen Möglichkeiten bisher kaum gesehen[89], geschweige denn für Analysen fruchtbar gemacht[90].

Während das Gleichnis als solches, d. h. ohne die Deutungen, nicht nur auf dem Hintergrund der zeitgenössischen antiken Gesellschaft plausibel wird, sondern virtuell auch für diese insgesamt plausibel ist, verringert sich der Plausibilitätsgrad des Gleichnisses bei der Einbeziehung seiner Deutungen (sim V 3-6).

Auf dem Hintergrund von sim I dürfte gelten, daß Hermas selbst den Plausibilitätsgrad der Deutung sim V 3 auf die Christen eingeschränkt sieht. Eine Bestätigung findet diese Vermutung in 3,6, wo Hermas ausdrücklich aufgefordert wird, sich von allem Unsinn dieser Welt zu reinigen. Motivationen für das soziale Fasten sind der Prestigegewinn bei Gott, der Erhalt der Fürbitte der Beschenkten und die Verheißung der Erfüllung eigener Gebetsbitten — drei metempirische Motivationen[91].

Vollends nur in einem christlichen Kontext, der z. T. jüdisch geprägt ist, ist die Deutung 5,2-6,4a plausibel. Ich lasse die in dieser Deutung besonders klar hervortretenden Probleme der Christologie des Hermas hier beiseite und beschränke mich auf *einen* Punkt. In 5,2 wird der treue Sklave mit dem Sohn Gottes gleichgesetzt. Diese Gleichsetzung — in der Tradition mit Phil 2,7 bereits vorgegeben — wird dem Visionär zum Problem: "Weshalb... tritt der Sohn Gottes in der Art eines Sklaven im Gleichnis auf?"[92]

Diese affektive Verstehensschwierigkeit des Hermas wird nun vom Offenbarungsmittler auf eine höchst bemerkenswerte Weise beseitigt: "Nicht in der Art eines Sklaven tritt der Sohn Gottes auf, sondern mit großer Macht und Herrlichkeit (κυριότης)."[93] Der Offenbarungsmittler versucht das ihm von Hermas

---

89 Vgl. als Ausnahme Berger, Wissenssoziologie, und als Zusammenfassung seiner Thesen auch ders., Exegese 240f. — Auch in Bergers brauchbarem Überblick (zur eingesehenen Literatur vgl. ders., Wissenssoziologie 124f. Anm. 4) fehlt wichtige Literatur: Vgl. neben den o. Anm. 86 und 87 genannten Veröffentlichungen Berger/Luckmann, Konstruktion; Gill, Theology; ders., Context.

90 Ausnahmen sind Theißen, Christologie, und Kee, Origins (bes. ch. 2). — Wissenssoziologie in der Erforschung antiker Religionen spielt eine Rolle etwa bei Gladigow, Sinn, und bei Kee, Self-Definition.

91 Hermas kennt daneben auch empirische Motivation: vis III 9,3.

92 5,5. Zu Jesus als Sklave in der alten Kirche vgl. Bauer, Leben 316. — Wie wenig plausibel eine solche Deutung göttlichen Handelns und Seins für die nichtchristliche Antike war, zeigt sich schon daran, daß eine Stelle wie Seneca, ep. 95,47 (non quaerit ministros deus...ipse humano generi ministrat) völlig vereinzelt dasteht.

93 6,1.

präsentierte Problem also mittels einer massiven *Umdeutung* zu lösen[94]. Da diese Umdeutung die δοῦλος-Prädikation des Gleichnisses aber nicht aus der Welt zu schaffen vermag, muß sie in der folgenden Explikation den Weg eines Kompromisses gehen: Zunächst muß die Umdeutung selbst plausibel gemacht werden. Es wird verwiesen auf die Übertragung des Volkes Gottes von Gott auf den Sohn als Gesetzgeber. Der Verweis auf den Machtaspekt in der Beziehung des Sohnes zu den Christen und zu den Engeln ist aber keine stringente Hinwegerklärung des Sklavenstatus des Sohnes Gottes, da die Herr-Sklave-Relation des Gleichnisses bzw. die Gott-Gottessohn-Relation der Deutung davon unberührt bleibt. Von dieser her verstanden ist der Akt der Übertragung mindestens ambivalent[95]. Aber auch im Verhältnis zum Volk Gottes können Aspekte der Sklavenrolle offenbar nicht völlig unterdrückt werden, wie der ausdrückliche Hinweis auf die Mühen und Anstrengungen des Gottessohnes zeigt[96]. Das Schlußwort des Hirten — "Du siehst also,...daß er Herr des Volkes ist, weil er alle Macht von seinem Vater erhalten hat."[97] — macht deutlich, daß die Umdeutung "in Wirklichkeit eine Verlegung des Schwerpunktes" ist[98]. Der Sklavenaspekt wird dabei verdrängt, was aber nicht vollständig gelingt, wie die partielle Wiederkehr des Verdrängten zeigt.

In der folgenden weiteren allegorischen Deutung 6,4b-7 wird der Sklavenbegriff nochmals christologisch aufgenommen. Zur Debatte steht nun, im Gleichnis gesprochen, das Verhältnis von Sohn und Sklave bzw. — von der gemeinten Sache her — das Verhältnis von heiligem Geist und Jesus Christus, von πνεῦμα und σάρξ. Die Sklavenrolle wird der σάρξ zugeschrieben. Diese "diente (ἐδούλευσε) dem Geist gut, in Ehrbarkeit und Reinheit wandelnd, den Geist in keiner Weise befleckend"[99]. Die Belohnung für dieses untadelige Dienen[100] ist die Erhebung der σάρξ zum κοινωνός des Geistes. Strenggenommen wird mit der Erwähnung des Lohns der Sklavenbegriff transzendiert. Lohn empfangen in der Regel Freie; was Sklaven erwerben, gehört de iure und oft auch de facto ihren Herren[101]. Nicht zuletzt daran zeigt sich, daß hier "eine

---

94 Zur Umdeutung als Problemlösungsverfahren vgl. Watzlawick/Weakland/Fisch, Lösungen 116-134.

95 Vgl. z. B. das παραδιδόναι in der Herr-Sklave-Relation von Mt 25,14.20.22.

96 6,2.

97 6,4a.

98 Dibelius, Hirt 570.

99 6,5.

100 δουλεύειν, δουλεία 6,7.

101 Vgl. nur Ag 16,16. — Auch im Sinn eines peculium läßt sich diese Form des Erwerbs nicht verstehen (zum peculium vgl. Kaser, Studienbuch § 15 I 3 und 4, sowie Finley, Slavery 102).

Menge Verschiebungen gegenüber der Erzählung vom treuen Sklaven" vorliegen[102]. Umdeutung, Verdrängung, Verschiebung[103] − die Problematik der Interpretation der Christologie mit Kategorien der Sklaverei bleibt bei Hermas unbewältigt.

Die entscheidende Frage ist aber, weshalb sich dieses Problem bei Hermas überhaupt stellt und nicht grundsätzlich unterdrückt wird, weshalb Hermas bei allen Parabeln, die ihm der Hirt offenbart, nur an der einen Stelle sim V 5,5 dazu ansetzt, die ihm präsentierte Fiktion inhaltlich zu kritisieren[104]. Daß Affektives dabei eine gewisse Rolle spielt, ist oben vermutet worden und wird durch die ausweichenden Problemlösungsbemühungen nur noch wahrscheinlicher.

Am meisten leuchtet mir die Erklärung ein, die an der genannten Stelle den Begriff des Sklaven als für Jesus Christus unangemessene Interpretation zurückgewiesen sieht. Unangemessen kann diese Interpretation aber wohl nur dann sein, wenn die Sklaverei als solche als minderwertig gilt − eine Überzeugung, die mit der seltenen Ausnahme einiger Stoiker und Kyniker und einer etwas breiteren Strömung im frühen Christentum allen Gruppen der antiken Gesellschaft gemeinsam war[105]. Ist dies richtig, so erhebt sich die Frage, ob diese − affektive − Geringschätzung der Sklaverei bei Hermas sich nur auf die symbolische Ebene von sim V bezieht oder sein Verhältnis zur Sklaverei überhaupt und damit auch zu einem Teil der von ihm präsentierten Autobiographie prägt.

6

Die Beantwortung der eben aufgeworfenen Frage bildet den Auftakt zur Antwort auf die eingangs gestellte Frage nach den Gründen der weitgehenden Ausblendung der Sklaverei im "Hirten". Die Ausblendung könnte sich nämlich zumindest teilweise aus einer auch von Hermas internalisierten gesamtgesellschaftlichen Geringschätzung der Sklaverei erklären lassen[106]. Ins-

---

102 So Dibelius, Hirt 571.

103 Auch wenn Dibelius den Begriff der Verschiebung kaum im Sinn der Freudschen Lehre von den Abwehrmechanismen verstanden haben wird (vgl. dazu Laplanche/Pontalis, Vokabular 603-606), scheint mir ein solches Verständnis nicht von vornherein illegitim zu sein.

104 Rhetorisch steht hier das aptum des Fingierens der Christologie mit den Mitteln des Sklavenbegriffs zur Debatte.

105 Vgl. nur die Auseinandersetzung des frühen Christentums mit dem Vorwurf der sozialen Niedrigkeit; einen Überblick gibt Vogt, Vorwurf.

106 Geringschätzung bedeutet *nicht* Ablehnung eines Gesellschaftssystems, das ohne Sklaverei nicht denkbar wäre; Abneigung gegen Sklaverei ist nicht gleichbedeutend mit der Bestreitung der Sinnhaftigkeit dieser Institution. Vgl. nur o. Abschnitt 3.

besondere könnte die Internalisierung dieses Wertmaßstabs auch erklären, weshalb Hermas über seine eigene Vergangenheit selbst da, wo er sie erwähnt, so schnell hinweggeht[107]. Sie könnte ferner erklären, weshalb die Verwendung des Sklavenbegriffs in der Christologie für Hermas zum Problem wird. Seine Grenze findet dieser Erklärungsversuch darin, daß die so häufige christliche Selbstbezeichnung "Sklave Gottes" nirgends in ähnlicher Weise problematisiert wird.

Ein zweiter Gesichtspunkt zur Erklärung der weitgehenden Ausblendung der Sklaverei im "Hirten des Hermas" ist die Vermutung, daß die Christen aus dem Sklavenstand nicht zu den hauptsächlichen Problemgruppen gehören, deren abweichendes Verhalten Hermas immer wieder zum Problem wird und um deren Integration in die Gemeinde, sprich: Konversion zu konformem Verhalten er ständig bemüht ist. Von ihrer gesellschaftlichen Stellung und von der Eigenart und den Verhinderungen ihrer Lebensführung her waren Sklaven tendenziell von einer Reihe von Formen abweichenden Verhaltens, wie Hermas es wahrnimmt, ausgeschlossen. Tendenziell gehören sie eher zu den konformen Christen.

Die Sklaven sind drittens, ebenfalls aufgrund ihrer gesellschaftlichen Lage, von einer Reihe von Formen erwünschten Verhaltens ausgeschlossen. Die Paränese im "Hirten" ist weitgehend auf Freie ausgerichtet. Vorwiegend für diese gelten auch die "Prämien", die Hermas für überkonformes Verhalten in Form von metempirischem Prestige in Aussicht stellt. Anders als der Sklave im Gleichnis haben die wirklichen christlichen Sklaven in Rom kaum eine Chance, aufgrund der Eigenart der von Hermas empfohlenen opera supererogatoria solches Prestige zu gewinnen[108]. Weil Sklaven als Sklaven keine gültige Ehe eingehen können, können sie auch nicht nach dem Tod des Ehepartners auf Wiederheirat verzichten[109]. Weil ihnen keine eigenen Häuser zur Verfügung stehen, können sie sich kaum durch die Übung von Gastfreundschaft aus-

---

107 Andere Erklärungen für die Kürze der autobiographischen Passagen bei Hermas — etwa die Irrelevanz ausführlicherer Selbstdarstellung vom Gesichtspunkt der Absicht und Form der Schrift her oder eine nähere Bekanntschaft des Leserkreises des Hermas mit dessen Lebensumständen — wären damit nicht ausgeschlossen.

108 Wohl aber aufgrund von Martyrien.

109 Im Grunde sind alle die Ehe betreffenden Ausführungen im "Hirten" für Sklaven irrelevant, solange sie Sklaven sind. Inwieweit das Verbot der Unzucht auf Sklaven anwendbar war, ist ebenso fraglich: Sklaven waren ihren Herren sexuell ausgeliefert; vgl. Finley, Slavery 95f., und z. B. Philostratos, vit. Apoll. VII 42.

zeichnen. Weil sie zumindest de iure über kein eigenes Vermögen verfügen, ist für sie die Möglichkeit des "sozialen Fastens" weitgehend eingeschränkt[110].

Wenn Sklaven in der Paränese häufig nicht als handelnde Subjekte in den Blick kommen, so sind sie dort doch oft als Objekte erwünschten Verhaltens präsent. Aber — und das ist ein vierter Grund für ihre mangelnde ausdrückliche Präsenz im Text — sie sind dabei nur eine Gruppe unter mehreren und werden deshalb, etwa mit Witwen[111] und Waisen[112] zusammen, unter Oberbegriffen wie "Arme" und "Bedürftige" zusammengefaßt.

Schließlich ist noch ein fünfter Gesichtspunkt zu bedenken. Wenn es zutrifft, daß ein erheblicher Teil der Sklaven zur Zeit des Hermas eine reale Chance hatte, bis zum dreißigsten Lebensjahr freigelassen zu werden[113], und wenn ferner die Säuglings- und Kindertaufe zu dieser Zeit noch unüblich war, ist die Zahl der Christen aus dem Sklavenstand vielleicht kleiner, als üblicherweise angenommen wird. Sklaverei als ein für das Individuum tendenziell verschwindender Lebensumstand — sollte sich dieser Gesichtspunkt nicht vielleicht auch im Schweigen des Hermas über die Sklaven widerspiegeln?

110 Darüber hinaus dürfte die normale Ernährung vieler Sklaven kaum weit über Wasser und Brot (vgl. sim V 3,7) hinausgegangen sein.
111 Auch die Witwen können per definitionem keine Sklavinnen sein.
112 Auch Waisen sind von den Sklaven zu unterscheiden. Letztere haben per definitionem kein Recht auf Verwandtschaft.
113 S. dazu o. Anm. 15.

VII: IMAGINATION DES WEIBLICHEN UND SITUATION DER FRAU IM "HIRTEN DES HERMAS"

1

In seinen Visionsberichten redet Hermas zuweilen diejenigen, für die er schreibt, direkt an. Dabei verwendet er stets die Anrede ἀδελφοί. Nun bezeichnet ἀδελφός in der Regel das männliche Geschwister. Auch in übertragener Verwendung meint es in erster Linie eine Person männlichen Geschlechts. Besteht der Adressatenkreis des Hermas also ausschließlich aus Männern?

Drei Indizien sprechen dagegen: (1) Die in der Vision erscheinende Greisin schließt die Frau des Hermas in die Anrede vis I 3,1 mit ein, und auch die dem Hermas übergebene, zur Veröffentlichung bestimmte himmlische Botschaft richtet sich in vis II 2,3 an seine Frau. (2) Zu den Empfänger/inne/n dieser Botschaft gehört nach vis II 4,3 neben den Presbytern und dem Mann Clemens auch die Frau Grapte. (3) In den mandata wird mehrfach auch sprachlich deutlich gemacht, daß die jeweils propagierten Normen für Personen beiderlei Geschlechts gelten.

Was bedeutet es für die zum Adressat/inn/enkreis gehörenden Frauen, wenn auch sie mit ἀδελφοί angeredet werden? Männern zeigt das grammatische Geschlecht an, daß sie auf jeden Fall gemeint sind. Aber anhand welcher Kriterien können Frauen feststellen, ob sie *mit*gemeint sind oder nicht?

Die in Theologie und Kirche jahrhundertelang herrschende androzentrische Interpretation grammatikalisch maskuliner christlicher Selbstbezeichnungen und Rollenbegriffe in der Bibel arbeitete so, daß sie, wo es um Pflichten und untergeordnete Funktionen geht, Frauen wie selbstverständlich mit einschloß, wo es hingegen um Rechte und übergeordnete Funktionen geht, Frauen ebenso selbstverständlich ausschloß[2]. Das Phänomen ist, da im Patriarchat verankert, gesamtgesellschaftlich verbreitet. Linguistisch läßt es sich mit dem Begriff der Ambiguität erfassen[3]. Soziologisch ist es aus bestimmten Macht- und Herrschaftsstrukturen herzuleiten[4]. Sozialpsychologisch sind die Auswirkungen auf Frauen als Ohnmachts- und Diskriminierungserfahrungen wahrzunehmen[5].

---

1 vis II 4,1; III 1,1.4; 10,3; IV 1,1.5.8; vgl. auch mand II 2 und die ἀδελφότης mand VIII 10.
2 Vgl. dazu aus exegetischer Sicht vor allem Schüssler-Fiorenza, Beitrag 60-90, bes. 66f., und umfassender dies., Memory 41-67; von gegenwärtigen praktischen Konsequenzen her vgl. Russell in: dies. ed., Mann 73f.
3 Vgl. Trömel-Plötz, Frauensprache, z. B. 63-66.
4 Vgl. ebd. 94-96.
5 Vgl. ebd. 96: "Die Diskriminierung besteht häufig in verbalen Äußerungen: darin, wie wir angeredet oder nicht angeredet werden; darin, wie über uns gesprochen wird; darin, daß wir ignoriert und ausgelassen werden; darin, daß wir nicht zählen; darin, daß wir nicht ernst genommen werden; darin, daß wir abgewertet werden."

Zwar spricht manches dafür, daß die Anrede ἀδελφοί bei den Menschen, für die Hermas schrieb, im Sinne von "Geschwister" verstanden wurde, soweit hinreichend klar war, daß die Angeredeten als Glieder der christlichen Gemeinde angesprochen wurden. Doch bleibt offen, ob ἀδελφοί in jedem Fall generisch zu verstehen ist.

Dieses Dilemma kommt gerade da zum Vorschein, wo das Problem nicht nur als solches erkannt ist[6], sondern zugleich auch überwunden werden soll: In seiner Kommentierung von Phil, 1Th und 2Th übersetzt Gerhard *Friedrich* den Plural ἀδελφοί an den meisten Stellen[7] mit "Geschwister"[8]. An einigen Stellen jedoch beläßt er es bei der bisher üblichen Wiedergabe mit "Brüder", und zwar nicht nur da, wo ἀδελφοί durch den Kontext geschlechtsspezifisch determiniert zu sein scheint[9], sondern auch dort, wo der Mitarbeiter/innenkreis des Paulus, also Träger von herausgehobenen Funktionen, gemeint sind[10]. Die oben angesprochene androzentrische Interpretation grammatikalisch maskuliner Begriffe ist also auch hier keineswegs überwunden. Zudem zeigt gerade das Schwanken zwischen den beiden Übersetzungen "Geschwister" und "Brüder", daß für die Frauen, denen die Anrede anders als den Männern nicht automatisch via Grammatik galt, stets die verunsichernde Schwierigkeit bestand, herauszufinden, ob sie nun *mit*gemeint oder *nicht* gemeint waren[11].

Die Schwierigkeiten bleiben jedenfalls bestehen. Denn es ist nicht anzunehmen, daß die Männer unter den von Hermas Angeredeten sich mitangesprochen gefühlt hätten, wenn Hermas den auch zu seinem aktiven Wortschatz

---

6 Das zunehmende Problembewußtsein (aber auch die argumentative Aporie) zeigt sich etwa in den Bemerkungen von Weiser, Apostelgeschichte 68, oder Schille, Apostelgeschichte 82, zu Ag 1,15.

7 Phil 1,12; 3,13.17; 4,1.8; 1Th 1,4; 2,1.9.14.17; 3,7; 4,10a.13; 5,1.4.12.25-27; 2Th 1,3; 2,1.13.15; 3,1.6.13.

8 Vgl. Friedrichs Begründungen in: Becker/Conzelmann/Friedrich, Briefe 141.212f.

9 1Th 4,1.10b; Begründung ebd. 236. Zu beachten ist aber, daß ἀδελφοί 1Th 4,1 erst von 4,4 her rückwirkend als geschlechtsspezifische Anrede interpretiert werden kann, die Übersetzung mit "Brüder" mithin gegenüber dem Urtext eine vereinfachende Erleichterung darstellt. Problematisch ist auch die geschlechtsspezifische Übersetzung in 1Th 4,10b, zumal nach Friedrich in 4,10a.13 ἀδελφοί generisch zu verstehen ist: Friedrich scheint implizit vorauszusetzen, daß für die Christen in Thessalonike berufliche Arbeit ausschließlich Männerarbeit war bzw. sein konnte. Es dürfte aber die geschlechtsspezifische Rollenteilung des neuzeitlichen Bürgertums sein, die die soziale Wirklichkeit der antiken Frauenarbeit (gegen die Sicht von Friedrich 281 zu Phm 2 vgl. die von Schottroff, Frauen, bes. 91.98-100, angeführten Fakten) ebenso wie die spezifische Lage in den paulinischen Gemeinden (vgl. nur die erwerbstätigen Prisca oder Lydia) verzerrt wahrnehmen läßt.

10 Phil 1,14; 4,21; 1Th 5,14. Friedrich verzichtet hier auf Begründungen; solche sind auch schwer vorstellbar. Zu Frauen im Team des Paulus vgl. die kurze Zusammenstellung von Ollrog, Paulus 25f.31. — Unbegründet bleibt auch Friedrichs geschlechtsspezifische Übersetzung von Phil 3,1.

11 Besonders schwierig gestaltet sich für Friedrich durch sein Vorgehen die Wiedergabe von 2Th 3,6b.15 und von φιλαδελφία 1Th 4,9.

gehörenden Begriff ἀδελφή in einer pluralischen Anrede gebraucht hätte. Es ist eben diese Asymmetrie, daß Frauen zwar auch Brüder, zur gleichen Zeit Männer aber nicht auch Schwestern sind, die zu dem Schluß führt: Die Sprache, die Hermas spricht, ist eine Männersprache[12]. Soll ein Zusammenhang von Wirklichkeitswahrnehmung und Sprache nicht grundsätzlich geleugnet werden, so bedeutet die Charakterisierung der Sprache des Hermas als Männersprache zugleich, daß seine Wahrnehmung der Frauen und seine Sicht der Beziehungen zwischen Männern und Frauen faktisch von der Sprache, tendenziell auch von der Sache her parteiisch ist. Das ist insofern trivial, als nicht nur die Sprache des Hermas, sondern mindestens auch die der meisten Männer und vermutlich wenigstens eines Teils der Frauen unter seinen Zeitgenoss/inn/en ebenfalls eine Männersprache ist. Doch es gibt Unterschiede. Männersprache kann konsequent durchgehalten, aber auch − wie inkonsequent immer − aufgebrochen werden[13]. Männersprache kann wie bei Iuvenal speziell dazu benutzt werden, antifeministische Inhalte zu transportieren, aber auch wie beim jüngeren Plinius mit einer weitgehenden Gleichbehandlung von Männern und

---

12 Grundlegend für das Verständnis und die Erforschung von Sprachen als Männersprachen und deshalb auch grundlegend für das hier Gesagte sind die Untersuchungen von Trömel-Plötz, Frauensprache, und von Pusch, Deutsche. − Als Wahrnehmungsübung empfehlenswert: Brantenberg, Töchter.

13 Zu letzterem vgl. etwa die in Barn 1,1 und 2Cl 19,1; 20,2 vorliegenden Anrede-Experimente, die zeigen, daß der Wahrnehmung des Vorhandenseins von Männern und Frauen in den Gemeinden sprachliche Ausdrucksformen durchaus entsprechen konnten. Daß sie es faktisch weithin nicht taten, ändert nichts an der realen Möglichkeit. Das läßt weiterfragen nach den Bedingungen und Verhinderungen solcher nicht- oder zumindest weniger (denn die syntaktische Reihenfolge: erst grammatisches Maskulinum, dann grammatisches Femininum impliziert, falls sie sich als durchgängig erweist, auch eine hierarchische Wahrnehmung und Wertung von Wirklichkeit; vgl. dazu z. B. Miller/Swift, Words 9f.) androzentrischen Sprache. − Nebenbei: Wie auffällig die genannten Anredeformen für neuzeitliche Leser sind, zeigt sich daran, daß im Fall des 2Cl damit sogar literarkritische Scheidungshypothesen begründet wurden (vgl. die Darstellung und Wertung von Wengst, Didache 209f.), ohne daß untersucht wurde, ob diese Auffälligkeiten eine grundsätzlich andere Wirklichkeitswahrnehmung voraussetzen, als sie in den literarkritisch davon abgetrennten Passagen vorliegt. Immerhin wechseln die nicht-androzentrischen Anredeformen in 2Cl 19f. mit wohl generisch intendierten, aber grammatisch maskulinen Begriffen (vgl. τοῖς νεοῖς 19,1; μακάριοι οἱ 19,3; ὁ εὐσεβής, αὐτόν, μετὰ τῶν πατέρων 19,4 usf.). − Vgl. auch Minucius Felix, Octavius 9,2. − "Bruder" und "Schwester" scheinen auch im Zauber (vgl. PGM IV 1135-1137) und in Mysterienreligionen (vgl. Merkelbach, Roman 19f.152f.) als Anredeformen verwendet worden zu sein. Über "Brüderlichkeit" in religiösen Gemeinschaften der Antike vgl. auch Bömer, Untersuchungen I 172-179.228.

Frauen verbunden sein[14].

Für die Untersuchung des Frauenbildes im "Hirten des Hermas" ergibt sich daraus die Notwendigkeit, erstens die Eigenart der verwendeten Männersprache genau herauszuarbeiten, zweitens die mittels dieser Sprache transportierten Inhalte zu untersuchen und drittens die Beziehung zwischen sprachlicher Form und sprachlich vermitteltem Inhalt zu analysieren. Beim inhaltlichen Aspekt sind überdies einige Unterscheidungen sinnvoll: Im Hinblick auf den Realitätsbezug ist das die Unterscheidung zwischen Norm und Wirklichkeit, wobei Wirklichkeit wiederum zu differenzieren ist in für alle (wenn auch unterschiedlich) erfahrbare Wirklichkeit einerseits und in direkt nur dem Ich-Erzähler zugängliche visionäre und auditive Wirklichkeit andererseits. Im Hinblick auf die Mitteilung von Normen und Fakten ist darauf zu achten, welche im Text auftretende handelnde Person gegenüber welcher anderen Person jeweils die Mitteilung macht. Schließlich ist darauf zu achten, welche Dimensionen des Faktischen und des Normativen *nicht* angesprochen sind. Nur so ist ein einigermaßen differenziertes Ergebnis für die Frage nach der Eigenart des Frauenbildes im "Hirten des Hermas" zu erwarten[15].

2

Wie mit der Gruppenbezeichnung ἀδελφοί verhält es sich auch mit den anderen Begriffen, mit denen bei Hermas die Christen als *Gruppe* gekennzeichnet werden — ἅγιοι, δίκαιοι, δοῦλοι τοῦ θεοῦ, ἐκλεκτοί —: Sie sind androzentrisch[16]. Und sie sind traditionell, dem Hermas als christliche Gruppenbezeichnungen bereits vorgegeben und prägen also eher die Wahrnehmung des Mannes Hermas, als daß sie von ihr geprägt würden[17].

Ähnlich wie mit den Gruppenbezeichnungen verhält es sich mit den *Verallgemeinerungen*: οἱ μετανοήσαντες sind es, denen das Heil zugesagt wird (vis III 13,4). ὅς ἄν ἀκούσῃ τὴν ἐντολὴν ταύτην und es auch befolgt, wird leben (mand III 5 u. ö.).

14 Zum Frauenbild der publizierenden Zeitgenossen und Vorgänger des Hermas in Rom vgl. für Seneca: Favez, opinions; Manning, Seneca; Motto, Seneca; für Musonius: van Geytenbeek, Musonius 51-77; für Martial: Ascher, Martial; für Iuvenal: Bond, Anti-feminism; Carr, View; ferner Reekmans, Views; für Plinius d. J.: Dobson, Pliny; Maniet, Pline; für Tacitus: Kaplan, Agrippina; Marshall, Tacitus; Salvatore, décadence; Syme, Princesses; für Apuleius: Carr, View.

15 Von großer methodischer Bedeutung ist der Aufsatz von Brooten, Frauen.

16 Auch die geschlechtneutrale Anrede τέκνα (vis III 9,1.9) wird durch den Kontext androzentriert: vgl. ἐν ἑαυτοῖς, ἀλλήλους 9,2.

17 Mir ist bisher keine einzige Bezeichnung einer gemischtgeschlechtlichen Gruppe aus der Antike (und danach) bekanntgeworden, die grammatisch feminin wäre.

Auch die Makarismen sind grammatikalisch maskulin formuliert (z. B. vis II 2,7). In diese Heils- (und Unheils-)Zusagen, die vom ethischen Verhalten abhängig gemacht werden, sind die Frauen wohl durchweg eingeschlossen.

Bei dieser vorsichtigen Ausdrucksweise — "wohl durchweg" — sei nochmals auf das eingangs besprochene Problem hingewiesen: Wie kann stringent begründet werden, daß Frauen, wenn sie nicht mitangesprochen sind, mitgemeint sind?[18]

Ich komme über zwei Indizien, die eher Einschränkungen als Ersetzung des argumentum e silentio sind, nicht hinaus: einmal die faktische *Präsenz* von Frauen in den Gemeinden, zum anderen die gelegentliche *ausdrückliche* Anrede an sie in den Texten, die uns erhalten sind.

Trifft die stillschweigende Inklusion der Frauen bei den Gruppenbezeichnungen und verallgemeinernden Ausdrücken nun auch auf ἀπόστολοι, διδάσκαλοι, ἐπίσκοποι, πρεσβύτεροι (samt Umschreibungen) und προφῆται, also auf die bei Hermas vorkommenden *Rollenbegriffe* zu? Daß solche Rollenbezeichnungen Frauen nicht von Anfang an und grundsätzlich ausschlossen, ist positiv für ἀπόστολος[19], διάκονος[20], Lehre[21] und Prophetie[22] bewiesen. Es ist allerdings im einzelnen unklar, wie lange solche Rollendefinitionen Frauen faktisch einschlossen und in welchen Gemeinden sie von welchem Zeitpunkt an von welchen Rollen ausgeschlossen waren[23].

Über die von Hermas vorausgesetzte Wirklichkeit sind dem Text selbst jedenfalls kaum relevante Informationen zu entnehmen. Denn erstens werden die Rollenbezeichnungen selbst nur selten erwähnt. Zweitens bezieht sich zumindest ἀπόστολος auf eine Rolle, die in der Gemeinde des Hermas real nicht mehr vorkommt.

Ob sich Hermas in sim IX 15,4, wo er Vergangenheit im Blick hat, unter den schon verstorbenen ἀπόστολοι, προφῆται und unter den ἄνδρες δίκαιοι ausschließlich Männer oder aber (wie es der Realität entsprechen würde) Männer *und* Frauen vorstellt, läßt sich nicht für alle vier dort genannten Gruppen entscheiden. Immerhin dürfte bei den zehn zum "ersten Geschlecht gerechter Männer" gehörenden Personen an die in Gen 5 genannten Männer gedacht sein, bei den fünfundzwanzig Vertretern des "zweiten Geschlechts gerechter Männer" wohl an eine ebenfalls aus Männern bestehende Kette von Sem bis David[24], wie sie etwa in der Liste Lk 3,31-36 vorliegt, wo von David bis einschließlich Sem genau fünfundzwanzig Männernamen aufgezählt werden.

---

18 Zur vorsichtigen Ausdrucksweise vgl. etwa auch Gerstenberger/Schrage, Frau 125: "...wird man nicht sagen können, daß die 'Schwestern' der Gemeinde aus dem mit Bruderschaft gemeinten Miteinander ausgeschlossen worden seien."

19 Junia Röm 16,7. Vgl. dazu zuletzt Fàbrega, Junia(s).

20 Phoibe Röm 16,1f.

21 Vgl. Prisca Ag 18,26; negativ 1Tim 2,12.

22 1Kor 11,5; Ag 21,9.

23 Vgl. den Überblick von Thraede, Ärger 134-137.

24 So auch Dibelius, Hirt 625.

Drittens werden im Text insgesamt nur fünf Eigennamen genannt. Bei Rhode, Hermas, Maximus und Clemens liegen keine ausdrücklichen Rollenzuschreibungen vor, wenngleich verschiedene Gründe dafür sprechen, daß Hermas und Clemens Rollenträger sind. Etwas klarer liegen die Dinge bei Grapte: Deren Aufgabe, sich um Witwen und Waisen zu kümmern, entspricht genau dem Aufgabenbereich der διάκονοι[25]. Somit ist es wahrscheinlich, wenn auch nicht sicher[26], daß Grapte eine διάκονος war. Verallgemeinert heißt das: Es ist wahrscheinlich (wenn auch keineswegs ganz sicher), daß die Rollenbezeichnungen bei Hermas Frauen mit einschlossen. Über das bisher Gesagte hinaus läßt sich Genaueres über Inklusion oder Exklusion von Frauen bei *bestimmten* Rollenbezeichnungen nicht herausfinden[27].

3

Ein Problem ist bis jetzt ausgespart geblieben. Es betrifft den bei Hermas häufiger vorkommenden Begriff ἀνήρ. Ist er ebenso generisch zu verstehen wie die oben besprochenen Gruppenbezeichnungen? Oder bezieht er sich ausschließlich auf die männlichen Christen? Eindeutig geschlechtsspezifisch ist ἀνήρ in vis I 1,8 und mand IV 1,3 verwendet. Die ἐπιθυμία πονηρά bzw. die ἐνθύμησις ist bei einem ἀνήρ δίκαιος nicht zu finden und wird ihm jedenfalls untersagt. Objekt des Begehrens ist nach Ausweis des Kontexts in beiden Fällen eine Frau. Da im "Hirten des Hermas" nur heterosexuelle Beziehungen in den Blick kommen[28], ist in diesen Fällen nur der Mann als Subjekt des Begehrens vorausgesetzt; Frauen als Subjekte des Begehrens kommen hier nicht vor.

Diese Sicht ist im Rom des 2. Jahrhunderts ein Anachronismus: Vor allem Frauen der Oberschicht waren längst Subjekte ihrer Sexualität[29]. In alttestamentlich-jüdischer Tra-

---

25 Vgl. vis II 4,3 mit sim IX 26,2.

26 Es kann nämlich nicht gezeigt werden, daß diese Funktion *nur* der Rolle der διάκονοι zukam. Nach sim IX 27,2 ist zumindest die Sorge um die Witwen einer der Aufgabenbereiche der ἐπίσκοποι; Grapte könnte also auch ἐπίσκοπος gewesen sein. Daß sie ein "einfaches" Gemeindeglied war, ist weniger wahrscheinlich. Zwar wird in mand VIII 10; sim I 8; V 3,7 die Witwen- und Waisenfürsorge allen (d. h. begüterten) Christen ans Herz gelegt, doch läßt sich einer Forderung nicht entnehmen, ob und in welchem Umfang ihr entsprochen wurde. Graptes Tätigkeit hingegen ist bereits institutionalisiert.

27 Es zeigt sich hier, daß androzentrische Sprache dazu geeignet ist, sowohl den Prozeß beginnender und fortschreitender sozialer Benachteiligung von Frauen als auch einen Zustand weiblicher Gleichberechtigung zu verschleiern (wobei im zweiten Fall männliche Herrschaftsansprüche wenigstens sprachlich festgehalten werden).

28 mand IV 1,9 ist keine Gegeninstanz, sondern bezieht sich auf Götzenopfer, vgl. Dibelius, Hirt 507.

29 Vgl. z. B. Hallett, Fathers, passim; Lyne, Poets, bes. 8-17; Schottroff, Frauen 92f.; auch Josephus, bell. II 121. — Per definitionem ausschließlich Objekt, mithin auch Sexualobjekt, sind hingegen die Sklav/inn/en; dies betont mit Recht Finley, Slavery 74f.95f.

dition ist die Frau wenn auch nicht durchweg[30], so doch überwiegend als Sexualobjekt verstanden[31]. Dabei verlagert sich im Begriff des Begehrens, der etwa in Ex 20,17 "nicht nur...Wünsche oder Gedanken, sondern...auch alle Machenschaften, diese Wünsche in die Tat umzusetzen"[32], umfaßt, der Ton immer stärker auf die Gesinnung, wie etwa Mt 5,28 zeigt[33]. In dieser Tradition steht auch Hermas; ihm zufolge braucht das Begehren dem Begehrenden selbst nicht einmal bewußt zu sein[34] (vis I 1).

Diese androzentrische Perspektive wird jedoch nicht konsequent durchgehalten. So sind im Lasterkatalog mand VI 2,5 neben anderen Lastern zwar ganz androzentrisch auch die ἐπιθυμίαι γυναικῶν aufgezählt. In der folgenden Reflexion auf die Abhängigkeit tugend- oder lasterhaften Lebens von dem Vertrauen, das dem Engel der Gerechtigkeit oder dem Engel der Bosheit entgegengebracht oder verweigert wird, setzt sich die männliche Perspektive bis in den Nebensatz ἐὰν γὰρ ᾖ τις πιστότατος ἀνήρ, καὶ ἡ ἐνθύμησις τοῦ ἀγγέλου τούτου (sc. τῆς πονηρίας) ἀναβῇ ἐπὶ τὴν καρδίαν αὐτοῦ... hinein fort. Doch im anschließenden Hauptsatz erweitert sich die Perspektive: ...δεῖ τὸν ἄνδρα ἐκεῖνον ἢ τὴν γυναῖκα ἐξαμαρτῆσαί τι (2,7). Bei der sogleich anschließenden Umkehrung des geschilderten Sachverhalts setzt sich diese erweiterte Perspektive fort, wenngleich sie nicht zu einer ihr angemessenen gänzlich nichtsexistischen Sprache führt: ἐὰν δὲ πάλιν πονηρότατος τις ᾖ ἀνὴρ ἢ γυνή, καὶ ἀναβῇ ἐπὶ τὴν καρδίαν αὐτοῦ τὰ ἔργα τοῦ ἀγγέλου τῆς δικαιοσύνης, ἐξ ἀνάγκης δεῖ αὐτὸν ἀγαθόν τι ποιῆσαι (2,8).

Dieselbe Korrektur findet sich in mand IV 1. Die Beschränkung auf ein weibliches Objekt des Begehrens in 1,1 könnte durch die Anrede des Hirtenengels an den Mann Hermas bedingt sein, impliziert also noch nicht notwendig eine androzentrische Perspektive[35]. In der Tat fährt 1,2 mit der Frauen gewöhnlich einschließenden Selbstbezeichnung θεοῦ δοῦλος verallgemeinernd fort und wertet das nichteheliche sexuelle Begehren nochmals[36] als große Sünde. In 1,3 allerdings scheint sich die Perspektive androzentrisch zu verengen: Wo σεμνό-

---

30 Die Ausnahme wird für uns vor allem in Cant sichtbar; vgl. Crüsemann, Herr 81-91.

31 Vgl. ebd. 25-32; Boecker, Recht, bes. 86-99.

32 Crüsemann, Bewahrung 76f.

33 Mit diesem Verweis verbinde ich keine gesinnungsethische Interpretation der ganzen Bergpredigt (vgl. dazu kurz Strecker, Bergpredigt 16f.; zu Recht und Grenzen einer solchen Interpretation vgl. Schrage, Ethik 43-49).

34 Der Reduktion weiblicher Sexualität auf das Objekt männlichen Begehrens entspricht im übrigen häufig die männliche Anschauung von der Frau als Verführerin, und zwar sowohl dann, wenn die Frau selbst als sexuelles Subjekt auftritt, als auch vor allem dann, wenn männliches Begehren samt seinen Konsequenzen durch Projektion legitimiert werden soll.

35 1,1 läßt sich jedenfalls nur beschränkt, nämlich auf alle verheirateten Männer, verallgemeinern.

36 Vgl. schon 1,1b.

της das Leben eines ἀνὴρ δίκαιος bestimmt, kommt solche Sünde nicht vor. Auch die folgende Kasuistik ist nach dem Muster: 'Was tut ein Mann, wenn seine Frau...' gestrickt (1,4-8b). Doch wird die androzentrische Perspektive nachträglich erweitert: αὕτη ἡ πρᾶξις ἐπὶ γυναικὶ καὶ ἀνδρὶ κεῖται (1,8c), in die männliche Sicht somit im nachhinein allgemeine, geschlechtsneutrale Geltung hineinkorrigiert[37]. Die erweiterte androzentrische Perspektive begegnet dann auch in 1,10 und 4,1, eingebettet in androzentrische Sprache, die immerhin nicht auf eine bestimmte syntaktische Reihenfolge (erst Mann, dann Frau) fixiert ist[38].

Beide Geschlechter zusammen sind ausdrücklich auch in mand V 2,2 und wohl auch XII 2,2 im Blick. Dennoch ist deutlich, daß von einer egalitären Perspektive nicht die Rede sein kann. Der männliche Blickpunkt kann sich uneingeschränkt durchhalten[39], auch implizit oder explizit Frauen einbeziehen, aber nicht aufgegeben, geschweige denn durch weibliche Sichtweise — empathisch — ersetzt werden. Es ist also angemessener, hier von einer teilweise um Weibliches erweiterten androzentrischen Position zu reden.

Implizite Einbeziehung von Frauen begegnet auch in mand X 3,1f., wo statt (ἱλαρὸς bzw. λυπηρός) ἀνήρ auch einmal ἄνθρωπος (ἱλαρός) gesagt werden kann. Doch gerade daran wird deutlich, daß auch bei Hermas der Begriff "Mensch" androzentrisch bestimmt ist[40].

Daß diese erweiterte androzentrische Perspektive keinesfalls programmatischen Charakter hat, zeigt sich besonders deutlich in sim VIII. Hier wird von den die Christen repräsentierenden Personen mit den Weidenzweigen ausschließlich als von ἄνδρες gesprochen[41].

Auch das Beten in der Versammlung der ἄνδρες δίκαιοι in mand XI 9.13 vgl. 14 gehört hierher. Denn selbst wenn Hermas bereits von der Erfahrung ausginge, daß Frauen

37 Diese nachträgliche Korrektur erfordert keine literarkritischen Operationen: Korrektur ist *die* für Hermas charakteristische Verfahrensweise; s. o. Kap. I. — Offen bleibt, ob sich die geschlechtsneutrale Reinterpretation nur auf 1,4-8b oder auch auf 1,1-3 bezieht. Im zweiten Fall wäre das zu Beginn dieses Abschnitts zur Frau als Sexualobjekt Gesagte etwas einzuschränken.

38 Vgl. 1,8; 4,1 mit 1,10. Doch s. auch u. S. 172 zu vis II 4,3. Zur möglichen sexistischen Interpretation der Syntax s. o. S. 158 Anm. 13. Zum Gesichtspunkt der Reihenfolge vgl. auch Flory, Women.

39 Dies ist z. B. auch in mand IX 6 der Fall, wo nur vom δίψυχος ἀνήρ die Rede ist.

40 Zur Mensch-Mann-Identifikation vgl. etwa für Israel Gen 2 und dazu Crüsemann, Herr 56-61; für Griechenland und das Urchristentum Bauer, Wörterbuch 136 sv ἄνθρωπος 2b. Weitere Beobachtungen zu diesem m. W. noch nicht umfassend historisch und systematisch untersuchten Komplex z. B. bei Gerstenberger/Schrage, Frau 9f., und bes. Hassauer-Roos, Weib, und Steinbrügge, Aufteilung, sowie das moderne Beispiel bei Bartchy, Machtverhältnisse 111.

41 sim VIII 1,18; 2,1; 4,2; 7,6.

in der Gemeinde zu schweigen hätten[42], und selbst wenn zum Schweigegebot auch der Verzicht aufs Beten gehörte[43], wäre er nicht dazu verpflichtet gewesen, die Frauen aus der bloßen Kennzeichnung der Versammlung als solcher auszublenden[44].

4

Wie eben gezeigt, kann Hermas vom Mann ausgehend in einer erweiterten androzentrischen Perspektive zur Frau kommen. Wie es sich verhält, wo der Ausgangspunkt eine Frauengestalt ist, soll nun an vis III 10-13 verdeutlicht werden. An der dem Hermas mehrfach erschienenen Greisin wird in diesem Nachtragsabschnitt ein Gestaltwandel in drei aufeinanderfolgenden Stadien zuerst beschrieben, dann gedeutet. Dabei ist den Leser/inne/n des "Hirten" bereits bekannt, daß die Greisin die Kirche repräsentiert. Dies hatte ein Jüngling dem Hermas in einer Vision offenbart (vis II 4,1)[45].

Nun eröffnet ein anderer Jüngling dem Visionär, daß die drei Erscheinungsformen der Greisin Erscheinungsformen der nun nicht kosmisch, sondern empirisch verstandenen, Hermas und seine Adressat/inn/en einschließenden Kirche sind. Bei der Art und Weise, in der diese Deutung vonstatten geht, ist es vielleicht kein Zufall, daß die Greisin über ihre Identität und ihre Metamorphosen, kurz: über Wesentliches ihrer selbst nicht redet, vielleicht nicht reden darf[46], daß dieses definierende und interpretierende Reden über die Greisin vielmehr unter Männern stattfindet.

Die Erscheinungsformen der Greisin illustrieren, wie gesagt, Erscheinungsformen der Kirche. Diese Illustration wird nun aber selbst wieder illustriert. Vergleiche schaffen jeweils die Verbindung zwischen Erscheinungsform des Weiblichen und Zustand der Kirche. Doch das Auffällige ist, daß die Bindeglieder zwischen der sich verändernden Greisin und der sich wandelnden Kirche stets Männer sind: Die Symbolik des Weiblichen wird erst durch eine androzentrische Hermeneutik verständlich. Werden ad vocem πρεσβυτέρα in 11,2 οἱ πρεσβύτεροι und in 12,2 πρεσβύτερός τις eingeführt, so in 13,2 als Kontrast zu ἱλαρά (13,1) ein τις λυπούμενος.

42 Was eher unwahrscheinlich ist, s. u. S. 172.

43 Was nicht einmal 1Tim 2,9 zu fordern scheint.

44 Vgl. auch die υἱοὶ τῆς ἀνομίας vis III 6,1.

45 Zur Sibylle, für die Hermas die Greisin anfänglich gehalten hatte, vgl. z. B. Schottlaender, Sibyllenbild, und Aune, Prophecy 36-38. — Auch die Identität der in 4Esra dem Visionär erscheinenden Frau (9,38-10,27) wird von einem männlichen Engel aufgedeckt (10,40-49).

46 Dies wird in vis III 10,2 durch die Weiterleitung an die zuständige männliche Stelle (ἕτερον) und durch das dabei verwendete δεῖ nahegelegt.

47 Vgl. dazu auch die Anrede ἀδελφοί in 10,3.

Dabei ist für die beiden letzten Beispiele die Wahl einer männlichen Person inhaltlich keineswegs zwingend: Ein armer, alter Mensch, der nach einer Erbschaft wieder auflebt (12,2) − das kann nach zeitgenössischem Erbrecht eine Frau ebensogut wie ein Mann sein[48]. Auch ein durch frohe Kunde überwundener Kummer (13,2) läßt sich kaum als ein männerspezifisches Widerfahrnis bezeichnen.

Die Differenz der Geschlechter in der patriarchalischen Gesellschaft kommt jedoch beim ersten Beispiel (11,3) zum Vorschein: Die empirische Kirche wird mit den Greisen verglichen, die nur noch den Tod erwarten und deshalb völlig teilnahmslos sind (ἀκηδίαι)[49]. Der bestimmte Artikel οἱ schließt aus, daß es sich um einen untypischen Einzelfall handeln könnte. Dann aber ist hier die Männerperspektive wohl mehr als nur beliebig: Sieht man von der Oberschicht einmal ab, dürfte es in den Familien des antiken Rom weithin üblich gewesen sein, daß, während die πρεσβύτεροι in ἀκηδίαι verfallen konnten, die πρεσβυτέραι ihnen gleichzeitig durch die Verrichtung der täglichen Reproduktionsarbeit, die nicht viel Zeit zu ἀκηδίαι ließ, die Möglichkeit dafür schaffen mußten.

Trifft diese Sicht zu, dann wird auch der Tatsache Gewicht zuzumessen sein, daß zwar die in Visionen erscheinende kosmische Kirche von einer Frau repräsentiert wird, der empirischen Kirche aber bescheinigt werden kann: ἀνδρίζεται (12,2).

Mannhaftes Gebaren wird bei Hermas sowohl an Weiblichem[50] als auch an Männlichem[51] als vorhanden oder erwünscht positiv hervorgehoben. Der Wertmaßstab in der Männerkirche[52] ist also der Mann. Die diesem Maßstab gerechten Vorbilder allerdings sind weibliche Gestalten. In diesem Zusammenhang ist an Musonius zu erinnern, der für beide Geschlechter ein Leben nach den vier Kardinaltugenden für möglich und förderungswürdig hält. Die weibliche ἀνδρεία wird dabei in den Rollen Mutter und Ehefrau realisiert[53]. Musonius ist allerdings trotz der konservativen Beschränkung der Frauenrollen insgesamt eher untypisch für seine Zeit[54], weil er seine Tugendideale nach dem Gleichheitsprinzip und nicht nach einer Polarisierung der Geschlechtscharak-

48 Zum Erbrecht von Frauen in Rom vgl. etwa Kaser, Studienbuch § 68 III 3; Pomeroy, Goddesses 162f.; Thraede, Ärger 71f. (mit Lit.).
49 Zur Aufstellung und Bestreitung dieser Behauptung in der Antike vgl. Eyben, Notes 232f.
50 Vgl. vis III 8,4; sim IX 2,5; vgl. auch sim V 6,6.
51 vis I 4,3; sim X 4,1.
52 S. dazu o. S. 163f.
53 Vgl. van Geytenbeek, Musonius 52. Ähnlich auch Periktione (vgl. Thraede, Ärger 66). Vgl. auch Apuleius, met. VIII 14,1.
54 Der Frau abgesprochen wird zwar nicht ἀνδρεία, aber doch ἀνδρότας bei PsPhintys; vgl. Wilhelm, Oeconomica 210f.

tere[55] ausrichtet[56].

Die himmlische Frau Ekklesia ist damit Spiegel der empirischen Männerkirche und, indem sie, einem Mann erscheinend, zur Umkehr ruft, zugleich die Bedingung der Möglichkeit von deren Veränderung, sprich: Mannwerdung[57]. Es bleibt die Frage: Veränderung wessen?

5

Bevor wir die Interaktionen der himmlischen Personen mit Hermas und untereinander genauer betrachten und dabei auch dem Verhältnis von idealer und empirischer Kirche geschärfte Aufmerksamkeit widmen werden, sei der Blick zurückgelenkt an den Anfang des Texts und die Anlässe dieser Interaktionen zwischen dem Himmel und Hermas. Diese Anlässe sind — sei es eng, sei es weniger eng — mit Beziehungen zwischen Hermas und irdischen Frauen verknüpft. Es sind dies im übrigen die einzigen Beziehungen dieser Art, von denen wir erfahren, abgesehen davon, daß sich Hermas zum Zweck der Veröffentlichung des ihm Offenbarten mit Grapte in Verbindung setzen soll (vis II 4,3), und daß sich unter seinen Kindern, auf die stets grammatikalisch neutral Bezug genommen wird, auch weibliche befunden haben können.

Die ersten Begebenheiten, von denen Hermas berichtet, betreffen seine Beziehungen zu einer Frau namens Rhode[58] (vis I 1f.). Dabei wird der Eindruck vermittelt, daß diese Beziehungen in einem ständigen Wandel begriffen sind. Durch Verkauf wird Hermas zunächst Eigentum der Rhode; das erste Stadium der Beziehung verläuft also in der Sklave-Herrin-Interaktionsstruktur. Die Beendigung dieser Beziehung wird vorausgesetzt, aber nicht berichtet, wenn Hermas fortfährt, daß er Rhode nach Jahren wiedererkannt und "wie eine Schwester zu lieben begonnen" habe.

Der Sinn von ἀδελφή ist hier nicht eindeutig zu ermitteln. Falls es sich dabei um die geschlechtsspezifische christliche Bezeichnung handelte, wäre der soziale Rahmen des ἀγαπᾶν die Gemeinde und würde die Realisierung der ἀγάπη zumindest auch bestimmte *Handlungen* gegenüber dem Objekt des ἀγαπᾶν beinhalten. Andernfalls wäre der soziale Rahmen des Oikos, innerhalb dessen ἀγαπᾶν dann eine die Inzestschranken[59]

---

55 Vgl. dazu für die Neuzeit den bahnbrechenden Aufsatz von Hausen, Polarisierung 363-393.

56 Vgl. den Überblick über die Tugendideale bei Thraede, Ärger 62-69.79-81; speziell für das Ideal der pudicitia vgl. Palmer, Shrines, und Henrichs/Koenen, Mani-Kodex 238-240.

57 Vgl. dazu nochmals auch vis I 4,3. — Weitere Vergleiche aus der Männerwelt finden sich z. B. in vis I 3,2 (χαλκεύς) und in sim IX 32 (fullo). Auch die Allegorie in sim V 2 kommt ohne Frauen aus.

58 Diese Frau ist seinen Leser/inne/n offenbar nicht bekannt, da ihrem Namen das Indefinitpronomen τις hinzugefügt wird.

59 Zur Definition des Inzests im römischen Recht vgl. kurz Eisenhut, Incestus.

respektierende *Haltung* der Sympathie bedeutete, ohne daß zu dieser Haltung Handlungen notwendig hinzukommen müßten. Da, wie ὡς zeigt, ἀδελφή hier übertragen zu verstehen ist, wäre in diesem Fall die Gültigkeit der Inzestschranken, also das Verbot und die Unterlassung sexueller Interaktionen auf die Beziehung zwischen Hermas und Rhode ausgedehnt.

Soviel jedenfalls ist deutlich: Hier ist nicht mehr von einer Herrschafts-, sondern von einer egalitären Beziehung die Rede. Diese muß freilich keineswegs reziprok sein: Über Rhodes Sicht dieser und der anderen Beziehungen erfahren wir schlechterdings nichts; die Erzählerperspektive ist ausschließlich die des männlichen Ich-Erzählers.

In ihr drittes Stadium tritt die Beziehung in der Szene, in der Rhode im Tiber badet, Hermas ihr aus dem Wasser hilft, ihre Schönheit bemerkt und bei sich denkt: "Wie glücklich wäre ich, wenn ich eine solche Frau hätte, sowohl was ihre Schönheit als auch was ihren Charakter angeht!" Daß dieser Wunsch noch nicht das letzte Stadium der Beziehung ist, wird sich trotz der Versicherung μόνον τοῦτο ἐβουλευσάμην, ἕτερον δὲ οὐδέν gleich zeigen.

Doch zuvor ein kurzer Blick darauf, wie sich die Beziehung zwischen Hermas und Rhode – immer aus der Perspektive des Hermas – verändert hat: Die Sklave-Herrin-Beziehung ist durch die "Bruder"-"Schwester"-Beziehung abgelöst worden. Im Wunsch wird diese zu einer Ehemann-Ehefrau-Beziehung umgewandelt. Rhode gerät damit zunehmend in Abhängigkeit von Hermas. Sie wird immer stärker durch die Beziehung zu ihm definiert. Es liegt mithin eine zunehmend verengte Wahrnehmung Rhodes vor. Im Unbewußten (καρδία) ist, wie vis I 1,8 aufdeckt, diese Verengung noch einen Schritt weitergeführt worden. Dort ist die Wunschbeziehung Ehemann-Ehefrau auf den Wunsch nach der sexuellen Benutzung der Frau reduziert worden. In der Entwicklung der Beziehungen zwischen Hermas und Rhode setzt sich also auf seiten des Hermas eine zunehmende Reduktion der Frau auf ein Sexualobjekt durch[60]. Zugleich wird Rhode durch die Rollen, die ihr in der sich wandelnden Beziehung zugeschrieben werden, immer mehr zu einer Person, die für Haltungen und Handlungen, sei es des "Bruders", des Ehemanns oder des Beischläfers, ein notwendiges Objekt darstellt. Die anfänglichen Machtverhältnisse – Rhode als Herrin und Subjekt, Hermas als Sklave und Objekt – kehren sich in den Gedanken des Hermas völlig um, und das erwünschte Weibliche wird im Fall Rhode mit den Mitteln der Reduktions- und Ergänzungstheorie präsentiert[61].

60 Rhode ist *nicht* Sexualobjekt in der Realität, *unter anderem* Sexualobjekt auf der Stufe des männlichen bewußten Wunsches, *ausschließlich* Sexualobjekt auf der Stufe des unbewußten Wunsches.
61 Zu den Reduktions- und Ergänzungstheorien vgl. Bovenschen, Weiblichkeit 19-43.

Von 1,8 her rückwärts gelesen ließen sich im übrigen die Beschreibungen aller vorher genannten Beziehungen zwischen Hermas und Rhode als ambivalente, *auch* auf erotischer und sexueller Ebene verstehbare Beschreibungen auffassen: γυναῖκα ἔχειν kann nämlich nicht nur eine eheliche Beziehung[62], sondern auch ein "lockeres Verhältnis"[63] bedeuten. ἀδελφή schließt nicht in *jedem* Kontext eine sexuelle Beziehung aus. Der Begriff kann auch als vertrauliche Anrede an die Ehefrau verwendet werden[64]. Schließlich ist die Sklave-Herrin-Beziehung als Ausdruck der Beziehung zwischen Liebendem und Geliebter für die römische Liebesdichtung geradezu konstitutiv[65]. Auch auf dieser Ebene ließe sich mithin von einer allmählichen Umkehrung der Machtverhältnisse in der Beziehung reden.

Diese androzentrische Perspektive kann durch den Ich-Erzähler selbst nicht aufgebrochen werden. Daß sie überhaupt aufgebrochen wird, verdankt Hermas göttlicher Gnade[66]. Gott bedient sich dabei eben Rhodes, die dem Erzähler in einer Vision erscheint (1,4-2,1). Nun könnte Rhode ihrerseits über ihre Sicht der Beziehung zwischen Hermas und ihr reden. Doch obwohl es in ihrem Reden ständig um diese Beziehung geht, tut sie das nie direkt. So spricht sie anfangs von ihrer Beziehung zu Gott, die darin besteht, die Sünden des Hermas anzuklagen (1,5). Genauso indirekt ist die Beziehung zwischen ihr und Hermas im Blick, wenn sie ihm eröffnet, daß Gott ihm zürnt, weil er gegen sie gesündigt habe (1,6). Als sie schließlich die Sünde näher beschreiben soll, bleibt sie auf einer sehr allgemeinen, wenngleich geschlechtsspezifisch eingeschränkten[67] Ebene und vermeidet es, Ich und Du in irgendeiner Weise miteinander zu verknüpfen[68].

Dadurch unterscheidet sich ihre Art zu kommunizieren sehr stark von der ihres männlichen Gegenübers, das fast ausschließlich in der Verknüpfung von Ich und Du redet (1,6.7). Durch Rhodes Erscheinen und Auskünfte selbst verun-

---

62 Vgl. Bauer, Wörterbuch 656 sv ἔχω I 2b. — Daß "Ehemann" auf "Beischläfer" reduziert werden könnte, zeigt z. B. Epiktet, diss. II 18,15.

63 Vgl. Bauer, Wörterbuch 657 sv ἔχω I 2b. — Sexuelle Konnotationen hat γυναῖκα ἔχειν in 1Kor 5,1; Joh 4,18; vgl. auch Schrage, Frontstellung 229 Anm. 60.

64 Vgl. Cant 4,9f.; 5,1; Tob 5,21; 7,15; 8,4.7. Jub 27,14.17; ferner Gen 26,7. Hellenistische Belege bei Preisker, Christentum 56 Anm. 293. — Bruder-Schwester-Anreden finden sich auch in nichtehelichen Liebesbeziehungen; vgl. für die altägyptische Liebeslyrik Hermann, Liebesdichtung 75-78, für Rom z. B. Martial II 4. — Vgl. auch 1Kor 9,5.

65 Vgl. vor allem Lyne, Servitium, sowie ergänzend ders., Poets 296 n. 23; ferner Cancik-Lindemaier, Ehe 72-74; Lilja, Attitude 76-89; Zagagi, Tradition 109-116; Hallett, Role 111-113. — domina als Anrede an oder Bezeichnung für die Geliebte z. B. Catull 68,68.156; Properz I 4,2; Tibull I 1,46; III 3,74; Ovid, am. II 16,42; Calpurnius, ecl. III 50.

66 Vgl. neben vis I 1,6 den Rückblick vis II 1,2.

67 S. o. S. 161f. zu ἀνὴρ δίκαιος.

68 Daß Rhode es (abgesehen von 1,5, das durch οὐ 1,6 irgendwie zurückgenommen wird) vermeidet, direkt über sich selbst zu sprechen, erinnert an das o. S. 164f. festgestellte Verhalten der Greisin.

sichert, reagiert er darauf mit inquisitorischen Fragen (1,5.6.7)[69] und voller Unglauben: In 1,7 bezichtigt er Rhode ausdrücklich der Lüge. Die Abwertung der Gesprächspartnerin erfolgt just an dem Punkt, wo sie mit ihm nicht (s)einer Meinung zu sein scheint: ὦ γύναι ist offenbar die abschätzigste ihm hier zur Verfügung stehende Anrede[70] — abschätzig vor allem im Vergleich mit den vorher gebrauchten Bezeichnungen κυρία (1,5), θεά und ἀδελφή (1,7)[71]. Daß Rhode daraufhin lacht, ist sicher ein Ausdruck der Überlegenheit derjenigen, die über die Wahrheit verfügt[72]. Ist es daneben vielleicht auch ein Wagnis, das sie sich erlaubt, weil sie — für Hermas unerreichbar — aus der Distanz, vom Himmel her spricht?

Aus gegebenem Anlaß sei ausdrücklich betont, daß in Rhode die Frau hier *nicht* als Verführerin präsentiert wird[73]. Nur eine misogyne Perspektive könnte, wie bei Eva und Bathseba, so auch bei Rhode diesen Zug in das, was dasteht, hineinlesen[74].

<h2 style="text-align:center">6</h2>

Die Beziehung zu Rhode ist nicht das einzige Motiv für Gottes Zorn gegen Hermas. Die Greisin führt ein zweites Motiv an. Indem sie es als ausschlaggebend bezeichnet, korrigiert sie Rhode in dieser Hinsicht (3,1)[75]. Das neu eingeführte Motiv besteht darin, daß der Oikos des Hermas gegen Gott und "euch, die Eltern" gesündigt habe. Mit dieser letzten Wendung begegnet, wie Hermas selbst über den Oikos[76] definiert, seine Frau.

Im folgenden lasse ich die Stellen beiseite, wo nur allgemein vom Oikos des Hermas die Rede ist. Darin kann seine Frau mit eingeschlossen sein, aber geschlechtsspezifische Behandlung entfällt an diesen Stellen. Charakteristisch ist allein der auch den gleich zu besprechenden Passagen zu entnehmende Zug, daß Haushaltsvorstand mit allen Rechten und — gegenüber dem Himmel besonders auch — Pflichten Hermas ist.

69 In diesem Zusammenhang weise ich hin auf Bodenheimer, Warum.

70 In vis I 2,3 wird Rhode im Gespräch des Hermas mit der Greisin nach erfolgter Einsicht als γυνὴ ἀγαθωτάτη wieder aufgewertet.

71 Zur geschlechtsspezifischen und sexistischen Kommunikation vgl. vor allem Trömel-Plötz ed., Gewalt; dies., Frauensprache 171-195; dies., Konstruktion.

72 Zum Lachen (nicht: Lächeln!) von Offenbarungsmittler/inne/n vermag ich keine weiteren Belege anzugeben. Belegbar sind lachende Götter (z. B. PGM XIII 162 u. ö.; auch Apuleius, met. II 31,2; III 11,2) und Göttinnen (z. B. Ovid, Fasti IV 5, und weitere Belege bei Bömer, Fasten II 206). — Zum Lachen von Frauen in römischer Literatur vgl. noch Jax, Frauentypus 31 mit Anm. 191.

73 Eben dies behauptet Amstutz, ΑΠΛΟΤΗΣ 138.157 Anm. 256.

74 Zur Frage der Präsentation und vermutlichen Rezeption von vis I 1 s. o. Kap. II.

75 Zum Phänomen der Korrekturen an Rhode s. o. S. 13f.

76 In diesem Fall ist in erster Linie an die Kinder gedacht (vgl. 3,2). In mand XII 3,6; sim V 3,9; VII 6 sind die Kinder nur eine Teilmenge des Oikos. — Zum Oikos des Hermas s. o. Kap. III.

Die Sünde der Kinder wird auf die zu laxe Erziehung durch Hermas zurückgeführt. Die Fehlhaltung des Hermas markiert dabei der Begriff φιλότεκνος.
Auf eine Frau und deren Mutter- und Erzieherinnenrolle bezogen stellt φιλότεκνος eine ausgesprochen positive Eigenschaft dar[77]. Die Greisin wirft Hermas
also implizit vor, er habe sich als Erzieher nicht geschlechtsrollenkonform verhalten, sondern an der Frauenrolle orientiert[78]. Er genügt damit nicht der Metanorm, daß Frau und Mann jeweils verschiedene Aufgaben und Haltungen
bei der Kindererziehung zukommen. Während man einer Mutter Kinderliebe
nicht zum Vorwurf machen kann, ist dies bei einem Vater angebracht[79]. Aus
der Tatsache, daß der göttliche Zorn Hermas allein trifft, ergibt sich zudem,
daß dem Vater als paterfamilias[80] die höhere und letzte Verantwortung bei der
Kindererziehung zukommt. Deshalb wird auch ihm — und ihm allein — die
Offenbarung des göttlichen Zorns zuteil.

77 Vgl. nur Tit 2,4 und die Belege bei Dibelius/Conzelmann, Pastoralbriefe 105, und bei
   Bauer, Wörterbuch 1703 sv φιλότεκνος, sowie die Sammlung von Horsley, Documents
   40-43.

78 Von Männern wird φιλότεκνος eher negativ gebraucht, vgl. die Belege bei Bauer. Jos
   As 12,8 ist wohl eine Ausnahme. — Während weibliche Orientierung an männlichem
   Ideal positiv eingeschätzt wird (s. o. S. 165f.), wird Hermas' Orientierung an der Frauenrolle durch die Aufforderung der Greisin beantwortet: ἀνδρίζου, Ἑρμᾶ vis I 4,3. Vgl.
   in diesem Zusammenhang, daß in Menanders "Samia" die Forderung, ein Mann zu sein
   bzw. sich männlich zu verhalten, eng an *Familienrelationen* gebunden ist (so auch bei
   Hermas?): Moschion soll gegenüber seinem Adoptivvater Demeas ein Mann sein, d. h.
   seinen (nicht standesgemäßen) Heiratswunsch eingestehen (63f., vgl. 69). Es geht also
   um ein Verhalten in der Sohn-Vater-Beziehung (und zugleich in der Bräutigam-Braut-
   Beziehung). (Dem kontrastiert später Moschions nur zu gern gefaßter Entschluß, um seiner *Braut* willen auf Mannestaten als Soldat zu verzichten, 630f.). Demeas ermannt sich
   selbst (349), indem er sich angesichts einer vermeintlichen Alternative gegen die Solidarität mit der von ihm geliebten Hetäre Chrysis und für die Familiensolidarität mit
   Moschion entscheidet. Eben diese auch gegen den Augenschein aufrecht erhaltene
   Solidarität (und das zu glimpfliche Verhalten gegenüber Chrysis) bringen über ihn den
   Tadel seines Nachbarn Nikeratos (506-513), nicht als Mann (ἀνήρ), sondern als Sklave
   (ἀνδράποδον) zu handeln (vgl. zum Hintergrund dieses Gegensatzes Blume, Samia 200f.
   mit Anm. 50; die dort zitierte Platonstelle steht Gorg. 483b). — Vgl. auch Blume, ebd.
   254f. und 22 Anm. 40.

79 Darin stimmt übrigens die himmlische Sanktionierung mit der des römischen Censors
   überein. Unter dessen Sittenaufsicht fiel es, übermäßige Strenge oder Milde des Vaters
   bei der Kindererziehung zu monieren, vgl. Kaser, Privatrecht I 62. Freilich war die
   Censur z. Z. des Hermas praktisch bedeutungslos.

80 S. o. S. 57-59.

Die familiäre Stellung des Hermas entspricht so, wie sie präsentiert wird, weder dem Rollenideal des Vaters noch dem des Ehemanns. Zum Rollenideal des Vaters[81] gehört ganz allgemein die Sorge um die Kinder (vis II 3,1)[82] und spezieller das νουθετεῖν (vis I 3,1f.)[83]. Letzteres ist, wie das pragmatische Lernziel μετανοεῖν (vis I 3,2) zeigt, christlich verstanden[84]. Es handelt sich hier also nicht zum wenigsten um *christliche* Rollenideale, an denen Hermas gemessen wird. Zweimal wird das Scheitern der Kindererziehung auf Nachlässigkeiten des Hermas zurückgeführt (vis I 3,1, II 3,1). Das Scheitern setzt sich auch nach der ersten Intervention des Himmels (vis I 3) fort, und zwar vielleicht eher wegen als trotz des geänderten Erziehungsstils des Hermas (vis II 3,1)[85]. Letztlich weisen diese Beobachtungen auf eine tiefgehende Autoritätskrise des Hermas hin, die, individuell gesehen, ihre Entsprechung in einem permanent verunsicherten Verhalten hat[86]. Gesamtgesellschaftlich ist dieses Phänomen wohl nicht als bloße Ausnahme abzutun, sondern im größeren Zusammenhang sozialen Wandels zu sehen[87].

Auch als Ehemann verhält sich Hermas gegenüber dem Rollenideal abweichend. Auch hier besteht die Devianz in der Vernachlässigung, nun der eigenen Ehefrau. Das Rollenideal selbst ist in diesem Fall in mand IV 1,1 genannt. Seine Befolgung bedeutet zugleich Schutz vor Sünde.

Außer in mand IV 1,1 wird die Frau des Hermas dann noch in der vom himmlischen Original von Hermas abgeschriebenen Botschaft genannt. Wieder wird zunächst von der Sünde der Kinder gegen ihre Eltern gesprochen (vis II 2,2); hier wird die Sünde als Verrat präzisiert[88]. Sodann geht die Botschaft zu einem Auftrag an Hermas über: "Aber tu diese Worte all deinen Kindern kund und deiner Lebensgefährtin, die deine Schwester werden soll; denn auch sie

---

81 Zum Vaterbild und zur Stellung des Vaters in Rom vgl. Wlosok, Vater, und Martin, Stellung 94-98.

82 Zu cura als Norm der Vaterrolle vgl. Hauser, cura 21f.

83 νουθετεῖν als Aufgabe des Vaters z. B. Sap 11,10; PsSal 13,9; Josephus, bell. I 481; ant. III 311; Eph 6,4; vgl. EpArist 196; Philostratos, vit. Apoll. I 13; VII 40. Zum Stellenwert des väterlichen νουθετεῖν im urchristlichen Erziehungsideal vgl. Jentsch, Erziehungsdenken 224-227, zu dessen Hintergründen in der hebräischen Bibel ebd. 102-104, zu Hermas ebd. 266-271. Vgl. auch die Charakterisierung des νουθετεῖν bei Platon, Soph. 229e-230a. — Freilich kann νουθετεῖν gelegentlich auch als Aufgabe der Mutter verstanden werden, z. B. Philostratos, vit. Apoll. III 38. Auch Grapte wird in vis II 4,3 vermutlich in einer Art Mutterrolle gegenüber den ihr Anvertrauten gesehen.

84 Hier deutet sich die spätere Entwicklung an, daß der leibliche Vater zugleich geistlicher Vater seiner Kinder sein soll; vgl. dazu Schindler, Väter 76-79.

85 Die μνησικακία ist im übrigen ebenfalls keine erstrebenswerte Haltung: Das Gute liegt entsprechend verbreiteter Anschauung in der Mitte zwischen zwei Übeln.

86 Vgl. das Phänomen der permanenten Korrektur; s. dazu o. Kap. I.

87 Vgl. als weiteres Indiz die in vis III 9,10 konstatierte Erziehungskrise infolge mangelnder Selbsterziehung bei den Presbytern und als *eine* Reaktion auf solchen sozialen Wandel 1Cl 1-3. *Eine* Ursache der Krise der patria potestas nennt Raditsa, Legislation 320f. — Zur antiken Kindererziehung vgl. u. a. noch Lyman, jr., Barbarei.

88 Die genaueren Umstände dieses Verrats sind unklar.

hält ihre Zunge nicht in Zaum, womit sie sündigt. Aber wenn sie diese Worte gehört hat, wird sie (sie) in Zaum halten und Erbarmen finden." (2,3)

Ich lasse das mit τῇ μελλούσῃ σου ἀδελφῇ gegebene Problem vorläufig beiseite und fasse den der Frau geltenden Vorwurf ins Auge, sie halte ihre Zunge nicht in Zaum. Was ist mit diesem Vorwurf genau gemeint? Drei Möglichkeiten stehen zur Auswahl.

Es könnte sich erstens darum handeln, daß die Frau ein für ihr Geschlecht bei Gemeindeversammlungen geltendes Sprechverbot übertreten hätte. Solche geschlechtsspezifischen Sprechverbote, deren erste Anzeichen in IKor 14,34 und 2Tim 2,11f. zu finden sind, begannen sich im 2. Jahrhundert in den Gemeinden durchzusetzen, allerdings in unterschiedlichem Umfang und nicht überall zur selben Zeit[89]. Daß speziell in der römischen Gemeinde zu dieser Zeit schon ein solches Verbot bestanden hätte, läßt sich jedoch nicht erweisen. *Ein Argument spricht vielmehr ausdrücklich dagegen:* Die schon erwähnte Grapte soll die Witwen und Waisen in der dem Hermas zuteilgewordenen himmlischen Botschaft unterweisen[90]. Zumindest für Grapte gab es demnach kein Lehrverbot — und warum sollte das, was für sie galt, in Rom nicht auch für andere Frauen gegolten haben?

> Die Art und Weise, wie neben den Presbytern in vis II 4,3 noch je ein Mann und eine Frau als Funktionsträger präsentiert werden, ist möglicherweise aufschlußreich für die Art und Weise, wie die römische Gemeinde vom Oikos-Modell Gebrauch machte: Der Mann wirkt nach außen (εἰς τὰς ἔξω πόλεις), die Frau in der Gemeinde. Stünde weiteres Material zur Verfügung, könnte sich vielleicht auch die Vermutung erhärten lassen, daß die Reihenfolge (erst Clemens, dann Grapte) hier keine zufällige ist[91].

Ist ein solches Sprechverbot also unwahrscheinlich, so könnte zweitens die Sünde der Frau des Hermas in das Umfeld des allgemein verbreiteten Männerwunsches gestellt werden, Frauen sollten generell ihren Mund halten[92]. Nun finden sich, wie in urchristlichen Texten überhaupt, so auch bei Hermas kei-

---

89 Vgl. das von Thraede, Ärger 110-114, zusammengestellte Material sowie Gerstenberger/ Schrage, Frau 136f.

90 Zwar empfängt Grapte in diesem Fall Auftrag und Inhalt der Unterweisung (vis II 4,3) von einem Mann (Hermas). Dieser aber ist Vermittler einer ihm von einer überirdischen Frau übermittelten himmlischen Botschaft.

91 Allerdings ist das Oikos-Modell zumindest nach dem, was wir Hermas entnehmen können (s. dazu o. S. 60f.), für das Selbstverständnis der römischen Gemeinde nicht sonderlich prägend.

92 Vgl. z. B. Homer A 565; Demokrit fr. 110DK; Sophokles, Aias 292f.; Euripides, Herakl. 476f.; Androm. 346f., El. 341f.; Iph. Aul. 830; Thukydides II 45,2; Aristoteles, Pol. 1260a30; Ael. Aristides 45 p. 41D; Plautus, Aulul. 124-126; Val. Maximus III 8,6; Plutarch, mor. 142c.d; Gregor v. Naz., ep. 12. Iuvenal hat etwas gegen Frauen, die in Intellektuellenzirkeln mitreden können (VI 450ff. und dazu Bond, Anti-feminism 433f.). — Zur realen Situation vgl. Finley, Women, und die Kritik von Pomeroy, Goddesses 189 mit n. 124.

nerlei positive Anzeichen dafür, daß diese Auffassung unter Christen geteilt wurde. Im Himmel zumindest, von dem auch die hier in Rede stehende Botschaft kommt, scheint es ein solches von Männern für Frauen aufgestelltes Verbot nicht zu geben. Hermas hätte sonst wohl kaum etwas von der entrückten Rhode oder von der Greisin zu hören bekommen.

Daß es sich hier nicht um ein allgemeines Redeverbot handelt, sondern spezielle Inhalte des Redens moniert werden, zeigt der präzisierende Zusatz ἐν ᾗ πονηρεύεται. Es geht um das Phänomen der Zungensünde — ein traditioneller Topos alttestamentlich-jüdischer Paränese[93]. Zungensünde ist nun keineswegs eine geschlechtsspezifische Angelegenheit, weder in der Tradition noch bei Hermas selbst. So kann im Gespräch mit Rhode der Mann Hermas selbst fragen: ἢ πότε σοι αἰσχρὸν ῥῆμα ἐλάλησα; (vis I 1,6). Festzuhalten ist, daß es sich bei dem an die Frau des Hermas gerichteten Vorwurf der Zungensünde nicht um eine geschlechtsspezifische, sexistische Beschuldigung handelt. Diese Einschätzung könnte sich jedoch verschieben, wenn man die sexistische Wertung des Redens von Frauen in der Männerwelt der Antike als weiteren Kontext einbezieht[94].

Noch einmal wird die Frau des Hermas in vis II 3,1 erwähnt. Wiederum liegt ein Auftrag an Hermas vor: μηδὲ τὴν ἀδελφήν σου ἐάσῃς. Da wie in vis I 3,1; II 2,3 auch hier die Kinder vorher genannt sind, läßt sich die enge Verbindung von Frau und Kindern nicht mehr übersehen: Die Frau wird nicht nur über ihren Mann, sondern auch über ihre Kinder definiert, mithin ebensosehr als Mutter wie als Ehefrau[95] präsentiert. Sie hat sich von Hermas Vorschriften machen zu lassen, und seien es solche himmlischen Ursprungs. Bei diesen Mahnungen ist sie nur einmal, bei der Zungensünde, die (unerwünscht) Aktive, sonst immer das Objekt. Auch in jenem Ausnahmefall wird vorausgesetzt, daß sie die kritisierte Aktivität auf Zureden des Ehemanns einstellen wird — ist doch solche Aktivität vielleicht dadurch mitverursacht, daß sie (aus himmlischer Sicht) von Hermas zuviel Freiraum bekam: μηδὲ...ἐάσῃς.

Die Frau des Hermas wird nun allerdings nicht auf die Rollen der Ehefrau und der Mutter *reduziert*. Vielmehr hält die himmlische Offenbarung eine dritte Rolle für sie bereit: die der Schwester[96]. Was ist darunter zu verstehen? Wie ist das Verhältnis dieser Rolle zu den beiden anderen zu beschreiben?

---

93 Vgl. z. B. Spr 10,19; Sir 18,15-23; 28,13-26; Jak 3,2-8. Daß Zungensünde auch in der heidnischen Antike der Sache nach geläufig war, zeigt z. B. Artemidor, oneir. III 23.
94 S. o. S. 172.
95 Vgl. dazu auch mand IV 1,1.
96 vis II 2,3; 3,1.

Geht man vom Sprachgebrauch des Hermas aus, so scheint sich mit "Schwester" ein Verbot sexueller Interaktion zu verbinden[97]. Dafür, daß dies auch hier gemeint ist, sprechen zudem die Stellen, wo von der Enthaltsamkeit des Hermas die Rede ist. Der Verzicht auf sexuelle Interaktion ist für die Frau wohl mit der Freisetzung von einer Herrschaftsbeziehung gleichbedeutend, in der sie das Objekt war[98]. Durch die Übernahme der Rolle als "Schwester" wird zwar nicht die bestehende Mutter-Kinder-Beziehung rückgängig gemacht oder aufgehoben, wohl aber das unbegrenzte Neuentstehen eben dieser Beziehung. Insoweit die Rolle der Ehefrau über die sexuelle Interaktion (und deren Monopol) definiert wurde, verliert sie nun ihren unterscheidenden Zug. Was als eine Reduktion des Rollenrepertoires erscheinen könnte, ist also faktisch eine Freisetzung, eine Verbesserung der Möglichkeit, als "eigener Mensch"[99] zu handeln und behandelt zu werden — soweit dies unter patriarchalischen Rahmenbedingungen möglich ist.

Wird die Ehe des Hermas und seiner Frau in den gesamtgesellschaftlichen Zusammenhang gestellt, so fällt ihr ambivalentes Erscheinungsbild auf. Mehrere Kinder zu zeugen, zu gebären und aufzuziehen entspricht der an Menschenproduktion interessierten kaiserlichen Familienpolitik[100]. Diese wurde außer von anderen religiösen Minderheiten auch vom Christentum u. a. durch die Ablehnung verschiedener verbreiteter Praktiken der Familienplanung[101] faktisch unterstützt[102]. Daß die verheiratete Frau nicht auf die Rollen Mutter und Ehefrau reduziert wird, diese Rollen vielmehr durch die Rolle als "Schwester" begrenzt sind, die Kindererzeugung und -erziehung mithin nicht als einziger Ehezweck gilt, widerspricht verbreiteter Eheideologie[103], stellt aber faktisch eine Annäherung an die gesamtgesellschaftlich üblichere Praxis der Begrenzung der Kinderzahl dar[104].

7

Rhodes Nachfolgerin als Offenbarungsmittlerin ist die anfängliche Greisin[105], der nachträglich eine allmähliche Verjüngung zugeschrieben wird[106] und die

97 S. o. S. 166f.

98 Zur Einschränkung dieser Behauptung s. o. S. 161f.

99 Diese Kategorie übernehme ich aus Moltmann-Wendel, Mensch.

100 Vgl. dazu Heinsohn/Knieper/Steiger, Menschenproduktion 24-27.

101 Zur antiken Familienplanung vgl. umfassend Eyben, Family.

102 Zum Christentum vgl. Heinsohn/Knieper/Steiger, Menschenproduktion 30-39; zu anderen religiösen Gruppen ebd. 27-29.

103 Für das Judentum vgl. die Belege bei Gerstenberger/Schrage, Frau 148; für den Hellenismus vgl. ebd. 149 und z. B. Plutarch, amat. 157.

104 Dazu und zum Bevölkerungsrückgang während der Kaiserzeit vgl. Heinsohn/Knieper/Steiger, Menschenproduktion 19-24.

105 vis I 2,2-4,3; II 1,3f.; 4,2-III 10,2.6.

106 vis III 10,3-13,4; s. o. S. 164f.

schließlich noch einmal, als Jungfrau, erscheint[107]. Sie repräsentiert genau solche Rollen, die Rhode *nicht* zugeschrieben wurden, ist also zur Gestalt der Rhode komplementär: War Rhode Objekt männlichen Begehrens, so ist ihre als Ekklesia zu verstehende[108] Nachfolgerin eben dies *nicht*. Zwar nicht als überirdisches Wesen an sich[109], aber jedenfalls durch ihr Alter[110] oder durch ihre Jungfräulichkeit ist sie dem sexuellen Zugriff des Offenbarungsempfängers entzogen[111].

Die in vis IV 2,1 beschriebene Bekleidung der Braut entspricht römischer Brauttracht[112]. Mit den weißen Schuhen ist sie als elegante Frau gekennzeichnet. Mit den τρίχες λευκαί entspricht sie einem weitverbreiteten Schönheitsideal der griechisch-römischen Antike[113]. Auch wenn angesichts des Fehlens schichtspezifisch differenzierender Untersuchungen römischer Hochzeitsbräuche ein abschließendes Urteil derzeit nicht möglich ist, legt sich

---

107 vis IV 2,1-3,7.

108 vis II 4,1; IV 2,2.

109 Denn die ebenfalls überirdischen Jungfrauen in sim IX 11,3 machen Hermas ausdrücklich auf die Grenze der Beziehung zwischen ihnen und dem Visionär aufmerksam, die durch sexuelle Interaktion überschritten würde.

110 Die zwiefache, konträre Deutung des Alters – positiv als Zeichen der Dignität (vis II 4,1), negativ als Symbol des Verfalls (vis III 11) – ist keine geschlechtsspezifische. Sie verweist nur auf die ambivalente Wertung des Alters in der Antike (vgl. dazu Eyben, Notes 216-219). Vgl. nur, daß die negative Wertung des Greisinnenalters in vis III 11 durch die gleichermaßen negative Wertung des Greisenalters illustriert wird. – Die Ausblendung der alten Frau aus der Darstellung des Alters bei Finley, Elderly, und aus der Darstellung der Frau bei Clark, Women, läßt sich um so weniger rechtfertigen, als es – nicht nur zu Witwen – genügend Quellenmaterial (z. B. epigraphisches) gibt.

111 Die Brautsymbolik in vis IV 2,1 dürfte von der Vorstellung der Ekklesia als Braut Christi (nicht eines einzelnen Gläubigen) zu verstehen sein.

112 Vgl. dazu kurz Schneider, Hochzeitsbräuche; Blanck, Privatleben 108.

113 Vgl. dazu Jax, Frauentypus 27f. Die männliche Wertschätzung blonder Frauen führte in der römischen Oberschicht der Kaiserzeit zu jenem Boom blonder Perücken aus den Haaren von Frauen aus unterworfenen Völkern, an den noch in Kleists "Hermannsschlacht" (bes. III/3 und IV/9) als an ein Zeichen von Unterdrückung erinnert wird, das zur Veränderung der positiven Einstellung von Unterdrückten gegenüber ihren Unterdrückern führen kann. Der Gewaltaspekt, dessen Ausdruck und Produkt in einem diese Perücken sind, kommt in Darstellungen antiker Privataltertümer oder Schönheitsideale nirgends auch nur so moderat zur Geltung wie etwa bei Ovid, am. I 14,45-50. Er verweist auf die somatischen Auswirkungen der Pax Romana ebenso wie auf Zusammenhänge zwischen Imperialismus, Mode und Unterwerfung des Körpers. Damit gehören die Perücken und die dazu verwendeten abgeschnittenen Haare in eine Geschichte des weiblichen Körpers (wichtige Ansätze ohne Berücksichtigung der Haare bei Shorter, History) ebenso hinein wie die in vis IV 2,1 erwähnte hochzeitliche Kopfbedeckung (zu dieser Verwendung der Mitra vgl. Brandenburg, Studien 60.103f.106) oder ntl. Haarparänesen wie 1Kor 11,2-16 und 1Pt 3,3.

die Vermutung nahe, daß die Ekklesia sich in ihrem Erscheinungsbild hier an Bräuten aus den höheren Kreisen der römischen Gesellschaft orientiert[114].

Daß die Greisin nicht Objekt männlichen Begehrens ist, zeigt sich am klarsten in vis III 9. Dort redet die Greisin die Christen zweimal als "Kinder" an (9,1.9). Die von ihr symbolisierte Ekklesia ist damit gegenüber den Christen in der Rolle der Mutter gesehen. Dem entspricht vor allem die Hervorhebung der zu dieser Rolle gehörenden Tätigkeit der Kinderaufzucht[115]. Vervollständigt und zugleich endgültig enthüllt wird die Mutter-Kind-Relation in vis III 9,10: "Wie wollt ihr (sc. die Vorsteher der Gemeinde) die Erwählten des Herrn erziehen, wenn ihr selbst keine Zucht habt? Erzieht also einander und haltet Frieden untereinander, damit auch ich vor dem Vater heiter dastehe, wenn ich eurem Herrn Rechenschaft für euch alle ablege." Die Beziehung der Ekklesia zu den Christen bzw. Presbytern[116] und zu Gott entspricht der Beziehung zwischen einer Mutter, ihren Kindern und deren Vater[117]. Auch wenn die Ekklesia nicht ohne weiteres die Ehefrau Gottes[118], später (vis IV) eher schon die Braut Christi ist, läßt sich dem Gebrauch des Familienmodells und der Interaktionsstruktur in vis III 9 doch einiges über die Rolle der Mutter/Ehefrau in der Familie entnehmen.

Wie der paterfamilias vor der Öffentlichkeit für die Erziehung des Oikos verantwortlich ist[119], so auch die Mutter gegenüber dem paterfamilias[120]. Ihre Verantwortung nimmt sie wahr, indem sie ihre Kinder ermahnt. Die Ermahnung geschieht weitgehend mit argumentativen Mitteln[121] — nicht apodiktisch und qua Autorität — und mit Verweis auf zu erwartende schlimme Folgen bei Nichtbefolgung der Ermahnungen. Diese Folgen sind aber nirgends Ausdruck von

114 Dafür sprechen nicht zuletzt auch die vorangegangenen Erscheinungen, in denen die Greisin auf kostbaren Möbeln sitzt und von einem Gefolge begleitet wird.

115 ἐξέθρεψα 9,1. S. o. Anm. 83.

116 Bis 9,6 sind potentiell alle Christen angesprochen, ab 9,7 die Presbyter.

117 Vom römischen Mann aus betrachtet konnte selbst eine eheähnliche Beziehung von Mann und Frau als Vater-Kind-Beziehung interpretiert werden, vgl. z. B. Catull 72,3f. und dazu Syndikus, Catull I 20; Catull III 10f.; Kroll, Catullus 244.

118 Gott ist als Schöpfer auch Vater (vgl. sim IX 12,2) der geschaffenen Kirche. — Die Gottesprädikation πατήρ begegnet bei Hermas außer an unserer Stelle nur noch in sim V 6,3 (auf den Sohn bezogen) und IX 12,2 (auf die Schöpfung bezogen).

119 S. o. S. 169f.

120 Es wäre ein verlockender Gedanke, die endzeitliche Behandlung der normenkonformen und der devianten Christen durch Gott im "Hirten" auf dem Hintergrund der patria potestas (zu dieser vgl. z. B. Crook, Potestas) zu verstehen. Doch reichen die Indizien für eine solche These nicht aus (vgl. für später Wlosok, Laktanz 183f. Anm. 10 und 232-246).

121 Vgl. nur 9,3.

Sanktionen der Redenden gegenüber den Angeredeten. Vielmehr verweist die Ekklesia darauf, daß sie denselben Folgen ausgesetzt ist wie ihre Kinder[122]. Die Ermahnung an die Kinder ist ebenso wie der Rechenschaftsbericht gegenüber dem Vater Ausdruck der in patriarchalischen Gesellschaften der Rolle der Ehefrau/Mutter geschlechtsspezifisch zugeschriebenen Aufgabe der Beziehungsarbeit[123], während die Kinderaufzucht (9,1) ein wichtiger Bereich der ebenfalls geschlechtsrollenspezifischen häuslichen Reproduktionsarbeit ist.

Nicht nur in 9,10, sondern schon in 9,1 spricht die Greisin, indem sie von sich selbst redet, von den Beziehungen, durch die sie definiert ist und die z. T. im Zusammenhang der Reproduktionsarbeit konstituiert werden. Ein weiteres Beispiel für solche Beziehungsarbeit ist die Hilfe, die die Greisin dem Visionär in vis III 10,6 zuteil werden läßt[124]. In diesem Zusammenhang darf auf ein Ergebnis der neueren Autobiographieforschung verwiesen werden: "Die männlichen Erzählungen zeigen die Tendenz, *Handlungen* darzustellen, die weiblichen stellen *Beziehungen* in den Vordergrund."[125]

Mit dem untergeordneten Status der Mutterrolle und wohl weiblicher Rollen überhaupt dürfte ein auffälliger Zug im Verhalten des Hermas gegenüber der Greisin zusammenhängen. Zunächst die Fakten: Hermas bejaht die Frage der Greisin, ob er ihr beim Vorlesen zuhören wolle, verdrängt aber den ersten Teil des Vorgelesenen (vis I 3,3). Auch beim zweiten Erscheinen und abermaligen Lesen der Greisin ist er nicht in der Lage, das Vorgetragene zu behalten – nun allerdings nicht, weil es inhaltlich zu hart und zu schwer, sondern weil es zu umfangreich ist (vis II 1,3). Als ihn die Greisin schließlich fragt, ob er das Offenbarte auftragsgemäß (vgl. vis II 2,6) an die Presbyter weitergeleitet habe, verneint Hermas (vis II 4,2). Auf eine Frau, selbst wenn sie vom Himmel kommt, braucht ein Mann also nicht (immer) zu hören[126].

Und die Frau? Bei allen drei Gelegenheiten lenkt sie ein[127]. Sie erklärt das

122 Vgl. 9,10 ἵνα κἀγώ... Infolge der oben angesprochenen Unklarheit der Beziehung zwischen Kirche und Gott in vis III 9,10 läßt sich nicht entscheiden, ob die Kirche hier als cum manu oder als sine manu verheiratete Frau vorgestellt ist. Im ersten Fall wäre Gott als ihr Gatte zu denken, in dessen potestas sie mit der Heirat übergegangen wäre, im zweiten Fall wäre er ihr Vater, in dessen potestas sie bei der Heirat verblieben wäre. Zum sozialgeschichtlichen Hintergrund vgl. Clark, Women 203-205.

123 Zur Beziehungsarbeit allgemein vgl. Negt/Kluge, Geschichte 863-1000.

124 Zur Mutterrolle bei der römischen Kindererziehung vgl. auch Marrou, Geschichte 429-431.

125 Rosenmayr, Lebensalter 61 (mit Bezug auf Forschungen von D. Bertaux; Hervorhebungen im Original).

126 Insofern setzt sich bei Hermas das schon gegenüber Rhode beobachtete Verhalten (s. o. S. 168f.) einfach fort. Vgl. dann auch die Vernachlässigung der Ehefrau vis II 3,1.

127 Vgl. das emotional ganz andere Verhalten des Bußengels in mand XII 4,1 (doch vgl. auch vis III 8,9). — Ein anderer Unterschied zu den männlichen Offenbarungsmittlern liegt vielleicht im häufigen Gebrauch der *Frage* durch die Greisin, wobei sie den Fortgang der Handlung von Hermas' Entscheidung abhängig macht: vis I 3,3; II 1,3; 4,2; III 2,4; 6,1; 8,1. Ferner vis I 4,2; III 1,3 sowie IV 3,6.

Verdrängte als für Christen irrelevant (vis I 4,2). Sie gibt den vorgelesenen Text zum Kopieren aus der Hand (vis II 1,3f.). Sie heißt die Befehlsverweigerung im nachhinein gut (vis II 4,2). Vom durch Kommunikationszwänge geprägten Kommunikationsverhalten der Greisin gegenüber dem männlichen Visionär fällt auch Licht[128] auf die Beziehung der Greisin zu den anderen, männlichen Offenbarungsmittlern.

Die Jünglinge bzw. Männer aus vis I 4,1.3; III 1,6.8; 10,1f. können dabei außer Betracht bleiben. Sie sind nicht selbst Offenbarungsmittler, sondern bilden das Gefolge der Offenbarungsmittlerin. Geschlechtsspezifische Folgerungen lassen sich daraus wohl nicht ziehen. Auch der ἀνὴρ ὑψηλός sim IX 6,1f. ist von einem solchen Gefolge umgeben[129].

Offenbarungsmittler sind die Jünglinge in vis II 4,1 und III 10-13, die — wie bereits festgestellt[130] — die Greisin als solche (und nicht wie sie selbst: in der Relation zu anderen) definieren und interpretieren[131]. Insofern sie dieses Definitionswissen (Definitionsmacht?) besitzen, sind sie der Greisin überlegen, selbst wenn sie im Erzähltext vorwiegend eine Hilfsfunktion haben.

Nur einmal, in vis III 3,3, scheint eine Selbstdefinition der Greisin vorzuliegen: "Der Turm, den du erbaut werden siehst, bin ich, die Kirche, die dir sowohl jetzt wie auch früher erschienen ist." Doch der Selbstbezug ist auch hier eher indirekt: Indem die Greisin dem Hermas den Turm zeigt, zeigt die (kosmische) Kirche der (empirischen) Kirche[132] die (von ihren devianten Gliedern gereinigte, ihrer Vollendung entgegengehend wahre) Kirche. Das erinnert an vis III 11-13[133], wo die Symbolik des Weiblichen uninterpretiert nicht zugänglich erscheint[134]. Daß hier nicht eine Unbekannte (der Turm) durch eine andere (die Greisin) erklärt wird, verdankt sich im übrigen der Vorinformation durch den Jüngling in vis II 4,1: Hermas und seine Leser/innen wissen um die Greisin/Ekklesia bereits Bescheid.

Noch deutlicher ist sim IX 1,1-3. Dort nimmt der Bußengel auf die Turmvision vis III Bezug. Die Ekklesia als Offenbarungsmittlerin wird zunächst als eine Manifestation des mit dem Sohn Gottes identischen Heiligen Geistes interpretiert — eine erneute, wiederum durch einen Mann vermittelte Auskunft über das Wesen der Ekklesia (1,1). Der Übergang von der Offenbarungsmittlerin Ekklesia

---

128 Oder Schatten.

129 Auffällig ist allerdings, daß beim Auftreten des Hirtenengels ein solches Gefolge fehlt. Aber auch die Greisin (vgl. vis II 1,3f.; 4,2f.; III 1,1-3) bzw. Jungfrau (vis IV 2f.) kann allein erscheinen.

130 S. o. S. 164.

131 Vgl. dagegen die Selbstdefinition des Hirten in vis V 3 (ἐγώ εἰμι), der übrigens anders als die Greisin von Hermas ausdrücklich nach seiner Identität gefragt wird.

132 Repräsentiert durch Hermas.

133 S. o. S. 164f.

134 Auch in vis III 3,3 operiert die Deutung des Weiblichen mit einem — zumindest grammatisch — männlichen Symbol: ὁ πύργος. Dieser wird (anders als in sim IX) ausschließlich von Männern errichtet.

zum Offenbarungsmittler Bußengel, der bislang unmotiviert geblieben war, wird sodann mit der zunehmenden körperlichen Stärkung des Hermas begründet: Erst als Gekräftigter und Gestärkter kann er die Präsenz eines (männlichen) Engels ertragen (1,2). Implizit heißt das *auch:* Weibliche Wesen können einem schwachen Mann weniger schaden als Männer, und zwar aus dem unausgesprochenen Grund, daß sie schwächer als letztere sind. Die weibliche Schwäche ist möglicherweise nicht nur körperlich zu verstehen, fährt doch der Bußengel fort: "Du mußt genauer von mir alles zu Gesicht bekommen." Die Präzisierung der Offenbarung ist sicher durch die bessere Verfassung des Hermas ermöglicht. Sollte sie daneben auch durch die mangelnde Präzision der weiblichen Offenbarungsmittlerin nötig geworden sein?

Daß sim IX 1,1-3 kompositionell dadurch nötig wird, daß der Textkomplex vis V-sim VIII und die weitergegangene Gemeindeanalyse, deren Ergebnis in sim IX vorliegt, mit vis I-IV verknüpft werden sollen, spricht nicht gegen diese Vermutung, sondern eher dafür: Arbeitet doch diese kompositionelle Lösung mit Hilfe des Präzisierungsbegriffs faktisch mit einer inhaltlichen Entwertung des von der Ekklesia Offenbarten[135], geschieht sie also letztlich auf Kosten der Frau, die ihre Schuldigkeit getan hat.

8

In einem Anhang zur Turmbauvision und deren Deutung zeigt die Greisin dem Visionär sieben Frauen (vis III 8,1-8). Diese stehen rings um den Turm (8,2a), der von ihnen nach dem Befehl des Herrn getragen wird (8,2b). Ohne daß dieser Trägerfunktion weitere Beachtung geschenkt und die kleine Spannung zwischen dem Ringsumhersein und dem Tragen harmonisiert würde, geht die Greisin dazu über, die Namen der Frauen zu erklären. Dabei stellt sich heraus, daß es sich um personifizierte Tugenden handelt. Es liegt ein personifizierter Tugendkatalog vor. Daß die Personifikation einer Tugend weiblich ist, gilt für die heidnische Umwelt wie für die heidnisch beeinflußte jüdische Tradition[136]. Kennzeichnend für Hermas ist der Versuch, das Verhältnis der Tugenden in einem Familienmodell[137], und das heißt hier: in der Mutter-Tochter-Relation darzustellen.

Der Versuch ist nicht ganz geglückt: Die ἐγκράτεια gilt als Tochter der πίστις (8,4). Die übrigen Töchter sind θυγατέρες ἀλλήλων (8,5a). Entsprechend kann eine "Stamm-

---

135 Merkwürdigerweise wird die Greisin von vis III (selbst wenn man 10,5; 13,1 berücksichtigt) hier durch die Jungfrau ersetzt, als die die Ekklesia vorher ausdrücklich erst in vis IV 2,1 erschienen war.

136 Belege bei Dibelius, Hirt 472.

137 Zur Erörterung von Familienverhältnissen von Personifikationen in der antiken Rhetorik vgl. Lausberg, Handbuch § 829.

tafel" der christlichen Tugenden erstellt werden (8,7)[138]. Nach 8,5b aber haben die fünf zuletzt genannten Tugenden *eine* Mutter (ἐγκράτεια? πίστις?). Das bedeutet: "Die Verknüpfung wird also nicht sonderlich ernst genommen, vollends das Mutter-Tochter-Verhältnis nicht."[139]

In der Re-Vision von vis III, in sim IX, deren einleitende Begründung bereits besprochen wurde[140], sind die sieben personifizierten Tugenden auf zwölf erweitert. Beibehalten ist die Hierarchisierung: Vier sind ἐνδοξότεραι (sim IX 2,3) oder ἰσχυρότεραι (15,1), die übrigen nur ἔνδοξοι (2,3). Aufgegeben ist der Versuch, die Hierarchie in einem Familienmodell zu beschreiben. Das hängt mit einer anderen, gravierenden Änderung gegenüber vis III 8 zusammen: Die personifizierten Tugenden sind nicht als Frauen, sondern als Jungfrauen vorgestellt, womit natürlich die Möglichkeit entfällt, Mutter-Tochter-Verhältnisse zu konstruieren.

Ehe ich auf diese Transformation näher eingehe, ist zunächst die Funktion der Jungfrauen in sim IX näher zu beschreiben. Anders als in vis III sind die personifizierten Tugenden hier wesentlich stärker in das Geschehen des Turmbaus einbezogen, haben eine Reihe von Aufgaben zu erfüllen und treten auch mit dem Visionär selbst in Interaktion.

Zu Beginn der Vision stehen die Jungfrauen am Tor des Turms (2,3) und sehen aus, als wollten sie Lasten (2,4) oder den Himmel (2,5) tragen, und das, obwohl sie von zarter Konstitution sind.

In der Deutung werden weder das Tragen des Himmels noch die Zartheit aufgenommen. Letztere läßt sich zu den Stellen in Beziehung setzen, wo der Geist (mand V 1,3; 2,6) bzw. der Engel der Gerechtigkeit (mand VI 2,3) τρυφερός genannt werden. Die dahinter stehende Zwei-Geister-Lehre zeigt sich auch im weiteren Verlauf von sim IX in der Konkurrenz von Jungfrauen (= Tugenden) und Frauen (= Laster) (13,7-14,2).

Zusammen mit dem im weiteren Verlauf von sim IX Berichteten und der Tatsache, daß die Aporie des Hermas (2,5f.) nicht aufgelöst wird, ergibt sich für das Frauenbild einmal die Geltung der impliziten Norm, daß Frauen kräftemäßig überfordert werden dürfen, zum anderen die Diskrepanz zwischen der tatsächlichen körperlichen Leistung und dem Klischee weiblicher Schwäche[141].

Zu Beginn der Handlung bekommen die Jungfrauen die Aufgabe, die benötigten Steine zum Bau zu tragen, durch die Pforte zu transportieren und den bauenden Männern zu übergeben (3,4f.; 4,1.3.5)[142]. Dieselbe Funktion haben

---

138 Formkritisch sind nicht nur die Ketten, sondern auch Stammtafeln wie Mt 1,1-17 zu vergleichen.

139 Dibelius, Hirt 472.

140 S. o. S. 178f.

141 Dieses Klischee findet sich häufig, z. B. Platon, Pol. 455e.

142 Ob Frauen im antiken Baugewerbe tatsächlich solche Hilfsarbeiten übernahmen, vermag ich nicht zu sagen.

sie später noch einmal inne (8,2-7; 9,3), nur daß sie dann selbständig, nach eigener Prüfung, die jeweiligen Steinsorten an die statisch günstigste Position bringen. Da in den Baupausen alle Männer die Baustelle verlassen, übernehmen sie außerdem die Aufgabe, den Turm zu bewachen (5,1.6; 7,3)[143]. Schließlich sind sie mit der Säuberung des Turms und seiner Umgebung betraut (10,2f.). Durch die Deutung als Tugenden, heilige Geister (13,2) und Kräfte des Sohnes Gottes (13,3) gewinnen die Jungfrauen für die den Steinen entsprechenden Christen heilsnotwendige Bedeutung: Nur wer das Gewand[144], den Namen, die Kraft der Jungfrauen erhält, kann gerettet werden (13,2-4), weshalb sich auch die Steine, die nicht durch die Jungfrauen in den Bau gekommen sind, als unbrauchbar erweisen (4,6-8).

Haben die Jungfrauen für die Christen eine heilsnotwendige Bedeutung, so üben sie im Vergleich mit den anderen am Bau beteiligten Personen — sämtlich männlichen Geschlechts — eine zwar ebenfalls notwendige, aber untergeordnete Hilfsfunktion aus. Dies zeigt sich schon an der Art ihrer Tätigkeiten: Handlangerinnendienste, Aufsichtspflichten, Säuberungsarbeiten. Die Hierarchie der himmlischen Personen spiegelt sich in der hierarchischen Struktur der Interaktion. Wenn die Jungfrauen mit himmlischen Männern ein Gespräch beginnen[145], was nur einmal der Fall ist, so sagen (ἔλεγον) sie, die Männer mögen sich mit dem Bauen beeilen (3,2)[146]. Diesem λέγειν steht umgekehrt und häufiger ein von den Männern ausgehendes κελεύειν[147] bzw. ἐπιτάσσειν (5,1) gegenüber[148]. So bleibt den Jungfrauen in ihrer Interaktion untereinander nur die gegenseitige Hilfe (3,5)[149].

Eine selbständige Handlung der Jungfrauen begegnet dort, wo sie zum Herrn des Turms laufen, ihn zur Begrüßung küssen[150] und mit ihm um den

143 Vor wem sie den Turm schützen sollen, bleibt ungesagt, die Bewachung überhaupt ungedeutet.

144 Vgl. dazu die Bekleidungsmetaphorik in der Paränese, z. B. Kol 3,12.

145 10,6-11,8 (s. gleich) kann hier außer Betracht bleiben, weil Hermas von den himmlischen Personen kategorial verschieden ist.

146 Diese Aufforderung wird im übrigen durch die — von Männern angeordneten — Baupausen außer Kraft gesetzt. Wiederum werden also weibliche Aufträge faktisch nicht ernstgenommen.

147 3,4; 4,1; 8,2; 10,2.

148 Vgl. auch, daß in 5,7 der Hirt das Gespräch eröffnet und die Jungfrauen antworten.

149 Vgl. auch schon vis III 8,5.

150 Daß es sich um einen Begrüßungskuß handelt, hat (mit Verweis auf Thraede, Ursprünge 143 Anm. 48) Luschnat, Jungfrauenszene 63, gezeigt: "Es handelt sich um eine Begrüßung, denn das Entgegeneilen und Sich-Einreihen in ein Gefolge läßt keine andere Deutung zu." Zum Begrüßungskuß vgl. z. B. Plinius, paneg. 23,1; 24,2; Apuleius, met. IV 1,2. und Sittl, Gebärden 79f.

Turm herumgehen. Vollends geht von ihnen selbst Initiative und Aktivität in der sogenannten Jungfrauenszene (10,6-11,8) aus[151]. Der Hirt übergibt ihnen den Visionär (10,6)[152]. *Sie* sind es, die beginnen, mit ihm zu sprechen (11,1), ihn zu küssen und zu umarmen[153] und mit ihm zu spielen (11,4). Sie nötigen Hermas ins Haus (11,6) und beginnen zu beten, nachdem sie ihm den ihm zukommenden Ort zugewiesen haben: Der Mittelpunkt gebührt dem Mann (11,7). Hermas bleibt bei alledem nur das Reagieren, was sich in aktiver[154] oder passiver[155] Teilnahme an der durch die Jungfrauen definierten Situation zeigt. Auffällig ist allerdings wiederum, daß das weibliche Ansinnen vom Mann solange als möglich nicht akzeptiert wird[156], soweit es sich um Verfängliches handelt. Dem widerspricht nicht das quantifizierende Wettbewerbsdenken und -handeln, das Hermas beim – unverfänglichen – Beten an den Tag legt: "Ich betete...nicht weniger als jene." (11,7)

Die Hartnäckigkeit, mit der Hermas sich weigert, hängt damit zusammen, daß er die ganze Situation als eine erotisierte wahrnimmt. Bereits im Übergang von 10,6, wo μόνος sich auf die völlige Einsamkeit bezieht[157], zu 10,7, wo mit μόνος das Alleinsein des Mannes mit den Jungfrauen in den Blick genommen ist, scheint sich diese Wahrnehmung auszuprägen. Das von den Jungfrauen ausdrücklich als nichtsexuell gekennzeichnete[158] Schlafen[159], das Versprechen, künftig bei ihm bleiben zu wollen, und die Beteuerung der Zuneigung (λίαν γάρ σε ἀγαπῶμεν) rufen bei Hermas Scham hervor (11,4), die wohl so zu erklären ist, daß er die weibliche Rede entgegen ihrem Wortlaut als ein verstecktes Angebot versteht.

---

151 Zu deren Gesamtinterpretation vgl. zuletzt Luschnat, Jungfrauenszene.

152 D. h. auch hier wird die Rahmenbedingung weiblicher Initiative durch männliches Handeln geschaffen. Das Herbeirufen (10,6; vgl. 3,4) zeigt wiederum, wer unter- und wer übergeordnet ist. Vgl. auch 11,8a und den männlichen Diskurs über die Jungfrauen 11,8b.

153 Bei dieser taktilen Kommunikation wird durch die Rangordnung – ἡ δοκοῦσα πρώτη αὐτῶν; αἱ δὲ (ἄλλαι) – eine Reihenfolge konstituiert. Zur Rangordnung vgl. auch 10,7. Zur Umarmung allgemein vgl. Sittl, Gebärden 31f., zur Umarmung durch überirdische Wesen ebd. 329.

154 Vgl. 11,5 ἠρξάμην καὶ αὐτός, 11,7 κἀγὼ προσηυχόμην.

155 Vgl. 11,5b.

156 Vgl. 11,2 mit 11,1. Auf dieses Nichtakzeptieren hin legitimieren sich die Jungfrauen bezeichnenderweise mit dem Hinweis auf die Normativität der durch den Hirten definierten Rahmensituation (11,2). Ferner: 11,6.

157 Vgl. dazu vis III 1,5.

158 Vgl. dazu auch vis I 1,1 (dazu oben Abschnitt 5).

159 Das im Übergang von 11,6 ἐκοιμήθην zu 11,7 in ein gemeinsames Beten umgewandelt wird.

Die Scham könnte zusätzlich bedingt sein durch eine männliche Deutung des weiblichen Verhaltens als Überschreiten von Rollenstereotypen.

Inwieweit dieses (Miß-)Verstehen auch für das Küssen, Umarmen und Scherzen gilt, ist nicht ganz deutlich[160]. Wichtig ist dann die ausdrückliche Betonung der Nichtaktivität der Jungfrauen[161], von der nur das Beten ausgenommen ist, und der eine ebenso ausschließliche (vgl. ἀδιαλείπτως) Konzentration des Hermas auf ebendieselbe Tätigkeit entspricht. Auf diese Weise entkommt Hermas den Gefährdungen der von ihm selbst als erotisch definierten Situation: Er muß sie spirituell redefinieren (11,8).

Daß die von Hermas als erotisch definierte Situation nicht zu sexueller Interaktion führt, hängt mit mehreren Faktoren zusammen. Wichtig ist zunächst der kategoriale Unterschied zwischen den Jungfrauen und ihm: Jene sind himmlische Wesen, er ist ein Irdischer. Das allein würde sexuelle Interaktion nicht von vornherein ausschließen[162]. Immerhin hängt mit diesem kategorialen Unterschied aber zusammen, daß die Handlungsinitiative bei den Himmlischen liegt[163] und diese selbst die Grenze zwischen Erotik und Sexualität nicht überschreiten. Dies aber hat auch mit ihrem Status zu tun: Sie sind Jungfrauen und damit zwar nicht der Erotisierung, jedoch praktizierter Sexualität entzogen[164]. Schließlich kommt noch hinzu, daß Hermas hier anders als in vis I 1 die Gelegenheit wahrnimmt, seine Enthaltsamkeit zu bewähren[165].

In der abschließenden Vision sim X wird das Versprechen der Jungfrauen, fernerhin bei Hermas zu wohnen (sim IX 11,3), vom himmlischen Vorgesetzten des Hirten so aufgenommen, daß er die Jungfrauen als *von ihm* zu Hermas gesandt bezeichnet (3,1): Der weiblichen Autonomie des Wunsches steht die Heteronomie der Wunscherfüllung gegenüber[166]. Die Rolle der Jungfrauen wird wiederum, nunmehr ausdrücklich, als Hilfsfunktion bezeichnet (3,1). Diese Hilfsfunktion kann allerdings nur dann erfüllt werden, wenn Hermas sein Haus von

160 Auch auf das Ausbreiten der Gewänder (11,7), dem ein Entkleiden vorangegangen sein muß, wird nicht näher eingegangen.
161 11,7; vgl. dazu auch vis I 1,2.
162 Vor allem, wenn an griechisch-römische Mythologie als einen traditionsgeschichtlichen Hintergrund der Jungfrauenszene gedacht wird.
163 Dies berücksichtigt auch der Hirt in seiner Frage an die Jungfrauen 11,8.
164 Zu diesem Zusammenhang von Erotik und Askese bei Jungfräulichkeit vgl. ausführlich Métral, Ehe 57-95, und kurz Meyers-Herwartz, Erotik; zu der im selben Kontext angesprochenen Zuschreibung männlicher Attribute an Jungfrauen (vgl. bei Hermas auch sim IX 2,5; dazu auch vis III 8,4) vgl. Symposion: Jungfrauen 238, sowie Thraede, Ärger 130.
165 Mit Luschnat, Jungfrauenszene 64.
166 Vgl. zu letzterer auch den tatsächlichen Einweisungsbefehl 3,5, der nach 4,4 allerdings erst künftig befolgt wird.

jeglicher Befleckung rein hält (3,3f.)[167]. Ansonsten wird der Auszug der Jungfrauen aus dem Haus des Hermas angedroht (3,3)[168].

Ob eine zeitgenössische irdische Frau auf Schmutz ebenso hätte reagieren können?

9

Im Kontrast zu den Jungfrauen in sim IX, aber wesentlich weniger in die Turmbauszenerie integriert, stehen die wilden, schönen Frauen, die in 9,5 eingeführt werden und auf Befehl die eine Aufgabe erfüllen, die unbrauchbaren Steine zu den Bergen zurückzutragen, von denen sie gekommen waren. Dieser Rücktransport wird in der Deutung der Vision auf verschiedene Weise umschrieben: Den unbrauchbaren Christen wird von den Frauen der Tod gebracht (20,4; 26,6.8) oder das Leben geraubt (21,4)[169] oder sie erwartet das Wohnen bei den Frauen (22,4). In einer die Möglichkeit der Umkehr einschließenden Reinterpretation wird die Unbrauchbarkeit selbst auf die – nun im Horizont der Zwei-Geister-Lehre zu den Jungfrauen in Konkurrenz gesetzten – Frauen zurückgeführt (13,8-14,2). In diesem Zusammenhang – und nur in diesem – wird von Verführung durch die Schönheit der Frauen gesprochen[170].

Wie die Jungfrauen personifizierte Tugenden sind, so die Frauen personifizierte Laster.

Personifikation einzelner Laster findet sich bereits in mand IX 9, wo die διψυχία, und XII 2,2, wo die ἐπιθυμία πονηρά als Töchter des Teufels[171] sowie in mand X 1,1f., wo διψυχία, ὀξυχολία und λύπη als ἀδελφαί bezeichnet werden.

In Entsprechung zur Hierarchie der Jungfrauen werden auch von den Frauen vier als mächtiger, acht als weniger mächtig bezeichnet. Dieser Differenzierung wird allerdings keine erkennbare Bedeutung zugemessen.

Es scheint nun allerdings so, als sei mit dieser Kontrastierung von guten Jungfrauen und bösen Frauen eine Abwertung der Frau verbunden, soweit sie nicht Jungfrau ist. Diese Abwertung hätte sich erst im Verlauf dieses work in progress eingestellt, was sich nicht zuletzt in der Umwandlung der Frauen aus vis III 8 zu Jungfrauen und in der Ausblendung der früheren Familienrelationen zeigte. Trifft dies zu, so ist sogleich auf den künftigen Schwester-Status der

---

167 Zum Thema vgl. Enzensberger, Versuch; Cancik, Reinheit; Neusner, Purity.

168 Vgl. dazu sim IX 13,7-14,2; mand V 1,3 und die (dort allerdings aktive) Verbindung der Jungfrauen mit Reinigung in sim IX 10,2-4.

169 Sowohl "Tod" als auch "Leben" sind hier übertragen gebraucht.

170 13,9; vgl. auch 22,4.

171 Vgl. zu dieser Verwandtschaftsbezeichnung auch die Modifikationen in der Textüberlieferung zu mand IX 9. Ein vergleichbares Schwanken der Textüberlieferung findet sich bemerkenswerterweise zu vis I 1,7.

Frau des Hermas zu verweisen[172], der das Frausein zwar nicht in Jungfräulichkeit, aber doch in ein dieser entsprechendes Sein jenseits praktizierter Sexualität umwandelt. Dazu gehört auch, daß die Greisin von vis III in sim IX 1,2
nachträglich (entsprechend vis IV 2,1) in eine Jungfrau umgewandelt wird.
Doch ist zugleich daran zu erinnern, daß dem Weiblichen gerade nach sim IX
1,1-3 ein gegenüber dem Männlichen inferiorer Status eignet[173]. Nicht absolut,
sondern im Rahmen dieser Inferiorität ist die Jungfräulichkeit die am höchsten
gewertete Position.

10

Die von den verschiedenen Offenbarungsmitteln gegenüber dem Visionär
(und damit gegenüber der ganzen Gemeinde) vertretenen sittlichen Normen
für Beziehungen zwischen den Geschlechtern reihen sich im wesentlichen in
dieses Bild ein. Die Betonung der Tugenden ἐγκράτεια, ἁγνεία und σεμνότης im
Kampf gegen ἐπιθυμία, πορνεία und μοιχεία spricht für sich.

In diesem Zusammenhang verdienen vor allem die Regelungen bezüglich
Ehebruch, Ehescheidung und Wiederverheiratung bei Lebzeiten des geschiedenen Partners in mand IV 1,4-8 Beachtung. Die Thematisierung dieser Fragen
ist wohl durch aktuelle Vorkommnisse in der römischen Gemeinde veranlaßt[174].
Sie geht aber durch die weitreichenden Fallunterscheidungen und durch die
in 1,8 nachgeholte Verallgemeinerung der Geltung der getroffenen Regelungen
für beide Geschlechter[175] über den aktuellen Anlaß hinaus. Die Abfolge der
Fallunterscheidungen ist der beigefügten Skizze (S. 186) zu entnehmen[176].

Adressat des Texts ist in erster Linie nicht die Person, die die Ehe bricht (in
dieser Skizze = Y), sondern ihr Ehepartner (= X). Das Verhalten von X ist es,
dessen Alternativen den Fortgang der Fallunterscheidung bedingen. Einige

172 S. o. S. 173f.
173 S. o. S. 179.
174 Dafür spricht zum einen, daß Hermas diesen Fragenkomplex selbst anschneidet (1,4)
und die Fallunterscheidung selbst vorantreibt (1,6.7) — beides ist für das Kommunikationsverhalten von Offenbarungsmittler und Offenbarungsempfänger in den mandata
ungewöhnlich —, zum anderen, daß die vorgeschlagenen Regelungen eigens gegen
den Vorwurf, zum Ehebruch anzureizen, verteidigt werden (1,11). Letzteres spricht im
übrigen dafür, daß mit mand IV 1 in eine in der Gemeinde bestehende Kontroverse
eingegriffen wird. Feste institutionelle Regelungen dieser Angelegenheiten durch die
Gemeinde dürften dabei noch nicht bestanden haben: Hermas verwendet hier durchweg metempirische Sanktionen im Blick auf unerwünschtes Verhalten und empfiehlt
individuelle empirische Sanktionen.
175 S. dazu o. S. 162f.
176 Die Stadien 2a und 4b sind dem Text nicht explizit zu entnehmen, aber logisch notwendig und deshalb von mir ergänzt.

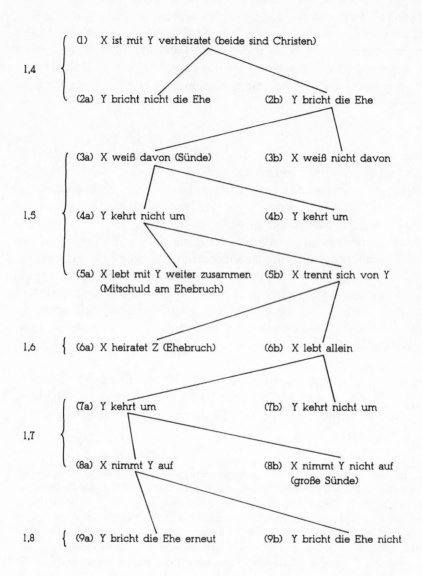

Die Struktur von mand IV 1,4-8

seiner Verhaltensweisen werden in verschiedenen Abstufungen als Sünde qualifiziert[177]. Sein Verhalten wird danach beurteilt, wie günstig oder ungünstig es im Hinblick darauf ist, Y zur Umkehr zu bewegen und diese Umkehr zu ermöglichen. Es besteht mithin generell das Interesse, mit Hilfe einer Einflußnahme auf X' Verhalten eine Verhaltensänderung von Y zu gewährleisten. Will X Sünde vermeiden, muß er/sie daran interessiert sein, daß Y im Stadium 4b umkehrt. Obwohl nicht ausdrücklich gesagt wird, daß X in *diesem* Interesse mit Y kommunizieren soll, ist doch anzunehmen, daß X hier eine Aufforderung zur Umkehrparänese gegenüber Y befolgen soll[178]. Bleibt der Appell von X wirkungslos, so folgt in einem zweiten Schritt die Trennung von Y (Stadium 5b). Auch sie ist als Versuch zu verstehen, Y zur Umkehr zu bewegen. Infolgedessen muß gesichert werden, daß X eine sinnvolle Möglichkeit zur Umkehr nicht durch eigenes Verhalten unterminiert (deshalb Ablehnung von Stadium 6a). Die Wiederaufnahme der/des umgekehrten Y wird auf ein einziges Mal beschränkt. Bei erneutem Ehebruch wird sie abgelehnt, ohne daß das darauf folgende Verhalten von X weiter reflektiert würde[179].

Auch wenn 1,4 mit πιστὴν ἐν κυρίῳ nicht ausdrücklich darauf verwiese, daß es sich hier um Ehen unter Christen handelt, wäre diese Schlußfolgerung aufgrund der vorgeführten Fallunterscheidung unausweichlich: Nur wenn ein grundsätzlicher Konsens zwischen X und Y über die Relevanz von Umkehr besteht (oder, was Y angeht, einmal bestanden hat), ist das erwünschte Verhalten von X verständlich und sinnvoll. Damit dürfte dem Faktum Rechnung getragen worden sein, daß Christen verstärkt untereinander heirateten[180]. Das

---

177 Die Implikationen und Konsequenzen dieser Abstufungen bleiben dunkel. Eine Analogie stellt im Hinblick auf Mitschuld bei stillschweigendem Hinnehmen einer bei anderen wahrgenommenen Sünde mand II 2 dar, dort begegnet auch die Kennzeichnung ἔνοχος τῆς ἁμαρτίας (vgl. auch mand IV 1,9). Partnerschaft (vgl. κοινωνός 1,5) in der Sünde begegnet Hermas nur hier (doch vgl. positiv sim II 9). Die μεγάλη ἁμαρτία (1,8) begegnet noch mehrfach bei sexuellen Verfehlungen (vis I 1,8, mand IV 1,1.2), ist aber nicht auf sie beschränkt (vgl. mand V 2,4, VIII 2, sim VII 2, auch mand XI 4, ferner vis II 2,2), sämtliche Stellen machen den Eindruck, als handle es sich jeweils um ad hoc eingeführte Wertungen, die die Dringlichkeit der Vermeidung oder Beendigung des jeweils in Rede stehenden Verhaltens unterstreichen sollen. Systematik ist hier nicht erkennbar.

178 Aufforderung zur Umkehrparänese im familiären Bereich begegnet bei Hermas auch in vis I 3,1f. und II 2,2-4, vgl. auch sim VII.

179 Anzunehmen ist, daß dann eine endgültige Trennung von Y ohne nochmalige Wiederaufnahme zu erfolgen hätte, offen bleibt, ob X in diesem Fall eine dritte Person heiraten dürfte, ohne als Sünder zu gelten.

180 Vgl. dazu MacMullen, Christianizing 35 mit n. 31, Niebergall, Entstehungsgeschichte, ders., Ehe 117. Vgl. schon 1Kor 7,39.

Fehlen von Regelungen für Ehen von Christen mit Nichtchristen läßt sich jedenfalls eher so interpretieren, daß solche Ehen gegenüber den rein christlichen in der Minderzahl waren, als durch die Annahme nicht erwähnter, mand IV 1,1-4 entsprechender Regelungen für diese Zielgruppe.

Die für unsere Passage relevanten Rahmenbedingungen sind durch die augusteische Ehe- und Scheidungsgesetzgebung festgelegt[181]. Diese ist nicht nur für die faktische Tragweite der in mand IV 1 propagierten Regelungen ausschlaggebend, sofern römische Bürger davon betroffen sind[182], sondern stellt zugleich das Modell dar, an dem Hermas sich in Anlehnung und Abweichung orientiert[183].

Aus der Orientierung am augusteischen Eherecht erklärt sich insbesondere die für manche Interpreten[184] befremdliche Konstatierung der Mitschuld von X,

181 Es handelt sich, da die Existenz eines Ehegesetzgebungsversuchs von 28 oder 27 v. Chr. umstritten (vgl. dazu zuletzt Badian, Phantom) und jedenfalls keine weitergehende Wirkung davon zu spüren ist, um die Lex Iulia de adulteriis und um die Lex Iulia de maritandis ordinibus, beide von 18 v. Chr., sowie um die Lex Papia Poppaea von 9 n. Chr. Eine Rekonstruktion der nur fragmentarisch überlieferten Gesetze bietet Biondi, Leges 197-213.250-280. Für alle Einzelheiten und für die immer noch umstrittene Gesamteinschätzung dieser das römische Familienleben über Jahrhunderte hin bestimmenden Gesetzgebung sei auf die folgende Sekundärliteratur verwiesen: Andréev, Lex; Brunt, Manpower 558-566; Csillag, Eherecht; Galinsky, Legislation; Liebeschuetz, Continuity 97; Nörr, Planung; Pomeroy, Goddesses 159f.; Raditsa, Legislation; Stroh, Liebeskunst; Wacke, Reformprogramm; Wallace-Hadrill, Propaganda (jeweils mit weiterer Lit.). Der Geltungsgrad dieser Normen war zu Hermas' Zeiten infolge der vermehrten Ausnahmeregelungen nicht mehr ganz so hoch wie unter Augustus; doch war die Sanktionsbereitschaft immer noch hoch. Daß der Wirkungsgrad je nach Einzelregelung verschieden hoch war (vgl. z. B. Plinius, paneg. 26,5), läßt sich von vornherein vermuten. Ebenso selbstverständlich ist die Annahme einer Dunkelziffer von Normübertretungen, die der strafrechtlichen Verfolgung entging: Die Existenz einer solchen Dunkelziffer wird in mand IV 1,4-8 gerade da vorausgesetzt, wo die (gleich zu besprechenden) von der augusteischen Ehegesetzgebung abweichenden Regelungen ins Spiel kommen. – Zum römischen Eheverständnis vgl. noch Williams, Aspects; zu Ehebruch in Rom vgl. Richlin, Approaches.

182 Vor allem auf sie bezieht sich diese Gesetzgebung.

183 Die jeweiligen gesellschaftlichen Rahmenbedingungen, die sich nicht zuletzt in Gesetzgebung und Rechtsprechung manifestieren, werden dort vernachlässigt, wo man Paränese vorwiegend auf in ihr verarbeitete Traditionen befragt, jedoch nicht oder nur am Rande danach fragt, welche Auswirkungen die Befolgung bestimmter paränetischer Mahnungen auf das alltägliche Leben der Adressaten hatten; infolgedessen kann die Plausibilität von Paränese nicht angemessen untersucht werden. So stellen sich weder Niederwimmer, Askese 167f., noch Niebergall, Ehe 116-119, bei der Behandlung der Eheauffassung des Hermas die Frage, ob das bestehende römische Ehe- und Scheidungsrecht ein für das Verständnis von mand IV 1 relevanter Faktor sein könnte.

184 Etwa Niebergall, Ehe 117.

die durch das Wissen um die sexuelle Verfehlung von Y begründet wird: Nach der Lex Iulia de adulteriis war ein Ehemann gesetzlich verpflichtet, Ehebruch seiner Frau durch Scheidung zu ahnden[185]; darüber hinaus mußte die Frau gerichtlich verfolgt werden. Die Ehefrau hatte im entsprechenden umgekehrten Fall die Möglichkeit, aber nicht die Verpflichtung zur Scheidung; gerichtliche Verfolgung des ehebrechenden Ehemannes aber war ausgeschlossen[186].

Auffällig sind nun aber auch die Gesichtspunkte, in denen Hermas von den Bestimmungen der augusteischen Ehegesetzgebung abweicht. So steht der zwischen Stadium 3a und Stadium 4 vorausgesetzte Zwischenschritt − der Appell von X an Y mit dem Ziel, Y zur Umkehr zu bewegen − für den Fall, daß X ein Mann ist, im Widerspuch zum geltenden römischen Recht: Dieses fordert unbedingt Scheidung und Gerichtsverfahren. Ist X eine Frau, so wird ihr hier die nach römischem Recht zustehende Möglichkeit einer Scheidung untersagt. In einem möglichen Widerspruch zu den geltenden Gesetzen steht auch das Gebot, X solle nach der Scheidung allein leben (Stadium 6b). Vorgesehen war die Wiederverheiratungspflicht nach einer Scheidung innerhalb einer bestimmten Frist, sofern ein Mann noch nicht das sechzigste, eine Frau noch nicht das fünfzigste Lebensjahr überschritten hatte. Andernfalls waren vor allem erbrechtliche Benachteiligungen (und damit, weil Besitzerwerb durch Erben damals eine weit größere Rolle spielte als heute, erhebliche wirtschaftliche Nachteile) zu gewärtigen. Schließlich steht auch eine erneute Heirat mit Y (Stadium 8a) im Widerspruch zum römischen Recht, sofern Y eine Frau ist: Ehebrecherinnen dürfen nicht mehr heiraten[187].

Im gesamtgesellschaftlichen Kontext gesehen, wertet Hermas mit alledem faktisch gegen die Bestimmungen des römischen Rechts die Position der Frau auf. Der Erfolg dieser Aufwertung hängt davon ab, inwieweit die Geltung der in mand IV 1,4-8 getroffenen Regelungen als für diese Gruppe verbindliche

---

185 Daß er auch gegen seinen Willen dazu gezwungen werden konnte, zeigt z. B. Plinius, ep. VI 31,4-6.

186 Unbeschadet der Debatte über ein mögliches Scheidungsrecht jüdischer Frauen in neutestamentlicher Zeit (vgl. dazu die Literatur bei Brooten, Frauen 89f. Anm. 17) erklärt sich auch die Verallgemeinerung in mand IV 1,8 in Verbindung mit 1,5 am ungezwungensten dadurch, daß das römische Recht auf Scheidung, das auch der Frau zustand, im Hintergrund steht.

187 Freilich ist es nicht völlig ausgeschlossen, παραδέχεσθαι in 1,7f. im Sinne eines Konkubinats zu verstehen. In diesem Fall hätte X allerdings mit den eben erwähnten Sanktionen wegen Versäumnis der Wiederverheiratungspflicht zu rechnen. − Erwägenswert ist, ob bei der Scheidung (1,6) evt. der Ehebruch als Motiv verschwiegen und damit, falls X ein Mann ist, eine gerichtliche Verfolgung von Y von vornherein vermieden wurde.

Norm akzeptiert und ihnen gegenüber anders ausgerichteten, gesamtgesellschaftliche Verbindlichkeit beanspruchenden Normen wie dem geltenden
Recht höhere Verbindlichkeit eingeräumt wird[188].

Im Kontext des "Hirten" weist die Richtung, in die die Regelungen von
mand IV 1,8 gehen, auf eben das Ziel, das auch die zu Beginn dieses Abschnitts genannten Tugenden umschreiben. Wichtig ist für Hermas die Reinheit
der Ehe. Da deren Zerstörung nicht sogleich, sondern erst bei beharrlicher
Unbußfertigkeit des Partners zur Auflösung der Ehe führt und die geschiedene
Ehe bei Umkehr des bereits geschiedenen Partners wiederhergestellt werden
soll, Wiederheirat zu dessen Lebzeiten deshalb ausgeschlossen ist[189], wird
neben der Reinheit auch das Ideal der *einen* Ehe vertreten (1,7f.).

Dieses Ideal wird stabilisiert durch die Höherwertung des Verbleibens im
Witwenstand gegenüber einer Wiederheirat nach dem Tod des Ehepartners —
eine Präferenz, die in ihrer Begründung mit ἁγνεία und σεμνότης sexuelle Enthaltsamkeit als weiteren Wert einführt (4,1f.).

Die wirtschaftlichen Probleme, die mit der Entscheidung einer Witwe, univira[190] zu
bleiben, verbunden waren[191], sind zum einen wohl ausschlaggebend dafür, daß hier
zwar eine Präferenz, aber kein ausschließliches Gebot des Verbleibens im Witwenstatus
propagiert wird. Zum anderen sind die durch solche Propaganda geförderten wirtschaftlichen Probleme durch die Konzentration der Diakone auf Witwen und Waisen z.
T. aufgefangen[192].

II

Betrachtet man das Frauenbild des "Hirten des Hermas" im Rahmen der
übrigen frühchristlichen Literatur, so zeigen sich nicht nur Parallelen und
Übereinstimmungen. Auffällig ist auch, was von Hermas alles ausgeblendet
wird. In der Ethik fehlt die ganze Haustafeltradition mit ihrer expliziten Norm
der Unterordnung der Ehefrau. Es fehlen damit auch die Versuche, diese Unterordnung durch Rekurs auf die Tradition oder auf biomorphe Modelle oder
mit Hilfe christologisch-ekklesiologischer Analogien zu legitimieren. Es fehlt
ferner der paulinische Zug, die Jungfräulichkeit gegenüber der Ehe höher zu
werten. Es findet sich auch keine Gemeindeordnung mit ihren gegen die

188 Vgl. etwa den Konflikt zwischen christlicher Norm und gesamtgesellschaftlich domi-
nierender Praxis in 1Kor 6,1-11.
189 Zur Weiterführung der Diskussion um dieses alte Problem in der alten Kirche vgl.
Crouzel, remariage, und Stockmeier, Scheidung.
190 Zu diesem Ideal vgl. z. B. Kötting, 'Univira', Pease, Aeneis 111f.
191 Darunter nicht zuletzt die erbrechtlichen Nachteile, falls die Witwe oder der Witwer
unter den Geltungsbereich der römischen Ehegesetzgebung fiel.
192 Zur Wiederverheiratung der Witwe vgl. Williams, Aspects 25, Kötting, Digamus, Stählin, χήρα 431f.441.446.451.

Frauen restriktiven Tendenzen (bis hin zum Lehrverbot). All das fehlt, ohne daß wir mit Bestimmtheit sagen könnten, Hermas habe die ausgeblendeten Traditionen, Normen, Strukturen und Trends allesamt mißbilligt. Im Gegenteil, manches scheint er einfach vorauszusetzen (so etwa eine grobe Unterordnungsnorm), und vieles kommt einfach deshalb nicht zur Sprache, weil es nicht sein Thema, für seine Publikationsinteressen nicht relevant ist.

Weite Bereiche dessen, was für eine umfassende Rekonstruktion seines Frauenbildes nötig wäre, bleiben aus diesem Grunde nicht rekonstruierbar. Frauen als solche sind das Thema des Hermas nicht, schon gar nicht das zentrale (Männer als solche allerdings auch nicht so sehr). Und dennoch − in keinem erhaltenen urchristlichen Werk kommen weibliche Wesen so oft zum Reden und Angeredetwerden, zum Behandeltwerden und Handeln wie im "Hirten"[193].

Denn um Infragestellung der unter den Christen herrschenden Lebensstile geht es dem Hermas und seinen himmlischen Offenbarungsmittlern beiderlei Geschlechts prinzipiell. Und zwar um Infragestellung zugunsten der Unterprivilegierten und sozial Schwachen. Unter diesen kommt nicht zuletzt eine geschlechtsspezifische Gruppe immer wieder in den Blick: die Witwen. Sie zu unterstützen, wird in unserem Text immer wieder propagiert[194]. Freilich kommen die Witwen dabei nicht als eigenständige Wesen, sondern als Objekt von Hilfeleistungen vor. Die Witwen stehen damit exemplarisch für die Frauen im "Hirten" überhaupt: Sie sind innerhalb patriarchalischer Strukturen und Rahmenbedingungen Objekte − Objekte mit mehr oder weniger großen Entfaltungsmöglichkeiten und wohl etwas größeren Überlebenschancen als üblich. Das mag im zeitgenössischen Kontext sehr viel gewesen sein. Vom Evangelium her, jenem Impuls, der die Bedingung der Möglichkeit auch eines "Hirten des Hermas" war und von dem her auch dieser selbst sich in Frage stellen lassen muß, ist es zu wenig.

193 Diese Behauptung ist insofern einzuschränken, als bei den anonymen und pseudonymen urchristlichen Texten weibliche Verfasserschaft nicht grundsätzlich auszuschließen ist und im Falle solcher weiblicher Verfasserschaft der betreffende Text natürlich per se weibliche (wenn auch als solche unkenntlich gemachte) Rede wäre.
194 S. o. S. 161 Anm. 26.

VIII: GEMEINDE UND GESELLSCHAFT
DIE WAHRNEHMUNG DES NICHTCHRISTLICHEN IM "HIRTEN DES HERMAS"

Um Eigenart, Wert und Grenzen der Wahrnehmung der Gemeindewirklichkeit bei Hermas adäquat einschätzen zu können, muß man seiner Bestimmung des Verhältnisses der in der Gesellschaft existierenden Gemeinde zur nichtchristlichen Gesellschaft die gebührende Aufmerksamkeit schenken.

An zwei Stellen benutzt Hermas zu diesem Zweck ausführliche Modelle (sim I und vis IV). Daneben gibt es eine Reihe weiterer, über den ganzen Text verstreuter Erwähnungen von Nichtchristlichem, die es erlauben, das aus der Analyse der beiden Modelle gewonnene Bild zu präzisieren und z. T. auch zu korrigieren.

1

Das Verhältnis der Christen zur nichtchristlichen Umwelt wird ausdrücklich in sim I erörtert. Traditionelle Verhältnisbestimmungen sind dort aufgenommen und weitergeführt. Die Eigenart von Aufnahme und Weiterführung läßt Rückschlüsse auf das erkenntnisleitende Interesse des Hermas zu.

Daß traditionelles Gut aufgenommen ist, zeigen schon die größeren und kleineren Spannungen im Text:

1. Obwohl als unmittelbarer Adressat der Rede des Bußengels nur Hermas gelten kann[1], sind die Christen insgesamt angeredet[2].

2. Daß ein größerer Kreis angeredet ist, zeigt auch der auffällige mehrmalige Wechsel der Anrede zwischen Plural (1.7-9a.10b-11b) und — generisch zu verstehendem — Singular (3-6.9b.11c).

3. Das nochmalige "sagte er" (φησί, 1b) ist überflüssig.

4. Die ausführliche Anrede (3) wirkt unmotiviert.

5. "Der Herr dieser Stadt" (ὁ κύριος τῆς πόλεως ταύτης, 3, vgl. 6) wechselt mit "der Herr dieses Landes" (ὁ κύριος τῆς χώρας ταύτης, 4); entsprechend heißt es in 4 χώρα statt πόλις (3.5f.).

6. Subjekt der Gesetze ist teils der Herr der Stadt (3f.6), teils die Stadt selbst (5).

---

1 sim I ist formal immer noch Bestandteil der mit vis V beginnenden Vision. — Eine vergleichbare Spannung findet sich in sim V 1,3, wo "ihr wißt nicht" (οὐκ οἴδατε) allerdings bereits durch die Frage 1,2 vorbereitet ist.

2 Begründung: Der Inhalt der Rede bezieht sich nirgends *ausschließlich* auf Hermas. Dementsprechend ist die Funktion der Anrede in 3 eine andere als die der formal vergleichbaren sonstigen Anreden der Offenbarungsmittler an Hermas (s. u. Anm. 58): Die Anrede bezieht sich hier nicht wie sonst auf das Unvermögen des Offenbarungsempfängers, die jeweils vorangegangene *Vision* (adäquat) zu deuten, sondern auf die im Grunde von jedem Christen geforderte (aber nicht von jedem geleistete) Deutung der *Tradition*.

7. Auffällig sind dabei auch der Wechsel vom Plural "Gesetze" (νόμοι, 3f.) zum Singular (νόμος, 5f.) und die Ersetzung von κύριος (3f.) durch δεσπότης (6).

8. Die radikale Auffassung, Gütererwerb an sich sei schädlich (2), wird später im Sinn der Selbstgenügsamkeit (αὐτάρκεια) abgeschwächt (6).

9. Statt des "Gesetzes" (νόμος) der Christen (5f.) begegnen später die "Gebote" (ἐντολαί, 7).

10. Für Gott wird abwechselnd θεός (1.7f.10), κύριος (7) und δεσπότης (9) verwendet.

Angesichts dieser − zugegebenermaßen unterschiedlich gewichtigen − Spannungen ist auch die nur auf 1-6 bezogene Behauptung, daß hier "ein Bild einheitlich durchgeführt" sei[3], nicht zu halten. Allerdings sind die Spannungen nicht literarkritisch aufzulösen, sondern traditionsgeschichtlich zu erklären[4]. Darüber hinaus sind die beiden zuerst angeführten Beobachtungen im Gesamtkontext des "Hirten" nur scheinbar Spannungen, weil Hermas von den Offenbarungsmittlern in der Regel die Rolle eines Repräsentanten der Gemeinde zugewiesen wird, die Du-Anrede mithin häufig nicht auf ein persönliches, sondern auf ein typisches Du bezogen ist. Die Abschwächung (Punkt 8) reiht sich in das ebenfalls in der ganzen Schrift vorfindliche Prinzip der permanenten Korrektur ein[5].

Daß Traditionen aufgenommen sind, bestärigt sich in der Eröffnung der Rede des Bußengels (1): Mit "ihr wißt" (οἴδατε) wird auf bereits Bekanntes Bezug genommen[6]. Das Bekannte ist nicht das Wohnen der Christen im κόσμος bzw. αἰών an sich[7], sondern die ausdrückliche, betonte Qualifikation des κόσμος bzw. αἰών als Fremde[8]. Daß dieser Aspekt − in der ganzen Schrift abgesehen von

3 So Dibelius, Hirt 550.
4 Mit der Präferenz der Traditionsgeschichte vor der Literarkritik steht diese Arbeit im Gefolge von Dibelius' Hermasinterpretation. Derselbe Forschungstrend ist auch im Fall anderer Untersuchungsobjekte erkennbar (zum methodologischen Problem vgl. u. a. Wengst, Gemeinde 19f.). Ich verweise nur auf die analogen Lösungsversuche des Wechsels pluralischer und singularischer Anrede im Dt (dazu zuletzt Preuß, Deuteronomium 34f. u. ö.) und in Did (dazu zuletzt Wengst, Didache 17f. Anm. 58).
5 S. dazu o. Kap. I.
6 In diesem etwa bei Paulus häufigen Sinn (vgl. etwa 1Th 2,1f. und dazu White, Form 72) begegnet εἰδέναι bei Hermas ausgesprochen selten (neben sim V 1,3 allenfalls noch in sim II 6). Der ausdrückliche Hinweis, daß auf Tradition rekurriert wird, ist nur *eine* der Techniken, mit deren Hilfe der Bußengel bzw. Hermas seine Anliegen den Adressaten plausibel machen will.
7 Das solchermaßen bestimmte κατοικεῖν der Christen begegnet bei Hermas häufiger, vgl. vis IV 3,2 (ἐν αὐτοῖς ist auf die Nichtchristen zu beziehen, vgl. Dibelius, Hirt 489f.), sim III 1f., auch IX 17,1f. (vgl. auch 17,4). − Auch der Wechsel der Konstruktion zwischen ἐν und εἰς (vgl. 3) kommt mehrfach vor: Die Mehrzahl der Belege ist mit ἐν konstruiert, doch vgl. κατοικεῖν εἰς mand IV 4,3; sim IV 2, VIII 7,3; 8,2.5; IX 1,3, κατοικίζειν εἰς sim V 6,5, κατοίκησις εἰς sim VIII 7,5; 9,2, κατοικία εἰς sim VIII 6,6; 7,3; 8,2f.; 9,4; 10,1.4; IX 13,5.
8 Vgl. auch 6.

sim I nirgends ausdrücklich hervorgehoben[9] — hier nicht begründet wird[10], ist ein weiteres Indiz für den Bezug auf bereits vorliegende, den Adressaten zugängliche und von ihnen wohl auch internalisierte Tradition.

Diese Tradition wird im folgenden, teilweise unter Hinzunahme weiterer traditionellen Gutes, in verschiedenen Hinsichten interpretiert, ist für die Interpretation also Voraussetzung. Die interpretierende Erinnerung ist offenbar notwendig, da die Fremdheit der Christen in der Welt aus der Sicht des Hermas bzw. des Bußengels von den Christen selbst entweder überhaupt nicht oder jedenfalls nicht (mehr) adäquat empfunden und gelebt wird. Daß von dieser impliziten Kritik nicht alle Christen in gleicher Weise betroffen sind, wird sich im folgenden erweisen.

Die hier vorausgesetzte Tradition von der Fremdlingschaft der Christen in der Welt wird für uns vor allem in Jak 1,1; 1Pt 1,1.17; 2,11 und, mit 1Cl inscr[11], auch in Rom greifbar. Das Leben in der Fremde spiegelt sich dabei in den Begriffen "Zerstreuung" (διασπορά)[12], "Beisasse" (παρεπίδημος), "Fremde, Fremder, als Fremder wohnen" (παροικία, πάροικος, παροικεῖν)[13]. Die Begrifflichkeit selbst, die zugleich eine Beschreibung und eine Deutung der Situation enthält, stammt aus alttestamentlicher und jüdischer Tradition.

> Die Kategorie des Fremden ist auf zwei zueinander komplementäre Kategorien bezogen: auf die Kategorie des Eigenen und auf die des Anderen. Zu beidem steht das Fremde im Verhältnis der Teilidentität und der Teildifferenz. *Räumlich* ist das mit dem Begriff "Diaspora" umschriebene Verhältnis von außerhalb Palästinas lebenden Juden zu den jüdischen Einwohnern Palästinas das einer Differenz; sie leben in einer nichtjüdischen Umwelt (Identität mit dem Anderen). Die Differenz zum Eigenen kann dabei durch endgültige Ansiedlung in Palästina zum Verschwinden gebracht werden. Auch symbolische Unterbrechungen der Differenz wie die Ausrichtung der Gebetsrichtung nach Jerusalem gehören hierher. *Sozialpsychologisch* wird zumal die zweite Form der Aufhebung der Differenz zum Eigenen, die Umsiedlung nach Palästina, als Rückkehr[14], die Identität mit dem Anderen als ein transitorischer Zustand definiert[15], wie überhaupt

9 *Ein* Indiz: ξένος kommt nur in sim I vor (in sim VIII 6,5 ist das Wort textkritisch sekundär).

10 Auch der unmittelbar folgende Satz ist trotz γάρ keine eigentliche Begründung, sondern eine Paraphrasierung, Verdeutlichung, Interpretation von ἐπὶ ξένης.

11 Davon abhängig wohl PolPhil inscr und MartPol inscr.

12 Die Übernahme des Diaspora-Begriffs als eines auf die Kirche bezogenen Begriffs bestreitet für die alte Kirche van Unnik in einem kaum beachteten Aufsatz; vgl. ders., "Diaspora".

13 πάροικος bezeichnet dabei den Fremden ohne Bürgerrecht, παρεπίδημος den kurzen Aufenthalt in der Fremde. — Bei Hermas ist mit κατοικεῖν die Situation Seßhafter reflektiert; sim I bezieht sich nicht auf die Lage urchristlicher Wanderlehrer und -propheten.

14 Vgl. Soggin, Diaspora 68.

15 Vgl. Sänger, Überlegungen 83. Vgl. dazu sim I 2 ἐπανακάμπτειν.

das Andere als Fremdes[16], das Eigene als Heimat wahrgenommen wird[17]. *Sprachlich* kann die Identität mit dem Eigenen durch Festhalten am Hebräischen und Aramäischen gewahrt werden. Es kann aber auch die Differenz zum Anderen abgebaut werden; man denke an die Übernahme der griechischen Sprache nicht nur durch die alexandrinischen Juden. Die dadurch geschaffene Differenz zum Eigenen kann dabei als Verlust erlebt werden[18], der nach Übersetzung zumindest des normativen Schrifttums verlangt. Zugleich bieten sich aber auch Möglichkeiten zur Propaganda des Eigenen im Raum des Anderen.

Die Identität mit dem Eigenen wird aber nicht nur durch die identische normative Tradition gewahrt, sondern auch durch *rituelle Akte* (wie Beschneidung und Sabbatobservanz) und *Verbote* (etwa Mischehenverbot), die zugleich eine *nationale Identität* schaffen und zum Anderen hin abgrenzende Funktion haben[19]. Diese Abgrenzung kann in den Bereichen des Rechts, der Kultur und der Politik verstärkt, aber in diesen Bereichen ebenso wie im Bereich der Wirtschaft gemildert werden (Anpassung). Unbeschadet der Abgrenzung oder Anpassung ist die Diasporasituation im Verhältnis zum Anderen *soziologisch* als Minderheitensituation zu beschreiben.

Das Verhältnis der Majorität zur Minorität kann verschiedene Formen annehmen: Separation[20], Integration, Toleranz[21], aber auch Elimination (räumlich oder existentiell) und — bei erfolgreicher Missionspropaganda der Minorität — für Einzelne aus der Majorität auch Konversion[22]. Die *Konstitution des Minderheitenstatus* kann dabei aufgrund von Zwang (Verschleppung, Flucht) oder aufgrund von Freiwilligkeit (Söldnerdienste, Handel) erfolgen. Die *theologische Interpretation* des Lebens in der Fremde kann in den Kategorien des Gerichts oder der Erwählung geschehen, z. T. in der Kombination beider Kategorien[23].

Dieses situative Deutungsschema ist in christlichen Texten allerdings mit wichtigen Modifikationen übernommen worden. Vor allem entfallen der nationale und geographische, der kultische und der ethnisch-religiöse Aspekt so-

16 In *dieser* Hinsicht kann auch das Andere als Fremdes verstanden, "fremd" als Ausdruck religiöser Distanzierung verwendet werden; vgl. die Belege bei Schaller, Testament 331, zu TestHi 7,4, und Schrage, Elia-Apokalypse 258 Anm. j.

17 Dieser Aspekt ist wohl der wichtigste, den das Christentum vom Judentum übernahm; vgl. Soggin, Diaspora 74.

18 Zum Sprachverlust vgl. Sänger, Überlegungen 81.

19 Vgl. Böcher, Diaspora 164; Soggin, Diaspora 71.

20 Der Separation entspricht seitens der Minderheit die Isolation; vgl. dazu im Blick auf 1Pt Brox, Situation 7.

21 Vgl. Böcher, Problem 20. Zu beachten wären die von Wolff/Moore/Marcuse, Kritik, vorgenommenen Differenzierungen im Toleranzbegriff.

22 Soggin, Diaspora 73. — Das unterschiedliche reale Verhältnis der Majorität zur Minorität, nicht ein abstraktes Zahlenverhältnis (so Soggin, ebd. 65) könnte zu Differenzierungen im Begriff der Minderheit führen.

23 Vgl. Soggin, Diaspora 67.72; Sänger, Überlegungen 75.81f. Daß solche Entfremdungserfahrung auch innerhalb Palästinas möglich war, belegt für Qumran etwa CD 3,21-4,6; 6,4f.; 1QM 1,2f.

wie diejenige Interpretation des Lebens in der Fremde, die mit der theologischen Kategorie des Gerichts arbeitet. In den christlichen Belegen sind irdische Heimat und irdische Volkszugehörigkeit aufgegeben. Die Kontinuität zur Tradition wird trotz dieser Einschränkungen aber verbal gewahrt[24]. Positiv übernommen wird die sozialpsychologische Komponente — das Bewußtsein, zu einer Minderheit zu gehören, die von ihrer Umgebung in charakteristischer Weise unterschieden und jedenfalls nicht akzeptiert ist[25] — und der ihr entsprechende Bezug auf einen nicht angepaßten Lebensstil[26], wobei das Nichtangepaßtsein inhaltlich durchaus verschieden gefüllt und gewichtet sein kann[27]. Voraussetzung für beides ist wie im Judentum soziologisch der Minderheitenstatus[28]. Mit beidem — Bewußtsein der Fremdheit und die Umwelt befremdendem Handeln — hängt auch ein politischer Aspekt zusammen: das Abgeschnittensein vom Zugang zu und von der Partizipation an politischer Macht und Machtausübung. Ebenfalls positiv übernommen wird die theologische Deutung der Fremdlingschaft als Erwähltsein durch Gott[29].

Die Fremdlingschaft der Christen in der Welt wird bei Hermas mit Hilfe des eschatologischen Schemas von den beiden Städten interpretiert[30]: "Eure Stadt"

---

24 Das gilt auch für 1Cl inscr und für Jak 1,1. Mußners Plädoyer für wörtliche Bedeutung (vgl. ders., Jakobusbrief 61f.; ähnlich Böcher, Diaspora 148; dagegen schon Dibelius, Jakobus 94f.; auch Sänger, Überlegungen 86) hängt mit dem kaum haltbaren Postulat der Authentizität des Jak zusammen. Im übrigen muß auch Mußner zumindest die Spiritualisierung des Zwölf-Stämme-Begriffs zugestehen.

25 Mit dem Minderheitenstatus kann die Vorstellung von der Zerstreuung verbunden sein; doch spielt dies bei Hermas keine Rolle.

26 Zum Phänomen der Entweltlichung im frühen Christentum vgl. besonders Niederwimmer, Kirche.

27 Dies wird etwa daran deutlich (allerdings nicht bei van Unnik, Rücksicht 317f.), wie sich die Rücksichtnahme auf die Reaktion der Nichtchristen als Motivation der Paränese im 1Pt einerseits, im 1Cl andererseits inhaltlich auswirkt.

28 Mit Philo, der (stoisch beeinflußt) von einer Fremdlingschaft der ganzen Menschheit redet, hat die christliche Rezeption des alttestamentlich-jüdischen Begriffs der Fremdlingschaft zwar die sozialpsychologische, nicht aber die soziologische Komponente gemeinsam. Philo ist also für die Vorgeschichte der christlichen Verwendungsweise des Begriffs nicht ausschlaggebend.

29 Vgl. dazu Goppelt, Petrusbrief 81-83; Schrage, Petrusbrief 66. — Das Erwähltsein der Christen durch Gott spiegelt sich bei Hermas in der christlichen Selbstbezeichnung "Erwählte" (ἐκλεκτοί), die allerdings nur im Visionenbuch begegnen. Das Erwählungsbewußtsein als stiller Hintergrund erklärt, weshalb die Fremdlingschaft hier ohne jedes Ressentiment festgestellt wird.

30 Das auffällige φησί (1b) kann also durch die Aufnahme einer anderen Tradition erklärt werden.

(πόλις ὑμῶν) steht "dieser Stadt" (πόλις αὕτη)[31] gegenüber. In der Wahl des Zwei-Städte-Schemas[32] spiegelt sich die Verbreitung des Christentums vorwiegend in den Städten, und zwar aus der Sicht hellenistisch-römischer Stadtgemeinden[33]. Dem entspricht, daß in vis II 4,3 die Adressaten der Bußbotschaft "in den *Städten* außerhalb" (sc. Roms; εἰς τὰς ἔξω πόλεις) gesucht werden[34].

Das eschatologische Schema von den beiden Städten[35] ist für uns greifbar in OrSib 5,159f.414-446; 4Esra 3,1f.28.31; syrBar 11,1f.; 67,1-9 und Apk 12; 14,8; 16,17-21; 17,1-21,27.

In 4Esra werden Babel und Zion einander gegenübergestellt[36], wobei das irdische Zion durch das für Rom stehende Babel zerstört ist. Das Zwei-Städte-Schema wird ergänzt durch die Vorstellung von der endzeitlichen Herabkunft der präexistenten[37], jetzt im Himmel existierenden Gottesstadt Jerusalem auf die Erde[38].

Auch in syrBar werden Babel und Zion kontrastiert[39]. Dabei ist das irdische, jetzt zerstörte Zion Abbild eines präexistenten Urbilds[40], das die endzeitliche Heimat der Frommen sein wird[41].

---

31 Im Demonstrativpronomen wird man analog etwa zu ὁ αἰὼν οὗτος bzw. ὁ κόσμος οὗτος eine negative Wertung mithören dürfen. vis II 4,3 fällt als Gegeninstanz aus, weil es dort um den geographischen Gegensatz von Hier und Außerhalb geht.

32 Eine Wahl war grundsätzlich möglich. Die jüdische Tradition kannte auch ein Zwei-Länder-Modell, dessen rudimentäre Aufnahme möglicherweise in χώρα (4) noch erkennbar ist. Daß dieses Modell im Christentum kaum rezipiert wurde, hängt mit der Preisgabe des Theologumenons vom verheißenen irdischen Land zusammen.

33 Eine andere Perspektive dürfte in den christlichen Dorfgemeinden Palästinas und Syriens vertreten worden sein. Allerdings ist diese Annahme nur negativ, mit dem *Fehlen* des Zwei-Städte-Schemas etwa in Joh, Mt und Did zu begründen.

34 Vgl. noch vis IV 1,8; in der Parallelfassung 2,3 wird allerdings "Stadt" (πόλις) durch "Völker" (λαοί) ersetzt. — Zum Stadt-Land-Gegensatz vgl. allgemein für die Antike Finley, Wirtschaft 148-178; Alföldy, Sozialgeschichte 118-129; MacMullen, Relations 1-56; Hopkins, Conquerors 1-96. Für das antike Christentum vgl. Berger, Exegese 238; Kantzenbach, Christentum 44f., Wischmeyer ed., Inschriften 21 mit Anm. 23 (Lit.); für Palästina vgl. Theißen, Tempelweissagung; ders., Jesusbewegung 47 Anm. 17; Hengel, Geschichtsschreibung 84f. — Für die Verbreitung des Christentums außerhalb von Städten gibt es für unseren Zeitraum nur wenige explizite Belege: 1Cl 42,4; Plinius, ep. X 96,9; Justin, apol. I 67,3 (vgl. dazu Molland, Missionsprogramm 52; Theißen, Wanderradikalismus 100). — Zum Zusammenhang zwischen dem Sprachenproblem und dem Stadt-Land-Gegensatz vgl. Theißen, Wanderradikalismus 100f.

35 Vgl. dazu Harder, Schemata 85; Böcher, Israel 52f.

36 3,1f.28.31f.

37 10,45f.

38 7,26; 8,52; 10,27.40-49.53f.; 13,36.

39 11,1f.; 67,1-9.

40 4,1-7.

41 32,2-4. Unklar bleibt, ob diese Heimat als himmlische (so Rissi, Zukunft 59) oder als irdische vorgestellt ist.

Die Apokalypse kennt ebenfalls die Gegenüberstellung von Babel und Jerusalem[42]. Wie in 4Esra wird auch hier die endzeitliche Herabkunft der Himmelsstadt erwartet. Allerdings fehlt bei der Aufnahme des Zwei-Städte-Schemas der Bezug auf das derzeitige irdische Jerusalem.

Bei Hermas ist das Zwei-Städte-Schema ohne die traditionellen Städtebezeichnungen, ohne Bezug auf das derzeit zerstörte irdische Jerusalem und ohne (ausdrückliche) Verwendung der Vorstellung von der endzeitlichen Herabkunft der Himmelsstadt aufgenommen. Anders als in der Apokalyptik[43] gibt es hier (und ähnlich in Hb) keine Indizien dafür, daß die Stadt in der Endzeit eine *besondere* Örtlichkeit ist. Ein weiterer, nicht zu unterschätzender Unterschied etwa zur Apk (nicht aber zu 4Esra) besteht darin, daß dort die Christen von der Peripherie her auf das Zentrum der Macht blicken, während hier — unter Wegfall der geographischen Distanz zum Zentrum — innerhalb dieses Zentrums für die Christen ein nicht-geographischer Raum der Peripherie allererst etabliert werden muß. Dies geschieht mit Hilfe von ἐπὶ ξένης.

Da Hermas in diesem Schema Heimat und Fremde als zwei verschiedene Städte auffaßt, ist stoischer Einfluß unwahrscheinlich. In der Stoa gilt im eigentlichen Sinn der Himmel als Stadt[44], sodann ist das Verständnis des Kosmos als Polis weit verbreitet[45] und wirkt bis auf Philo. Der dieser Weltsicht entsprechende Kosmopolitismus[46] hat auch auf das frühe Christentum[47] und weit darüber hinaus gewirkt. Doch spielen dabei

42 14,8; 16,17-21; 17f.; 21,2.9-27.

43 Vgl. Schierse, Verheißung 121.

44 Vgl. SVF III 327; Dio Chrysostomus 36,22f.; ferner SVF I 379.

45 SVF II 528.645.1127.1131, III 323.333-339; PsAristoteles, de mundo 396b1ff.; 398a8; 400b7.13ff.27; Cicero, leg. I 7,23; 23,61; Seneca, tr. an. 4,4; ot. 4,1; Dio Chrysostomus 36,29-32.36f.; Epiktet, diss. I 9,1-6; II 5,26; 10,3-6; III 24,10.53; Marc Aurel II 16,6; III 11,2; IV 3,5; 4,1f.; VI 44a; XII 36,1 (zu Epiktet und Marc Aurel vgl. Stanton, Ideas); Aelius Aristides 43,15K. (dazu Amann, Zeusrede 72). Auch eine verlorene Satire Varros, Ἀνθρωπόπολις, dürfte ihrem Titel nach hier einzuordnen sein. — Vermutungen über die Herkunft der stoischen Kosmopolis finden sich bei Eisler, Weltenmantel II 620 mit Anm. 3; vgl. auch ebd. 606 Anm. 1 und I 256 Anm. 3. — Vgl. noch Platon, Prot. 337c-e; SVF I 371 (vgl. 98).

46 Die Antike führte den Kosmopolitismus teils auf Anaxagoras (bei DiogLaert II 7), teils auf Sokrates (Cicero, Tusc. V 37,108; Musonius fr. 9; Epiktet, diss. I 9,1; Plutarch, mor. 600f), teils auf Diogenes von Sinope (Epiktet, diss. III 24,66; IV 1,154f.; DiogLaert VI 63; Lukian, vit. auct. 8) zurück; zu Teukros als Kosmopolit vgl. Baldry, Unity 205 n. 19. Greifbar wird antiker Kosmopolitismus für uns vor allem in hellenistischer, stoisch oder kynisch beeinflußter Philosophie. Vgl. neben den in den vorigen Anmerkungen angeführten Belegen z. B. noch Cicero, off. I 16,50f., rep. I 13,19; Seneca, vit. beat. 20,5; ep. 28,4; 48,3; 102,21; Plutarch, mor. 329a-d. An all diesen Stellen fehlt das Bild von der Stadt; es wird vom Kosmos als der Heimat des Menschen geredet. Zum Thema vgl. noch Baldry, Unity 33 u. ö.

47 Vgl. Tertullian, apol. 38,3; ferner Diogn 5,5.

andere Formen und Erfahrungen von Entfremdung eine Rolle[48] als bei Hermas.

Keine Analogien oder gar Vorbilder des urchristlichen Zwei-Städte-Schemas sind auch der platonische himmlische Musterstaat (als Vorbild des irdischen Staates)[49] oder Lukians Himmelsstadt[50].

Bei Hermas wird der Gegensatz der beiden Städte zunächst im Sinn einer *räumlichen Distanz* interpretiert (μαχράν ἐστιν), wobei offen bleibt, ob diese Distanz vertikal oder horizontal gedacht ist[51].

Im folgenden Satz, der mit "wenn ihr nun wißt" (εἰ οὖν οἴδατε)[52] eine Art Neueinsatz bringt, wird die räumliche Distanz durch die *zeitliche* ergänzt (μέλλετε) und damit die Dimension der Zukunft eingeführt. Von daher ist auch ἐπὶ ξένης als zeitlich begrenzt zu verstehen. Das Wissen der Christen um ihre wahre Heimat wird als Widerspruch zum Erwerb weltlicher Güter und als Motivation zum Verzicht auf solchen Gütererwerb hingestellt[53]. Implizit ist damit bereits ein dritter Aspekt, die *Normenproblematik*, angesprochen: Zur Distanz tritt die Distanzierungsforderung, die hier, wie vage auch immer, bereits eschatologisch motiviert ist.

48 Zu diesen Entfremdungserfahrungen vgl. Dodds, Pagan 20f. Zu den dort genannten Belegen kommt z. B. Marc Aurel IV 29 hinzu.

49 rep. 592a.b. Zur politischen Theorie Platons als einem Krisenphänomen vgl. Flashar, Platon 62-69.

50 ver. hist. II 11ff.; vgl. dazu Betz, Lukian 92-96.

51 In diesem Sinne bringe ich an Böchers Unterscheidung metaphysischer, räumlicher und zeitlicher Aspekte im Zwei-Städte-Schema (Böcher, Stadt 130 Anm. 93) weitere Differenzierungen an.

52 Das Verb kommt bei Hermas in der Bedeutung "kennen" nur hier vor. Nur hier begegnet auch die Konstruktion mit dem Akk. der Sache. Zudem fällt auf, daß anfangs vom Wissen um die Fremdlingschaft geredet worden war, während hier auf die Kenntnis einer anderen Tradition — von der mit dem Vorfindlichen nicht identischen eigenen Stadt — angespielt wird. Mindestens dieses Motiv der Himmelsstadt, wahrscheinlich aber auch das Zwei-Städte-Schema wird von Hermas mithin als bekannt vorausgesetzt. Die benannten Spannungen und φησί zeigen noch, daß hier zwei verschiedene Traditionen, die einer gegenseitigen Interpretation offenstanden, vereinigt wurden.

53 Die Aufzählung dieser Güter ist deutlich von der Diktion des Hermas geprägt. Vgl. nur μάταιος, das häufig begegnet: von Begierde (mand XI 8; XII 6,5), von überflüssigen Nahrungsmitteln (mand XII 2,1), von Luxus (sim VI 2,2), von falschem Fasten (sim V 1,4); vgl. auch ματαίωμα (mand IX 4; sim V 3,6). Auch die das Materielle betonende "Welt"-Auffassung bestätigt, daß hier Hermas spricht: ὁ αἰὼν οὗτος (vgl. κόσμος οὗτος vis IV 3,2-4) steht in Zusammenhang mit πλουτεῖν (vis III 6,6) bzw. πλοῦτον ἔχειν (vis III 6,5), mit περιποιεῖσθαι (vis I 1,8), πραγματεῖαι (mand X 1,4), ἐμφύρειν (mand XII 1,2), ματαίωμα (mand IX 4; sim V 3,6), ἐπιθυμίαι (mand XII 6,5; sim VI 2,3; 3,3; VII 2; VIII 11,3) und ἐπιθυμίαι μάταιαι (mand XI 8), mit δαπανᾶν (mand XII 1,2) und πονηρία (sim VI 1,4; vgl. auch sim II 1f.).

Im folgenden (2) wird der Widerspruch zwischen dem Erwerb weltlicher Güter und dem künftigen Wohnen in der himmlischen Stadt nun ausdrücklich als solcher gekennzeichnet. Dabei wird aus der in 1 als "eure Stadt" (πόλις ὑμῶν) bezeichneten positiven Bezugsgröße der Christen nun die "eigene Stadt" (πόλις ἰδία). Diese Ausdrucksweise ist für Hermas ungewöhnlich[54]. Woher sie stammt, wird das Folgende zeigen.

Wenn hier von "Rückkehr"[55] geredet wird, so könnte man vermuten, es sei hier eine anfängliche Anwesenheit der Christen in der himmlischen Stadt und infolgedessen eine Präexistenz (und Prädestination) der Christen vorausgesetzt[56]. Doch wäre auf die Eigenart dieser vorweltlichen Vergangenheit der Christen nicht weiter reflektiert. Man wird sich hüten müssen, ausgeführte Konzepte, wie sie etwa im Perlenlied vorzufinden sind, in unseren Text hineinzulesen, zumal sich der Ausdruck auch als eine Perspektivenübernahme der jüdischen Diaspora erklären lassen könnte: Die als "Rückkehr" interpretierte Umsiedlung von Diasporajuden nach Palästina setzt nicht notwendig eine vorausgegangene Auswanderung der Betreffenden selbst aus Palästina voraus. Mit größerer Wahrscheinlichkeit wird man aus dem Text die bereits gegenwärtige, nicht-irdische Existenz der "eigenen" Stadt erschließen dürfen; diese setzt aber doch wohl eine Präexistenz voraus[57].

Der in 2 angedeutete Gegensatz von "eigen" und "fremd" (ἴδιος vs ἀλλότριος) wird in 3 ausgeführt, nun allerdings nicht mehr auf die Stadt, sondern auf den Erwerb weltlicher Güter bezogen. Die Spannungen zum Vorhergehenden zeigen, daß hier Disparates vereinigt ist[58]. In der Entgegensetzung von "Eigenem" und "Fremdem" ist, auch terminologisch, stoisches Gut aufgenommen[59].

54 Der Gegensatz οὗτος vs ἴδιος begegnet bei Hermas sonst nicht.

55 ἐπανακάμπτειν begegnet außer in 5 nur noch sim IX 14,1.

56 Eine solche Präexistenz wird bei Hermas andernorts für die Kirche (nicht für einzelne Christen) vorausgesetzt.

57 Von den vier von Schierse, Verheißung 124, unterschiedenen Motiven aus der jüdischen Tradition kommen für Hermas nicht in Frage das erneuerte irdische Jerusalem und die himmlische Entsprechung zum irdischen Jerusalem. Mögliche Bezüge bestehen zur kosmischen Himmelsstadt und/oder zum präexistenten himmlischen Jerusalem.

58 Die Anrede geht auf Hermas' Konto; vgl. z. B. mand XII 4,2. ἄφρων und δίψυχος sind bei Hermas auch andernorts belegt. Zum nur hier begegnenden Adjektiv ταλαίπωρος vgl. immerhin ταλαιπωρεῖν vis III 7,1; sim VI 2,7; 3,1.

59 Vgl. Terenz, Heaut. 77 (dazu Pohlenz, Stoa I 136); Epiktet, ench. 1.3.4; diss. III 22,38; IV 1,111.159ff. Systematischer Zusammenhang ist die οἰκείωσις-Lehre (vgl. dazu Forschner, Ethik 142-159, bes. 145). Im Judentum ist der Gegensatz von Philo aufgenommen (vgl. die Belege bei Dibelius, Hirt 550f.), im Christentum vgl. Diogn 5,5ff. (ἴδιος); PsClem Hom 15,7; 2Cl 5,6 (ἀλλότριος). Bei Hermas begegnet der Gegensatz nur hier. Vgl. auch Ritter, Christentum 10 mit Anm. 39. — Der Gegensatz selbst ist übrigens schon vorstoisch, vgl. Schütrumpf ed., Xenophon 54 mit Anm. 48.

Neu ist auch der Gedanke, daß die weltlichen Güter unter der Verfügungsgewalt eines "Anderen" (ἕτερος) stehen[60], der sogleich mit dem "Herrn dieser Stadt" (κύριος τῆς πόλεως ταύτης) gleichgesetzt wird[61]. Gütererwerb führt demnach zur Heteronomie. Wer in der "Stadt dieses Herrn" leben will, muß sich dessen Gesetzen (νόμοι) beugen; andernfalls wird er/sie ausgewiesen. Auch wenn zunächst der Inhalt der Gesetze unklar bleibt, ist doch vom Kontext her der Gegensatz zu dem für die Christen gültigen göttlichen Gesetz[62] deutlich. Wiederum spitzt Hermas also die Tradition auf das Normenproblem zu. Dem entspricht, daß sich bei ihm weder eine Beschreibung der "fremden" noch der "eigenen" Stadt findet. Das Interesse konzentriert sich auf die Strukturen, und mit dem Hinweis auf das Gesetz wird gezeigt, wie das Fremde als Fremdes konstituiert wird. Mit ἐξουσία, κύριος und νόμος sind hier erstmals nähere Kennzeichnungen des von Hermas verwendeten Polis-Begriffs gegeben. Im Blick ist hier jedenfalls nicht die demokratisch geprägte klassisch-griechische Polis. Von der Verfassung her bieten eher die Poleis hellenistischer Herrscher ein Vorbild[63]. Indirekt wird hier reflektiert, daß die für die Polis genau wie der νόμος[64] konstitutive ὁμόνοια[65] für die Christen als Bewohner der Polis keine gültige Möglichkeit ist.

Aus der für Christen offenbar unausweichlichen Ausweisung[66] aus der Stadt wird in 4 die Sinnlosigkeit des Erwerbs weltlicher Güter gefolgert. Auch hier liegt also wieder eschatologische Motivation vor. In einer auffälligen Parallelität zu der Aufforderung, die Stadt zu verlassen, und der Begründung dieser Aufforderung mit dem Ungehorsam gegenüber den Gesetzen in 3 wird dem Angeredeten nun nochmals die Illegalität (und vom Standpunkt des κύριος wohl auch Illegitimität) seines Aufenthalts in der Welt deutlich gemacht. Anders als vorher wird der Angeredete nun nicht mit der Tatsache seiner Ausweisung konfrontiert, sondern vor die Alternative Gesetzesgehorsam oder Ausweisung gestellt — eine Alternative allerdings, die, wie das Vorhergehende und das Folgende zeigen, nur eine scheinbare sein kann.

60 Dabei ist zu beachten, daß ἕτερος in christlicher Literatur tendenziell negative Konnotationen hat, vgl. bes. die mit ἑτερο- gebildeten Komposita.

61 Unklar bleibt das Gegenüber zu diesem "Anderen": Gott? Der Gottes Gesetz gehorchende Christ?

62 Vgl. sim V 6,3; VIII 3,2-7 (vgl. dazu Dibelius, Hirt 527f.), ferner vis I 3,4.

63 Vgl. dazu Heuß, Stadt; Nörr, Imperium.

64 Der νόμος als Konstituante der Polis z. B. bei Aristoteles (vgl. dazu Ritter, Metaphysik 106-132) oder Dio Chrysostomus 36,20.

65 So Aristoteles, eth. Nic. 1155a22ff. (vgl. dazu Weber-Schäfer, Einführung II 50 mit Anm. 18).

66 Zu ἐκβάλλειν vgl. die aus dem Bau Ausgestoßenen sim VIII 7,5; IX 14,2; 17,5; 18,3 und das geschlossene Tor vis III 9,6, ferner die ἔκβολοι vis III 5,5.

Man kann fragen, ob der der Begrifflichkeit von Verbannung und Ausweisung in-
härente Zwangscharakter auf ein erwartetes gewaltsames Schicksal der angeredeten
Christen zu beziehen ist. *Dafür* spricht, daß der Ausschluß bzw. die Auswanderung
ausdrücklich mit dem *Verstoß* gegen die *Norm* der Polis begründet wird[67]. *Dagegen*
spricht, daß Normenübertretung noch nicht gleich Ahndung dieser Übertretung ist; daß
bei Hermas die Märtyrer stets eine besondere, für die Gesamtheit zwar vorbildliche,
aber nicht repräsentative oder verbindliche Gruppe bilden; daß die Bekenntnisstermino-
logie (hier nur negativ: ἀπαρνεῖσθαι) hier ins Ethische umgebogen ist; schließlich, daß
zumindest ἐξέρχεσθαι in christlichen Texten für den Tod als solchen — ohne nähere
Qualifikation der Umstände — stehen kann[68], während für keinen der drei Begriffe
ἐκβάλλειν, ἐξέρχεσθαι und ἐκχωρεῖν positiv der Bezug auf eine Martyriumssituation zu
belegen ist[69]. Sozialpsychologisch bedeutsam bleibt freilich, daß der Tod offenbar nicht
anders als in seinem Zwangscharakter erfahren werden kann. — Das Für und Wider
könnte dennoch auf eine gemeinsame Tendenz verweisen, wenn man den "Hirten des
Hermas" als eine praeparatio ad martyrium im weiteren Sinn zu verstehen hätte[70].

Der Erwerb weltlicher Güter wird in 5 explizit dem Befolgen[71] des Gesetzes
parallelisiert. Befolgt wird nun aber nicht mehr das Gesetz des "Herrn dieser
Stadt", sondern das Gesetz "dieser Stadt" selbst[72]. Damit ist deutlich, daß νόμος
hier nicht auf kodifiziertes Recht geht, sondern die der Lebensweise der Bürger "dieser Stadt" implizit zugrundeliegende Norm meint. Diese Norm beinhaltet das Streben nach materiellem Besitz.

Die Wendung "dein Gesetz völlig verleugnen" (τὸν νόμον σου πάντως ἀπαρνεῖσθαι)
deutet darauf hin, daß das Gesetz der Christen mit Christus bzw. dem "Namen"
identisch ist und nicht, wie zu erwarten wäre, mit völligem Besitzverzicht[73]. Die
Martyriumssituation ist also spiritualisiert und damit verallgemeinerbar gewor-

---

67 Immerhin wird man die verbreitete Ausweisungspraxis, die römische Behörden gegen
   Bürger (vgl. Mommsen, Staatsrecht I 155 Anm. 6; III 140) wie Nichtbürger (vgl. ebd. II
   139 mit Anm. 4; III 1192 mit Anm. 3) anwandten, als allgemeinen Hintergrund von sim I
   ansehen können. Zu staatlichen Repressionen gegen Mißliebige aller Art vgl. ausführlich MacMullen, Enemies. Zum Verstoß der Christen gegen den Nomos vgl. auch Celsus bei Origenes, c. Cels. V 3.
68 Vgl. 1Kor 5,10; 2Cl 5,1; 8,3.
69 In Verbindung mit dem Vorhaben der Steinigung steht ἐκβάλλειν in Lk 4,29 und Ag
   7,58, ist dabei aber nicht mit dem Akt der Tötung identisch.
70 Zu diesem Ziel mindestens eines Teils der urchristlichen Literatur vgl. am Beispiel des
   1Pt Brox, Situation, bes. 9 mit Anm. 12.
71 πορεύειν mit Dativ kommt bei Hermas mehrmals vor, vgl. mand VI 1,2.4f.; sim VI 1,4;
   2,2; 3,3, VII 6f.; VIII 11,3; IX 14,5.
72 Ist damit der Heteronomiegedanke (3) beiseite geschoben?
73 An diesem Punkt der Gleichsetzung des νόμος mit Christus/dem Namen wird deutlich,
   daß Hermas die Deutungsschemata von Gesellschaft in sim I von christlicher Tradition,
   nicht von nichtchristlicher Polis-Vorstellung hernimmt. Er spitzt die Tradition auf die
   gegenwärtige Wirklichkeit zu. — Heidnische Tradition als Ausgangspunkt liegt z. B. in
   sim II vor.

den. Die Warnung vor der Unvorteilhaftigkeit des eigenen Gesetzes ist wohl wieder von Hermas selbts formuliert; sie entspricht seiner Version eschatologischer Motivation[74].

In Spannung zum Vorhergehenden und mit z. T. wörtlichen Anklängen an dieses[75] folgt nun (6) die Einführung der Selbstgenügsamkeit (αὐτάρκεια) als Kriterium des Gütererwerbs. Die bisher vertretene radikale Position wird damit abgeschwächt[76].

Über die bisherigen Untersuchungen zum Autarkiebegriff bei Hermas hinausgehend ist zunächst darauf zu verweisen, daß Autarkie in der Antike zumindest auch — und weit über die Philosophie hinaus — das wirtschaftliche Ideal der Polis ist[77]: Auf dieses Ziel der Autarkie hin ist die Polis ausgerichtet[78] und regelt dabei das Leben ihrer Bürger durch den νόμος[79]. Während in der politischen Theorie des Aristoteles das Individuum als der Ergänzung durch die Polis bedürftig gilt[80], ist in der Praxis die wirtschaftliche Autarkie des Individuums oder des Oikos Ziel ökonomischen Handelns[81]. Als unabdingbare Voraussetzung dafür gilt der Landbesitz[82].

Zumindest *auch* als Alternative zum Ziel materieller Unabhängigkeit ist die Propagierung des Ideals der Autarkie der Tugend zu verstehen[83]. Auf Sokrates zurückgehend[84], findet allerdings bereits beim späten Platon eine Wendung von der Autarkie der Tugend zum Glück zur Einbeziehung äußerer Güter statt[85]. Während der Peripatos die Autarkie

---

74 Zu βλέπειν μή(ποτε) vgl. vis III 10,7; mand V 2,8; sim V 7,2; VI 5,2; VIII 2,5. Zur (Un-) Vorteilhaftigkeit vgl. mand IV 3,6; V 1,4, 2,2; VI 2,6 bzw. vis I 3,3; V 5; mand VI 1,5; sim VI 1,3, 5,7; VII 5. Vgl. auch mand VI 1,5 βλέπειν...συμφωρότερον.

75 Zu ὡς ἐπὶ ξένης κατοικεῖν vgl. 1; zur Austreibung aus der irdischen Stadt vgl. 3f.; zum Gehen in die eigene Stadt vgl. 2.5.

76 Die Unterscheidung zwischen absoluter und relativer Bedürfnislosigkeit ist der antiken Philosophie geläufig, vgl. Xenophon, mem. I 6,10, einerseits und (mit umgekehrter, positiver Wertung der äußeren Güter) die alte Akademie andererseits (vgl. Wilpert, Autarkie 1041).

77 Vgl. dazu knapp Mannzmann, Αὐταρχία.

78 Vgl. Aristoteles, Pol. 1252b25ff.

79 Vgl. ebd. 1253a30ff.

80 Treffend Vernant, Arbeit 259: "Die Polis ist eine bewußte Absage an das Ideal einer individuellen oder familialen Autarkie." — Zur Autarkie der Polis bei Aristoteles vgl. Müller, Theorie 70-74.

81 Vgl. nur das von Finley, Wirtschaft 32.50, angeführte und zutreffend als Regel, nicht als Ausnahme interpretierte Beispiel des Trimalchio.

82 Vgl. Finley, ebd. 127-129.

83 Vgl. dazu u. a. auch Nickel, Verhältnis; Rabe, Autarkie.

84 Vgl. Wilpert, Autarkie 1040.

85 Nerben den Belegen bei Wilpert, Autarkie 1041, vgl. z. B. noch Cicero, Par. Stoic. 16-19; Albinos, Did. 1; ferner Lukian, Necyom. 4. Bezeichnend für den Diskussionsstand nicht nur des Mittelplatonismus ist der Dissens in dieser Frage etwa zwischen Attikos, der die Autarkie der Tugend, und Albinos, der die Berücksichtigung äußerer Güter vertritt — beide mit Berufung auf Platon. Zu den Ursachen dieses Dissenses vgl. Dillon, Platonists 9.

der Tugend bestreitet[86], wird diese umgekehrt in der Stoa anfänglich propagiert[87], doch auch hier wird dieses Ideal in der Folgezeit — zuerst wohl von Panaitios und Poseidonios[88] — modifiziert oder preisgegeben[89]. Zugunsten des Freundschaftsideals wird vor allem die Unabhängigkeit auch von den Mitmenschen z. T. relativiert.

Von diesen gerade in der Kaiserzeit virulenten philosophischen Kontroversen zeigt sich die christliche Rezeption des Autarkiebegriffs vor und bei Hermas gänzlich unberührt. Das Ideal der Autarkie der Tugend ist als solches hier überhaupt nicht und von späteren christlichen Autoren nur mit entscheidenden Modifikationen rezipiert worden[90] und war wohl im Grunde auch nicht rezipierbar[91]. Von daher wird man hinter die in der Sekundärliteratur geläufige Zuweisung des im NT aufgenommenen Autarkiebegriffs zur Stoa ein Fragezeichen setzen dürfen[92]: αὐτάρχεια bedeutet weder in 2Kor 9,8 noch in Phil 4,11 oder 1Tim 6,6 Besitzverzicht, sondern Verzicht auf fremde Unterstützung (Phil) oder auf Bereicherung (1Tim, 2Kor). Letzterer wird teils im Blick auf das autarke Subjekt mit dessen Bewahrung vor den zum Untergang führenden Begierden (1Tim), teils im Blick auf die anderen mit der Unterstützung Bedürftiger (2Kor) motiviert[93].

Stärker als in der philosophischen Tradition ist bei Hermas die Antithese der αὐτάρχεια zum wirtschaftlichen Autarkie-Ideal, das nicht durch Begrenzung, sondern durch Ausdehnung des Gütererwerbs (vor allem an Immobilien) verwirklicht wird. Gegen diese mit dem νόμος der Polis identifizierte Norm verstos-

---

86 Vgl. Wilpert, Autarkie 1041.

87 Vgl. ebd. 1041f. sowie Forschner, Ethik, Reg. sv. — Daneben kennt die Stoa Autarkie als Einzeltugend, vgl. SVF III 272.276.

88 Vgl. DiogLaert VII 128.

89 Vgl. dazu z. B. Pohlenz, Stoa I 291.358.386f. Historisch wäre also differenzierter vorzugehen, als Jonas, Augustin 25-29, in seiner lesenswerten Phänomenologie des stoischen Autarkieideals dies tut.

90 Für jeden kaiserzeitlichen Philosophen, gleich welcher Schulzugehörigkeit, wäre etwa das Nebeneinander von αὐτάρχεια und ἀρετή (mand VI 2,3) ein Unding.

91 So m. E. mit Recht Wilpert, Autarkie 1045.

92 Vgl. die Einschränkungen in den Kommentaren: Gnilka, Philipperbrief 174 (zu Phil 4,11), spricht von einer grundlegenden Veränderung der stoischen Vorstellung, Windisch, Korintherbrief 278 (zu 2Kor 9,8) vom Unterschied zwischen der philosophischen und der paulinischen Begriffsverwendung. Vgl. ferner Bonhöffer, Epiktet 109f.355f.; Sevenster, Paul 113f.— Von daher wären auch Theißen, Legitimation 213, und Hengel, Eigentum 61, zu fragen, ob sie nicht beide zu stark auf das Beispiel des Sokrates fixiert sind und dabei die philosophischen Kontroversen der Zeit nach Sokrates sowie die Konzentration des philosophischen Ideals auf die Autarkie der Tugend außer Acht lassen.

93 Da im Kontext von sim I 6 die zweite Motivation — Orientierung am Nächsten — im Blick ist, vermag ich die von Hengel, Eigentum 64, behauptete Verwandtschaft zwischen Hermas und den Pastoralbriefen im Hinblick auf die "Verbürgerlichung" des Ideals der Selbstgenügsamkeit nicht zu sehen: Während in 1Tim 6,6ff. ein Heilsindividualismus vorliegt, steht Hermas (auch im Blick auf den Geber der Güter, sim I 9) eher auf der Seite von 2Kor 9,8.

sen die Christen absichtlich: In ἀντιταξάμενον ist der Gegenbegriff zur nicht eigens erwähnten ὁμόνοια der Polisbewohner genannt. Die Störung der Ordnung, der revolutionäre Charakter der Weigerung, nach der Norm der Polis zu leben, ist damit klar ausgedrückt.

Mit dem Motiv der Freude in der Himmelsstadt nimmt Hermas möglicherweise ein Stück Märtyrertheologie auf[94]. Trifft das zu, so ist der Bezug auf die Märtyrer hier aber umgebogen auf alle Christen.

Daß der νόμος der Polis in erster Linie internalisierte, nicht kodifizierte Normen meint, bestätigt die Antithese von 7, die Christen seien solche, die Gott im Herzen hätten (ἔχοντες αὐτόν – sc. θεὸν – εἰς τὴν καρδίαν), und lebten im Gedenken an die internalisierten bzw. zu internalisierenden göttlichen Gebote[95].

Die weltlichen Besitztümer werden nun (8f.) umgedeutet auf die sozial benachteiligten Christen. Damit wird nun ganz deutlich, daß letztere nicht die eigentlich Angeredeten sind[96]. Der Reichtum gilt als Gabe Gottes (9). Diese Interpretation dient der Motivation zu diakonischem Handeln[97]. Neben diese schöpfungstheologische Motivation tritt eine sehr schwach ausgeprägte eschatologische Motivation[98]. Eine weitere Motivation erfolgt im Rückgriff auf die mandata: Entsprechend der dort vorgenommenen Dichotomisierung[99] wird hier auch im Begriff πολυτέλεια differenziert[100]. Die Heiden dienen dabei als Negativfolie, und wieder begegnet das Unzuträglichkeitsargument. Die in 11a erwähnte Falschmünzerei[101] und der Diebstahl[102] tauchen etwas unmotiviert auf[103] und werden im begründenden Nachsatz 11b nicht mehr erwähnt.

Mit der Wahl des Zwei-Städte-Schemas greift Hermas[104] zu einem jener Modelle, die einander ausschließende Möglichkeiten darstellen. Ähnlich wie in den mandata liegt das Schwergewicht auf dem Verhalten der Christen[105]. Die

---

94 Vgl. MartPol 19,2, auch 4Esra 7,91, Mt 5,12, Apk 19,7.

95 Zum Gedenken an Gottes Gebote vgl. z. B. Ps 103,18, ApkPauli 29. – Das Gedenken an die Verheißung (zur figura etymologica vgl. Bauer, Wörterbuch 556 sv ἐπαγγέλλομαι 1b) hat wieder motivierende Funktion.

96 αὐτάρκης und ἐνδεής schließen einander explizit schon bei Platon, rep. 369b aus.

97 Zu διακονίας τελεῖν vgl. mand II 6, XII 3,3, ferner sim II 7, ferner sim IX 26,2.

98 πολὺ βελτίον. Die Spiritualisierung der Immobilien entspricht dabei in etwa Mk 10,28-31.

99 Vgl. mand VII, VIII, X, XII 1,1-3,2.

100 Vgl. dazu mand VI 2,5, VIII 3, XII 2,1.

101 Vgl. dazu Simon, Münzverbrechen, und Christ, Numismatik 100f. Ein Beispiel: Philostratos, vit. Apoll. II 29.

102 Vgl. dazu Raber, Furtum, und die Belege bei Berger, Gesetzesauslegung 348.

103 Immerhin geht es in beiden Fällen um Eigentum(svermehrung).

104 Wie schon zuvor in mand VI-VIII und XII.

105 Auch die Standortbestimmung der Christen – ἐπὶ ξένης – dient nicht der Charakterisierung der angeredeten Subjekte als solcher, sondern verknüpft deren Identität sofort mit Verhaltensalternativen.

Eschatologie ist im Blick auf die Ethik funktionalisiert; sie dient dieser als Motivation. Das Besondere an Hermas' Verwendung dieses traditionellen Modells ist die Konzentration auf die Normenproblematik. Die dem Verhalten der Polisbewohner implizit zugrundeliegende Norm gilt dabei als für die Christen zunächst schlechthin unerfüllbar. Im Verlauf der Darlegungen wird diese Position abgeschwächt, wobei die Autarkie als Kriterium eingeführt wird.

Diese Spannung muß von Hermas in Kauf genommen werden, weil er nicht leugnen kann, daß nicht alle den Lebensvollzügen von Nichtchristen und Christen zugrundeliegenden Normen gruppenspezifische und die Normen der jeweils anderen Gruppe ausschließende Normen sein können. An der grundsätzlichen Differenz des Nomos der Polis und des Nomos der Christen will er aber festhalten und verzichtet deshalb auf eine Differenzierung im Nomos der Polis.

Solche Differenzierungen im Bereich der nichtchristlichen Normen finden sich allerdings bei späteren christlichen Schriftstellern. Instruktiv ist der Vergleich von sim I mit Diogn 5f. Dort wird von einer Nichtunterscheidbarkeit der Christen und der Nichtchristen in den alltäglichen Lebensvollzügen ausgegangen[106]. Grund dafür ist, daß sich die Christen dem jeweils in der Umwelt üblichen Ethos anpassen (5,4) und die erlassenen Gesetze befolgen (5,5). Die Differenz ist bei solcher Affirmation nur quantitativ festzuhalten: Die Christen überbieten die Heiden, sei es in der Befolgung der gemeinsam akzeptierten Normen, sei es im Leben nach zusätzlichen Normen (5,10). Von daher sind der Haß der Welt und die schlechte Behandlung der Christen rational nicht mehr zu erklären (und zu rechtfertigen): Als Erklärungsersatz wird die Parallelisierung der Christen mit der Seele und die der Nichtchristen mit dem Leib sowie das zwischen Leib und Seele bestehende Spannungsverhältnis angeboten, der Antagonismus mit diesem dualistischen anthropologischen Modell mithin als naturgegeben hingenommen. Diogn macht die Differenz zwischen Christen und Nichtchristen an der Befolgung bzw. Ablehnung einzelner Handlungen fest und fällt insofern theoretisch hinter den bei Hermas erreichten Stand zurück. Dieser hatte die einzelnen Handlungen auf eine ihnen zugrunde liegende Metanorm zurückgeführt und damit von der Ebene des sinnlich Wahrnehmbaren abstrahiert. Im Blick auf diese (zunächst) abstrakte Metanorm vermag er das Verhalten der Nichtchristen gegen die Christen rational zu erklären. Infolge der Beziehung des Nomos der Polis auf einen vom κύριος der Christen unterschiedenen κύριος kann es bei ihm zu einer Affirmation der nichtchristlichen Metanorm und des ihr entsprechenden Systems von Lebensvollzügen nicht kommen. Gerade im Bereich der Reproduktion, in dem Diogn keine Unterschiede zwischen Christen und Nichtchristen gelten lassen will, macht Hermas die Differenz durch das unterscheidende Kriterium der Autarkie fest. Im Gesellschaftsdenken des Hermas ist das Verhältnis von Christen und Nichtchristen in der Gesamtgesellschaft daher grundsätzlich nicht als Integration — und sei es mit quantitativer Abstufung wie bei Diogn —, sondern nur als Antago-

---

106 5,1ff. An identischen Lebensvollzügen sind dabei genannt: Kleidung, Ernährung, Eheschließung, Kinderzeugung, Gastfreundschaft. Die Differenzen liegen hier in der Ablehnung von Kindesaussetzung und sexueller Promiskuität seitens der Christen.

nismus zu beschreiben[107].

Im Verlauf der Geschichte der vorkonstantinischen Kirche tritt die christliche Erfahrung der Differenz zwischen Christen und Nichtchristen und dabei unter anderem auch die Erfahrung der Fremdheit in der Welt zurück[108]. Die nachkonstantinische Identifikation von himmlischer Stadt und Kirchengebäude[109] wäre, selbst wenn es zur Zeit des Hermas bereits Kirchengebäude gegeben hätte, für Hermas so nicht denkbar oder akzeptabel gewesen.

Die für die Christen gültigen Normen werden als Verzicht auf den Erwerb materieller Güter expliziert. Dabei wird der mit Christus identische Nomos durch die "Gebote" (ἐντολαί) interpretierend ersetzt, die Martyriumssituation durch das Alltagsleben abgelöst.

Fragt man nach den Subjekten, die diese Normen erfüllen können, so zeigt sich, daß Hermas faktisch nicht alle Christen, sondern unter diesen einen bestimmten, kleineren Adressatenkreis im Blick hat: diejenigen, die zum Erwerb materieller Güter faktisch in der Lage waren und für die deshalb der Verzicht darauf eine realistische Möglichkeit darstellte. Dieser faktischen Einschränkung des Adressatenkreises entspricht die Tendenz zur Individualisierung der Eschatologie: Nicht eine allgemeine Erneuerung der Welt wird erwartet, sondern das Schicksal der einzelnen Christen nach dem Tod ist im Blick[110]. Das bedeutet dann aber auch, daß innerhalb der Gemeinde das Leben ἐπὶ ξένης von verschiedenen Christen verschieden erfahren wird. Die hier nicht als ethische Subjekte angesprochenen Armen[111] leben, sofern sie obdach- und rechtlos sind, real in der Fremde. Ihnen muß die Fremdlingschaft der Christen in der Welt nicht erst in Erinnerung gerufen werden, und für sie ist dieses Theologumenon auch keine Motivation zu ethischem Handeln. Problematisch ist für Hermas vielmehr die spiritualisierte Fremdheitserfahrung der Besitzenden: Sie muß ihnen als Fremdheitserfahrung durch reales Handeln erfahrbar

107 In dieser Hinsicht ist 2Cl 5 neben Hermas zu stellen, ohne daß in 2Cl 5 Situationsanalyse betrieben würde.

108 In einer hier nicht zu leistenden Erklärung dieses Phänomens wäre u. a. auch die These von Blumenberg zu berücksichtigen, die das Zurücktreten des Theologumenons der Fremdheit mit der Auseinandersetzung der Großkirche mit der Gnosis im Bereich der Schöpfungslehre in Zusammenhang bringt (vgl. ders., Genesis 33). Allerdings reicht Blumenbergs rein geistesgeschichtliche Sicht zur Erklärung selbst dieses einen Aspekts des Problemkomplexes nicht aus. Materielle Bedingungen wären zu berücksichtigen.

109 Vgl. dazu Rissi, Zukunft 45, und als instruktives Beispiel S. Stefano Rotondo in Rom (dazu Sándor, Santo Stefano).

110 Zu Tendenzen bei Hermas, Eschatologie und Apokalyptik zu individualisieren, vgl. auch Dibelius, Hirt 485f.490.

111 Da die Armen hier nur als Objekte im Blick sind, bleibt die Frage offen, ob und inwiefern sie auch Handlungssubjekte sein können. Es ist deshalb nicht zufällig, daß diese Frage in der unmittelbar folgenden sim II thematisiert wird.

gemacht werden. Mit dem im Erwerbsverzicht akzeptierten Verzicht auf sozialen Aufstieg erhält auch diese Fremdheitserfahrung reale Züge. Damit ist zugleich auch die grundsätzliche Tendenz der Lösung angedeutet, die Hermas
für den sozialen Konflikt in der Gemeinde anstrebt: die Verringerung der sozialen Distanzen und Gegensätze durch Verzicht der Besitzenden auf sozialen
Aufstieg. Dem entspricht, daß das Verhalten nicht empirisch, sondern metempi-
risch motiviert und sanktioniert wird.

> Ein Stadtmodell wird von Hermas noch in sim IX 12,5 verwendet. Auch dort geht es
> um den postmortalen Eintritt der Christen in die (vermutlich bereits weitgehend räum-
> lich verstandene) βασιλεία τοῦ θεοῦ. Das einzige Tor, das in die von Mauern umgebene
> Stadt führt, wird mit dem ὄνομα τοῦ υἱοῦ verglichen, das es zu ergreifen gilt (12,4). Ge-
> genüber der vorangehenden Identifikation des Tores mit dem Sohn selbst liegt hier
> eine Verschiebung vor, wobei das Christsein allerdings inhaltlich nicht näher bestimmt
> wird. Im Vergleich zu der in sim I vorliegenden faktischen Einschränkung des Adres-
> satenkreises wirkt diese neutrale Bestimmung ursprünglicher, weil uneingeschränkt.

2

Das Charakteristische des stoischen Welt-Stadt-Modells ist, daß bei aller Entfremdung an der Einheit der Stadt und damit der Welt und der Gesellschaft
festgehalten wird[112]. Diese Einheit steht in der Gefahr, preisgegeben zu werden, wo – wie in sim I – ein Zwei-Städte-Modell verwendet und der Bereich
des Eigenen ausdrücklich dem Bereich des Anderen antithetisch gegenübergestellt wird. Diese Antithese ist in sim I im wesentlichen eine statische. Doch
drängt das Nebeneinander des Eigenen und des konträren Anderen auf Auflösung, auf die Reflexion der Möglichkeit des Verschwindens der Antithese,
mithin auf die Reflexion und Prognose gesellschaftlichen Wandels. Die in sim I
vorgeführte Lösung – das Verschwinden der Christen aus der fremden Stadt in
die eigene – ist dabei insofern ungenügend, als die Frage nach dem Ergehen
der Anderen offen bleibt. Allerdings ist eben diese Frage im Werk des Hermas
bereits an einer früheren Stelle aufgenommen: in der Deutung der vier Farben
am Kopf des Ungeheuers (vis IV 3).

Ich versage mir, hier umfassend auf die Komposition von vis IV sowie auf
die Traditionsgeschichte der Farben einzugehen. Von Bedeutung für unser
Thema ist, daß die in 1,10 genannten Farben einen Nachtrag zur Tiervision

---

112 Selbst die beiden res publicae (die alles umfassende Welt und die bestimmte Bürger-
   schaft), von denen Seneca in ot. 4,1 redet, stehen zueinander im Verhältnis von Gan-
   zem und Teil. Die Einheit ist also auch da noch festgehalten, obwohl neben der einen
   Form gelingenden Lebens gleich zwei zueinander komplementäre defiziente Lebens-
   formen genannt werden: Quidam eodem tempore utrique rei publicae dant operam,
   maiori minorique, quidam tantum minori, quidam tantum maiori.

darstellen[113], daß mithin an dieser Stelle mit einem besonderen Interesse des Hermas zu rechnen ist[114].

Einander gegenübergestellt werden "dieser Kosmos" (οὗτος ὁ κόσμος 3,2) und "der kommende Äon" (ὁ αἰὼν ὁ ἐπερχόμενος 3,5), und zwar nicht im Sinn des Neben-, sondern eines Nacheinander. Der Prozeßcharakter drückt sich verbal im Vergehen des Kosmos (3,3) und im Kommen des künftigen Äons (3,5) aus. Dieser Prozeß impliziert eine Lösung der statischen Antithese von Christen und Nichtchristen: Letztere gehen mit der Welt zugrunde[115]. Die Kontinuität in diesem radikalen Wandel wird durch die Christen hergestellt: Was als Entrinnen (3,4; vgl. auch 2,5) bezeichnet wird, läßt sich positiv auch als ein Bleiben (3,4) beschreiben[116]. Die Permanenz der Kirche ist also das Bleibende, während der gesellschaftliche Kontext sich wandelt, indem er verschwindet. Insofern eine Umwandlung der überwiegend nichtchristlichen Gesellschaft in eine christliche nicht in Betracht gezogen wird, gesellschaftlicher Wandel hier also nicht etwa in den Kategorien des Zunehmens und Abnehmens der Mitglieder und des Einflusses bestimmter Gruppen in der Gesellschaft interpretiert wird[117], ist die prozeßhafte Sicht von vis IV durchaus mit der statischen Perspektive von sim I zu vereinbaren: Wie in sim I ist auch in vis IV 3 eine Integrationstheorie für Hermas undenkbar. Veränderung ist jeweils nur als Verschwinden des Eigenen oder Anderen vorstellbar. Zugleich liegt solcher Wandel, wie die Passiva zeigen, nicht in der Macht der Gesellschaft oder einer bestimmten gesellschaftlichen Gruppierung. Dementsprechend wird hier der Mission kein entscheidendes Gewicht zugemessen. Die Betonung liegt auf der Verbesserung der Lebensumstände derer, die bereits Christen sind.

Insofern Veränderung gesamtgesellschaftlicher Zustände durch die Christen hier geleugnet wird, ist die Wahrnehmung der Wirklichkeit in vis IV 3 eingeschränkt: Als Gesellschaft in der Gesellschaft beeinflußt die Gemeinde faktisch auch ihre Umgebung und wird nicht nur von dieser beeinflußt. Der Rückgriff

---

113 Der angemessene Ort wäre 1,6 gewesen, wo das Ungeheuer beschrieben und seine κεφαλή ausdrücklich erwähnt wird. Ohne einer literarkritischen Lösung dieses Nachtrags eine psychologisierende Alternative gegenüberstellen zu müssen (dazu sieht sich Dibelius, Hirt 484, veranlaßt), läßt sich der Nachtrag als ein für Hermas charakteristisches Verfahren erklären (s. o. Kap. I), wofür etwa auch vis III 10,3-5 ein weiterer Beleg ist.

114 Dies wird auch durch das retardierende Moment 3,1 unterstrichen.

115 So sind die Wendungen οἱ κατοικοῦντες ἐν αὐτοῖς und ὑπ' αὐτῶν καθαρισθήσεσθε (3,4) zu verstehen; vgl. Dibelius, Hirt 489f.

116 Vgl. auch die durchgängige Verwendung von κατοικεῖν im Blick auf den vergehenden Kosmos (3,2; vgl. 2,4) und auf den kommenden Äon (3,5).

117 Eine solche quantitative Sicht gesellschaftlichen Wandels liegt mit Bezug auf die Christen etwa bei Plinius, ep. X 96,9f. vor.

auf das apokalyptische Zwei-Äonen-Modell zeigt jedoch sozialpsychologisch deutlich das Ohnmachtsgefühl von Christen in ihrem Verhältnis zur Gesellschaft und im Blick auf die Chance positiver gesamtgesellschaftlicher Veränderung.

3

Auf eine Reihe weiterer wichtiger Gesichtspunkte im Verhältnis von christlicher Gemeinde und nichtchristlicher Umwelt stößt man bei einer genaueren Untersuchung der über den ganzen Text verstreuten gelegentlichen Erwähnungen der "Völker" ($\check{\epsilon}\vartheta\nu\eta$).

Derjenige Teil der Lesung der Greisin, den Hermas zu ertragen nicht imstande ist[118], wird von ihr als an die Heiden gerichtet reinterpretiert. Man wird wohl nicht fehlgehen, wenn man vermutet, es habe sich bei dem von Hermas Verdrängten um eine Gerichtspredigt gehandelt — um die Art von Missionspredigt, die vermutlich für die Zeitgenossen des Hermas (neben Wundertaten, von denen wir aber für Rom zu dieser Zeit keine Belege haben) der wichtigste Anlaß zur Konversion zum Christentum war[119].

Die Konversion der Völker zum Christentum wird in sim IX 17[120] reflektiert. Dort ist von den zwölf $\varphi\upsilon\lambda\alpha\acute{\iota}$ oder $\check{\epsilon}\vartheta\nu\eta$ die Rede, die die ganze Welt bewohnen[121]. Die Konversion wird als Annahme des "Siegels" und, damit verbunden, einer einheitlichen Gesinnung, eines gemeinsamen Glaubens und einer einigenden Liebe interpretiert (17,4). Die starke Betonung der Verschiedenheiten unter den Völkern (17,2) hätte als Ausgangspunkt einer differenzierten Wahrnehmung des Nichtchristlichen dienen können. Doch das Interesse des Hermas ist auf Unterschiede nicht außerhalb, sondern innerhalb der Gemeinde gerichtet. Infolgedessen wird der Rückfall einiger Konvertierter in die Sünde eher global als Rückfall ins Heidentum gekennzeichnet (17,5) und kann sogar noch negativer als das bloß Heidnische gewertet werden (ebd.).

Allerdings ist in dieser Bewertung eine Verschärfung gegenüber der in sim IV 4 vertretenen Position zu erkennen. Auch dort ist Sünde sozusagen als Ein-

---

118 vis I 3,3; 4,2.

119 Man beachte, daß der von Hermas verdrängte Teil der *erste* der Lesung ist. — Die Bedeutung von Wunder und Gerichtspredigt für den Missionserfolg des frühen Christentums hat mit überzeugenden Argumenten MacMullen, Christianizing, herausgestellt.

120 Vgl. auch sim IX 18,5.

121 Weil die beiden Bezeichnungen promiscue verwendet werden, muß offen bleiben, ob die hier aufgenommene Tradition ursprünglich vom Modell der zwölf Stämme Israels ausging oder von israelitischen Kontexten unabhängig war. — Stellen wie sim VIII 3,2; IX 15,4; 16,4f. zeigen im übrigen, daß Hermas die universale Verbreitung der christlichen Botschaft bereits als im wesentlichen abgeschlossen betrachtet.

bruch des Heidnischen in die Gemeinde verstanden. Die Parallelisierung von
Heiden und Sündern, zumal im Blick auf ihr endzeitliches Ergehen, ist dann
nur folgerichtig. Die unterschiedlichen Voraussetzungen — die Sünder haben
nach ihrer Konversion gesündigt und sind anschließend nicht umgekehrt, die
Heiden haben ihren Schöpfer nicht erkannt — wiegen in dieser Hinsicht gleich
schwer[122]. Wenn in sim IX 17,5-18,4 diese Gleichsetzung wieder aufgegeben
und das den Sündern in Aussicht gestellte Ergehen gegenüber dem der Heiden als Verschärfung präsentiert wird, so liefert die Begründung dafür nun
nicht wie in sim IV 4 die Vergleichbarkeit der Praxis, sondern die Verschie-
denheit der Ausgangsbedingungen[123].

Inwieweit sich in solcher Abwertung der Sünder gegenüber den Heiden ein Trend
der Zeit spiegelt, läßt sich angesichts der spärlichen Quellen nicht mit Sicherheit sagen.
Während Mt 18,17 neben die in sim IV 4 vertretene Position tritt, hat die spätere Auffassung sim IX 17f. eine Entsprechung nicht nur in 1Tim 5,8, sondern auch in einer
pauschal gegen die Großkirche gerichteten Polemik des Authentikos Logos[124]. Diese
Stellen zeigen zwar einerseits, daß man bei der Bewertung von Sünde das Heidnische
als Maßstab verwenden konnte, andererseits aber auch, daß man dies nur gelegentlich tat.

Abgesehen von einer einzigen Stelle, die von der Bestrafung von Sklaven
handelt[125] und im Kontext abschreckende Funktion hat, dient der Hinweis auf
die Heiden und deren Verhalten sonst stets als Negativfolie, von der erwünschtes Verhalten der Gemeindeglieder abgehoben wird. So gilt es als
heidnisch und wird als Götzendienst interpretiert, den Mantiker von mand XI
um Orakel zu bitten (mand XI 4)[126].

---

122 Diese Stelle zeigt zugleich, daß im Erkennbarmachen des Schöpfers ein weiterer wich-
tiger Bestandteil frühchristlicher Missionspredigt zu sehen ist (vgl. auch mand VII 5).
Von daher ist der Bezug auf Gottes Schöpferhandeln bei Hermas (z. B. vis I 1,6; mand
XII 4,2f.) vielleicht als Erinnerung an die Missionspredigt zu verstehen.

123 Unterschiedliche Ausgangsbedingungen werden auch in vis II 2,5 reflektiert, wo die
"Völker" eine Bußchance bis zum jüngsten Tag haben, während den Gerechten nach
der Konversion nur *eine*, zeitlich begrenzte, Bußchance eingeräumt wird.

124 NHC VI,3 p. 33f.; vgl. dazu Koschorke, Polemik 199f., und Pagels, Versuchung 166f.

125 sim IX 28,8; s. dazu o. S. 143.

126 In der Wendung ἑαυτοῖς μείζονα ἁμαρτίαν ἐπιφέρουσιν εἰδωλολατροῦντες könnte sich
μείζονα auf die zuvor erwähnten Heiden beziehen. Das würde dann eine zu sim IX
17f. analoge Position beinhalten (und brächte die oben vertretene These von einer
Verschärfung gegenüber sim IV 4 zu Fall). Doch abgesehen davon, daß die Differenz
zwischen heidnischen und christlichen Orakelbefragern dann unklar bliebe (denn von
unterschiedlichen Ausgangsbedingungen ist in mand XI 4 nicht die Rede), kann vom
Kontext her der Komparativ auch auf die zuvor konstatierte Sünde des Zweifels bezogen und in der Orakelbefragung eine Vergrößerung dieser bereits vorhandenen Sünde
gesehen werden (so Reiling, Hermas 34 n. 5). Für diese Deutung spricht zusätzlich, daß
auch in sim IX 21,3 eine Disposition der Zweifler für Götzendienst unterstellt wird,
auch wenn dort die Verfolgungssituation im Blick ist (s. o. S. 79f.).

Der πολυτέλεια τῶν ἐθνῶν wird in sim I 10 die wahre, christliche Verschwendung gegenübergestellt. Diese Kontrastierung geschieht auf dieselbe Weise, wie in mand VI-VIII Differenzierungen in den Begriffen Glaube, Furcht und Enthaltsamkeit vorgenommen worden waren. Die Scheidung zwischen gut und böse, nützlich und unnütz entspricht also dem Unterschied von Christen und Heiden[127].

Solche normativen Abgrenzungen sind natürlich nur in dem Maße plausibel, wie sie auch mehr oder minder selbstverständliche Lebenspraxis der Christen waren. Dem kam die Tendenz der Gemeinde zugute, als möglichst eigenständige und abgeschlossene Gruppe in der Gesellschaft die Kontakte unter den Christen zu intensivieren und die Existenz rein christlicher Haushalte zu fördern[128]. Gerade der Oikos bietet eine sehr gute Möglichkeit, erwünschtes Verhalten gegebenenfalls auch durch negative Sanktionen herbeizuführen. So rät Hermas den verheirateten Christen, zu einem christlichen Ehepartner, der τὰ ὁμοιώματα τῶν ἐθνῶν praktiziert, d. h. wohl an nichtchristlichen religiösen Aktivitäten teilnimmt, jegliche Kommunikation abzubrechen (mand IV 1,9) – doch wohl zunächst und vor allem in derselben Zielrichtung wie in dem zuvor geschilderten Fallbeispiel mand IV 1,4-8[129]: den Sünder zur Umkehr zu bewegen.

Auf die Einschränkung von Kommunikation mit Nichtchristen zielt die Charakterisierung der christlichen Geschäftsleute in mand X 1,4 letztlich ab. Ihnen werden jedenfalls intensivere persönliche Beziehungen mit Heiden (φιλίαι ἐθνικαί) angekreidet. Auch die Kritik am Verhalten einer der in sim VIII behandelten Gruppen von Sündern – es handelt sich wohl zu einem guten Teil um denselben Personenkreis wie in mand X 1,4 – wird erst dann voll verständlich, wenn die weitgehende Einschränkung von Kontakten zu Nichtchristen die Regel war. Es handelt sich um Christen, die infolge wirtschaftlichen Aufstiegs Umgang mit Nichtchristen pflegten[130]. An ihnen wird vor allem das Fehlen von dem Glauben entsprechenden Werken kritisiert (9,1). Ihr Verhalten und vor allem ihr Ergehen bei fehlender Verhaltensänderung wird mit dem der Heiden parallelisiert (9,3)[131]. Auch hier dürften die πράξεις τῶν ἐθνῶν auf nichtchrisrtliche religiöse Praxis verweisen[132].

127 Auffällig ist, daß im Zusammenhang mit einer Abgrenzung von den Heiden das Nützlichkeitsargument auch in vis I 4,2 begegnet.

128 S. o. S. 61f.

129 S. dazu o. S. 185-190.

130 συνζῆν legt (ähnlich wie mand X 1,4) intensivere Beziehungen nahe, vgl. auch mand IV 1,9.

131 Es muß sich um (für uns nicht mehr genau bestimmbare) spezifische Handlungen, Verhaltensweisen und Einstellungen handeln, da anderes abweichendes Verhalten in sim VIII nicht als "heidnisch" qualifiziert wird.

132 Zu den κενοδοξίαι 9,3 vgl. auch mand XI 4.

4

Es gilt nun, ein Resümee zu ziehen: Wodurch ist die Wahrnehmung des Nichtchristlichen bei Hermas gekennzeichnet?

Zunächst: An welchem Personenkreis orientiert sich Hermas, wenn er von Heiden redet? Sieht man davon ab, daß er oft unspezifisch von *den* Nichtchristen spricht, so begegnen wir dem "Herrn dieser Stadt" (sim I), dem Sklavenhalter (sim IX 28,8), den auf Vermehrung ihres bereits vorhandenen Wohlstand Bedachten (sim I) und den Freunden christlicher Geschäftsleute (mand X 1,4), die mit diesen in der Regel auf einer Stufe gestanden haben dürften[133]. Wo Hermas konkret wird, orientiert er sich also an einer Minderheit unter den Nichtchristen: an der stadtrömischen Mittel- und Oberschicht.

Was nimmt er an Heidnischem wahr? Einmal nichtchristliche religiöse Praxis, darunter die Inanspruchnahme der Mantik (mand XI) und wahrscheinlich auch das Opfer vor Götter- und Kaiserbildern als Loyalitätsbeweis vor Gericht (sim IX 21,3). Vermutlich denkt er auch an die Teilnahme an den sonst üblichen Opferhandlungen und an das Essen von Götzenopferfleisch. Zum anderen fällt ihm der egoistische Besitz materieller Güter und das Streben, diese zu vermehren, ins Auge. Das hängt mit dem Personenkreis zusammen, an den er denkt, wenn er konkret von Heiden redet. Daneben, am Rande, kommt die Sklaverei ins Blickfeld (sim IX 28,8) − ohne ausgesprochen negative Bewertung.

Schließlich: Was bleibt ausgeblendet? Die Unterschicht, weite Teile des Alltags − das ergibt sich aus dem bereits Gesagten. Aber das ist nicht alles. Sieht man einmal von den relativ allgemeinen und abstrakten Aussagen in sim I ab, so wird die nichtchristliche Gewalt gegen Christen, vor allem die staatliche Reaktion auf das Christentum, nirgends ausdrücklich mit den Gewaltsubjekten in Verbindung gebracht.

Zwar gibt es bei Hermas immer wieder Reflexe des gesellschaftlichen Drucks und des staatlichen Vorgehens gegen die Christen[134]. Aber der gewaltgesättigte Alltag[135], der sich dabei im Text sein Recht verschafft, scheint mit dem Konzept des Heidnischen nicht ausdrücklich verbunden zu sein. Wo von Repressionen die Rede ist, da dominiert die Begrifflichkeit anonymer Bedrohung (z. B. θλῖψις), das Passiv, das oft ebensogut ein divinum wie ein inhumanum sein kann (θλιβεῖσθαι), oder die ausschließliche Konzentration auf das

---

133 Ähnliches gilt für sim VIII 9,1.

134 Die Stellen sind o. S. 79-82 besprochen.

135 Daß es sich dabei um den Alltag, nicht um Ausnahmesituationen handelt, hat für die Frühzeit mit Recht Schottroff, Kaiser, hervorgehoben. Die vorstehenden Analysen zu sim I und vis IV 3 zeigen, daß auch zu Hermas' Zeit Druck und Verfolgung den christlichen Alltag mitkonstituieren.

Handeln der Christen in der von ihnen nicht selbst gewählten Situation. Der Grund dafür liegt darin, daß diese Situationen der Repression in erster Linie als Gelegenheiten der Rehabilitation (z. B. sim IX 28,3) und zu besserer Reputation (z. B. vis III 1,9f.) betrachtet werden. Das Heidnische wäre als reine Negativfolie fragwürdig geworden, hätte Hermas es ausdrücklich als Ursache der Bewährung des Christlichen in extremis benannt.

Insofern die Frage nach den menschlichen Verursachern des Leidens der Christen nicht gestellt wird, das Heidnische mithin weder als in sich selbst differenzierte Größe (auch abgesehen von der christlichen Gemeinde gibt es Repression und damit Opfer und Täter) noch als in seinem Vorgehen gegen die Christen kritisierbare Instanz wahrgenommen werden kann, fehlt jegliche Grundlage, eine positive Veränderung der Beziehungen zwischen den Christen und der nichtchristlichen Gesellschaft zu denken. Auch daraus erhellt wieder die objektive und subjektive Ohnmacht der Gemeinde, soweit Hermas für sie repräsentativ ist, aber zugleich auch der Einfluß der Gewaltverhältnisse auf die Vorstellungskraft der Bedrohten: Vorstellbar ist nur das von außen gewirkte gewaltsame Verschwinden der Gewaltstrukturen (vis IV 3).

IX: DREI GEMEINDEANALYSEN

1

Die Reflexion auf das Verschwinden des gesellschaftlichen Kontexts in vis IV 3[1] läßt offen, ob *alle* Christen entrinnen (oder bleiben) werden. Dieses Problem wird in vis IV 3 nicht gelöst, ist aber implizit als solches präsent in der Differenz zwischen 3,2 und 3,5: Das *gegenwärtige* Wohnen der Christen in diesem Kosmos betrifft sie alle, weshalb die Form der Anrede gewählt werden kann. Hingegen wird vom *künftigen* Wohnen im kommenden Äon ohne Anrede mit der neutralen Wendung "die Erwählten Gottes werden wohnen" gesprochen, wobei offen bleibt, ob "Erwählte" alle oder nur einige Christen meint. Daß hier Präzisierungen nötig sind, zeigt sich besonders, wenn das künftige Ergehen der Christen auf die vorfindliche Gemeindewirklichkeit bezogen wird. Eine Lösung wird von Hermas in sim IIIf. versucht.

> Daß sim IIIf. an vis IV 3 und den dort offen gebliebenen Problemrest anknüpft, wird bis in die Wortwahl hinein daran deutlich, daß von *allen* Bäumen gesagt werden kann: "sie wohnen in diesem Äon" (sim III 1). Ohne Bild heißt das, daß in diesem Äon die Gerechten "sich nicht (sc. als solche) zeigen, da sie mit den Sündern wohnen" (sim III 2). Für die Zukunft hingegen gilt: Allein die Gerechten "sind es, die im kommenden Äon wohnen werden" (sim IV 2).

Neben die Unterscheidung der beiden Äonen tritt die Unterscheidung von Gerechten und Sündern. In diesem Äon gelten Gerechte und Sünder als einander ähnlich; sie erscheinen nicht als die, die sie wirklich sind. Erst im kommenden Äon wird der Unterschied wirklich sichtbar (sim IV 2.4). Wie in vis IV 3,2 geht der jetzige Äon auch in sim IV 4 durch Feuer zugrunde. Die Vernichtung trifft neben den Nichtchristen nun auch den — von den Gerechten unterschiedenen — Gemeindeteil der Sünder.

Das Problem des abgelehnten Anderen in der eigenen Gruppe wird so gelöst, daß das Andere mit dem Fremden außerhalb der Gemeinde gleichgesetzt wird. Für die Gesellschaftssicht des Hermas leistet diese Gleichsetzung eine Reduktion von Komplexität: Der mit zwei gegensätzlichen Gruppen operierende Dualismus kann durch die eindeutige Zuordnung des Zwischenphänomens der Sünder zu einer der beiden Gruppen aufrechterhalten werden. Begründet wird die Gleichsetzung mit der trotz unterschiedlicher Ausgangsbedingungen gleichen Praxis (sim IV 4)[2].

---

1 S. dazu o. S. 208-210.
2 S. dazu o. S. 211.

Welche spezifische Funktion hat in diesem Zusammenhang der Ununterscheidbarkeitsgedanke? Diesem Zugang zur empirischen Wirklichkeit der Gemeinde steht ja ein anderer gegenüber: Bei aller Betonung nicht intersubjektiv feststellbarer, verborgener Sünde kennt Hermas auch gegenwärtig und intersubjektiv verifizierbare Kriterien für Sünde und abweichendes Verhalten. Im Fall des Pseudopropheten mand XI ist die Erkennbarkeit des Bösen mittels empirischer Kriterien fraglos vorausgesetzt[3]. Wenn in sim IIIf. das Fruchtbringen gegenwärtiger Erkennbarkeit entzogen wird, so folgt zunächst, daß die Unterscheidung wahrer und falscher Prophetie ein Eigengewicht hat und − wohl infolge des Einflusses, der mit Prophetie in der Gemeinde verbunden ist − empirische Entscheidungskriterien unabdingbar macht.

Bei der verallgemeinerten Rede von der Unerkennbarkeit in sim IIIf. mag die Intention eine Rolle spielen, den Nichtausschluß von "Gerechten" zu sichern. Vor allem aber scheint hier − wie in sim I − eine bestimmte soziale Gruppe in der Gemeinde im Blick zu sein. Auf eine solche Gruppe zielt sim IV 5.7, wo Ablehnung der Vielgeschäftigkeit und Möglichkeit des Fruchtbringens miteinander verbunden werden. Der Unerkennbarkeitsgedanke scheint mithin gerade für jene, die viele Geschäfte betreiben (können), als Motivation gedacht zu sein, die Normen der Gemeinde zu befolgen.

Dazu paßt, daß der Unerkennbarkeitsgedanke bei Hermas implizit noch einmal im Zusammenhang mit den Begüterten vorkommt. Nach mand II 4-7 sollen Almosen ohne vorherige Prüfung der Bedürftigkeit des Empfängers gegeben werden. Zwischen echten und angeblich Bedrängten zu unterscheiden, wird den Gebern nicht zugestanden. Statt dessen wird auf den künftigen Rechenschaftsbericht der Empfänger vor Gott verwiesen. Hier wie dort sichert der Ununterscheidbarkeitsgedanke also den materiellen Austausch zwischen Reich und Arm in der Gemeinde.

Blickt man auf die Wirklichkeit des Gemeindeganzen mit der Absicht, nicht pauschal zur Umkehr aufzurufen, sondern die Umkehrbedürftigen auf ihre Sünde konkret und differenziert anzusprechen, so hilft der Ununterscheidbarkeitsgedanke ebenso wenig weiter wie eine einfache Unterscheidung von Norm und Abweichung, Gerechtigkeit und Sünde. Präzisere Wahrnehmungsraster, exaktere Gemeindemodelle werden erforderlich; Modell und Wirklichkeit müssen aufeinander abgestimmt werden.

Hermas führt drei umfassende Gemeindeanalysen durch: vis III − sim VIII − sim IX. Seine Verfahrensweise, die in kreativem Umgang mit Tradition und eigener Vorarbeit erstellten Modelle, deren Funktion und Leistung, die Gründe für eine zweite und dritte Gemeindeanalyse, Konstanz und Wandel in den drei

---

3 Vgl. schon die Terminologie: δοκιμάζειν (7), φανερὸν ἔσται (10).

Analysen stehen im Mittelpunkt der folgenden Untersuchungen.

2

Die erste Gemeindeanalyse liegt in vis III 2,4-7,6 vor (s. die Skizze S. 218).
Hermas veranschaulicht Gemeindewirklichkeit mit Hilfe des traditionellen
Bildes von der Kirche als Bau. Um Gemeinde anhand dieses Modells differenziert darstellen zu können, führt er mehrere Typen von Steinen ein. Mit den
Steinen aus der Tiefe (2,6) und von der Erde/vom Trockenen (2,7) sowie mit
den um den Turm herumliegenden (2,8) und den vom Turm weit entfernten
Steinen (2,9) sind vier Haupttypen gegeben. Bis auf den ersten Haupttyp werden sie wiederum in Subtypen untergliedert. Differenziert wird bei Typ II nach
der Art der Behandlung durch die sechs Männer, bei Typ III nach der Beschaffenheit der Steine, bei Typ IV nach dem Ort, an dem sich die Steine
befinden. Ein einheitliches Differenzierungskriterium für die Untergliederung
der Haupttypen fehlt.

Das in vis III 2,6-9 vorliegende Modell ist das Ergebnis eines längeren Modellie-
rungsprozesses. Zwischen Haupttyp I und II dürfte ursprünglich ein kontradiktorischer
Gegensatz beabsichtigt gewesen sein. Der kosmische Gegensatz von Tiefe und Erde
(2,6) und von Tiefe und Trockenem (2,7) scheint auf die Unterscheidung Feuchtes vs
Trockenes im Sinn von Fruchtbares und Unfruchtbares zu zielen[4], Dürre und Trocken-
heit aber sind traditionelle Metaphern für abweichendes Verhalten. Die Typen III und
IV wären dann Differenzierungen und Präzisierungen des ursprünglichen Typs II, die
abweichendes Verhalten nicht als solches, sondern als graduell abgestuftes abbilden.

Es entspricht dem formalen und inhaltlichen Charakteristikum des "Hirten",
der permanenten Korrektur, daß die Analyse unabgeschlossen ist. Den elf Typen von Steinen in der Turmbauvision (2,6-9) entsprechen dreizehn Typen in
der Deutung (5-7); drei weitere Differenzierungen deuten sich an[5].

Wie die Deutung zeigt, umfaßt der von Hermas analysierte Objektbereich
mehr als nur die zum Zeitpunkt der Analyse zur römischen Gemeinde gehörenden Christen. Einbezogen sind alle lebenden derzeitigen Christen (wohl
über die römische Gemeinde hinaus), alle toten Christen sowie alle (lebenden
und toten?) ehemaligen Christen und Katechumenen. Hermas erfaßt nicht nur
vergangenes und gegenwärtiges, sondern auch künftiges faktisches und in-
tendiertes Verhalten dieser Personen. Ausgeblendet sind alle, die nie zur Gemeinde gehörten oder gehören wollten, und deren tatsächliches und inten-
diertes Verhalten.

---

4 Vgl. die Verwendung von ξηρός in sim IIIf.VIIIf.
5 Bei Typ Ia werden Lebende und Tote (5,1), bei Typ IIa rechtzeitige und verspätete Büßer
(5,5), bei Typ IIb Christen mit längerer und kürzerer Gemeindezugehörigkeit (5,3f.) ne-
beneinandergestellt.

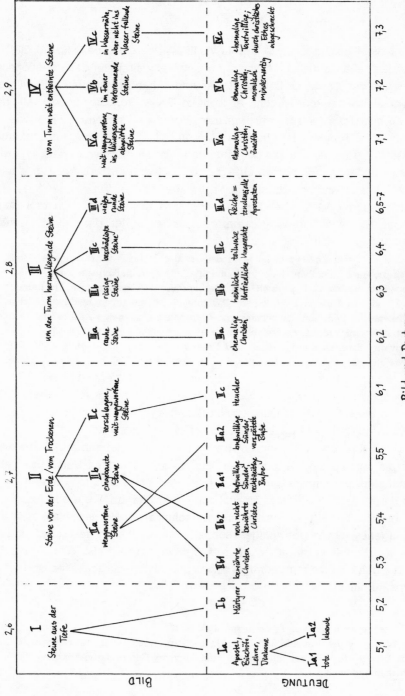

Bild und Deutung in vis III 2-7

Der Adressatenkreis von vis III 2-7 ist nur ein Teil des in der Analyse erfaß-
ten Personenkreises. Daß die Toten zu den Empfängern von vis III gehören, ist
nicht, daß die ehemaligen Christen mit angesprochen sind, nur schwer vorstellbar. Die zwar genannten, aber nicht als Empfänger in Frage kommenden
Gruppen dürften für die realen Adressaten die Funktion positiver oder negativer Beispiele haben; im Blick auf eigenes Verhalten sollen sie anspornen oder
abschrecken.

Bei der Deutung der einzelnen Steintypen beginnt Hermas mit den Gruppen
von Christen, die sich durch konformes Verhalten auszeichnen[6]. Die Reihenfolge, in der diese Gruppen benannt und beschrieben werden, konstituiert dabei
zugleich eine Rangfolge.

An der Spitze stehen besondere Rollenträger. In Weiterführung des in 2,6-9
präsentierten Modells untergliedert Hermas Typ I in zwei Subtypen. Apostel,
Bischöfe, Lehrer und Diakone (5,1) haben ständige Führungsaufgaben inne,
Märtyrer (5,2) stellen sich in Ausnahmesituationen als solche heraus.

Nicht nur die Reihenfolge der Nennung legt hier die Rangfolge fest. Nachträglich
wird eine zeitliche Differenz ins Bild eingeführt: Die Märtyrer seien später als die Amtsträger in den Bau hineingekommen. Damit ergibt sich eine Spannung zu der Bemerkung, ein Teil der Amtsträger sei noch am Leben. Daß von den Amtsträgern her auf
andere geblickt wird, ergibt sich auch daraus, daß die Unterscheidung zwischen ihnen
und den Märtyrern keine disjunkten Klassen ergibt.

Sämtlichen Amtsträgern wird konformes Verhalten bescheinigt. Verhaltens-
maßstäbe sind die Erfüllung der mit der jeweiligen Rolle verbundenen Aufgabe und die Kooperation miteinander. Abweichendes Verhalten wird hier (wie
auch bei den Märtyrern) nicht erwähnt[7].

Weitere Differenzierungsmöglichkeiten sind angedeutet, aber nicht voll ausgeschöpft.
Die Unterscheidung von toten und lebenden Amtsträgern ist im Grunde nur dann
sinnvoll, wenn entweder den zeitlich früheren Amtsträgern größeres Prestige zugeschrieben werden soll als den späteren oder wenn bei den lebenden Amtsträgern
künftiges abweichendes Verhalten nicht von vornherein als ausgeschlossen gilt[8].

Wiederum über das Bild hinausgehend, wird auch bei den übrigen Christen
mit konformem Verhalten differenziert (5,3f.). Dauer der Zugehörigkeit und Kon-

---

6 Daraus erklärt sich die Umstellung von Typ IIb vor Typ IIa in der Deutung. Die dadurch entstandene Reihe Amtsträger — Märtyrer — Normalchristen entspricht vis III 1,8f.

7 Hermas kennt durchaus abweichendes Verhalten unter den Presbytern (z. B. vis III
9,7-10). In vis III 5,1 liegt also eine eingeschränkte Wirklichkeitsdarstellung wider besse-
res Wissen vor.

8 Für die zweite Möglichkeit spricht, daß die Unterscheidung von konformen und devianten Amtsträgern in sim IX ausdrücklich so aufgenommen wird, daß nicht nur gegenwärtig wahrnehmbares, sondern auch künftiges Verhalten mit Sanktionen bedacht wird.

stanz des Verhaltens bilden (wie bei der Unterteilung der Amtsträger in lebende oder tote) das Unterscheidungskriterium. Verhaltensnorm ist bei diesen
Christen, denen weder bestimmte Führungsaufgaben zukommen noch die Bewährung im Martyrium zu bescheinigen ist, das "Tun des Guten". Dieses läßt
sich bei erst seit kurzem in die Gemeinde Aufgenommenen anders als bei
langjährigen Mitgliedern noch nicht erkennen, weshalb die Neulinge in der
Skala der Christen mit konformem Verhalten den letzten Rang einnehmen[9].

Die Deutung geht nun zu den Christen mit abweichendem Verhalten über.
In der Reihenfolge läßt sich auch hier zunächst noch eine Rangfolge erkennen.

Den geringsten Abstand zu konformem Verhalten weisen diejenigen auf, die
ihr abweichendes Verhalten − mit "Sünde" nur sehr vage umschrieben −
selbst korrigieren wollen (5,5). Kennzeichen dieser Gruppe ist also neben dem
faktischen, wohl als empirisch erkennbar gedachten Verhalten eine Intention,
die erst durch künftige Verhaltenskorrektur verifizierbar wird. Auch hier nimmt
Hermas (wie bei Typ Ia und IIb) eine zeitliche Differenzierung vor, nun hinsichtlich des Zeitpunkts der Selbstkorrektur des abweichenden Verhaltens.
Diese Unterscheidung zeigt das Interesse an der Einhaltung der Normen, die
Bemerkung, daß die verspäteten Bußwilligen immer noch eine Nähe zum Bau
aufweisen, das andere Anliegen: die möglichst weitgehende Integrationsbe-
mühung.

Von solcher Integration ausgeschlossen ist die nächste Kategorie von Sündern. Ihr abweichendes Verhalten besteht in "Heuchelei" beim "Glauben" und
in der Permanenz der "Bosheit" (6,1). Die Intention der Verhaltenskorrektur fehlt
hier offenbar.

Die Deutung der Typen III und IV setzt die in 5,1-6,1 vorliegende Rangordnung unter den Christen nicht fort, sondern bringt neue Unterscheidungen im
Bereich des abweichenden Verhaltens.

Eine Abstufung − im Vergleich zu 5,1-6,1 mit umgekehrter Tendenz − läßt sich
am ehesten noch bei Typ III erkennen. Den untersten Rang nehmen die zeitweiligen, nicht mehr zur Gemeinde zählenden Christen ein (6,2). Gegen die
(auch in 5,1 genannte) Norm des Friedenhaltens verstößt die nächste Gruppe
(6,3). Nicht nur abweichendes Verhalten, aber Unvollständigkeit der Normerfül-
lung ist das Kennzeichen eines weiteren Typs von Christen (6,4). Die Problematik der Reichen schließlich liegt in tendenziell abweichendem Verhalten
(6,5-7); die Tendenz zur Verleugnung des Glaubens unter Repression macht

---

9 Im Vergleich zum Bild fällt der neu hinzukommende Zug des Nichtbehauenwerdens der
Steine auf. Diese Einfügung hängt möglicherweise mit dem Nichtbehauenwerden 6,6
zusammen.

sie von vornherein zu einer abweichenden Gruppe[10].

Die Nennung der ehemaligen Christen in 6,2 wird in der Deutung von Typ IV fortgeführt. Anders als bei Typ III[11] ergeben sich hier mit Hilfe der Differenzierungskriterien Taufe und Ethos disjunkte Klassen. Unterschieden werden ehemalige Christen, die sich aus Zweifel von der Gemeinde getrennt haben (7,1), solche, die moralisch minderwertig sind und Umkehr nicht intendieren (7,2), und anfänglich Taufwillige, die vor den Verhaltensnormen der Gemeinde zurückgeschreckt sind (7,3); bei letzteren ist die Taufe nie vollzogen worden.

Die Klassifikation als ganze ist nicht konsistent[12]. Das Phänomen abweichenden Verhaltens läßt mehr als nur *ein* Differenzierungsraster zu. Daß 6,2-7 auf 5,5-6,1 und 7,1-3 auf 6,2 folgt, erklärt sich aus der Absicht, abweichendes Verhalten möglichst konkret zu benennen. Diese Absicht dient wiederum dem Bemühen, die Gruppen mit abweichendem Verhalten in die — nun normativ zu verstehende — Gemeinde zu integrieren.

Unter Berücksichtigung von 5,5; 7,4-6 sind vier Grade von Integration zu unterscheiden: permanente Integration (I, IIb), volle Re-Integration (mindestens IIa1, IIId), abgeschwächte Re-Integration (IIa2 und Bereich von 7,4-6), keine Re-Integration (IIc und Bereich von 7,4-6 bei Hartherzigkeit[13]).

Unterschiedlichen Integrationsstufen korrespondiert eine Wahrnehmung gemeindlicher Wirklichkeit, die Rangordnung fraglos voraussetzt. Die hierarchische Gliederung der Gemeinde ermöglicht es, Umkehr und Sünde in Kategorien von Mobilität (Aufstieg und Abstieg) zu denken[14]. Mobilität wird damit zur Voraussetzung, Aufstiegserwartung zur Motivation von Umkehr.

Das Problem der Mobilität von abweichendem zu konformem Verhalten wird in 7,4-6, einem Anhang zur Deutung der einzelnen Steintypen, grundsätzlich erörtert. Worauf bezieht sich der Abschnitt? Das in 7,4 genannte Merkmal (weggeworfen, unpassend für den Bau) kann maximal auf IIa, IIc, III und IV bezogen werden. Da IIa1 und

---

10 Hermas' besonderes Interesse an den Reichen ergibt sich formal aus dem Stilmittel der anfänglichen Informationsverweigerung, das auch sonst auf Wichtiges vorbereitet, inhaltlich daraus, daß nur hier Möglichkeit und Prozedur der Umkehr zu konformem Verhalten erörtert wird, biographisch daraus, daß Hermas selbst zu dieser Gruppe gehörte.

11 Typ IIIb, IIIc und IIId schließen einander nicht aus. — Darüber hinaus ist IIId nicht ausreichend von IIb und sind IIIb und IIIc von IIa allenfalls im Fehlen oder Vorliegen der Umkehrabsicht unterschieden.

12 Disjunkte Klassen ergeben sich in 5,1-6,1 und 7,1-3. In sich inkonsistent ist der Bereich abweichenden Verhaltens 6,3-7. Unklar ist das Verhältnis von 6,3f. zu 5,5 (und 6,1). S. auch o. Anm. 11.

13 Teilhabe am gerechten Wort (7,6) könnte sich aber auch auf Typ IIc beziehen, der dann ggf. auch abgeschwächt reintegrierbar wäre.

14 Daneben ist Mobilität innerhalb konformen Verhaltens (als Prestigezuwachs) denkbar: von IIb2 zu IIb1, zu Ib und/oder Ia usw.

IIId jedoch für den Bau brauchbar werden können (5,5; 6,5), sind sie aus dem Geltungsbereich von 7,4-6 (der diese Möglichkeit nicht zuläßt) ausgeschlossen. Dasselbe dürfte für IIc gelten. Bezieht sich der Abschnitt dann nur auf IV oder aber auch auf IIIa-c[15]? Daß IIIa Entsprechungen zu IVa (und IVb?) aufweist, könnte für die zweite Möglichkeit sprechen. Doch bleibt offen, ob Hermas für IIIb und IIIc ein zu IIId analoges mögliches Brauchbarwerden für den Turmbau ausschließen wollte.

Es sind wenige Normen, an denen das Verhalten in der Gemeinde gemessen wird: Glaube (5,4; 6,1.4.5; 7,1; vgl. 6,2); Gerechtigkeit o. ä. (5,3.4; 6,1.3.4; 7,2.3); Gemeinschftsfähigkeit (5,1; 6,3; vgl. 6,2). Diesen Normen ist gemeinsam, daß ihr Geltungsgrad hoch ist, ihr Wirkungsgrad hingegen relativ gering zu sein scheint – man denke an die "vielen" zu Typ III gehörenden Personen (2,8; 6,2). Die Sanktionsbereitschaft ist entsprechend den Integrationsgraden unterschiedlich hoch[16]. Es begegnen nur metempirische, nirgends empirische Sanktionen[17].

Kennen Hermas und seine Empfänger keine empirischen Sanktionen, oder bleiben sie bei Hermas unerwähnt, weil sie allgemein bekannt sind? Im zweiten Fall wäre in der römischen Gemeinde ein Bußinstitut vorauszusetzen. Dagegen spricht, daß von der Existenz eines solchen Bußinstituts zur Zeit des Hermas positiv nichts bekannt ist; daß Hermas dann wohl Selbstverständliches propagiert und legitimiert hätte, dazu aber wohl kaum (tatsächliche oder angebliche) Visionen vonnöten gewesen wären; daß die Inkonsistenz seines Klassifikationssystems die Ineffizienz eines ihm entsprechenden Bußinstituts implizieren würde; daß die Erwähnung und Differenzierung konformen Verhaltens und die Einbeziehung Toter in diesem Fall schwer zu begründen wäre; daß institutionelles Vorgehen im Blick auf die Reichen (IIId) schwer vorstellbar ist; daß schließlich vielleicht noch empirische Sanktionierung von Motivationen, kaum aber von Intentionen und Tendenzen denkbar ist.

Die Intention der Gemeindeanalyse ist der Appell an jeden einzelnen Christen, sich weiterhin oder auch wiederum durch konformes Verhalten in die Gemeinde zu integrieren. Motivation für Verhaltenskonstanz (bei bereits konformem Verhalten) sind die metempirischen Sanktionen[18].

Hermas legt dabei Wert auf möglichst schnelle Korrektur abweichenden Verhaltens. Besonders bemüht er sich um die Integration von Reichen. Die Forderung der Vermögensreduktion bedeutet faktisch sozialen Abstieg oder zumindest Verzicht auf sozialen Aufstieg. Hinter dieser Forderung schimmert

---

15 Ferner fragt sich, obn eine zu IIa2 *analoge* Behandlung christlicher Gruppen vorliegt oder ob IIa2 Teil der in 7,4-6 behandelten Gruppen ist.
16 Ich nehme hier die Unterscheidungen von Lamnek, Theorien 16-24, auf.
17 Zu dieser Unterscheidung vgl. Funk, Status, v. a. 186-190.
18 Für eine solche Deutung spricht auch, daß das abweichende Verhalten zum guten Teil mit relativ vagen, also relativ leicht auf eigenes Verhalten beziehbaren Begriffen beschrieben wird.

auch das Interesse an der Sicherung des finanziellen Bedarfs der Gemeinde durch.

Die Zuordnung der verschiedenen Gruppen von Christen zu bestimmten Gesellschaftsschichten ist kaum möglich. Das Klassifikationssystem des Hermas ist inkonsistent, positive Anhaltspunkte für eine soziale Verortung sind Mangelware. Hermas will konformes und abweichendes Verhalten in der Gemeinde — in praktischer Absicht — beschreiben, nicht dieses Verhalten mit der sozialen Position der jeweiligen Christen korrelieren. Eine Ausnahme bildet die Gruppe der Reichen (6,5-7), doch auch dort bleibt die Korrelation zwischen Verhalten und sozialem Status für uns vage, weil "Reichtum" bei Hermas nicht präzise definiert ist.

3

Die Grobintention der zweiten Gemeindeanalyse sim VIII ist, mit Hilfe eines Modells die Wirkung der Umkehrbotschaft auf die Gemeinde darzustellen und so zur Umkehr zu motivieren (oder konformes Verhalten zu verstärken). Wie in vis III 2-7 sollen dabei einzelne Typen von Christen differenziert angesprochen werden.

Zwar hatte schon vis III 11-13 die Wirkung der Verkündigung des Hermas reflektiert, allerdings in einer recht pauschalen Weise. Das Modell der sich verjüngenden Greisin war da nicht lange tauglich, wo die schlechte Wirklichkeit — die Permanenz der Christensünde — die optimistische Konstruktion einer sich kontinuierlich bessernden Gemeinde Lügen strafte. Auch waren gerade durch Hermas' Verkündigung Prozesse eingeleitet worden, die zu Verschiebungen gegenüber der in vis III 2-7 vorausgesetzten Lage geführt hatten. Jene Gemeindeanalyse war nicht mehr auf dem neuesten Stand, zumal auch weitere, erst später aufgetretene oder aufgefallene Problemfelder in den Gesichtskreis des Hermas getreten waren. Dies dürften die wesentlichen Gründe für die Konzeption von sim VIII sein.

Um die differenzierte Wirkung seiner Umkehrbotschaft auf die Gesamtgemeinde darstellen zu können, entwirft Hermas ein Drei-Stadien-Modell. Das erste Stadium bezieht sich auf einen für alle Christen gleichermaßen gültigen Ausgangspunkt: die Taufe. Im zweiten Stadium werden die im Blick auf Norm und Abweichung unterschiedlich verlaufenden Entwicklungen der Getauften dargestellt. Dieses Stadium endet mit dem Einsetzen der dadurch nötig gewordenen Verkündigung des Hermas. Das dritte Stadium soll Rückblicke und Ausblicke ermöglichen. Es bezieht sich so auf die Wirkung der Umkehrverkündigung, daß teils bereits erfolgte Reaktionen beschrieben, teils noch ausstehende prognostiziert, teils die zu erwartenden positiven oder negativen Endzustände benannt werden.

Da das Unternehmen, die Wirkung der Umkehrbotschaft auf die Gemeinde differenziert darzustellen, als solches neu ist, ist von vornherein unwahrscheinlich, daß in dem in sim VIII präsentierten Modell viel an Tradition verarbeitet ist[19]. Weil mit vis III ein umfassendes Differenzierungsverfahren bereits erprobt war, ist eher zu vermuten, daß die Modellkonstruktion in sim VIII in der Verfahrensweise implizit darauf rekurriert.

In sim VIII 1,6-18 unterscheidet Hermas dreizehn Typen von Christen (s. die Skizze S. 225). Die Unterscheidung vollzieht sich auf einer bildlichen Ebene: Die einzelnen Typen werden durch Weidenzweige repräsentiert, die durch bestimmte Merkmale und deren Kombination voneinander unterschieden sind.

Das Merkmalspaar "dürr" vs "grün" markiert einen qualitativen Unterschied bei Typ I.II (dürr) und V.XI.XII.XIII (grün)[20]. Daneben werden quantitative Differenzierungsmöglichkeiten genutzt: Typ VI (faktisch auch III und IV) weist beide Merkmale je zur Hälfte auf. Bei Typ VIII und IX ist das Verhältnis jeweils zwei Drittel zu ein Drittel. Bei Typ IX und X ist jeweils das eine Merkmal in einem Maximum, das andere in einem Minimum vorhanden[21].

Das Merkmalspaar "zerfressen" vs "nicht zerfressen" konstituiert den Unterschied zwischen Typ I und II, ist also eine Weiterdifferenzierung im Bereich des "Dürren".

Das Merkmal "rissig" wird explizit nur bei Typ IV.V.IX angewandt[22].

Das Merkmal "mit Schößlingen", das nur bei Typen mit dem Merkmal "grün" (im Sinn von "ausschließlich grün") angewandt wird, unterscheidet Typ XII und XIII von Typ V und XI. Letzteren wird dieses Merkmal abgesprochen.

Das Merkmal "mit Frucht" wird nur bei der Merkmalskombination "grün" und "mit Schößlingen" angewandt. Es unterscheidet Typ XIII, dem es zugesprochen, von Typ XII, dem es abgesprochen wird[23].

Was diese Merkmalspaare jeweils zum Ausdruck bringen sollen, läßt sich von der Deutung her erschließen.

Das Merkmalspaar "mit Frucht" vs "ohne Frucht" bezieht sich auf Bewährung des Christseins in der Verfolgung mit bzw. ohne Todesfolge.

Das Merkmalspaar "mit Schößlingen" vs "ohne Schößlinge" bezieht sich auf Bewährung des Christseins in Verfolgungsgefahr bzw. die fehlende Möglichkeit solcher Bewährung.

Das Merkmal "rissig" wird als Verleumdung und Friedlosigkeit (IV), Streit um Vorrang (V) oder als kleinere Streitigkeiten (IX) interpretiert. Der gemeinsame Bezugspunkt

---

19 Die wenigen Versuche traditionsgeschichtlicher Herleitung des Motivs vom Weidenbaum und seinen Zweigen (hervorzuheben sind Dibelius, Hirt 587-589, und Rahner, Mythen 259-261) haben denn auch nicht zu zwingenden Ergebnissen geführt.

20 Vgl. sim IIIf., wo die Merkmale "dürr" und "grünend" den Ungerechten bzw. den Gerechten zugeordnet werden.

21 Quantifizierendes Denken bei der Analyse faktischer Lebensvollzüge nach christlichen Normen begegnet schon vis III 6,4.

22 Vgl. die rissigen Steine vis III 2,8 (vgl. 6,3).

23 Von "Früchten" war auch in sim II und IV die Rede. Anders als hier war dort das Vorhandensein oder Fehlen von Früchten mit dem Unterschied von konformem und abweichendem Verhalten gleichgesetzt.

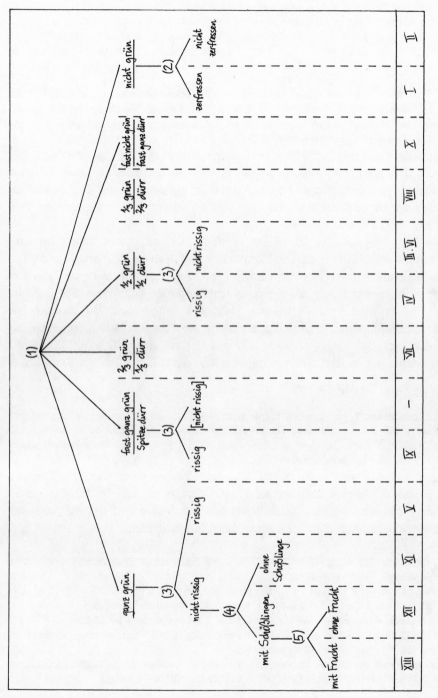

Differenzierungen im Bildbereich
Sim VIII 1,6 – 18

dieser Verhaltensweisen ist kommunikatives Handeln; "rissig" läßt sich daher grob als "abweichendes Kommunikationsverhalten" verstehen.

Wenn dem auf den "grünen" Bereich beschränkten Merkmalspaar "rissig" vs "nicht rissig" im "dürren" Bereich das Paar "zerfressen" vs "nicht zerfressen" entspricht, so liegt es nahe, auch dieses Paar auf Kommunikationsverhalten zu beziehen. Doch ist hier über Vermutungen nicht hinauszukommen.

Das Paar "grün" vs "dürr" bezieht sich auf Konformität oder Abweichung in der Verbindung und dem Verhältnis von Glaube und Werken. Die Dimension des Verhaltens (der "Werke") umfaßt dabei *nicht* das Kommunikationsverhalten; dieses wird mit Hilfe eigener Merkmalspaare thematisiert.

Von den dreizehn anfänglich unterschiedenen Typen[24] gehen nach 2,1-4 (vgl. 3,6-8) die Typen XIII, XII und XI in positive Endzustände über. Bei den übrigen Typen findet eine weitergehende Differenzierung statt. Sie ist das Ergebnis der Umkehrverkündigung und vollzieht sich in einem bestimmten Zeitraum (s. die Skizze S. 227)[25].

Zählt man Typ XI bis XIII mit, so ergeben sich auf dieser Stufe insgesamt achtundzwanzig Subtypen. Die Komplexität des Wahrgenommenen nimmt also – im einzelnen unterschiedlich stark[26] – insgesamt zu. Die Subtypen entsprechen aber jeweils schon anfänglich unterschiedenen Obertypen. Die Differenzierung fährt also nicht als weitere qualitative Verfeinerung fort, sondern besteht faktisch in einer Umordnung. So nimmt die Komplexität nur scheinbar zu. Da die Subtypen nicht zu allen, sondern nur zu einem Teil der Obertypen Entsprechungen bilden, ist noch genauer von einer Reduktion von Komplexität zu reden: Von den anfänglichen dreizehn Typen bleiben nur noch sieben übrig[27].

Diese sieben Typen ergeben immer noch ein Bild, das zu komplex ist, um definitiv sein zu können. Endgültigkeit kommt nur dem negativen (I') und dem positiven (XI', XII', XIII') Pol zu. Ungelöst ist in diesem Stadium das Problem des Ergehens des (durch II', IV', VI' markierten) "Mittelbereichs".

Wie in vis III wird auch in sim VIII beim Übergang vom Bild zur Deutung (3,6-8; 6,4-10,3) weiter differenziert (s. die Skizze S. 228). Vorrangige Unterscheidungsmerkmale sind die Nutzung der Bußchance und der Zeitpunkt der Umkehr. In einigen Fällen kommen weitere Kriterien hinzu.

---

24 Durch eine Doppelung (Typ III = VI) wird die Präsentation eines Zwölf-Typen-Modells verhindert.

25 Von 2,1-3 an wird das aus vis III bekannte Bild vom Turm ins Modell eingeführt (2,1-3; 3,5f.; 4,6; 6,6; 7,3.5; 8,2f.5; 9,2.4; 10,1.4), teilweise in Verbindung mit dem Konzept einer geringeren Wohnung in den Mauern (2,5; 6,6; 7,3; 8,3; vgl. dazu vis III 7,6).

26 I.III.V.XI.XII.XIII bleiben ohne Weiterdifferenzierung. II.IX.X erfahren eine, VII zwei, VI. VIII drei, IV vier weitere Differenzierungen.

27 Im einzelnen: I' = I.IIb.IVc.VIc.VIIc.VIIIb. II' = IVd. IV' = IVe.VIIIc. VI' = IVb.VIIb.VIIIa. XI' = IIa.IVa.V.VIa.VIIa.VIIId.IXa.Xb.XI. XII' = VId.IXb.XII. XIII' = IVb.Xa.XIII.

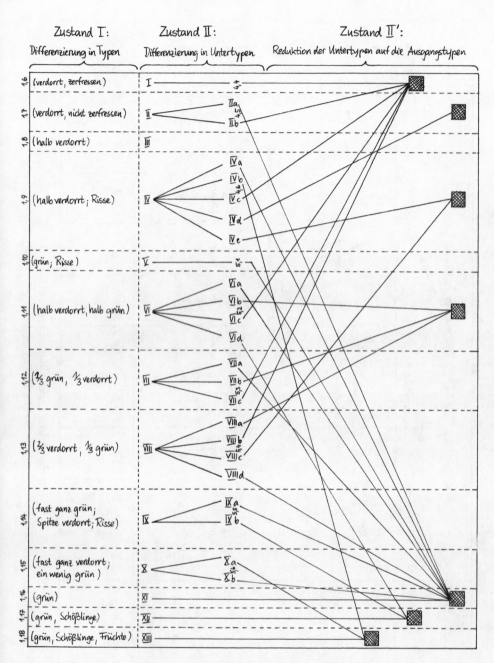

Differenzierung als Reduktion von Komplexität
sim VIII 1,6 - 18 und 4,4 - 5,6

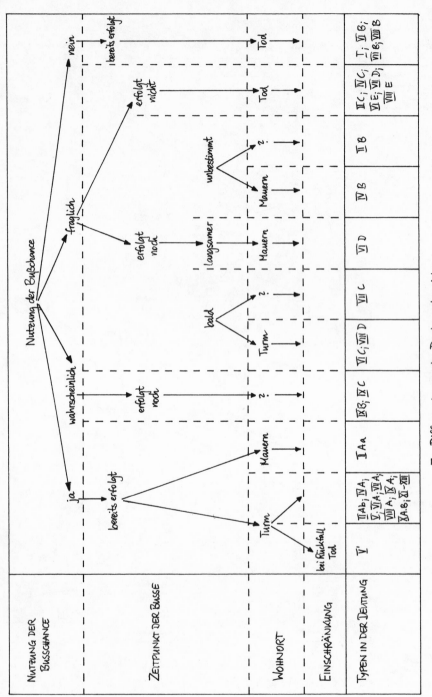

Zur Differenzierung im Deutungsbereich
zum $\overline{VIII}$ 6,4 – 10,4

Ohne weitere Differenzierung bleiben die Typen I, V, XI, XII, XIII. Typ I ‒ Abtrünnige, Verräter der Kirche, Lästerer des Herrn, sich des Namens Schämende ‒ hat nach 6,4 das Umkehrangebot ausnahmslos nicht genutzt; mit künftiger Umkehr wird hier nicht gerechnet. Hingegen ist Typ V ‒ Gläubige und Gute, aber um Vorrang Streitende ‒ bereits vollzählig umgekehrt[28]. Den Typen XI ‒ Christen mit durchgängig normkonformem Verhalten (3,8) ‒ und XII ‒ Konfessoren (3,7) ‒ sowie XIII ‒ Märtyrer (3,6) ‒ werden imaginäre Statussymbole (Bekleidung, Ausstattung mit einem Siegel, Bekränzung) zugesprochen, worin sich die Wertschätzung zeigt, die Hermas ihnen entgegenbringt[29].

Nutzung der Bußchance, Zeitpunkt der Umkehr und die Zuweisung unterschiedlicher Wohnorte führen zu Unterscheidungen bei Typ II (Heuchler und Irrlehrer; 6,5f.), IV (verleumderische, friedlose Zweifler; 7,1-3[30]), VI (gemeinschaftslose Geschäftsleute; 8,1-3) und VII (Gelegenheitsleugner; 8,4f.).

Subtyp	Nutzung der Bußchance	Zeitpunkt der Buße	Wohnort
IIAa	ja	bereits erfolgt	Mauern
IIAb	ja	bereits erfolgt	Turm
IIB	fraglich	erfolgt noch	?
IIC	fraglich	erfolgt nicht	Tod
IVA	ja	bereits erfolgt	Turm
IVB	fraglich	erfolgt noch	Mauern
IVC	fraglich	erfolgt nicht	Tod
VIA	ja	bereits erfolgt	Turm
VIB	nein	‒	Tod
VIC	fraglich	erfolgt bald	Turm
VID	fraglich	erfolgt später	Mauern
VIE	fraglich	erfolgt nicht	Tod
VIIA	ja	bereits erfolgt	Turm
VIIB	nein	‒	Tod
VIIC	fraglich	erfolgt bald	?
VIID	fraglich	erfolgt nicht	Tod

28 7,4f. Über den Bildbereich hinaus wird hier (und nur hier) die Möglichkeit künftigen Rückfalls in abweichendes Verhalten erwogen. Der Streit um Vorrang ist für Hermas also besonders bedeutsam. Wahrscheinlich sind hier Personen aus dem Kreis der Gemeindeleiter im Blick (s. o. 69 Anm. 32). ‒ Noch deutlicher als auf der Bildebene wird in der Deutung die nahezu völlige Ununterscheidbarkeit von Typ V und IX offenbar.

29 Typ XI und XII sind von den jeweiligen Statussymbolen her ununterscheidbar. Hermas rückt damit die Konfessoren näher zu den übrigen Christen als zu den Märtyrern.

30 Das bereits auf der Bildebene vorhandene Problem von Typ III (s. o. Anm. 24) setzt sich in der Deutung fort. Hier scheint III ein Untertyp von IV zu sein (7,1b), der von diesem Obertyp durch das Fehlen des Merkmals "rissig" unterschieden ist. ‒ Typ III ist in der Skizze S. 228 ebensowenig berücksichtigt wie die bei VIIIC.E, IXB.C, XA.B vorgenommenen Differenzierungen: Weder Zweifel noch Martyrium scheinen mit einem näher und eindeutig bestimmten Ergehen korreliert zu sein.

Hermas legt dabei nicht immer denselben Maßstab an. Nur in IIAa/IIAb werden unterschiedliche Wohnorte für bereits erfolgte Umkehr vergeben, nicht wie sonst nur vom Turm gesprochen. Nur bei VIC/VID spielt der Zeitpunkt künftiger Umkehr für das künftige Ergehen eine Rolle. Anders als bei IVB besteht bei VIC die Chance, in den Turm zu kommen.

Bei zwei Typen spielt die Zuweisung unterschiedlicher Wohnorte (Turm oder Mauern) keine Rolle. Neben der Nutzung der Bußchance und dem Zeitpunkt der Umkehr wird hier ein neuer Gesichtspunkt relevant: die Art des Zweifels. Die erste der beiden Gruppen, Typ VIII, wird am detailliertesten beschrieben (9,1-4): Es handelt sich um reich gewordene Christen mit Ansehen bei und Gemeinschaft mit Nichtchristen, was zu Stolz, Arroganz und Gemeinschaftslosigkeit führt. Trotz des Verlassens der Wahrheit wird ihnen noch Glaube bescheinigt, während Werke fehlen. Bei Typ IX handelt es sich um gute, gläubige Christen mit geringen Sünden oder kleinen Streitigkeiten (10,1f.).

Subtyp	Nutzung der Bußchance	Art des Zweifels	Zeitpunkt der Buße	Wohnort
VIIIA	ja	—	bereits erfolgt	Turm
VIIIB	nein	—	—	Tod
VIIIC	fraglich	Häresie	?	?
VIIID	fraglich	Verzweiflung	erfolgt bald	Turm
VIIIE	fraglich	Verzweiflung	erfolgt nicht	Tod
IXA	ja	—	bereits erfolgt	Turm
IXB	wahrscheinlich	Zweifel	noch nicht	?
IXC	wahrscheinlich	Zweifel, Streit	noch nicht	?

Bei VIIID/VIIIE wird der Zweifel durch die Umkehrbotschaft erst ausgelöst. Ob die Hoffnungslosigkeit durch die Lehre der in mand IV 3,1 erwähnten Lehrer mitverursacht oder verstärkt worden ist? — VIIIC entspricht II, IXB/IXC dürften III bzw. IV entsprechen.

Bei Typ X schließlich spielt neben der Nutzung der Bußchance und dem Zeitpunkt der Umkehr eine Zusatzleistung eine Rolle. Diese gläubigen, gastfreundlichen, nicht abgefallenen Christen mit abweichendem Verhalten (10,3f.) haben sämtlich ihre Bußchance bereits genutzt. Das Martyrium kommt bei dem einen Subtyp (XB) hinzu und fehlt beim anderen (XA).

Trotz der zahlreichen Inkonsistenzen, die insbesondere ein detaillierter Vergleich zwischen Bild- und Deutungssubtypen ans Licht bringen würde, verweisen die Merkmale des Bildbereichs und die Auskünfte der Deutungsebene auf ein bestimmtes Leitbild christlicher Existenz: Wie in vis III ist auch in sim VIII konformes Verhalten im Blick auf die Normen des Glaubens, der guten Werke und des positiven Kommunikationsverhaltens erwünscht. Daneben wird nicht nur auf die Nutzung der Bußchance, sondern auf baldige Umkehr Wert gelegt.

Zum Zeitpunkt der Deutung sind in der Gemeinde drei Gruppen zu unterscheiden: eine Gruppe mit definitiv konformem, eine zweite mit definitiv abweichendem Verhalten; das abweichende Verhalten einer dritten Gruppe wird als noch nicht definitiv erklärt. Vor allem für die letzte Gruppe gelten die als Motivation zu verstehenden metempirischen Sanktionen im Blick auf den Wohnort. Allerdings bleibt hier manches unklar: Wie (und von wem) kann der Zeitpunkt künftiger Umkehr als schnell, langsam oder zu langsam eingestuft werden? Worin besteht der genaue Unterschied zwischen Turm und Mauern?

Im Vergleich mit vis III fällt vor allem auf, daß die Amtsträger nicht eigens erwähnt werden, daß den Märtyrern gegenüber allen übrigen Christen eine Vorzugsstellung eingeräumt wird und daß die Geschäftsleute (Typ VI) und die Reichen (Typ VIII) aufgewertet werden. Diese Verschiebungen, die auch im Blick auf sim IX zu beachten sind, lassen sich am besten so erklären, daß die Gemeinde sich in einer Situation besonderen äußeren Drucks befand, weshalb das Martyrium einen großen Stellenwert erlangte, daß ferner die Konflikte in der Gemeindeleitung das wirklichkeitsfremde Bild von vis III 5,1 nicht mehr zu reproduzieren erlaubten und daß schließlich bei Hermas ein gewisser Wandel in der Einschätzung des Reichtums stattfand, wobei den Nutzungsmöglichkeiten des Vermögens zur Unterstützung Bedürftiger eine größere Bedeutung eingeräumt wurde.

4

Eine letzte differenzierte Gemeindeanalyse legt Hermas in sim IX vor. Durch sim VIII 11,5 ist diese Vision als Ergänzung zu sim VIII, durch IX 1,3 als Präzisierung von vis III gekennzeichnet. Das läßt eine umfassende, auf den neuesten Stand gebrachte Analyse erwarten.

Hermas führt zu Beginn ein neues Modell ein: die zwölf Berge (1,5-10)[31]. Mit der Zwölfzahl, die auch sonst im "Hirten" eine Rolle spielt[32], wird Vollständigkeit im Differenzieren und im der Differenzierung zugrundeliegenden Objekt-

31 Gegen Dibelius' Ansicht, die Beschreibung der Berge sei "im wesentlichen" und "zweifellos" von der Deutung (19,1-29,3) her entworfen (Hirt 603), sprechen die Spannungen zwischen Bild- und Deutungsebene, insbesondere die (über die im Bildbereich getroffenen Unterscheidungen hinausgehende) Weiterdifferenzierung; die Einwirkung der Schilderung der unterschiedlichen Beschaffenheit der Steine (6,4-8; 8,1-7) auf die Struktur der Deutung; die Zwölfzahl der Typen, die, gerade weil sie die Deutung in ein Prokrustesbett zwingt, sich ihr als vorgegeben erweist; die auf der Bildebene trotz des Fehlens einer stringenten, durchgängigen Systematik gleichwohl erkennbaren Systematisierungsansätze. Es ist daher angemessener, von einer Konstruktion des Bildes *auf die Deutung hin* zu reden.

32 Vgl. die Zwölfzahl der mandata und die Zahl der als Jungfrauen oder Frauen personifizierten Tugenden und Laster (sim IX 15,1f.). S. auch o. S. 226 Anm. 24.

bereich und wohl auch eine gewisse Sinnhaftigkeit dieser differenzierten sozialen Wirklichkeit insinuiert.

Hermas orientiert sich bei der Modellkonstruktion grob an einer Skala, die von einem negativen zu einem positiven Pol verläuft (Ausnahme Berg IX). Abgesehen von den beiden Polen Berg I und XII ist die übergreifende Perspektive die des Vorhandenseins von Leben und der Verwendbarkeit zur Lebenserhaltung. Die negativen Typen II bis VI lassen eine gewisse Steigerung in Richtung auf üppigeres Leben hin erkennen; der Nutzen für andere spielt hier keine Rolle. Betont ist der Nutzen für andere bei Berg VII bis XI. Ihm entspricht die Üppigkeit des vorhandenen Lebens, wie nicht zuletzt Berg IX zeigt, wo beides fehlt. Bei der Ausstattung der verschiedenen Typen mit Kennzeichnungen greift Hermas eine ganze Reihe von Begriffen und Motiven auf, deren er sich bei früheren Gemeindeanalysen und Verhaltensbeschreibungen schon bedient hat.

Im einzelnen:

Berg I und XII: Die Symbolik von Schwarz und Weiß ist den Lesern des "Hirten" seit vis IV 3,2.5 vertraut.

Berg III: Disteln und Dornen begegneten in sim VI 2,6.7; dort ging es vor allem um Geschäftsleute.

Berg IV nimmt mit "grün" und "dürr" und mit der Verhältnisangabe "halbdürr" für sim VIII zentrale Beschreibungsmittel auf. Auch der Gegensatz "das Obere" vs "die Wurzel" ist in sim VIII 1,14 schon halb angelegt. Die Prozeßschilderung nimmt ebenfalls ein Motiv aus sim VIII 4f. auf.

Berg V: "rauh" begegnet im Rahmen von Hermas' Landschaftssymbolik[33] auch in mand VI 1,3.4 mit der Assoziation abweichenden Verhaltens. Grüne Pflanzen fanden sich in sim VIII.

Berg VI: Die "Spalten" erinnern an vis III und sim VIII (Bezug auf negatives Kommunikationsverhalten). Zur quantitativen Differenzierung (allgemein vor allem in sim VIII) bei den Spalten vgl. sim VIII 10,2 (größere und kleinere Kommunikationssünden). Zur Charakterisierung der Pflanzen vgl. sim IV 3 einerseits, vis III 11,2 andererseits.

Berg VII: Die Kombination von "heiter" und "wohlgedeihend" ist in mand V 2,3 (vgl. 1,2) vorgebildet. Zum üppigen Wachstum vgl. die lebenskräftige Weide sim VIII.

Berg IX: Zu den todbringenden Tieren vgl. vis IV 2,3.

Berg X: Der Schirm der Bäume hat ein Vorbild im Schirm der Weide sim VIII 1,1.2; 3,2. Zu den Schafen vgl. sim VI; die Ruhe kontrastiert der in sim VI beschriebenen erzwungenen Ruhelosigkeit.

Berg XI: Fruchtbarkeit kennzeichnet die Gerechten sim IV 3 und die Armen sim II und kann im Rahmen einer differenzierten Gemeindeanalyse auch speziell auf die Märtyrer bezogen werden sim VIII 1,18; 2,1; 3,6.

Es folgt die Schilderung des Felsens mit dem Tor samt den Jungfrauen

---

33 Zu deren adäquater Erfassung hat Michaels, Ground, einen wichtigen Beitrag geliefert.

(2,1-7)[34]. Die Einbeziehung der nun als Jungfrauen gekennzeichneten Frauen aus vis III 8 und der aus vis III 2,5 bekannten Männer führt zur Integration des Turmbaus in die Modellkonstruktion, wie dies wohl auch von Anfang an (vgl. sim IX 1,2f.) geplant war[35]. Nach der Erwähnung des Bauvorhabens (3,1f.) werden Steine neu eingeführt, und zwar zunächst solche aus der Tiefe (3,3-4,3). Anders als in vis III 2,6f.; 5,1f. wird diese Kategorie von Steinen nicht erst in der Deutung, sondern schon auf der Bildebene untergliedert. Differenziert wird hier nicht nach der Beschaffenheit der Steine, sondern nach dem Zeitpunkt ihrer Verwendung und damit ihrer Position im Turm. Die von den Bergen herangeholten Steine (4,4f.) entsprechen den Steinen von der Erde bzw. vom Trockenen vis III 2,7[36]. Die Episode von den ohne Mitwirkung der Jungfrauen in den Bau gelangten Steinen, die sogleich wieder entfernt werden (4,6-8), deutet darauf hin, daß die normative Bestimmung der Mitgliedschaft in der Gemeinde zum Problem geworden ist.

Die Prüfung der Steine durch den Herrn des Turms (6,1-5) bringt eine erneute Differenzierung. Anders als in vis III wird hier vorausgesetzt, daß sich alle Steine zunächst im Bau befunden haben und erst dort als unbrauchbar herausstellen[37]. Daß bei der Prüfungsszene diejenigen Steine unerwähnt bleiben, die sich als brauchbar erweisen, zeigt, daß den von ihnen repräsentierten Typen von Christen *nicht* das Hauptaugenmerk und die Hauptsorge des Hermas gilt.

Die Prüfung ergibt sieben Typen von Steinen mit abweichender Beschaffenheit. Wieder greift Hermas auf früher von ihm erprobtes Beschreibungsmaterial zurück.

Typ I: Die schwarze Erde bezieht sich zurück auf Berg I, wie vor allem der wiederholte Vergleich zeigt.

Typ II: Die verwitterten Steine haben eine Entsprechung in vis III 2,8 (vgl. 6,2; dort auf ehemalige Christen bezogen).

---

34 Diese Schilderung trägt für die Frage nach der Wahrnehmung der in sich differenzierten Gemeinde nichts aus. Unter anderen Gesichtspunkten ist auf die Jungfrauen, die hier besser als ihre Vorbilder in vis III ins visionäre Geschehen einbezogen sind, o. S. 179-184 eingegangen worden.

35 Wie eindrücklich und unaufgebbar für Hermas das Turmbaumodell ist, zeigt neben der gelegentlichen Erwähnung in vis IV 2,4 vor allem die wie selbstverständliche Einbeziehung in sim VIII (s. o. S. 226 Anm. 25).

36 Wie in 1,5-10 nicht von Steinen die Rede war, wird nun nicht von Bergen gesprochen.

37 Intendiert ist wohl eine Verbesserung: In vis III klaffte zwischen Bild und Deutung die Diskrepanz, daß in der Deutung eben doch schon vorausgesetzt werden mußte, was das Bild zu leugnen schien: daß es sich bei den unbrauchbaren Steinen um bestimmte (wenn auch teils ehemalige) Typen von Christen handelte.

Typ III: Die rissigen Steine sind ebenfalls aus vis III 2,8 bekannt (dort Kommunika-tionssünder). Vgl. auch Berg VI (Risse).

Typ IV: Vgl. wiederum vis III 2,8 (in 6,4 auf teilweise Ungerechte gedeutet).

Typ V: Ohne Entsprechung in vis III; "fünfzigprozentige" Christen begegnen aber in sim VIII (vgl. auch Berg IV).

Typ VI: Die negative Qualifikation "rauh" könnte Berg V aufnehmen. Das "Zusam-menstimmen" ist bei Hermas ein Wertbegriff (vgl. vis III 2,6; 5,1f.; mand XI 13).

Typ VII: Die fleckigen Steine haben innerhalb des "Hirten" kein Vorbild.

In 6,6-8 wird eine weitere Kategorie von Steinen eingeführt. Sie stammen aus dem unter der Ebene befindlichen Grund. Nach den Bergen und dem Ab-grund ist das die dritte Lokalität in der visionären Geographie von sim IX. Zwei Gruppen von Steinen werden nach dem Aussehen unterschieden: vier-eckige und runde, die jeweils weiß sind. Damit wird auf Unterscheidungen aus vis III 5,1 und 6,5-7 zurückgegriffen. Zumindest die weißen, runden wurden dort auf reiche Christen gedeutet. In sim IX 6,8 wird die zweite Gruppe zusätzlich auch durch das Merkmal der Härte negativ qualifiziert[38].

In 8,1-7 wird eine sim VIII 4f. entsprechende Schilderung der Veränderung der unbrauchbaren Steine präsentiert. Entsprechend dem Vorbild ergibt sich eine scheinbare Zunahme und tatsächliche Reduktion von Komplexität (s. die Skizze S. 235). Vier Positionen verbleiben: die endgültig schwarzen, die zu rissigen, die beim Bau außen und die in der Mitte verwendbaren Steine.

Da aus 9,6 zu erschließen ist, daß auch die allzu rissigen Steine von den Frauen ab-transportiert werden, führt die Reduktion hier anders als in sim VIII gleich zu den fak-tischen Endstadien. Der zunächst schon auf die allzu rissigen Steine beschränkte Zwi-schenbereich entfällt mit 9,5f. Auch darin ist wohl eine implizite Selbstkorrektur des Hermas zu sehen, die darauf zielt, das sehr komplexe Modell nicht noch weiter zu komplizieren. Die quantitativen Angaben sind hier konsequenter durchgehalten als in sim VIII, wo sie nur gelegentlich begegnen (4,6; 5,3f.6)[39].

Anschließend werden auch die Veränderungen der zweiten Gruppe der Steine aus der Ebene beschrieben (9,1-4). Die aus 6,7f. bekannten Angaben werden hier so weitergeschrieben, daß die runden, weißen Steine in größere, glänzendere einerseits, kleinere, mattere andererseits (nur die erste Gruppe wird ausdrücklich beschrieben) unterteilt werden[40].

38 Negative Wertung der Härte: vis I 4,2; mand V 2,6; XII 3,4f.; 4,4; 5,1; sim VI 2,5; ferner vis III 7,6.

39 sim IX nimmt die Unterscheidung von Turm und Mauern aus sim VIII nicht auf. Die Unterscheidung von Außen- und Innenplätzen im Bau ist eine funktionale Entspre-chung, wobei nun die äußere Position als die erstrebenswertere gilt, weil sie auf größere Stärke verweist (zur Höherwertung der Außenposition vgl. sim IX 2,4).

40 Für dieses quantifizierende Verfahren liefert Berg VI ein Vorbild.

6,4

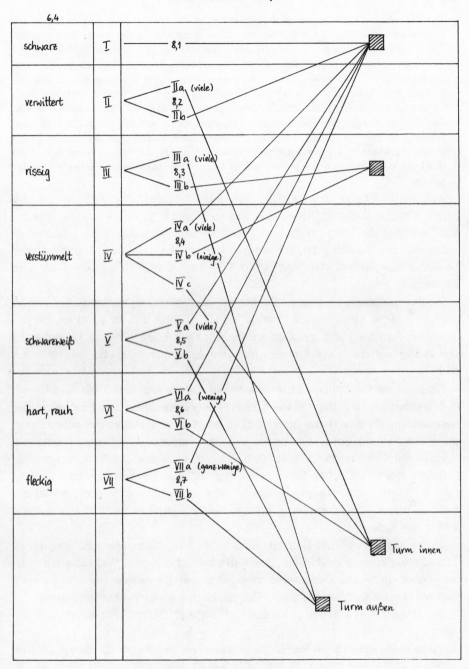

schwarz	I
verwittert	II
rissig	III
verstümmelt	IV
schwarzweiß	V
hart, rauh	VI
fleckig	VII

8,1

IIa (viele)
8,2
IIb

IIIa (viele)
8,3
IIIb

IVa (viele)
8,4
IVb (einige)
IVc

Va (viele)
8,5
Vb

VIa (wenige)
8,6
VIb

VIIa (ganz wenige)
8,7
VIIb

Turm innen

Turm außen

Differenzierungen im Bildbereich
sim IX 6,4; 8,1-7

Indem der ersten Untergruppe die Außenposition im Turm zugewiesen wird, sind die Differenzierungen aus 8,1-7 aufgenommen. Doch ergibt sich eben daraus eine gewisse Spannung zu 6,5.8, wo die viereckigen weißen Steine, deren Verwendungswert gegenüber den runden als größer einzuschätzen ist, einfach die Plätze der als unbrauchbar entfernten Steine einnehmen, ohne daß Positions- und damit Wertungsunterschiede berücksichtigt werden. Das bedeutet, daß die Unterscheidung von Außen- und Innenposition in 6,5-8 noch gar nicht im Blick war, sondern in 8,1-7 ad hoc eingeführt wurde. Der dortige Rückgriff auf Elemente und Verfahrensweisen aus sim VIII begünstigte dies. Auffällig ist, daß die zweite, vorläufig unverwendbare Untergruppe der runden Steine — und sie allein — vom endgültigen Abtransport durch die Frauen verschont bleibt (9,3f.). An der Integration dieser Reichen hat Hermas demnach ein besonders starkes Interesse.

Auf der Bildebene 1,5-9,5 stehen also drei Bereiche — die zwölf Berge, die Steine aus der Tiefe und die Steine aus der Ebene — nebeneinander. Die mit der Zwölfzahl der Berge insinuierte Vollständigkeit wird durch die beiden hinzukommenden Bereiche faktisch eingeschränkt, ohne daß das Verhältnis der Bereiche zueinander klar wird[41]. Die Folgelast dieser Unklarheiten hat die Deutung zu tragen.

Im Deutungsbereich gehen allgemeine Ausführungen zunächst am Rande auf die in 4,6-8 begegnende Gruppe ein (13,3), ohne daß es zu einer identifizierbaren Entsprechung zur Gemeindewirklichkeit käme. Ebenso pauschal ist der Bezug auf die vorläufig aus dem Bau Entfernten (13,6-14,2, bezogen auf 6,5).

Eine exakte Deutung erfahren zuerst die Steine aus der Tiefe (3,3-4,3): In 15,4 werden sie auf die bereits verstorbenen Gerechten und Propheten der hebräischen Bibel und die urchristlichen Apostel und Lehrer gedeutet. Durch die Einbeziehung der Toten weitet sich der Horizont der Gemeindeanalyse. Hermas geht hier noch über vis III 5,1 hinaus, indem er zusätzlich nicht nur Gestalten der hebräischen Bibel, sondern in 16,5 alle Gestorbenen und — nimmt man 17,1 hinzu — überhaupt die ganze lebende und tote Menschheit einbezieht. In diesem Zusammenhang erfolgt die Deutung der zwölf Berge auf die Völker der Erde (17,1f.).

In der anschließenden Detaildeutung 19,1-29,3 repräsentieren die Berge verschiedene Typen von Christen. Die Verknüpfung mit dem Weltvölkermotiv ist nur locker (18,5) und keineswegs zwingend: Der universale Horizont verengt sich auf die Gemeindewirklichkeit; Hermas kann nun auch präziser werden.

Bei Berg I — Abtrünnige, Lästerer und Verräter (19,1) — handelt es sich um

---

41 Unklar bleibt auch, ob die Herkunft eines Steins von den Bergen für die Art der Verwandlung (6,4) eine Rolle spielt oder nicht und ob (und inwieweit) die Steine aus der Tiefe von der Prüfung und Verwandlung mitbetroffen sind. — Erst in sim IX 30 werden die Steine aus der Ebene mit dem Bergmodell verbunden.

dieselbe Gruppe wie in sim VIII 6,4. War aber dort nur von einer faktischen Unwirksamkeit der Umkehrverkündigung die Rede, so wird ihnen hier eine Umkehrchance ganz abgesprochen.

Auch die Deutung von Berg II auf Heuchler und Irrlehrer (19,2f.) hat in sim VIII eine Entsprechung (6,5f.). Wie dort wird eine Umkehrmöglichkeit zugestanden. Da die Dringlichkeit baldiger Umkehr betont und die Umkehr mit einer Strafe gekoppelt wird, liegt wiederum eine Verschärfung vor.

Bei Berg III ⁻ Reiche und, davon unterschieden, Geschäftsleute ⁻ wird die Differenzierung im Deutungsbereich fortgesetzt (20,1-4), indem aus der Bergbeschreibung einzelne Elemente isoliert werden. Beide Gruppen haben eine Bußchance, wiederum unter der Bedingung baldiger Umkehr und verbunden mit einer ungünstigen Prognose für die Reichen. Im Blick sind nicht sämtliche Reichen und Geschäftsleute, sondern nur jene, die auf Gemeinschaft mit anderen Christen keinen Wert legen und deshalb wohl der versammelten Gemeinde fernbleiben. Entsprechungen finden sich in sim VIII 8,1-3 und 9,1-4, wo die Sichtweise jeweils stärker differenziert ist.

Mit dem gleichen Verfahren wie bei Berg III ist die Differenzierung bei der Deutung von Berg IV weitergeführt (21,1-4). Den Zweiflern und Lippenchristen wird ebenfalls baldige Buße nahegelegt. In sim VIII 7,1-3 hingegen reichte den Zweiflern langsamere Umkehr immer noch zu einem Platz in den Mauern.

Bei der durch Berg V repräsentierten Gruppe von Lehrern (22,1-4)[42] wird teils auf bereits abgeschlossene Entwicklungen überwiegend negativer Art zurückgeblickt. Den noch Umkehrwilligen wird diese Chance eingeräumt. Die Dringlichkeit der Umkehr wird hier nicht betont[43]. In sim VIII hat diese Gruppe keine Entsprechung[44].

Mit dem bei der Deutung von Berg III und IV angewandten Verfahren wird auch bei Berg VI weiterdifferenziert (23,1-5). Von den beiden Gruppen ⁻ leichte und schwere Kommunikationssünder ⁻ ist die erste bereits zum größten Teil

42 Ihr Verhältnis zu den in 19,2f. genannten Lehrern bleibt unklar. Vielleicht handelte es sich um Gnostizisten, s. o. S. 76.

43 Drei Erklärungsmöglichkeiten bieten sich an: 1. Das in 19,3; 20,4; 21,4 und dann in 23,2; 26,6 geforderte baldige Umkehren ist vorausgesetzt. 2. Dieser Gruppe wird stillschweigend eine längere Bußfrist eingeräumt. 3. Hermas hat für Berg V (und später auch für die in 26,2.7f. beschriebenen Gruppen) das Konzept der Heilsnotwendigkeit baldiger Umkehr einfach fallengelassen.

44 Die Lehrer in sim VIII 6,5 sind anders charakterisiert, und die Entwicklung der in sim VIII 7,4-6 genannten Gruppe, die mit sim IX 22,1-4 noch eine gewisse Ähnlichkeit hat, verlief offensichtlich anders als die der hier gemeinten Personen. Eben die Entwicklung, die 22,3f. detailliert schildert, macht aber auch wahrscheinlich, daß dieser Kreis bereits seit geraumer Zeit existierte.

umgekehrt. Den übrigen wird eine positive Prognose gestellt. Anders die zweite Gruppe: Wie den Reichen in 20,3 wird auch den Verleumdern und Nachtragenden nur eine geringe Umkehrchance vorausgesagt. Da wie in 20,4 auch in 23,5 Umkehr als möglich und erwünscht gilt, dürfte es sich hier in erster Linie um eine besonders massive Form der Motivation zur Verhaltensänderung handeln. Ein Pendant zur ersten Gruppe findet sich in sim VIII 7,4-6, während die zweite Gruppe in sim VIII 7,2f. eine partielle Entsprechung hat.

Die Gruppe der normkonformen und gebefreudigen Christen (24,1-4) – Berg VII – hat ihr Gegenstück wohl in sim VIII 3,8. Auch hier folgt ein Rückblick, der das Verhalten dieser Gruppe als konstant erweist. Der folgende Ausblick hat also Stabilisierungsfunktion.

Zu Berg VIII, den tadellosen Aposteln und Lehrern (25,1f.), ist vis III 5,1 eine Entsprechung[45]. Im Blick sind größtenteils, vielleicht ausschließlich, Verstorbene.

Bei der Deutung von Berg IX (26,1-7) versucht Hermas, die aus 6,4 und 8,1-7 bekannten fehlerhaften Steinsorten einzubeziehen. So kommt er zu Weiterdifferenzierungen, die nur teilweise mit dem Material der Bergschilderung arbeiten[46].

Zur ersten Untergruppe, den betrügerischen Diakonen, werden die fleckigen Steine (vgl. 8,7) assoziiert. Die früheren Gemeindeanalysen liefern keine Entsprechungen. Diese Tatsache, die schon im Bildbereich auffällige Stellung von Berg IX im Zwölferschema und die kontrastierend betonte Integrität der Apostel und Lehrer 25,2 zeigen, daß es hier um besonders aktuelle Probleme geht.

Die zweite Untergruppe, gemeinschaftslose Christusleugner, wird mit den verwitterten Steinen (vgl. 8,2) verbunden[47].

Die dritte Untergruppe, Verschlagene und Verleumder, wird auf die verstümmelten Steine (vgl. 8,4) bezogen. Eine partielle Entsprechung besteht zu sim VIII 7,2f. Von den beiden in sim IX 23 beschriebenen Gruppen ist unser Personenkreis so gut wie nicht zu unterscheiden. Die Einbeziehung der fehlerhaften Steine hat also zumindest in diesem Fall zu einer zweimaligen Präsentation desselben Phänomens geführt[48].

---

45 Die doppelte Erwähnung dieser Gruppe im Deutungsbereich (15,4; 16,5; 17,1f. und hier) zeigt, daß die zwölf Berge und die Steine aus der Tiefe Konkurrenzmodelle sind.

46 Die Öde wird in 28,3, die schädliche Tierwelt in 28,7 aufgenommen.

47 Da in 26,3-6 eine Bußmöglichkeit besteht, ist eine Identität dieser Gruppe mit 19,1 kaum anzunehmen. Eher sind hier Christen im Blick, auf die das in sim VIII 8,4f. beschriebene Verhalten zutrifft.

48 Aus 6,4; 8,1-7 werden in der Deutung also die fleckigen, verwitterten und rissigen Steine (26,1-8) aufgenommen. Vertretbar wäre noch die Zuordnung von 19,1 zu den schwarzen und von 23 zu den rissigen Steinen. Übergangen werden die schwarzweißen (8,5) und die runden, harten Steine (8,6).

Allen drei Untergruppen wird eine Bußchance eröffnet. Nur bei der zweiten Gruppe wird die Dringlichkeit der Umkehr betont. Nur bei der dritten Gruppe begegnet ein Rückblick.

Berg X wird auf untadelige Bischöfe und Gastfreie bezogen (27,1-3). Jene haben in vis III 5,1 ein Pendant, während diese mit Mühe mit sim VIII 10,3f. in Verbindung gebracht werden können.

In der Deutung von Berg XI auf die Märtyrer im weiteren Sinn (28,1-8) begegnet wieder eine Weiterdifferenzierung. Diesmal werden neue Sachverhalte rückwirkend in den Bildbereich eingetragen. Unterscheidungen in der Qualität der Früchte ermöglichen die Unterscheidung innerlich standhaft gebliebener Märtyrer von solchen, die unter inneren Zweifeln vor den Behörden das Bekenntnis zum christlichen Glauben ablegten. Diese bei Hermas vorbildlose Differenzierung zeigt, daß (ihm) die Stabilisierung angeklagter Christen zum Problem geworden war.

Die sündlosen Christen von Berg XII (29,1-3) sind nicht leicht von den in 24,1-3 Beschriebenen zu unterscheiden. Eine Doppelung läge dann nicht vor, wenn die Gruppe von 29,1-3 nicht über die Möglichkeiten verfügte, andere zu unterstützen, tendenziell also eher den Bedürftigen zuzuordnen wäre.

Die Deutung der Steine aus 6,6-8 berücksichtigt die in 9,1-4 vorgenommene Differenzierung (29,4-31,3). Die erste Gruppe (30,1-3) wird zwar nicht ausdrücklich auf die viereckigen Steine zurückbezogen; doch müssen diese gemeint sein. Von der nicht besonders griffigen Charakterisierung her zu urteilen, besteht kein Unterschied zu den in 29,1-3 Beschriebenen. Die zweite Gruppe besteht aus normkonformen, wohltätigen reichen Christen (30,4-6), wobei das Verhältnis zu 24,1-4 offen bleibt. Die dritte Gruppe schließlich umfaßt reiche, ungetaufte Sympathisanten (31,1-3).

Die erklärte Absicht von sim IX ist die Präzisierung, die wörtlich zu verstehende Re-Vision von vis III (1,1-3). Im Blick auf die Gemeindeanalyse wird vis III zunächst so aufgenommen, daß nicht nur derzeit lebende Christen samt Sympathisanten und Ehemaligen einbezogen werden, sondern auch Verstorbene. In sim IX ist dieser Ansatz konsequent fortgeführt: Nun ist die ganze lebende und tote, christliche und nichtchristliche Menschheit im Blick. Über vis III hinaus geht der an sim VIII anknüpfende Versuch, das dortige Drei-Phasen-Modell aufzunehmen: Auch sim IX steht vor der Aufgabe, die Wirkung von Hermas' Verkündigung zu reflektieren. Dieser Versuch ist hier anders als in sim VIII nicht zu Ende geführt worden. Die Konstruktion eines aus so vielen disparaten Elementen bestehenden Modells, wie sie in sim IX unternommen wurde, überforderte die Synthesemöglichkeiten des Hermas.

In Wahrnehmung und Abgrenzung von Gruppen in der Gemeinde ist sim IX weitgehend dem in sim VIII erstellten Raster verpflichtet. Gewichtig sind die

Modifikationen. So werden – im Einklang mit vis III – die Gemeindeleiter ausdrücklich einbezogen. Verglichen mit vis III 5,1 werden in sim IX die Führungsrollen etwas kritischer betrachtet; Unliebsames wird nicht einfach ausgeblendet. Darauf deuten nicht nur die detaillierten Qualifikationen normkonformen Verhaltens bei Aposteln und Lehrern, Episkopen und Diakonen. Auch das mit der Rolle verbundene Prestige wirkt auf Hermas nicht (mehr) so stark, daß er die Episkopen noch einmal zusammen mit den Aposteln im Bildbereich den Steinen aus der Tiefe zuordnen würde.

Eine ähnliche Verschiebung liegt im Blick auf die Märtyrer vor, die in vis III wie die Führungspersonen von der übrigen Gemeinde dadurch unterschieden waren, daß sie durch die Steine aus der Tiefe repräsentiert wurden. Auch im Vergleich mit sim VIII werden die Märtyrer in sim IX aus einer kritischeren Perspektive betrachtet: Die positive Wertung ihres Verhaltens wird durch eine differenzierte Sicht ihrer inneren Haltung ergänzt.

Akute Probleme scheinen im Fall der in sim IX 22 beschriebenen Gruppe und bei den Diakonen, denen Unterschlagungen vorgeworfen werden (26,2), vorzuliegen. Daß an der Integration von Reichen ein besonderes Interesse besteht, wird schon auf der Bildebene deutlich. Gegenüber vis III 6,5-7 liegt nun im übrigen eine wesentlich differenziertere Wahrnehmung von Reichen vor.

Im Verhältnis zu sim VIII zeigt sich in einigen Punkten eine Verschärfung negativer Wertungen[49] und die Etablierung eines kritischeren Standpunkts. Diese gemäßigte Radikalisierung läßt sich dadurch erklären, daß die außerordentliche Rolle des Hermas im Lauf der Zeit immer weniger auf ihre Legitimität und den beanspruchten Einfluß befragt, seine Position auch bei geübter Kritik also zunehmend gestärkt wurde[50]. Zudem wurde durch die widerstrebende Gemeindewirklichkeit sein Versuch permanent torpediert, die mit dieser Rolle verbundene Funktion, zur Umkehr zu bewegen, zu einem auch für ihn selbst mitvollziehbaren Abschluß zu bringen. Schließlich konnte äußerer Druck auf die Gemeinde – man denke an den Stellenwert des Martyriums in sim VIII und an den Umfang, den in sim IX Phänomene wie Verleugnung, Standhaftigkeit und Zweifel in der Martyriumssituation einnehmen – in ihr Gegendruck und damit Verschärfung von Normen und Wertungen erzeugen.

Bei all diesen Unterschieden bleibt sich Hermas in wesentlichen Punkten von vis III bis sim IX gleich. Das Leitbild christlicher Existenz – Glaube, Werke, kooperative Kommunikation – ändert sich nicht. Die Orientierung der Gemeindeanalyse an Norm und Abweichung und die durchweg metempirische Sank-

---

49 Zu 19,1.2f. s. o. S. 236f. Vgl. auch 17,5-18,4 im Kontrast zu sim IV 4 (dazu o. S. 215f.).
50 S. o. S. 107f.

tionierung des präsentierten christlichen Verhaltens sind keiner Wandlung unterworfen. Daß auch in der Schwäche, in sich konsistente Modelle zu erstellen, und in der zwischen Bild und Deutung weitergehenden Differenzierungsarbeit Kontinuität festzustellen ist, sei nur noch einmal in Erinnerung gerufen[51].

5

Es ist angebracht, noch einmal grundsätzlich Hermas' Umgang mit Modellen zu betrachten.

Hermas verwendet Modelle, um die durch das abweichende Verhalten von Christen gefährdete Einheit der Kirche (vis III 2-7; sim VIII; IX), die Wirkung seiner Verkündigung auf die Gemeinde (vis III 11-13; sim VIII; IX) und überhaupt sozialen Wandel (vgl. noch vis IV 3; sim IIIf.) darzustellen. Er greift zu Modellen, um das Verhältnis von Gemeinde und Welt (vis IV 3; sim I) und das von Christen mit konformem und abweichendem Verhalten (sim IIIf.) zu beschreiben. Modelle finden Verwendung bei den Ausführungen über das notwendige Aufeinanderbezogensein von armen und reichen Christen (sim II) und bei der Präsentation von Kriterien christlicher Existenz (die Frauen vis III 8 bzw. die Jungfrauen sim IX). Schließlich dienen Modelle dazu, erwünschte Verhaltensweisen wie das soziale Fasten plausibel und attraktiv zu machen (sim V 1-3) und abweichendes Verhalten zu perhorreszieren (sim VI)[52].

Die Funktion all dieser Modelle ist paränetisch[53]. Zu einem guten Teil soll mit ihrer Hilfe konformes Verhalten stabilisiert, abweichendes Verhalten benannt und korrigiert werden. Daneben können sie zur Begründung von und als Beispiel für Innovationen dienen, um deren Institutionalisierung in der Gemeinde Hermas sich bemüht (sim II: Klientel; sim V: soziales Fasten). Viele Modelle sollen die Wirklichkeitswahrnehmung von Hermas' Adressaten strukturieren, und zwar häufig so, daß traditionelle Raster durch bestimmte Akzentsetzungen zugespitzt oder durch Differenzierungen geschärft werden.

Hermas' Umgang mit aus der Tradition übernommenen Modellen ist weithin kreativ. Seine Kreativität beweist er etwa in der extrem differenzierten Ausarbeitung des Bildes von der Kirche als Bau, in der Transferleistung, die er beim

---

51 Daß Hermas mit solchen Schwächen nicht allein ist, zeigen etwa die Kategorienfehler bei Semonides fr. 7D (dazu Kakridis, Hellenen 60-64) oder die Unstimmigkeiten in Ciceros Topica (dazu Zekl, Einleitung IX), wo im übrigen auch das Verfahren der Korrektur und Präzisierung durch Addition (s. dazu o. S. 18) vorliegt (vgl. Zekl, ebd. X).

52 Vgl. auch die kurzen Vergleiche vis I 3,2, mand V 1,5; X 1,5, 3,3; XI 15.18.20; XII 5,3.

53 In der Verwendung von Allegorien und allegorisierbarem Material ist Hermas Kind seiner Zeit; vgl. Liebeschuetz, Continuity 177: "Allegory as a means of teaching morals comes into fashion in the early empire." (Einige Beispiele ebd. n. 2).

Aufgreifen des Motivs von Weinstock und Ulme (sim II) vollbringt, oder in der Zuspitzung des Zwei-Städte-Modells (sim I) auf das Normenproblem. Diese Kreativität ist nicht Selbstzweck oder Spielerei. Vielmehr erweisen sich die traditionellen Wahrnehmungsmuster als zu unscharf oder überhaupt ungenügend, um die veränderte Wirklichkeit angemessen zu erfassen und die auftretenden Probleme zu bearbeiten. Daß im "Hirten" in so großem Umfang innovativer Umgang mit Tradition vorliegt, zeugt davon, daß sein Verfasser auch bereit war, sich so auf Gemeindewirklichkeit zu beziehen, daß er vorgegebenen Wahrnehmungsrastern nicht verfallen blieb. Daß gerade Hermas dazu in der Lage war, auf veränderte Situationen sensibel und unkonventionell zu reagieren, hängt vermutlich mit bestimmten Gegebenheiten seiner Biographie zusammen. Ein Sklave, ein Freigelassener, zunächst gesellschaftlich, dann auch wirtschaftlich ein Aufsteiger, der das erreichte Niveau aber nicht auf Dauer halten kann, ist von vornherein gezwungen, sich im Lauf seines Lebens mehrfach umzuorientieren und für neue Situationen neue Verhaltensmuster zu entwickeln – gute Voraussetzungen für kreativen Umgang auch mit dem Alltag der Gemeinde.

Die Bereitschaft, Wahrnehmungsmuster zu revidieren, zeigt sich nicht nur im Umgang mit Tradition. Auch mit den zur Erfassung von Gemeindewirklichkeit neu ausgearbeiteten Modellen ist Hermas nicht definitiv fertig, wie gerade die drei großen Gemeindeanalysen zeigen. Weiterarbeit wird vor allem durch die Veröffentlichung der neuen Wahrnehmungsraster erforderlich. Diese setzt bei den Adressaten Prozesse in Gang, durch die die Gemeindewirklichkeit so verändert wird, daß diese Modelle ebenfalls revidiert und modifiziert werden müssen, sollen sie einen Zugang zur Wirklichkeit weiterhin eröffnen und nicht zumindest teilweise schon wieder versperren[54].

Daß ein solches Verfahren nicht zu einem Ende kommen kann, wäre auch ohne die ausdrückliche Bestätigung des Hermas in seiner außerordentlichen Rolle am Schluß des "Hirten" (sim X 2,4; 4,1) offenkundig. Gerade die letzten Sätze der ganzen Schrift lassen noch einmal, und zwar drastischer und massiver als in allen früheren Passagen, die bittere Notlage der Armen in das Blickfeld der Adressaten treten (4,2f.). In einem dringlichen Appell will Hermas einsichtig machen, daß eine nicht wahrgenommene schlechte Wirklichkeit nicht nur die unmittelbar Betroffenen aus der Welt endgültig auszuschließen droht, sondern auch diejenigen von einer in Aussicht gestellten guten Zukunft

---

54 Hermas reichert deshalb den statischen Charakter einer Reihe von Modellen, die er aus der Tradition übernimmt, mit prozeßhaften Elementen an. Vgl. vor allem das Baubild (vis III, sim IX), aber auch die Art und Weise, wie die Gestalt der Greisin in vis III 11-13 zum Modell für den kirchlichen Erneuerungsprozeß umfunktioniert wird.

ausschließen wird, die meinen, sich dieser Not weiterhin verschließen zu können (4,4). Angesichts dessen ist es nicht ganz unerklärlich, daß eine Doxologie, die den Text abrunden würde, nicht vorhanden ist: Die im Text fehlende Doxologie sollte von der Gemeinde alltäglich in der Tat vollzogen werden[55].

---

55 Vor allem die äthiopische Version, aber auch mehrere Zeugen der lateinischen versio vulgata sowie der Palatinus lat. 150 haben hier einen Mangel verspürt und notdürftig auszugleichen versucht.

SCHLUSS: KIRCHENSOZIOLOGIE IM ZWEITEN JAHRHUNDERT?
ANSÄTZE UND VERHINDERUNGEN

Mit seinem großen Interesse an den Fragen der Wahrnehmung normkonformen und abweichenden Verhaltens, mit der differenzierten Wahrnehmung sozialer Wirklichkeit und der dazu erforderlichen Erarbeitung, Revision und Präzisierung von Modellen zur Erfassung dieser Wirklichkeit sowie mit dem Versuch, Verhalten und soziale Stellung zumindest im Fall der Reichen zu korrelieren, liegen bei Hermas gute Ansätze zur Entwicklung einer Kirchensoziologie vor.

Daß diese Ansätze nicht zu Ende geführt wurden, die Etablierung einer ausgearbeiteten Kirchensoziologie im zweiten Jahrhundert vielmehr bereits im Entstehen scheiterte, lag an mehreren Faktoren. So verblieb die Konzentration auf Norm und Abweichung bei Hermas größtenteils auf der Ebene der Beschreibung. Erklärungsansätze unter Berücksichtigung sozialer Faktoren wurden nicht konsequent und systematisch durchgeführt. Das hängt auch damit zusammen, daß Gemeinde nicht wirklich als Teil der Gesellschaft begriffen wurde, eine gesamtgesellschaftliche Perspektive mithin ebenso fehlt wie die Frage nach möglichen Wechselwirkungen und Einflüssen zwischen einzelnen gesellschaftlichen Subsystemen. Ein weiterer Mangel war, daß trotz des massiven Interesses an materieller Unterstützung Armer und an der Integration Reicher in die Gemeinde die Produktionsverhältnisse und damit die wirtschaftlichen und gesellschaftlichen Ursachen und Bedingungen von Reichtum und Armut nirgends in den Blick kamen; Hermas' Wahrnehmung der Sklaverei zeigt das deutlich.

Daß all diese Faktoren ausgeblendet oder jedenfalls von der Warte neuzeitlicher Soziologie aus nicht angemessen berücksichtigt wurden, teilt Hermas mit der Avantgarde antiker Gesellschaftstheorie[1] ebenso wie das mangelnde Interesse an Quantifikation[2]. Darüber sollte nicht vergessen werden, daß die Wahrnehmung gesellschaftlicher Wirklichkeit im "Hirten" ein für antike Verhältnisse beachtliches Niveau erreicht – und Hermas hatte weder Muße noch Gelegenheit noch die Absicht, Theoriemodelle um ihrer selbst willen zu erstellen.

Wie die neuzeitliche Soziologie ist das auf Kirche bezogene Gesellschaftsdenken des Hermas Produkt und Symptom einer Krise. Auch daß Hermas in praktischer Absicht zu immer differenzierterer Wahrnehmung von Wirklichkeit

1 Zu Ansätzen und Verhinderungen einer Gesellschaftstheorie bei Xenophon und Aristoteles vgl. Schütrumpf ed., Poroi 44; ders., Analyse 280-286.
2 S. dazu auch den Anhang.

kommt, teilt er mit manchen modernen soziologischen Ansätzen. Daß er weniger an einer stabilen als an einer integren Kirche interessiert ist, vorfindliche Wirklichkeit als veränderungsbedürftig auffaßt, sich in dem als notwendig erkannten Veränderungsprozeß selbst engagiert und seine eigene Person in die von ihm vorgetragene Kritik einbezieht, sollte verhindern, in ihm nichts als eine abseitige, beschränkte Gestalt zu sehen, die des genaueren Hinsehens nicht wert wäre.

ANHANG: GEMEINDEGRÖSSE, ZÄHLUNG UND INTERESSE

Wer die Größe der römischen Gemeinde zur Zeit des Hermas berechnen will, ist mangels direkter Angaben über die Anzahl der Gemeindeglieder auf vergleichende und analytische Verfahren angewiesen[1].

Inwieweit sind Aussagen über die Gemeindegröße in der Zeit vor und nach der ersten Hälfte des zweiten Jahrhunderts für tragfähige vergleichende Rückschlüsse brauchbar? Im Blick auf die Christenverfolgung unter Nero im Jahr 64 sprechen 1Cl und Tacitus[2] übereinstimmend[3] von einer "großen Menge" von Christen. Die Gemeindegröße bleibt unbestimmbar. Einmal fehlen ergänzende Angaben, die sich auf das Zahlenverhältnis von verfolgten und nicht verfolgten Christen beziehen. Sodann erlaubt der Sprachgebrauch beider Autoren nicht einmal die zahlenmäßige Festlegung der *verfolgten* Christen[4]. Schließlich ist auch die ungenaue Angabe über die Anzahl der Verfolgten, die "große Menge", bei jedem der beiden Autoren verdächtig, tendenziös zu sein.

Für Tacitus hat *Frend* vermutet, ann. XV 44 sei durch Livius' Darstellung des Bacchanalienskandals beeinflußt[5]. Auch bei Livius begegnet der Ausdruck "multitudo ingens" (XXXIX 13). Nach seiner Darstellung wurden beim Bacchanalienskandal 7.000 Eingeweihte noch nachträglich bestraft. Ob man eine solche Zahl für die römische Christengemeinde oder gar nur für die Verfolgten ebenfalls annehmen sollte?

In 1Cl begegnet πολύς mehrfach im Kontext der Vorbildlichkeit einer Tat (19,2) oder des vorbildlichen Verhaltens bei Verfolgung[6], hat also mindestens *auch* rhetorische Funktion[7].

---

1 Grundsätzliches zum Problem der Quantifizierung in der Erforschung der Antike bei Finley, Wirtschaft 14-18. — Zur Größe der römischen Gemeinde vgl. auch Grimm, Untersuchungen 60 Anm. 70.

2 1Cl 6,1 πολὺ πλῆθος, Tacitus, ann. XV 44 ingens multitudo.

3 Will man nicht annehmen, Tacitus habe 1Cl benutzt (was unwahrscheinlich ist, da er auch sonst keine Kenntnis christlicher Quellen verrät), so ist eine zufällige Übereinstimmung am wahrscheinlichsten.

4 Für Tacitus vgl. Freudenberger, Verhalten 182 Anm. 53. In ann. VI 19,3 sind mit "immensa strages" "nur" etwa zwanzig Hinrichtungen gemeint. — In 1Cl begegnet πολὺ πλῆθος sonst nicht.

5 Frend, Persecutions 153 mit n. 4, ders., Martyrdom 110f.162f.

6 5,4; 6,1; 55,3. In 55,1-3 kommt πολύς sechsmal vor, ist also stilistisch Hervorhebung und Verstärkung der außergewöhnlichen Leistungen. Zudem ist literarischer Einfluß (1Kor 13,3) auf die Gestaltung von 55,2 zu vermuten, vgl. Riesenfeld, Martyrium 213f.

7 Vgl. auch die ausdrückliche Erwähnung der "Wenigen" in 1,1, die einem nicht näher bezeichneten Rest gegenübergestellt werden: Hier werden vielleicht die wirklichen Verhältnisse in Korinth "geschönt" zum Zweck der Konfliktbereinigung, an der 1Cl interessiert ist.

Im Jahr 251 oder 252 begegnen in einem Brief des römischen Bischofs Cornelius an seinen Kollegen Fabius von Antiochia präzise Zahlenangeben[8]. Cornelius zufolge beschäftigte die römische Gemeinde damals 155 Kleriker[9] und unterstützte mehr als 1.500 Witwen und Bedürftige.

Diese Zahlen dienen seit langem als Ausgangspunkt für die Schätzung der Größe der römischen Gemeinde um 250. Angesichts der großen Divergenzen – die Mutmaßungen reichen von 7.000 bis zu 50.000 Personen[10] – stellt sich die Frage, wie gut sich solche Schätzungen begründen lassen.

Mehrere Unbekannte gehen in die Rechnung ein. Die Zahlenunterschiede sind Ergebnis unterschiedlicher Berücksichtigung und Gewichtung der relevanten Faktoren und fußen zudem auf unterschiedlicher Einbeziehung und Einschätzung von Vergleichsgrößen.

Der Unsicherheitsfaktor ist nach *Gülzow* die Opferbereitschaft der römischen Gemeinde[11]. "Opferbereitschaft einer Gemeinde" ist ein relativ ungenauer Begriff, der mehrere Deutungen zuläßt. (1) "Opferbereitschaft" kann definiert werden als Quotient aus dem Spendenaufkommen pro Zeiteinheit und der Anzahl der Gemeindeglieder. Diese Definition berücksichtigt jedoch das Moment der Bereitschaft nicht genügend. (2) "Bereitschaft" kann zunächst als Quotient aus tatsächlichem und benötigtem Spendenaufkommen definiert werden. Das benötigte Spendenaufkommen würde sich aus dem zur Erreichung bestimmter Zwecke – finanzielle Unterstützung des Klerus, der Armen, anderer Gemeinden usw. – mutmaßlich erforderlichen Bedarf zusammensetzen[12]. Aber auch diese Definition reicht noch nicht aus: Mk 12,41-44 macht deutlich, daß der Begriff der Opferbereitschaft auch das Verhältnis von Spendenbetrag und Vermögensgröße impliziert[13]. (3) So ergibt sich als umfassendste Definition folgende Gleichung:

---

8 Ausschnitte aus diesem Brief bei Eusebius, h. e. VI 43, ebd. 43,11 die Zahlen.

9 1 Bischof, 46 Presbyter, 7 Diakone, 7 Subdiakone, 42 Akoluthen, 52 Exorzisten, Lehrer und Türwächter. Vgl. Molland, Missionsprogramm 59f.; MacMullen, Christianizing 133 n. 7.

10 Grant, Christianity 7: 7.000-20.000; Andresen, Kirchen 125: weit über 10.000; Audet, Priester 166 Anm. 22: 30.000-50.000; mehrere bei Harnack, Mission 806 Anm. 2, genannte Forscher: 50.000. Weitere Angaben bei Grimm, Untersuchungen 44 Anm. 12.

11 Gülzow, Sklaverei 142 Anm. 4.

12 Sozialgeschichtlich wäre nachzufragen, wer die Ziele und deren Rangordnung jeweils festlegen konnte.

13 Das Verhältnis von Spendenbetrag und Gesamtvermögen der Gemeindeglieder ist auch in 2Kor 8 im Blick. Wie in Mk 12,41-44 dient der Bezug auf die Spendenfreudigkeit der Armen der Förderung der Spendenbereitschaft der Reichen.

$$\text{Opferbereitschaft pro Kopf} = \frac{\dfrac{\text{Spendenbereitschaft}}{\text{Zeit}} \times \dfrac{\text{Anzahl der Gemeindeglieder}}{\text{Zeit}}}{\dfrac{\text{Spendenbedarf}}{\text{Zeit}} \times \dfrac{\text{Vermögen der Gemeindeglieder}}{\text{Zeit}}}$$

Da in dieser Gleichung alle Größen Unbekannte sind — wir besitzen nur über Teilmengen der benötigten Größen Angaben, nicht über das Größenverhältnis der Teilmengen zu den jeweiligen Gesamtmengen — und ohne neue Informationen auch bleiben müssen, ist die Opferbereitschaft der römischen Gemeinde um 250 nicht zu erschließen[14].

Die Spendenbereitschaft hilft also nicht weiter. Wie sieht es mit der dem Cornelius "genau bekannte(n) Zahl der wohlhabenden Kirchensteuerzahler" im Verhältnis zur "nicht zu zählende(n) christliche(n) Plebs"[15] aus? Auch hier bleibt zu vieles offen: Wir kennen nicht die Anzahl derer, die *nicht* in den Genuß der Unterstützung durch die Gemeinde kamen, und unter den Wohlhabenden wird es nicht nur spendenwillige, sondern auch weniger opferbereite gegeben haben.

Unklar sind insbesondere die Kriterien der Unterstützungswürdigkeit, die in der römischen Gemeinde angewandt wurden. Vor allem wissen wir nicht, ob diejenigen Armen, die aufgrund ihres römischen Bürgerrechts zum Empfang staatlicher Lebensmittelunterstützung berechtigt waren[16], von der Unterstützung durch die Gemeinde von vornherein ausgeschlossen waren oder nicht[17].

Unsicher bleibt auch der vergleichende Rückschluß von der Größe der Gemeinde in Antiochia um 380 (3.000 Unterstützte bei über 100.000 Christen) auf die Größe der römischen Gemeinde — unsicher deshalb, weil die Vergleich-

---

14 Dasselbe gilt für die Opferbereitschaft der antiochenischen Gemeinde um 380 (von Harnack, Mission 806 Anm. 2, mit Rom verglichen). Wie ließe sich die Annahme einer geringeren Spendenfreudigkeit in Antiochia begründen (Harnack verzichtet auf Gründe)? Am ehesten mit den massiven Mahnungen und Forderungen des Johannes Chrysostomus. Doch daß wir Analoges aus Rom nicht kennen, könnte auch an den dürftigen Quellen liegen. Der Kontext, in dem Cornelius Zahlen nennt, und sein Interesse sind jedenfalls nicht mit den Voraussetzungen bei Chrysostomus identisch. — Zu den Zahlen in Antiochia vgl. zuletzt Brändle, Matth. 25, 76f.82f.

15 Gülzow, Sklaverei 142 Anm. 4.

16 Vgl. dazu Hands, Charities 100-115; kurz Dahlheim, Geschichte 175-177; Grant, Christianity 142f.

17 Eben die Unklarheit über die in der römischen Gemeinde angewandten Kriterien sowie die nicht mit der Sozialstruktur Roms identische Sozialstruktur der Gemeinde machen es fraglich, ob man die staatliche Alimentation als Modell für die gemeindliche Unterstützung heranziehen kann, wie Grant, Christianity 6f., das tut (ebd. 7 wird übrigens mit der — im Vergleich zum Staat als höher eingeschätzten — Spendenwilligkeit der Gemeinde argumentiert).

barkeit fraglich ist. Sind die Unterstützungskriterien in Antiochia um 380 dieselben wie in Rom um 250? Wie steht es in beiden Städten mit öffentlicher Lebensmittelunterstützung und dem Zugang von Christen dazu? Sind die beiden Gemeinden in ihrer sozialen Zusammensetzung vergleichbar? usw.

Damit sind einige Unsicherheitsfaktoren benannt, die bei der Beurteilung der Zahlen des Cornelius häufig nicht berücksichtigt worden sind. Doch es gibt eine Reihe weiterer Schwierigkeiten.

Die Zahlen stehen in einem Kontext, aus dem hervorgeht, daß Cornelius nicht bereit ist, Novatianer als Gemeindeglieder zu zählen (solange sie nicht zu ihm zurückkehren[18]). Aber ist Cornelius' Perspektive für die heutige Erforschung der Christen in Rom maßgeblich oder auch nur sinnvoll? Sollen die Novatianer nicht als Christen gelten können, weil sie eine andere Führungsspitze und in einigen Bereichen radikalere Normen hatten als die Anhänger des Cornelius[19]? Und wie sieht es mit den anderen nicht zur Großkirche zu rechnenden Gruppen — etwa den Montanisten, den Markioniten und verschiedenen gnostizistischen Gruppen — in Rom um 250 aus? Sind sie nicht von ihrem Selbstverständnis her ebenfalls als Christen zu betrachten? Und welches Kriterium der Zugehörigkeit soll angewandt werden? Hermas steht wohl nicht allein, wenn er bei seinen Gemeindeanalysen nicht nur Getaufte, sondern auch Katechumenen berücksichtigt. Darf man schließlich die ehemaligen Christen ohne weiteres ausblenden, wenn nicht nur Hermas sie ebenfalls noch im Blick hat, sondern auch die Aufgabe der Zugehörigkeit zur Gemeinde kein Schutz vor staatlicher Verfolgung war[20]? Es ist deutlich, wie eng die Definition von Christsein damals wie heute mit dem Standpunkt, der Perspektive, der Macht und dem Interesse des jeweils Definierenden verbunden ist. Darauf wird sogleich zurückzukommen sein.

Zuvor aber noch ein kurzer Blick auf die Einwohnerzahl Roms, die gern zu der geschätzten Gemeindegröße in Beziehung gesetzt wird. Während früher, wohl auch aus irrationalen Motiven, für eine Million Einwohner plädiert wurde[21], sprechen detaillierte Untersuchungen für ein Maximum von 500.000 bis 800.000 Personen[22]. Wie hoch nun aber die Einwohnerzahl Roms um 250

18 Vgl. Eusebius, h. e. VI 43,6.10.20 (vgl. auch 19).
19 Zur weiteren Geschichte der Novatianer in Rom vgl. Vogt, Coetus 52f.
20 Vgl. bereits Plinius, ep. X 96,6f.; dazu Freudenberger, Verhalten 155-171.
21 So zuletzt Alföldy, Sozialgeschichte 86 mit Anm. 101; auch Audet, Priester 166 Anm. 22.
22 Vgl. vor allem Gerkan, Einwohnerzahl, ders., Weiteres; akzeptiert z. B. von Bleicken, Sozialgeschichte II 21; Grant, Christianity 6 mit n. 19; Heichelheim, Bevölkerungswesen 879f. De Martino, Wirtschaftsgeschichte 200-207, rechnet mit 664.000-750.000 Freien plus mindestens 100.000 Sklaven. Hopkins, Conquerors 96-98, hält 800.000-1.000.000 für am wahrscheinlichsten; vgl. aber ebd. 98: "But ist is only a guess."

war, ist unklar[23]. So werden auch hier zwei Unbekannte zueinander in Beziehung gesetzt. Das meist hinter der Prozentzahl stehende Motiv, den Einfluß der römischen Gemeinde in der Stadt quantitativ einschätzen zu können, ist seinerseits fragwürdig. Ist doch Einfluß auch in der spätrömischen Gesellschaft von vorhandenem oder beschnittenem Zugang zu gesellschaftlicher Macht und damit weitgehend von der jeweiligen gesellschaftlichen Position abhängig, nicht aber schon vom zahlenmäßigen Umfang einer Gruppe.

Fragen wir nun nach dem Interesse des Cornelius an seinen Zahlen und ihrer Präsentation! Folgende Motive sind erkennbar:

1. Die Zählung der Gemeinde hat Legitimationscharakter. Aus der großen und, wie er betont, weiter wachsenden Zahl von Christen folgt für Cornelius, daß die göttliche Gnade mit der durch *ihn* repräsentierten Gemeinde ist, Novatians Anspruch (auch) deshalb als illegitim abgetan werden kann.

2. Die Zählung dient der Feststellung und geordneten Befriedigung materieller Ansprüche. Die Genauigkeit der Zahlenangaben gibt dabei Aufschluß über die Rangfolge. Genau gezählt werden die Amtsträger, deren Rangfolge sich aus der Reihenfolge ihrer Nennung bei Cornelius ergibt. Weniger genau werden die unterstützten Armen gezählt: Sie stehen nicht nur in der Reihe, sondern auch im Rang hinter dem Klerus. Überhaupt nicht gezählt werden diejenigen Christen, denen Unterstützung auf Gemeindekosten nicht zugestanden wird, sei es, daß sie nicht darauf angewiesen sind, sei es, daß sie bestimmte Kriterien der Unterstützungswürdigkeit nicht erfüllen.

3. Die genaue Zählung des Klerus dient aber auch der Kontrolle der Macht und der Orientierung über die umstrittenen Machtverhältnisse. Deshalb kann Cornelius auch die Zahl der zu Novatian haltenden Presbyter genau angeben (h. e. VI 43,20).

4. Der Kontrolle der Macht dient auch die von Eusebius nur erwähnte (h. e. VI 43,2.21), von Cornelius dem Fabius mitgeteilte Zählung und Namensliste *der* Bischöfe, die Novatian auf einer römischen Synode verurteilt hatten, sowie derjenigen, die sich dieser Verurteilung später angeschlossen hatten.

5. Schließlich will sich Cornelius durch die Zahlenangaben über Kleriker, Arme und Bischöfe auch gegenüber Fabius ("der etwas zum Schisma neigte", h. e. VI 44,1) legitimieren, seine Unterstützung gewinnen und zudem auf die mit der Größe seiner römischen Gemeinde verbundene Macht hinweisen.

Das Interesse an der großen Zahl steht hier also in einem engen Zusammenhang mit Legitimation, Stabilisierung und Ausbau kirchlicher Herrschaft. Daß solche Zahlenangaben eine auch bürokratisch organisierte Herrschaft voraus-

---

23 Zum Bevölkerungsrückgang im dritten Jahrhundert vgl. kurz Alföldy, Bewußtsein 121 mit Anm. 46.

setzen, liegt auf der Hand[24]. Deutlich ist auch, daß eine solche Organisation großes Interesse an der Konstanz und Zunahme der Spendenbeträge, mithin an der zahlreichen Zugehörigkeit reicher, spendenwilliger Gemeindeglieder haben mußte. Dem trug der von Cornelius geführte Teil der römischen Christen u. a. dadurch Rechnung, daß die während der decischen Christenverfolgung Abgefallenen, zu denen vermutlich vor allem auch infolge ihres Reichtums in der Öffentlichkeit exponierte Christen gehörten, zur Gemeinde wieder zugelassen wurden. Die Novatianer hingegen schlossen diese "Gefallenen" aus der Gemeinde aus.

In jedem Fall ist zu bedenken, daß die Gemeinde um 250 gegenüber der im zweiten Jahrhundert und ebenso diese im Vergleich zu der zwischen 50 und 100 mehr Glieder umfaßte[25]. Die Zahlen und Schätzungen für 250 erlauben also keinen genauen Rückschluß auf die Gemeindegröße zur Zeit des Hermas; sie machen allenfalls eine vierstellige Zahl wahrscheinlich.

Analytische Rückschlüsse aus der Organisationsform der Gemeinde und aus der von Hermas verwendeten Bildsymbolik können diese Vermutung erhärten. Die Existenz mehrerer Hausgemeinden[26], die Notwendigkeit von Presbyterkonventen und einer eigenen Regelung für die Versorgung der Witwen und Bedürftigen setzen voraus, daß die Gemeindeglieder über die Stadt verstreut lebten und die Gesamtgemeinde für den einzelnen nicht oder nur schwer überschaubar war[27]. Auf eine ansehnliche Gemeindegröße verweist auch die von Hermas für die Gemeinde verwendete Bildsymbolik[28], besonders die in den Deutungen der jeweiligen Bilder zutage tretende detaillierte Differenzierung[29].

---

24 Vgl. dazu Harnack, Mission 807.860-866. Indizien für Grenzen des Organisationsgrades werden ebd. 859 benannt.

25 Anwachsen der Gemeinde im zweiten Jahrhundert: vgl. Gülzow, Sklaverei 93-100. Gründe für das Wachstum im dritten Jahrhundert: ebd. 143f.; ders., Gegebenheiten 224f.; Kötting, Stellung 16.

26 Die Größe von Hausgemeinden läßt sich nicht exakt bestimmen. Selbst bei der Hauskirche von Dura Europos schwanken die Schätzungen über das Fassungsvermögen des Raums zwischen zehn (von Stuhlmacher, Brief 72, als Minimum betrachtet) und siebzig Personen (so das Maximum bei Klauck, Hausgemeinde 79). Aber weder die Räumlichkeiten noch die Gemeinden waren überall von gleicher Größe.

27 Vgl. mand II 4-6 (ungenügende gegenseitige Kenntnis).

28 vis III (Turm), sim VIII (Weide) und IX (Fels, Berge, Turm).

29 Ebenso argumentiert Joly ed., Hermas 36.

LITERATURVERZEICHNIS

QUELLEN

Corpus Inscriptionum Graecarum. Ed. A. Böckh. Berlin 1825-1877
Inscriptiones Graecae II/2. Ed. U. Koehler. Berlin 1883
Corpus Inscriptionum Latinarum I/1. Ed. W. Henzen, Ch. Huelsen, Th. Mommsen. Berlin 1893
Inscriptiones Latinae selectae. Ed. H. Dessau. Berlin ND 1962
Griechische Inschriften als Zeugnisse des privaten und öffentlichen Lebens. Ed. G. Pfohl. München ^{2}1980
Die Fragmente der Vorsokratiker. Ed. H. Diels, W. Kranz. Zürich/Berlin ^{11}1964
Stoicorum veterum fragmenta. Ed. H. v. Arnim. Stuttgart ND 1964
Die Fragmente der griechischen Historiker. Ed. F. Jacoby. Leiden ND 1954-1964
Papyri Graecae magicae. Ed. K. Preisendanz. Stuttgart ^{2}1973-1974
Anthologia lyrica Graeca I. Ed. E. Diehl. Leipzig ^{2}1935
Comicorum Atticorum fragmenta. Ed. Th. Kock. Leipzig 1880-1888
Anthologia Graeca. Ed. H. Beckby. München 1957-1958
Erotici Scriptores Graeci. Ed. R. Hercher. Leipzig 1858-1859
Anthologia Latina. Ed. F. Buecheler, A. Riese, E. Lommatzsch. Amsterdam ND 1964
Fragmenta poetarum Latinorum. Ed. W. Morel. Stuttgart ND 1963

Achilles Tatius, Leukippe and Clitophon. Ed. E. Vilborg. Stockholm 1955
Aelianus, De natura animalium libri XVII. Ed. R. Hercher. Leipzig 1864
Ammianus Marcellinus, Rerum gestarum libri qui supersunt. Ed. W. Seyfarth. Leipzig 1978
Antonius Liberalis, Les Métamorphoses. Ed. M. Papathomopoulos. Paris 1968
Apuleius, Opera quae supersunt. Ed. R. Helm. Leipzig ND 1955-1959
Aristainetos, Epistularum libri II. Ed. O. Mazal. Stuttgart 1971
Aelius Aristides, Quae supersunt omnia II. Ed. B. Keil. Berlin ND 1958
—, (Opera). Ed. W. Dindorf. Hildesheim ND 1968
Aristoteles, Opera II. Ed. I. Bekker, O. Gigon. Berlin ^{2}1960
—, Ethica Nicomachea. Ed. I. Bywater. Oxford 1894
—, Politica. Ed. W. D. Ross. Oxford 1957
(—), Oikonomikos I. Ed. U. Victor. Königstein 1983
Arrianus, Quae exstant omnia II. Ed. A. G. Roos. Leipzig ND 1968
Artemidoros, Onirocrticon libri V. Ed. R. A. Pack. Leipzig 1963
Athenaios, Dipnosophistae. Ed. G. Kaibel. Stuttgart ND 1961-1962
Calpurnius et Nemesianus, Bucolica. Ed. H. Schenkl. Leipzig/Prag 1885
Cato Maior, De agricultura. Ed. A. Mazzarino. Leipzig 1962
Catullus, Carmina. Ed. R. A. B. Mynors. Oxford 1958
Chariton, De Chaerea et Callirhoe amatoriarum narrationum libri VIII. Ed. W. E. Blake. Oxford 1938
Cicero, Orationes I. Ed. A. C. Clark. Oxford 1905
—, De re publica. Ed. P. Krarup. Florenz 1967
—, De legibus. Ed. K. Ziegler. Freiburg/Würzburg ^{3}1979
—, Les devoirs. Ed. M. Testard. Paris 1970-1974

—, Cato maior de senectute. Ed. M. Bonaria. Florenz 1968

—, Tusculanarum disputationum libri V. Ed. H. Drexler. Florenz 1964

—, Les paradoxes des stoiciens. Ed. J. Molager. Paris 1971

—, Topik. Ed. H. G. Zekl. Hamburg 1983

Columella, Zwölf Bücher über die Landwirtschaft. Buch eines Unbekannten über Baum-
    züchtung. Ed. W. Richter. München 1981-1983

Diogenes Laertius, Vitae philosophorum. Ed. H. S. Long, Oxford 1964

Dion Chrysostomus, Quae exstant omnia. Ed. H. v. Arnim. Berlin ^{2}1962

Epiktetos, Dissertationes. Ed. H. Schenkl. Stuttgart ND 1965

Euripides, Fabulae. Ed. G. Murray. Oxford 1902-1913

Eustathios, Commentarii ad Homeri Iliadem. Ed. M. van der Valk, Leiden 1971-1987

—, Commentarii ad Homeri Odysseam. Hildesheim ND 1960

Festus, De verborum significatu quae supersunt cum Pauli epitome. Ed. W. M. Lindsay.
    Leipzig 1913

Gaius, Institutionum commentarii IV. Ed. E. Seckel, B. Kuebler. Leipzig 1908

Geoponica sive Cassiani Bassi scholastici de re rustica eclogae. Ed. H. Beckh. Leipzig 1895

Heliodoros, Les Éthiopiques. Ed. R. M. Rattenbury, T. W. Lamb. Paris ^{2}1960

Herodianus, Ab excessu divi Marci libri VIII. Ed. L. Mendelssohn. Leipzig 1883

Herondas, Die Mimiamben. Ed. O. Crusius. Hildesheim ND 1967

Homer, Opera. Ed. D. B. Munro, Th. W. Allen. Oxford ^{3}1920/^{2}1917-1919

Horatius, Opera. Ed. S. Borszák. Leipzig 1984

Hyginus, Fabulae. Ed. H. J. Rose. Leiden ^{2}1963

Iuvenal: s. Persius

Kallimachos, (Opera). Ed. R. Pfeiffer. Oxford 1949-1951

Callimachea. Ed. O. Schneider. Leipzig 1870-1873

Livius, Ab urbe condita. Ed. R. S. Conway, C. F. Walters, S. K. Johnson, A. H. McDonald.
    Oxford 1914-1965

Longos, Pastorales. Ed. J.-R. Villefond. Paris 1987

Lukianos, Opera. Ed. M. D. Macleod. Oxford 1972-1987

Lucretius, De rerum natura libri VI. Ed. C. Bailey. Oxford 1947

Macrobius, Commentarii in Somnium Scipionis. Ed. I. Willis. Leipzig 1963

Manilius, Astronomica. Ed. G. P. Goold. Leipzig 1985

Marcus Aurelius, Ad se ipsum. Ed. I. H. Leopold. Oxford 1908

Martialis, Epigrammaton libri. Ed. W. Heraeus. Leipzig ND 1976

Menandros, Reliquiae selectae. Ed. F. H. Sandbach. Oxford 1972

Musonius, Reliquiae. Ed. O. Hense. Leipzig 1905

Nemsianus: s. Calpurnius

Nonnos, Dionysiaca. Ed. R. Keydell. Berlin 1959

Ovidius, Opera. Ed. E. J. Kenney, S. G. Owen. Oxford ND 1968-1969

—, Die Fasten. Ed. F. Bömer. Heidelberg 1957

—, Epistulae Heroidum. Ed. H. Dörrie. Berlin 1971

—, Metamorphoses. Ed. W. S. Anderson. Leipzig 1977,

Palladius, Opus agriculturae, de veterinaria medicina, de insitione. Ed. R. H. Rodgers.
    Leipzig 1975

Pausanias, Graecae descriptio. Ed. M. H. Rocha-Pereira. Leipzig 1973-1981

Persius et Iuvenalis, Saturae. Ed. S. G. Owen. Oxford ^{2}1920

Petronius, Saturae. Ed. F. Buecheler. Berlin/Zürich ^{8}1963

Phaedrus, Liber fabularum. Ed. O. Schönberger. Stuttgart 1975

Philostratos, Opera. Ed. C. L. Kayser. Hildesheim ND 1971

Platon, Opera. Ed. I. Burnet. Oxford 1900-1907

—, Dialogi VI. Ed. C. F. Hermann. Leipzig 1902

Plautus, Comoedia. Ed. F. Leo. Berlin ^{2}1958

Plinius, Naturalis historiae libri XXXVII. Ed. K. Mayhoff. Stuttgart ND 1967-1985

Plinius, Epistularum libri IX. Epistularum ad Traianum liber. Panegyricus. Ed. M. Schuster, R. Hanslik. Leipzig ^{4}1960

Plutarchos, Moralia. Ed. W. Paton, I. Wegehaupt u. a. Leipzig 1925-1978

—, Vitae parallelae. Ed. K. Ziegler. Leipzig 1914-1939

Polybios, Historiae. Ed. Th. Buettner-Wobst. Stuttgart ND 1962-1964

Propertius, Elegiarum libri IV. Ed. P. Fedeli. Stuttgart 1984

Ptolemaios Chennos, (Werke). Ed. A. Chatzis. Paderborn 1914

Quintilianus, Institutionis oratoriae libri XII. Ed. W. Winterbottom. Oxford 1970

Scriptores historiae Augustae. Ed. E. Hohl. Leipzig ND 1965

Seneca, Dialogorum libri XII. Ed. E. Hermes. Leipzig 1905

—, De beneficiis libri VII. De clementia libri II. Ed. C. Hosius. Leipzig 1914

—, Ad Lucilium epistularum moralium quae supersunt. Ed. O. Hense. Leipzig 1938

Servius, In Vergilii carmina commentarii. Ed. G. Thilo, H. Hagen. Hildesheim ND 1961

Sidonius Apollinaris, Epistulae et carmina. Ed. C. Lvetjohann. Berlin 1961

Sophokles, Fabulae. Ed. A. C. Pearson. Oxford 1924

Statius, Silvae et Thebais et Achilleis. Ed. I. S. Phillimore, H. W. Garrod. Oxford ND 1958-1965

Strabon, Geographica. Ed. A. Meineke. Graz ND 1969

Tacitus, Opera. Ed. C. D. Fisher, H. Furneaux, J. G. C. Anderson. Oxford 1900-1938

Terentius, Comoediae. Ed. R. Kauer, W. M. Lindsay, O. Skutsch. Oxford ND 1961

Theokritos, (Werke). Ed. A. S. F. Gow. Cambridge 1952

Theophrastos, Historia plantarum. Ed. F. Wimmer. Bratislava 1842

Thukydides, Historiae. Ed. H. St. Jones. Oxford ^{2}1942

Tibullus, Elegiae cum carminibus pseudotibullianis. Ed. E. Hiller. Leipzig 1885

Valerius Maximus, Factorum et dictorum memorabilium libri IX. Ed. K. Kempf. Stuttgart ND 1966

Varro, Rerum rusticarum libri III. Ed. H. Keil, G. Goetz. Leipzig 1929

Vegetius, Epitoma rei militaris. Ed. C. Lang. Stuttgart ND 1967

Xenophon, Opera omnia II. Ed. E. C. Marchant. Oxford ^{2}1921

Xenophon v. Ephesos, Ephesiacorum libri V. Ed. A. D. Papanikolaou. Leipzig 1973

Biblia Hebraica Stuttgartensia. Ed. K. Elliger, W. Rudolph. Stuttgart ^{2}1984

Septuaginta. Ed. A. Rahlfs. Stuttgart 1935

Jüdische Schriften aus hellenistisch-römischer Zeit. Ed. W. G. Kümmel. Gütersloh 1973ff.

The Old Testament Pseudepigrapha. Ed. J. H. Charlesworth. New York 1983-1985

Josephus, Opera. Ed. B. Niese. I-VII. Berlin 1885-1895

P. Billerbeck, Kommentar zum Neuen Testament aus Talmud und Midrasch. München ^{7}1978/ ^{5}1979

Novum Testamentum graece. Ed. E. Nestle, K. u. B. Aland. Stuttgart ^{26}1979

Die Apostolischen Väter. Ed. J. A. Fischer. Darmstadt ^{6}1970

Didache (Apostellehre) — Barnabasbrief — Zweiter Klemensbrief — Schrift an Diognet. Ed. K. Wengst. Darmstadt 1984

Die Apostolischen Väter I: Der Hirt des Hermas. Ed. M. Whittaker. Berlin ²1967

Hermas, Le Pasteur. Ed. R. Joly. Paris ²1968

Die ältesten Apologeten. Ed. E. J. Goodspeed. Göttingen ND 1984

The Acts of the Christian Martyrs. Ed. H. Musurillo. Oxford 1972

Passio S. Symphoriani. In: ActaSS IV (1867) 491-498

Martyrium S. Thodoti. In: ActaSS IV (1685) 149-165

Neutestamentliche Apokryphen in deutscher Übersetzung. Ed. E. Hennecke, W. Schneemelcher. Tübingen ³1959-1964

Griechische religiöse Gedichte der ersten nachchristlichen Jahrhunderte 1: Psalmen und Hymnen der Gnosis und des frühen Christentums. Ed. Th. Wolbergs. Meisenheim 1971

The Nag Hammadi Library in English. Ed. J. M. Robinson. Leiden ²1984

Asterius, Commentariorum in Psalmos quae supersunt. Ed. M. Richard. Oslo 1956

Augustinus, De civitate Dei libri XXII. Ed. B. Dombart, A. Kalb. Leipzig 1928-1929

—, Sermones de vetero testamento. Ed. C. Lambert. Turnhout 1961

Caesarius v. Arles, Sermons au peuple. Ed. M.-J. Delage. Paris 1971-1986

Clemens Alexandrinus, (Werke). Ed. O. Stählin. Leipzig 1905-1909

Commodianus, Carmina. Ed. J. Martin. Turnhout 1960

Constitutiones Apostolicae. Ed. M. Metzger. Paris 1985-1987

Cyprianus, Opera omnia III/2. Ed. W. Hartel. Wien 1881

Eusebius, Die Kirchengeschichte. Ed. E. Schwartz. Berlin 1903-1909

Gregor v. Nazianz, Opera quae exstant omnia. Ed. J.-P. Migne. Turnhout ND o. J.

Hippolytus, La tradition apostolique. Ed. B. Botte. Paris ²1968

Minucius Felix, Octavius. Ed. B. Kytzler. Stuttgart 1977

Origenes, Gegen Celsus. Ed. P. Koetschau. Berlin 1899

Tertullianus, Opera. Turnhout 1954

Der Kölner Mani-Kodex (P. Colon. Inv. 4780) Περὶ τῆς γέννης τοῦ σώματος αὐτοῦ. Edition der Seiten 99,10-120: Ed. A. Henrichs, L. Koenen. In: ZPE 44 (1981) 201-318

Der magische Papyrus Harris. Ed. H. O. Lange. Kopenhagen 1927

SEKUNDÄRLITERATUR

Alföldy, Géza, Römische Szialgeschichte. (Wissenschaftliche Paperbacks Sozial- und Wirtschaftsgeschichte 8). Wiesbaden 1975

—, Historisches Bewußtsein während der Krise des 3. Jahrhunderts. In: Krisen in der Antike. Bewußtsein und Bewältigung. (Geschichte und Gesellschaft 13). Düsseldorf 1975, 112-132

—, Die Freilassung von Sklaven und die Struktur der Sklaverei in der römischen Kaiserzeit. Nach: Helmuth Schneider ed., Sozial- und Wirtschaftsgeschichte der römischen Kaiserzeit. (WdF 552). Darmstadt 1981, 336-371

Alfonsi, Luigi, La vite e l'olmo. In: VigChr 21 (1967) 81-86

Amann, Julius, Die Zeusrede des Ailios Aristides. (Tübinger Beiträge zur Altertumswissenschaft XII). Stuttgart 1931

Ameling, Walter, Herodes Atticus II: Inschriftenkatalog. (Subsidia Epigraphica XI). Hildesheim/Zürich/New York 1983

Amstutz, Joseph, ΑΠΛΟΤΗΣ. Eine begriffsgeschichtliche Studie zum jüdisch-christlichen Griechisch. (Theophaneia 19). Bonn 1968

Andréev, M., La Lex Iulia de adulteriis coercendis. In: Studii classice 5 (1963) 165-180

Andresen, Carl, Die Kirchen der alten Christenheit. (Die Religionen der Menschheit 29,1/2). Stuttgart/Berlin/Köln/Mainz 1971

Ardener, Shirley, ed., Women and Space. Ground Rules and Social Maps. London 1981

Ascher, Leona, Was Martial Really Unmarried? In: CW 70 (1976/7) 441-444

Audet, Jean-Paul, Priester und Laie in der christlichen Gemeinde. Der Weg in die gegenseitige Entfremdung. In: Alfons Deißler/Heinrich Schlier/Jean-Paul Audet, Der priesterliche Dienst I: Ursprung und Frühgeschichte. (QD 46). Freiburg/Basel/Wien 1970, 115-175

Auernheimer, Georg, Sozialisationserfahrungen in Autobiographien. In: Einundzwanzig 8 (1978) 62-78

Aune, David E., Prophecy in Early Christianity and the Ancient Mediterranean World. Grand Rapids 1983

Baaren, Th. B. van, Towards a Definition of Gnosticism. In: Bianchi ed., origini 174-180

Badian, Ernst, A Phantom Marriage Law. In: Philologus 129 (1985) 82-98

Baldry, H. C., The Unity of Mankind in Greek Thought. Cambridge 1965

Baldwin, Barry, Studies on Greek and Roman History and Literature. (London Studies in Classical Philology 15). Amsterdam 1985

—, Rufinus, AP V 60. Nach: ders., Studies 55-59

—, Aquatic Sex. Nach: ders., Studies 77

Bammel, Ernst, Art. πτωχός κτλ B-E. In: ThWNT VI 888-915

Barnes, T. D., Legislation Against the Christians. In: JRS 58 (1968) 32-50

Bartchy, S. Scott, Machtverhältnisse, Unterordnung und sexuelles Selbstverständnis im Urchristentum. In: Dietrich Schirmer ed., Die Bibel als politisches Buch. Beiträge zu einer befreienden Christologie. (Urban 655). Stuttgarrt/Berlin/Köln/Mainz 1982, 109-145

Barth, Gerhard, Die Taufe in frühchristlicher Zeit. (BThSt 4). Neukirchen-Vluyn 1981

Barton, S. C./Horsley, G. H. R., A Hellenistic Cult Group and the New Testament Churches. In: JAC 24 (1981) 7-41

Bauckham, R. J., The Great Tribulation in the Shepherd of Hermas. In: JThSt 25 (1974) 27-40

Bauer, Gerhard, Zur Portik des Dialogs. Leistung und Formen der Gesprächsführung in der neueren deutschen Literatur. (IdF 1). Darmstadt ²1977

Bauer, Walter, Das Leben Jesu im Zeitalter der neutestamentlichen Apokryphen. Tübingen 1909

—, Die Apostolischen Väter II: Die Briefe des Ignatius von Antiochia und der Polykarp-brief. (HNT Erg. II). Tübingen 1920

—, Griechisch-deutsches Wörterbuch zu den Schriften des Neuen Testaments und der übrigen urchristlichen Literatur. Berlin [5]1958

Baumgartner, Walter, Susanna. Die Geschichte einer Legende. Nach: ders., Zum Alten Testament und seiner Umwelt. Ausgewählte Aufsätze. Leiden 1959, 42-66

Becker, Jürgen, Die Testamente der zwölf Patriarchen. (JSHRZ III/1). Gütersloh [2]1980

—/Conzelmann, Hans/Friedrich, Gerhard, Die Briefe an die Galater, Epheser, Philipper, Kolosser, Thessalonicher und Philemon. (NTD 8). Göttingen [15]1981

Benjamin, Walter, Über den Begriff der Geschichte. Nach: ders., Gesammelte Schriften I/2. (Werkausgabe 2). Frankfurt 1980, 691-704

Berger, Hartwig/Hessler, Manfred/Kavemann, Barbara, 'Brot für heute, Hunger für morgen'. Landarbeiter in Südspanien. Ein Sozialbericht. (es 936). Frankfurt 1978

Berger, Klaus, Die Gesetzesauslegung Jesu. Ihr historischer Hintergrund im Judentum und im Alten Testament I: Markus und Parallelen. (WMANT 40). Neukirchen-Vluyn 1972

—, Der traditionsgeschichtliche Ursprung der "traditio legis". In: VigChr 27 (1973) 104-122

—, Exegese des Neuen Testaments. Neue Wege vom Text zur Auslegung. (UTB 658). Heidelberg 1977

—, Wissenssoziologie und Exegese des Neuen Testaments. In: Kairos 19 (1977) 124-133

—, Das Buch der Jubiläen. (JSHRZ II/3). Gütersloh 1981

—, Zur Frage des traditionsgeschichtlichen Wertes apokrypher Gleichnisse. Nach: Wolfgang Harnisch ed., Gleichnisse Jesu. Positionen der Auslegung von Adolf Jülicher bis zur Formgeschichte. (WdF 356). Darmstadt 1982, 414-435

—, Formgeschichte des Neuen Testaments. Heidelberg 1984

Berger, Peter L., Der Zwang zur Häresie. Religion in der pluralistischen Gesellschaft. Frankfurt 1980

—, Auf den Spuren der Engel. Die moderne Gesellschaft und die Wiederentdeckung der Transzendenz. (fischer 6625). Frankfurt 1981

—/Luckmann, Thomas, Die gesellschaftliche Konstruktion der Wirklichkeit. Eine Theorie der Wissenssoziologie. (Conditio humana). Frankfurt [4]1974

Bergmeier, Roland, Glaube als Gabe nach Johannes. Religions- und theologiegeschichtliche Studie zum prädestinatianischen Dualismus im vierten Evangelium. (BWANT 40). Stuttgart/Berlin/Köln/Mainz 1980

Betz, Hans-Dieter, Lukian von Samosata und das Neue Testament. Religionsgeschichtliche und paränetische Parallelen. Ein Beitrag zum Corpus Hellenisticum Novi Testamenti. (TU 76). Berlin 1961

Beyschlag, Karlmann, Kallist und Hippolyt. In: ThZ 20 (1964) 103-124

—, Christentum und Veränderung in der Alten Kirche. In: KuD 18 (1972) 26-55

—, Simon Magus und die christliche Gnosis. (WUNT 16). Tübingen 1974

Bianchi, Ugo, ed., Le origini dello gnosticismo. Colloquio di Messina 13-18 Aprile 1966. Testi e discussioni. (Studies in the History of Religions/Suppl. Numen XII). Leiden 1967

Bieritz, Karl-Heinrich/Kähler, Christoph, Art. Haus III. In: TRE 14, 478-492

Biezuńska-Malowist, Iza, Die expositio von Kindern als Quelle der Sklavenbeschaffung im griechisch-römischen Ägypten. In: Jb. f. Wirtschaftsgeschichte 1971/II 129-133

Biondi, Biondo, Leges Populi Romani. Nach: ders., Scritti giuridici II: Diritto Romano. Fonti — diritto pubblico — penale — processuale civile. Milano 1965, 189-306

Blanck, Horst, Einführung in das Privatleben der Griechen und Römer. (Die Altertumswissenschaft). Darmstadt 1976

Bleicken, Jochen, Verfassungs- und Sozialgeschichte des Römischen Kaiserreiches 1. (UTB 838). Paderborn 1978; 2. (UTB 839). Paderborn 1978

Blume, Hans-Dieter, Menanders "Samia". Eine Interpretation. (IdF 15). Darmstadt 1974

Blumenberg, Hans, Die Genesis der kopernikanischen Welt. (stw 352). Frankfurt 1981

Bodenheimer, Aron Ronald, Warum? Von der Obszönität des Fragens. (Reclam 8010). Stuttgart 1984

Böcher, Otto, Jüdische und christliche Diaspora im neutestamentlichen Zeitalter. In: Die evangelische Diaspora 38 (1967) 147-176

—, Das Problem der Minderheiten in die Bibel. In: Die evangelische Diaspora 45 (1975) 7-25

—, Kirche in Zeit und Endzeit. Aufsätze zur Offenbarung des Johannes. Neukirchen-Vluyn 1983

—, Israel und die Kirche in der Johannesapokalypse. In: ders., Kirche 28-57

—, Die heilige Stadt im Völkerkrieg. Wandlungen eines apokalyptischen Schemas. Nach: ders., Kirche 113-132

Boecker, Hans Jochen, Recht und Gesetz im Alten Testament und im Alten Orient. (Neukirchener Studienbücher 10). Neukirchen-Vluyn 1976

Börner, Franz, Art. Pompa 1. In: RE XXI,2, 1878-1993

—, P. Ovidius Naso: Die Fasten. II: Kommentar. (WKLG 5). Heidelberg 1958

—, Untersuchungen über die Religion der Sklaven in Griechenland und Rom. I: Die wichtigsten Kulte und Religionen in Rom und im lateinischen Westen. (Forschungen zur antiken Sklaverei XIV,1). Wiesbaden ^{2}1981; II: Die sogenannte sakrale Freilassung in Griechenland und die (δοῦλοι) ἱεροί. (AAWM 1960,1). Wiesbaden 1960; IV: Epilegomena. (AAWM 1963,10). Wiesbaden 1963

Bolkestein, Hendrik, Wohltätigkeit und Armenpflege im vorchristlichen Altertum. Ein Beitrag zum Problem "Moral und Gesellschaft". Utrecht 1939

Bond, R. P., Anti-feminism in Juvenal and Cato. In: Deroux ed., Studies I 418-447

Bonhöffer, Adolf, Epiktet und das Neue Testament. (RGVV X). Gießen 1911

Bourdieu, Pierre, Sozialer Raum und "Klassen"/Lecon sur la lecon. Zwei Vorlesungen. (stw 500). Frankfurt 1985

Bovenschen, Silvia, Die imaginierte Weiblichkeit. Exemplarische Untersuchungen zu kulturgeschichtlichen und literarischen Präsentationsformen des Weiblichen. (es 921). Frankfurt ^{2}1980

Boyaval, C., CEML 465. In: ZPE 33 (1979) 225f.

Bradley, K. R., Slaves and Masters in the Roman Empire. A Study in Social Control. New York/Oxford ^{2}1987

Brändle, Rudolf, Matth. 25,31-46 im Werk des Johannes Chrysostomus. Ein Beitrag zur Auslegungsgeschichte und zur Erforschung der Ethik der griechischen Kirche um die Wende vom 4. zum 5. Jahrhundert. (BGBE 22). Tübingen 1979

Braga, Domenico, Catullo e i poeti Greci. (Biblioteca di cultura contemporanea 30). Messina 1950

Brandenburg, Hugo, Studien zur Mitra. Beiträge zur Waffen- und Trachtengeschichte der Antike. (Fontes et Commentationes 4). Münster 1966

Brantenberg, Gerd, Die Töchter Egalias. Ein Roman über den Kampf der Geschlechter. Berlin [12]1984

Braun, Herbert, An die Hebräer. (HNT 14). Tübingen 1984

Braun, Martin, Griechischer Roman und hellenistische Geschichtsschreibung. (Frankfurter Studien zur Religion und Kultur der Antike VI). Frankfurt 1934

Brenk, B., ed., Spätantike und frühes Christentum. (Propyläen Kunstgeschichte Suppl. 1). Frankfurt/Berlin/Wien 1977

Brisson, Luc, Le mythe de Tirésias. Essai d'analyse structurale. (EPRO 55). Leiden 1976

Brockmeyer, Norbert, Antike Sklaverei. (EdF 116). Darmstadt 1979

Brödner, Erika, Die römischen Thermen und das antike Badewesen. Eine kulturhistorische Betrachtung. Darmstadt 1983

Bromberg, Anne Ruggles, Concordia: Studies in Roman Marriage Under the Empire. Ph. diss. Harvard 1961 (vgl. die Selbstanzeige in HSCP 66 (1962) 249-252)

Brommer, Frank, Vasenlisten zur griechischen Heldensage. Marburg [3]1973

—, Denkmälerlisten zur griechischen Heldensage III: Übrige Helden. Marburg 1976

Brooten, Bernadette J., Frühchristliche Frauen und ihr kultureller Kontext. Überlegungen zur Methode historischer Konstruktion. In: Einwürfe 2 (1985) 62-93

Brox, Norbert, Situation und Sprache der Minderheit im ersten Petrusbrief. In: Kairos 19 (1977) 1-13

Brunner-Traut, Emma, Altägyptische Märchen. Köln [6]1983

Brunt, P. A., Italian Manpower 225 B. C. - A. D. 14. Oxford 1971

Bryce, T. R., Lycian Tomb Families and their Social Implications. In: JESHO 22 (1979) 296-313

Bürger, Christa/Bürger, Peter/Schulte-Sasse, Jochen, eds., Aufklärung und literarische Öffentlichkeit. (es 1040). Frankfurt 1980

Bürgerliche und proletarische Öffentlichkeit. Zu dem Buch von Oskar Negt und Alexander Kluge. Die Diskussion mit Oskar Negt. In: Ästhetik und Kommunikation 12 (1973) 6-27

Bulloch, A. W., Callimachus: The Fifth Hymn. Edited with Introduction and Commentary. (Cambridge Classical Texts and Commentaries 26). Cambridge 1985

Bultmann, Rudolf, Das Evangelium des Johannes. (KEK II). Göttingen [10]1968

—, Theologie des Neuen Testaments. (Neue Theologische Grundrisse). Tübingen [6]1968

Bund, Elmar, Art. pater familias. In: KP IV 545-547

Burchard, Christoph, Joseph und Aseneth. (JSHRZ II/4). Gütersloh 1983

Burkert, Walter, Buzyge und Palladion. Gewalt und Gericht in altgriechischem Ritual. In: ZRGG 22 (1970) 356-368

—, Homo necans. Interpretationen altgriechischer Opferriten und Mythen. (RGVV XXXII). Berlin/New York 1972

—, Opfertypen und antike Gesellschaftsstruktur. In: Günther Stephenson ed., Der Religionswandel unserer Zeit im Spiegel der Religionswissenschaft. Darmstadt 1976, 168-187

—, Griechische Religion der archaischen und klassischen Epoche. (Die Religionen der Menschheit 15). Stuttgart/Berlin/Köln/Mainz 1977

—, Structure and History in Greek Mythology and Ritual. (Sather Classical Lectures 47). Berkeley/Los Angeles/London 1979

Busch, Harald/Edelmann, Gottfried, eds., Griechische Kunst. (Monumente alter Kulturen). Berlin/New York 1972

Buslepp, Art. Teiresias. In: RML V 178-207

Cadell, Hélène, La viticulture scientifique dans les archives de Zenon: PSI 624. In: Aegyptus 49 (1969) 105-120

Cameron, A., ΘΡΕΠΤΟΣ and Related Terms in the Inscriptions of Asia Minor. In: W. M. Calder/Josef Keil eds., Anatolian Studies presented to William Hepburn Buckler. (Publications of the University of Manchester CCLXV). Manchester 1939, 27-62

Cameron, Alan, Notes on the Erotic Art of Rufinus. In: GRBS 22 (1981) 179-186

—, Strato and Rufinus. In: CQ 32 (1982) 162-173

Campos, Julio, El "libro de la vida". In: Helmántica 21 (1970) 115-147.249-302

Cancik, Hubert, Mythische und historische Wahrheit. Interpretationen zu Texten der hethitischen, biblischen und griechischen Historiographie. (SBS 48). Stuttgart 1970

—, Reinheit und Enthaltsamkeit in der römischen Philosophie und Religion. In: Aspekte frühchristlicher Heiligenverehrung. (Oikonomia 6). Erlangen 1977, 1-15.126-141

—, Libri fatales. Römische Offenbarungsliteratur und Geschichtstheologie. In: David Hellholm ed., Apocalypticism in the Mediterranean World and the Near East. Proceedings of the International Colloquium on Apocalypticism Uppsala, August 12-17, 1979. Tübingen 1983, 549-576

Cancik-Lindemaier, Hildegard, Ehe und Liebe. Entwürfe griechischer Philosophen und römischer Dichter. In: Hubert Cancik/Hildegard Cancik-Lindemaier/Ingrid Scharff/Camilla Härlin/Peter Grohmann, Zum Thema Frau in Kirche und Gesellschaft. Zur Unmündigkeit verurteilt? Stuttgart 1972, 47-80

Carr, Joan E., The View of Women in Juvenal and Apuleius. In: Classical Bulletin 58 (1982) 61-64

Chapot, Victor, Art. sella. In: Dar.-Sagl. IV/2, 1179f.

—, Art. subsellium. In: Dar.-Sagl. IV/2, 1551f.

Christ, Karl, Antike Numismatik. Einführung und Bibliographie. (Die Altertumswissenschaft). Darmstadt ²1972

Christes, Johannes, Reflexe erlebter Unfreiheit in den Sentenzen des Publilius Syrus und in den Fabeln des Phaedrus. Zur Problematik ihrer Verifizierung. In: Hermes 107 (1979) 199-220

Chuvin, Pierre, ed., Nonnos de Panoplis, Les Dionysiaques II. Paris 1976

Clark, Gillian, Roman Women. In: Greece and Rome 28 (1981) 193-212

Coleborne, W., The Shepherd of Hermas. A Case for Multiple Authorship and Some Implications. In: Studia Patristica X (1970) 65-70

Collins, Adela Yarbro, Crisis and Catharsis: The Power of the Apocalypse. Philadelphia 1984

Countryman, L. Wm., Patrons and Officers in Club and Church. In: Paul J. Achtemeier ed., Society of Biblical Literature 1977 Seminar Paters. Missoula 1977, 135-143

—, The Rich Christian in the Church of the Early Empire: Contradictions and Accomodations. New York/Toronto 1980

Crook, John, Patria Potestas. In: CQ 17 (1967) 113-122

Crouzel, Henri, Le remariage après séparation pour adultère selon les Pères latins. In: BLE 75 (1974) 189-204

Crüsemann, Frank, "...er aber soll dein Herr sein" (Genesis 3,16). Die Frau in der patriarchalischen Gesellschaft des Alten Testamentes. In: ders./Hartwig Thyen, Als Mann und Frau geschaffen. Exegetische Studien zur Rolle der Frau. (Kennzeichen 2). Gelnhausen/Berlin/Stein 1978, 13-106

—, Bewahrung der Freiheit. Das Thema des Dekalogs in sozialgeschichtlicher Perspektive. (KT 78). München 1983

Csillag, Pál, Das Eherecht des Augusteischen Zeitalters. In: Klio 50 (1968) 111-138

Dahlheim, Werner, Geschichte der Römischen Kaiserzeit. (Oldenbourg Grundriß der Geschichte 3). München/Wien 1984

Dassmann, Ernst/Schöllgen, Georg, Art. Haus II. In: RAC 13, 801-905

Daube, David, κερδαίνω As a Missionary Term. In: HThR 40 (1947) 109-120

Deemter, Roelof van, Der Hirt des Hermas — Apokalypse oder Allegorie? Delft 1929

Dekker, Rudolf, Egodocumenten: Een literatuuroverzicht. In: Tijdschrift voor Geschiedenis 101 (1988) 161-189

Della Corte, Francesco, Catullo, la vite e l'olmo. In: Maia 28 (1976) 75-81

De Martino, Francesco, Wirtschaftsgeschichte des alten Rom. München 1985

Dempf, Alois, Sacrum Imperium. Geschichts- und Staatsphilosophie des Mittelalters und der politischen Renaissance. Darmstadt [4]1973

Deroux, Carl, ed., Studies in Latin Literature and Roman History I. (Collection Latomus 164). Bruxelles 1979

Deubner, Ludwig, Attische Feste. Berlin 1932

Dibelius, Martin, Die Apostolischen Väter IV: Der Hirt des Hermas. (HNT Erg. IV). Tübingen 1923

—, Der Brief des Jakobus. (KEK XV). Göttingen [5]1964

—, Die Formgeschichte des Evangeliums. Tübingen [5]1966

—/Conzelmann, Hans, Die Pastoralbriefe. (HNT 13). Tübingen [4]1966

Dillon, John, The Middle Platonists. A Study of Platonism 80 B. C. to A. D. 220. London 1977

Dirks, Walter/Post, Werner, Kirche und Öffentlichkeit. Möglichkeiten der Kommunikation. (Das theologische Interview 12). Düsseldorf 1970

Dobson, Elisabeth Spalding, Pliny the Younger's Depiction of Women. In: Classocal Bulletin 58 (1982) 81-85

Dodds, Eric Robertson, Pagan and Christian in an Age of Anxiety. Some Aspects of Religious Experience from Marcus Aurelius to Constantine. New York/London 1970

Dörger, Hans Joachim, Kirche in der Öffentlichkeit. Programme und Probleme ihrer publizistischen Repräsentanz. (Urban 644). Stuttgart/Berlin/Köln/Mainz 1979

Dörrie, Heinrich, Die schöne Galatea. Eine Gestalt am Rande des griechischen Mythos in antiker und neuzeitlicher Sicht. (Tusculum Schriften). München 1968

—, Nachwort. Zu: Heliodor, Die äthiopischen Abenteuer von Theagenes und Charikleia. (Reclam 9384-9388). Stuttgart 1972, 319-340

Drexler, W., Art. Meter. In: RML II/2, 2848-2931

Duby, Georges, Ritter, Frau und Priester. Die Ehe im feudalen Frankreich. Frankfurt 1985

Ebach, Jürgen, Apokalypse. Zum Ursprung einer Stimmung. In: Einwürfe 2 (1985) 5-61

Eck, Werner, Das Eindringen des Christentums in den Senatorenstand bis zu Konstantin d. Gr. In: Chiron 1 (1971) 381-406

Ehrenberg, Victor, Aristophanes und das Volk von Athen. Eine Soziologie der altattischen Komödie. Zürich/Stuttgart 1968

Eisenhut, Werner, Art. Devotio. In: KP I 1501

—, Art. Incestus. In: KP II 1386f.

Eisler, Robert, Weltenmantel und Himmelszelt. Religionsgeschichtliche Untersuchungen zur Urgeschichte des antiken Weltbildes I/II. München 1910

Engels, Donald, The Problem of Female Infanticide in the Greco-Roman World. In: ClPh 75 (1980) 112-120

Enzensberger, Christian, Größerer Versuch über den Schmutz. (dtv sr 90). München [2]1971

Erman, Adolf, Die Literatur der Ägypter. Gedichte, Erzählungen und Lehrbücher aus dem 3. und 2. Jahrtausend v. Chr. Leipzig 1923

Eyben, Emiel, Roman Notes on the Course of Life. In: AncSoc 4 (1973) 213-238

—, Family Planning in Graeco-Roman Antiquity. In: AncSoc 11/12 (1980/81) 5-81

Fàbrega, Valentin, War Junia(s), der hervorragende Apostel (Rom 16,7), eine Frau? In: JAC 27/8 (1984/5) 47-64

Favez, Charles, Les opinions de Séneque sur la femme. In: REL 16 (1938) 335-345

Fedeli, Paolo, Catullus' Carmen 61. (London Studies in Classical Philology 9). Amsterdam 1983

Fehrle, Eugen, Die kultische Keuschheit im Altertum. (RGVV 6). Gießen 1910

Filson, Floyd V., The Significance of the Early House Churches. In: JBL 58 (1939) 105-112

Finley, Moses I., Aspects of Antiquity. Discoveries and Controversies. (Penguin). Harmondsworth [2]1971

—, The Silent Women of Rome. Nach: ders., Aspects 124-136

—, Aulos Kapreilios Timotheos, Slave Trader. Nach: ders., Aspects 154-166

—, Die antike Wirtschaft. (dtv 4277). München 1977

—, Economy and Society in Ancient Greece. (Penguin). Harmondsworth 1981

—, The Freedom of the Citizen in the Greek World. Nach: ders., Economy 77-94

—, The Slave Trade in Antiquity: The Black Sea and Danubian Regions. Nach: ders., Economy 167-175

—, The Elderly in Classical Antiquity. In: Greece and Rome 28 (1971) 156-171

—, Ancient Slavery and Modern Ideology. (Penguin). Harmondsworth 1983

Fischer, Joseph A., ed., Die Apostolischen Väter. (Schriften des Urchristentums I). Darmstadt [6]1970

Flashar, Hellmut, Platon und die Krise der griechischen Polis. In: Krisen in der Antike. Bewußtsein und Bewältigung. (Geschichte und Gesellschaft 13). Düsseldorf 1975, 62-69

Flory, Marleen Bordreau, Where Women Precede Men: Factors Influencing the Order of Names in Roman Epitaphs. In: ClJ 79 (1983/4) 216-224

Forbes, Clarence A., The Education and Training of Slaves in Antiquity. In: TAPhA 86 (1955) 321-360

Ford, Josephine Massingberd, A Possible Liturgical Background to the Shepherd of Hermas. In: RdQ 6 (1967/9) 531-551

Forschner, Maximilian, Die stoische Ethik. Über den Zusammenhang von Natur-, Sprach- und Moralphilosophie im altstoischen System. Stuttgart 1981

Fraenkel, Eduard, Vesper adest (Catull c. 62). Nach: Rudolf Heine ed., Catull. (WdF 308). Darmstadt 1975, 309-324

Fränkel, Hermann, Das Bad des Einwanderers. Nach: ders., Wege und Formen frühgriechischen Denkens. Literarische und philosophiegeschichtliche Studien. München [3]1968, 97-99

Fremersdorf, Fritz, Die Denkmäler des römischen Köln VIII: Die römischen Gläser mit Schliff, Bemalung und Goldauflagen aus Köln. Köln 1967 (Textband)

Frend, W. H. C., The Persecutions: Some Links between Judaism and the Early Church. In: JEH 9 (1958) 141-158

—, Martyrdom and Persecution in the Early Church. A Study of a Conflict from the Maccabees to Donatus. Oxford 1965

Freudenberger, Rudolf, Das Verhalten der römischen Behörden gegen die Christen im 2. Jahrhundert, dargestellt am Brief des Plinius an Trajan und den Reskripten Trajans und Hadrians. (MBPAR 52). München ²1969

Friedrich, Gerhard, s. Becker/Conzelmann/Friedrich

Frohnes, Heinzgünter/Knorr, Uwe W., eds., Kirchengeschichte als Missionsgeschichte I: Die Alte Kirche. München 1974

Funk, Aloys, Status und Rollen in den Paulusbriefen. Eine inhaltsanalytische Untersuchung zur Religionssoziologie. (Innsbrucker theologische Studien 7). Innsbruck/Wien/München 1981

Galinsky, Kurt, Augustus' Legislation on Morals and Marriage. In: Philologus 125 (1981) 126-144

Garnsey, Peter/Saller, Richard, The Roman Empire. Economy, Society and Culture. London 1987

Gerkan, Arnim von, Die Einwohnerzahl Roms in der Kaiserzeit. In: MDAI (R) 55 (1940) 149-195

—, Weiteres zur Einwohnerzahl Roms in der Kaiserzeit. In: MDAI (R) 58 (1943) 213-243

Gerstenberger, Erhard S./Schrage, Wolfgang, Frau und Mann. (Biblische Konfrontationen/ Urban 1013). Stuttgart/Berlin/Köln/Mainz 1980

Geytenbeek, A. C. van, Musonius Rufus and Greek Diatribe. (Wijsgerige Teksten en Studies 8). Assen 1963

Giet, Stanislas, Hermas et les Pasteurs. Les trois auteurs du Pastor d'Hermas. Paris 1963

Gill, Robin, The Social Context of Theology. A Methodological Survey. London/Oxford 1975

—, Theology and Social Structure. London/Oxford 1977

Gladigow, Burkhard, Der Sinn der Götter. Zum kognitiven Potential der persönlichen Gottesvorstellung. In: Peter Eicher ed., Gottesvorstellung und Gesellschaftsentwicklung. (Forum Religionswissenschaft 1). München 1979, 41-62

Gnilka, Joachim, Der Philipperbrief. (HThK X 3). Freiburg/Basel/Wien 1968

—, Der Philemonbrief. (HThK X 4). Freiburg/Basel/Wien 1982

Goffman, Erving, Das Individuum im öffentlichen Austausch. Mikrostudien zur öffentlichen Ordnung. (Theorie). Frankfurt 1974

Goppelt, Leonhard, Die apostolische und nachapostolische Zeit. (Die Kirche in ihrer Geschichte A). Göttingen ²1966 —, Der Erste Petrusbrief. (KEK XII/1). Göttingen 1978

Graillot, Henri, Le culte de Cybèle, mère des dieux à Rome et dans l'Empire Romain. Paris 1912

Grant, Robert M., Early Christianity and Society. Seven Studies. London 1979

Green, Henry Alan, Suggested Sociological Themes in the Study of Gnosticism. In: VigChr 31 (1977) 169-180

—, Gnosis and Gnosticism: A Study in Methodology. In: Numen 24 (1977) 95-134

Grimm, Bernhard, Untersuchungen zur sozialen Stellung der frühen Christen in der römischen Gesellschaft. Diss. München 1974

Gross, Walter Hatto, Art. Convivium. In: KP I 1301f.

—, Art. Elfenbein. In: KP II 247f.

—, Art. Katakomben. In: KP III 155f.

—, Art. Symposion. In: KP V 449f.

—, Art. Verbera. In: KP V 1186

Gruber, Joachim, Die Erscheinung der Philosophie in der Consolatio Philosophiae des Boethius. In: RhM 112 (1969) 166-186

Gülzow, Henneke, Christentum und Sklaverei in den ersten drei Jahrhunderten. Bonn 1969

—, Soziale Gegebenheiten der altkirchlichen Mission. In: Frohnes/Knorr eds., Kirchengeschichte 189-226

Güttgemanns, Erhardt, Offene Fragen zur Formgeschichte des Evangeliums. Eine methodologische Skizze der Grundlagenproblematik der Form- und Redaktionsgeschichte. (BevTh 54). München ²1971

Guimond, Lucien, Art. Aktaion. In: LIMC I/1, 454-469

Gumbrecht, Hans Ulrich, Fiktion und Nichtfiktion. In: Helmut Brackert/Eberhard Lämmert eds., Funk-Kolleg Literatur 1. (fischer 6326). Frankfurt ²1979, 188-209

Haas, C., De geest bewaren. Achtergrond en functie van de pneumatologie in de paraenese van de Pastor van Hermas. s'Gravenhage 1985

Habermas, Jürgen, Strukturwandel der Öffentlichkeit. Untersuchungen zu einer Kategorie der bürgerlichen Gesellschaft. (SL 25). Neuwied/Berlin ⁵1971

—, Öffentlichkeit (ein Lexikonartikel). Nach: ders., Kultur und Kritik. Verstreute Aufsätze. (st 125). Frankfurt 1973, 61-69

Hahn, Ferdinand, Der urchristliche Gottesdienst. (SBS 41). Stuttgart 1970

Hallett, Judith P., The Role of Women in Roman Elegy: Counter-Cultural Feminism. In: Arethusa 6 (1973) 103-124

—, Fathers and Daughters in Roman Society. Women and the Elite Family. Princeton 1984

Hands, A. R., Charities and Social Aid in Greece and Rome. (Aspects of Greek and Roman Life). London/Southampton 1968

Harder, Günther, Eschatologische Schemata in der Johannes-Apokalypse. In: TheolViat 9 (1963) 70-87

Harnack, Adolf von, Die Mission und Ausbreitung des Christentums in den ersten drei Jahrhunderten. Leipzig ⁴1924

Harnisch, Wofgang, Die Gleichniserzählungen Jesu. Eine hermeneutische Einführung. (UTB 1343). Göttingen 1985

Harris, William V., Towards a Study of the Roman Slave Trade. In: MAAR 36 (1980) 117-140

Hassauer-Roos, Friederike J., Das Weib und die Idee der Menschheit. Zur neueren Geschichte der Diskurse über die Frau. In: Annette Kuhn/Jörn Rüsen eds., Frauen in der Geschichte III: Fachwissenschaftliche und fachdidaktische Beiträge zur Geschichte der Weiblichkeit vom frühen Mittelalter bis zur Gegenwart mit geeigneten Materialien für den Unterricht. (Geschichtsdidaktik Studien Materialien 13). Düsseldorf 1983, 87-108

Hauck, Albert, Art. Telesphorus. In: PRE³ XIX 474

Hausen, Karin, Die Polarisierung der "Geschlechtscharaktere" — Eine Spiegelung der Dissoziation von Erwerbs- und Familienleben. In: Werner Conze ed., Sozialgeschichte der Familie in der Neuzeit Europas. Neue Forschungen. (Industrielle Welt 21). Stuttgart 1976, 363-393

Hauser, Manfred, Der römische Begriff cura. Winterthur 1954

Hausmaninger, Hermann, Art. Clientes. In: KP I 1224f.

Hefti, Victor, Zur Erzählungstechnik in Heliodors Aethiopica. Wien 1950

Hehn, Victor/Schrader, Otto, Kulturpflanzen und Haustiere in ihrem Übergang aus Asien nach Griechenland und Italien und in das übrige Europa. Historisch-linguistische Studien. Darmstadt ⁹1963

Heichelheim, Fritz M., Art. Bevölkerungswesen. In: KP I 879f.

Heinsohn, Gunnar/Knieper, Rolf/Steiger, Otto, Menschenproduktion. Allgemeine Bevölkerungstheorie der Neuzeit. (es 914). Frankfurt 1979

Hellholm, David, Das Visionenbuch des Hermas als Apokalypse. Formgeschichtliche und texttheoretische Studien zu einer literarischen Gattung I: Methodologische Vorüberlegungen und makrostrukturelle Textanalyse. (CB NT Ser. 13:1). Lund 1980

Hengel, Martin, Das Gleichnis von den Weingärtnern Mc 12,1-12 im Lichte der Zenonpapyri und der rabbinischen Gleichnisse. In: ZNW 59 (1968) 1-39

—, Judentum und Hellenismus. Studien zu ihrer Begegnung unter besonderer Berücksichtigung Palästinas bis zur Mitte des 2. Jh.s v. Chr. (WUNT 10). Tübingen ^{2}1973

—, Eigentum und Reichtum in der frühen Kirche. Aspekte einer frühchristlichen Sozialgeschichte. Stuttgart 1973

—, Crucifixion in the Ancient World and the Folly of the Message of the Cross. London 1977

—, Zur urchristlichen Geschichtsschreibung. Stuttgart 1979

—, The Atonement. A Study of the Origins of the Doctrine in the New Testament. London 1981

Henrichs, Albert, Zwei Orakelfragen. In: ZPE 11 (1973) 115-119

—/Koenen, Ludwig, Der Kölner Mani-Kodex (P. Colon. Inv. 4780) Περὶ τῆς γέννης τοῦ σώματος αὐτοῦ. Edition der Seiten 99,10-120. In: ZPE 44 (1981) 201-318

Hentig, Hartmut von, Öffentliche Meinung, öffentliche Erregung, öffentliche Neugier. Pädagogische Überlegungen zu einer politischen Fiktion. (KVR 289/90). Göttingen 1969

Hepding, Hugo, Attis, seine Mythen und sein Kult. (RGVV 1). Gießen 1903

Hermann, Alfred, Altägyptische Liebesdichtung. Wiesbaden 1959

Herrmann, Elisabeth/Brockmeyer, Norbert, Bibliographie zur antiken Sklaverei. Bochum 1983

Herzog, Reinhart, Non in sua voce. Augustins Gespräch mit Gott in den 'Confessiones' — Voraussetzungen und Folgen. In: Karlheinz Stierle/Rainer Warning eds., Das Gespräch. (Poetik und Hermeneutik XI). München 1984, 213-250

Heuß, Alfred, Stadt und Herrscher des Hellenismus in ihren staats- und völkerrechtlichen Beziehungen. (Klio Beih. XXXIX). Aalen ND 1963

Hey, Oskar, Art. marito. In: ThLL VIII 402f.

Hilhorst, A., Sémitismes et latinismes dans le Pasteur d'Hermas. (Graecitas Christianorum Primaeva 5). Nijmegen 1976

Hill, Dacid, New Testament Prophecy. London 1979

Hiltbrunner, O./Gorce, D./Wehr, H., Art. Gastfreundschaft. In: RAV 8, 1061-1123

Höfer, Art. Siproites. In: RML IV 950

Hölscher, Lucian, Öffentlichkeit und Geheimnis. Eine begriffsgeschichtliche Untersuchung zur Entstehung der Öffentlichkeit in der frühen Neuzeit. (Sprache und Geschichte 4). Stuttgart 1979

Hooper, William Davis/Ash, Harrison Boyd, eds., Marcus Porcius Cato: On Agriculture/ Marcus Terentius Varro: On Agriculture. (LCL 283). London 1967

Hopkins, Keith, Conquerors and Slaves. Sociological Studies in Roman History 1. Cambridge ^{2}1980

Hornschuh, Manfred, Studien zur Epistula Apostolorum. (PTS 5). Berlin 1965

Horsley, G. H. R., New Documents Illustrating Early Christianity. A Review of the Greek Inscriptions and Papyri published in 1978. North Ryde 1983

Huber, Wolfgang, Kirche und Öffentlichkeit. Stuttgart 1973

Hübsch, Hadayatullah, Alternative Öffentlichkeit. Freiräume der Information und Kommunikation. (fischer 4042). Frankfurt 1980

Hug, Art. subsellium. In: RE IV A, 502-504

Hunger, Herbert, Die hochsprachliche profane Literatur der Byzantiner II. (HAW XII 5,2). München 1978

Jachmann, Günther, Sappho und Catull. In: RhM 107 (1964) 1-33

Jäger, Wolfgang, Öffentlichkeit und Parlamentarismus. Eine Kritik an Jürgen Habermas. (Urban 837). Stuttgart/Berlin/Köln/Mainz 1973

Janssen, Enno, Das Gottesvolk und seine Geschichte. Geschichtsbild und Selbstverständnis im palästinischen Schrifttum von Jesus Sirach bis Jehuda ha-Nasi. Neukirchen-Vluyn 1971

Jax, Karl, Die weibliche Schönheit in der griechischen Dichtung. Innsbruck 1933

—, Der Frauentypus der römischen Dichtung. Innsbruck/Leipzig 1938

Jentsch, Werner, Urchristliches Erziehungsdenken. Die Paideia Kyriou im Rahmen der hellenistisch-jüdischen Umwelt. (BFchTh 45,3). Gütersloh 1951

Jeremias, Joachim, Die Gleichnisse Jesu. Göttingen [8]1970

Jetter, Werner, Symbol und Ritual. Anthropologische Elemente im Gottesdienst. Göttingen 1968

Joly, Robert, ed., Hermas: Le Pasteur. (SC 53bis). Paris [2]1968

Jonas, Hans, Augustin und das paulinische Freiheitsproblem. Eine philosophische Studie zum pelagianischen Streit. (FRLANT 27). Göttingen [2]1965

Jope, James, Lucretius' Psychoanalytic Insight: His Notion of Unconscious Motivation. In: Phoenix 37 (1983) 224-238

Kaibel, G., Theokrits ΕΛΕΝΗΣ ΕΠΙΘΑΛΑΜΙΟΝ. In: Hermes 27 (1892) 249-259

Kaiser, Otto, Das Buch des Propheten Jesaja. Kapitel 1-12. (ATD 17). Göttingen [5]1981

Kakridis, Johannes Theoph., Die alten Hellenen im neugriechischen Volksglauben. (Tusculum-Schriften). München 1967

Kaltenstadler, Wilhelm, Arbeitsorganisation und Führungssystem bei den römischen Agrarschriftstellern (Cato, Varro, Columella). (Quellen und Forschungen zur Agrargeschichte 30). Stuttgart/New York 1978

Kantzenbach, Friedrich Wilhelm, Christentum in der Gesellschaft. Grundlinien der Kirchengeschichte I: Altertum und Mittelalter. (Siebenstern 185). Hamburg 1975

Kaplan, Michael, Agrippina semper atrox: a Study in Tacitus' Characterization of Women. In: Deroux ed., Studies I 410-417

Kaser, Max, Das römische Privatrecht I: Das altrömische, das vorklassische und das klassische Recht. (HAW X 3,3,1). München [2]1971, II: Die nachklassischen Entwicklungen. (HAW X 3,3,2). München [2]1975

—, Römisches Privatrecht. Ein Studienbuch. München [10]1977

Kee, Howard C., Christian Origins in Sociological Perspective. London 1980

—, Self-Definition in the Asclepius Cult. In: Ben F. Meyer/E. P. Sanders eds., Jewish and Christian Self-Definition III: Self-Definition in the Graeco-Roman World. London 1982, 118-136

Kelber, Werner H., Markus und die mündliche Tradition. In: LingBibl 45 (1979) 5-58

Keydell, Rudolf, Art. Epithalamium. In: RAC 5, 927-943

Kippenberg, Hans G., Versuch einer soziologischen Verortung des antiken Gnostizismus. In: Numen 17 (1970) 211-232

—, Intellektualismus und antike Gnosis. In: Wolfgang Schluchter ed., Max Webers Studien über das antike Judentum. Interpretation und Kritik. (stw 340). Frankfurt 1981, 201-218

Kischkewitz, Hannelore, ed., Liebe sagen. Lyrik aus dem ägyptischen Altertum. (Reclam 545). Leipzig 1976

Klauck, Hans-Josef, Hausgemeinde und Hauskirche im frühen Christentum. (SBS 103). Stuttgart 1981

Klauser, Theodor, Die römische Petrustradition im Lichte der neueren Ausgrabungen unter der Peterskirche. (AGFLNW, Geisteswissenschaft 24). Köln/Opladen 1956

—, Die cathedra im Totenkult der heidnischen und christlichen Antike. (Liturgiewissenschaftliche Quellen und Forschungen 21). Münster ²1971

Klees, Hans, Herren und Sklaven. Die Sklaverei im oikonomischen und politischen Schrifttum der Griechen in klassischer Zeit. (Forschungen zur antiken Sklaverei VI). Wiesbaden 1975

Kleinknecht, Hermann, ΛΟΥΤΡΑ ΤΗΣ ΠΑΛΛΑΔΟΣ. In: Hermes 74 (1939) 301-350

Knoche, Ulrich, Der römische Ruhmesgedanke. Nach: Hans Oppermann ed., Römische Wertbegriffe. (WdF 34). Darmstadt ³1983, 420-445

Knorz, Peter, Die Theologie des Hirten des Hermas. Diss. theol. Heidelberg 1958

Kölblinger, Gerald, Einige Topoi bei den lateinischen Liebesdichtern. (Dissertationen der Universität Graz 15). Wien 1971

Koep, Leo, Das himmlische Buch in Antike und Christentum. Eine religionsgeschichtliche Untersuchung zur altchristlichen Bildersprache. (Theophaneia 8). Bonn 1952

Kötting, Bernhard, Art. Digamus. In: RAC 3, 1016-1024

—, 'Univira' in Inschriften. In: W. den Boer/P. G. van der Nat/C. M. J. Sicking/J. C. M. van Winden eds., Romanitas et Christianitas. Studia Iano Henrico Waszink A. D. VI Kal. Nov. A. MCMLXXIII XIII lustra complenti oblata. Amsterdam/London 1973, 195-206

—, Die Stellung des Konfessors in der alten Kirche. In: JAC 19 (1976) 7-23

Kolb, Frank, Zur Statussymbolik im antiken Rom. In: Chiron 7 (1977) 239-259

Koschorke, Klaus, Die Polemik der Gnostiker gegen das kirchliche Christentum. Unter besonderer Berücksichtigung der Nag-Hammadi-Traktate "Apokalypse des Petrus" (NHC VII,3) und "Testimonium Veritatis" (NHC IX,3). (Nag Hammadi Studies XII). Leiden 1978

Koszyk, Kurt, Vorläufer der Massenpresse. Ökonomie und Publizistik zwischen Reformation und französischer Revolution. Öffentliche Kommunikation im Zeitalter des Feudalismus. München 1972

Kreck, Bettina, Untersuchungen zur politischen und sozialen Rolle der Frau in der späten römischen Republik. Diss. Marburg 1975

Kroll, Wilhelm, C. Valerius Catullus herausgegeben und erklärt. Stuttgart ⁶1980

Kübler, Art. sella curulis. In: RE II A, 1310-1315

Lamnek, Siegfried, Theorien abweichenden Verhaltens. (UTB 740). München 1979

Lampe, Peter, Die Apokalyptiker — ihre Situation und ihr Handeln. In: Ulrich Luz/Jürgen Kegler/ Peter Lampe/Paul Hoffmann, Eschatologie und Friedenshandeln. Exegetische Beiträge zur Frage christlicher Friedensverantwortung. (SBS 101). Stuttgart 1981, 59-114

—, Iunia/Iunias: Sklavenherkunft im Kreise der vorpaulinischen Apostel (Röm 16,7). In: ZNW 76 (1985) 132-134

—, Die stadtrömischen Christen in den ersten beiden Jahrhunderten. Untersuchungen zur Sozialgeschichte. (WUNT II 18). Tübingen 1987

Lang, Bernhard, Kein Aufstand in Jerusalem. Die Politik des Propheten Ezechiel. (SBB). Stuttgart ²1981

Lange, H. O., Der magische Papyrus Harris. (Det Kgl. Danske Videnskabernes Selskab., Historisk-filologiske Meddelelser XIV,2). København 1927

Laplanche, J./Pontalis, J.-B., Das Vokabular der Psychoanalyse. (stw 7). Frankfurt [3]1977

Lausberg, Heinrich, Handbuch der literarischen Rhetorik. Eine Grundlegung der Literaturwissenschaft. München [2]1973

Leclercq, H., Art. Baptême de Jésus. In: DACL II/1, 346-380

Leipoldt, Johannes/Morenz, Siegfried, Heilige Schriften. Betrachtungen zur Religionsgeschichte der antiken Mittelmeerwelt. Leipzig 1953

Leisi, Ernst, Paar und Sprache. Linguistische Aspekte der Zweierbeziehung. (UTB 824). Heidelberg [2]1983

Lieberg, Godo, Puella divina. Die Gestalt der göttlichen Geliebten bei Catull im Zusammenhang der antiken Dichtung. Amsterdam 1962

Liebeschuetz, J. H. W. G., Continuity and Change in Roman Religion. Oxford 1979

Lilja, Saara, The Roman Elegists' Attitude to Women. (AASF B 135,1). Helsinki 1965

Link, Jürgen/Link-Heer, Ursula, Literatursoziologisches Propädeutikum. (UTB 799). München 1980

Lobsien, Eckhard, Theorie literarischer Illusionsbildung. Stuttgart 1975

Loraux, Nicole, Was Teiresias sah. In: Schaeffer-Hegel/Wartmann eds., Frau 154-173

Luck, Georg, The Woman's Role in Latin Love Poetry. In: G. Karl Galinsky ed., Perspectives on Roman Poetry. A Classics Symposium. Austin/London 1974, 15-31

Luschnat, Otto, Die Jungfrauenszene in der Arkadienvision des Hermas. In: TheolViat 12 (1973/4) 53-70

Lyman, Richard B., jr., Barbarei und Religion: Kindheit in spätrömischer und frühmittelalterlicher Zeit. In: Lloyd de Mause ed., Hört ihr die Kinder weinen. Eine psychogenetische Geschichte der Kindheit. (stw 339). Frankfurt 1980, 112-146

Lyne, R. O. A. M., Servitium amoris. In: CQ 29 (1979) 117-130

—, The Latin Love Poets. From Catullus to Horace. Oxford 1980

MacMullen, Ramsay, Enemies of the Roman Order. Treason, Unrest and Alienation in the Empire. Cambridge, Mass. 1966

—, Roman Social Relations. 50 B. C. to A. D. 284. New Haven/London [2]1976

—, Christianizing the Roman Empire (A. D. 100-400). New Haven/London 1984

Magaß, Walter, exempla ecclesiastica. Beispiele apostolischen Marktverhaltens. Mit einer Bibliographie zur Analyse der Kirchensprache. (FThL 1). Bonn 1972

—, Semiotik einer Tischordnung (Lk 14,7-14). In: LingBibl 25/26 (1973) 2-8

—, Eine Semiotik des apostolischen Marktverhaltens. In: LingBibl 33 (1974) 14-33

Malherbe, Abraham J., Social Aspects of Early Christianity. Baton Rouge/London 1977

—, The Inhospitality of Diotrephes. In: Jacob Jervell/Wayne A. Meeks eds., God's Christ and His People. Studies in Honour of Nils Alstrup Dahl. Oslo/Bergen/Tromsö 1977, 222-232

Maniet, Andrée, Pline le Jeune et Calpurnia. Étude sémantique et psychologique. In: AC 35 (1966) 149-185

Manning, C. E., Seneca and the Stoics on the Equality of the Sexes. In: Mnemosyne IV 26 (1973) 170-177

Mannzmann, Anneliese, Art. Αὐταρκία. In: KP I 777-779

Marquard, Odo, Kunst als Antifiktion — Versuch über den Weg der Wirklichkeit ins Fiktive. In: Dieter Henrich/Wolfgang Iser eds., Funktionen des Fiktiven. (Poetik und Hermeneutik X). München 1983, 35-54

Marrou, Henri, Geschichte der Erziehung im klassischen Altertum. München 1977

Marshall, Anthony J., Tacitus and the Governor's Lady: a Note on Annals iii.33-4. In: Greece and Rome 22 (1975) 11-18

Martin, Jochen, Zur Stellung des Vaters in anien Gesellschaften. In: Hans Süssmuth ed., Historische Anthropologie. Der Mensch in der Geschichte. (KVR 1499). Göttingen 1984, 84-109

McKay, K. J., The Poet at Play. Kallimachos, The Bath of Pallas. (Mnemosyne Suppl. VI) Leiden 1962

Meeks, Wayne A., The First Urban Christians. The Social World of the Apostle Paul. New Haven/London 1983

Meier, Christian, Die Entstehung des Politischen bei den Griechen. (stw 427) Frankfurt 1983

Mendelson, E. Michael, Some Notes on a Sociological Approach to Gnosticism. In: Bianchi ed., origini 668-675

Merkelbach, Reinhold, Roman und Mysterium in der Antike. München/Berlin 1962

Métral, Marie O., Die Ehe. Analyse einer Institution. (stw 357). Frankfurt 1981

Meyers-Herwartz, Christel, Erotik und Askese: Die Bedeutung der Jungfrau für eine paradoxe Konstruktion der Macht. In: Schaeffer-Hegel/Wartmann eds., Frau 234-237

Michaels, J. Ramsay, The 'Level Ground' in the Shepherd of Hermas. In: ZNW 59 (1968) 245-250

Mildenberger, Friedrich, Geschichte der deutschen evangelischen Theologie des 19. und 20. Jahrhunderts. (Theologische Wissenschaft 10). Stuttgart/Berlin/Köln/Mainz 1981

Miller, Casey/Swift, Kate, Words and Women. New Language in New Times. (Penguin). Harmondsworth 1979

Mohler, S. L., Slave Education in the Roman Empire. In: TAPhA 72 (1940) 262-280

Molland, Einar, Besaß die Alte Kirche ein Missionsprogramm und bewußte Missionsmethoden? In: Frohnes/Knorr eds., Kirchengeschichte 51-67

Moltmann-Wendel, Elisabeth, Ein eigener Mensch werden. Frauen um Jesus. (GTB 1006). Gütersloh [3]1982

Mommsen, Theodor, Römisches Staatsrecht. Bd. I-III/2. Tübingen ND 1952

Morsch, Klaus, schoene daz ist hoene. Studien zur Tristan Gottfrieds von Straßburg. (Erlanger Studien 50). Erlangen 1984

Motto, Anna Lydia, Seneca on Women's Liberation. In: CW 65 (1971/2) 155-157

Müller, Armin, Theorie, Kritik oder Bildung? Abriß der Geschichte der antiken Philosophie von Thales bis Cicero. (IdF 19). Darmstadt 1975

Müller, Ulrich B., Die Offenbarung des Johannes. (ÖTK 19). Gütersloh/Würzburg 1984

Munz, Peter, The Problem of "Die soziologische Verortung des antiken Gnostizismus". In: Numen 19 (1972) 41-51

Mußner, Franz, Der Jakobusbrief. (HThK XIII 1). Freiburg/Basel/Wien [2]1967

Muth, Robert, "Hymenaios" und "Epithalamion". In: WSt 67 (1954) 5-45

Nagel, Peter, Die Motivierung der Askese in der Alten Kirche und der Ursprung des Mönchtums. (TU 95). Berlin 1966

Nani, Teresa Giulia, ΘΡΕΠΤΟΙ. In: Epigraphica 5/6 (1943/4) 45-84

Negt, Oskar/Kluge, Alexander, Öffentlichkeit und Erfahrung. Zur Organisationsanalyse von bürgerlicher und proletarischer Öffentlichkeit. (es 639). Frankfurt 1972

—/—, Geschichte und Eigensinn. Frankfurt [7]1983

Nestle, Wilhelm Legenden vom Tod der Gottesverächter. In: ARW 33 (1936) 246-252

Neusner, Jacob, The Idea of Purity in Ancient Judaism. (SJLA 1). Leiden 1973

Nickel, Rainer, Das Verhältnis von Bedürfnis und Brauchbarkeit in seiner Bedeutung für das kynostoische Ideal der Bedürfnislosigkeit. In: Hermes 100 (1972) 42-47

Niebergall, Alfred, Zur Entstehungsgeschichte der christlichen Eheschließung. Bemerkungen zu Ignatius an Polykarp 5,2. In: Gerhard Müller/Winfried Zeller eds., Glaube, Geist, Geschichte. Festschrift für Ernst Benz zum 60. Geburtstage am 17. November 1967. Leiden 1967, 107-124

—, Ehe und Eheschließung in der Bibel und in der Geschichte der Kirche. (Marburger Theologische Studien 18). Marburg 1985

Niederwimmer, Kurt, Askese und Mysterium. Über Ehe, Ehescheidung und Eheverzicht in den Anfängen des christlichen Glaubens. (FRLANT 113). Göttingen 1975

—, Kirche als Diaspora. In: EvTh 41 (1981) 290-300

Nilsson, Martin P., Griechische Feste von religiöser Bedeutung mit Ausschluß der attischen. Darmstadt ND 1957

Nörr, Dieter, Imperium und Polis in der hohen Prinzipatszeit. (MBPAR 50). München 1966

—, Planung in der Antike. Über die Ehegesetze des Augustus. In: Horst Baier ed., Freiheit und Sachzwang. Beiträge zu Ehren Helmut Schelskys. Opladen 1977, 309-334

Noethlichs, Karl Leo, Materialien zum Bischofsbild aus spätantiken Rechtsquellen. In: JAC 16 (1973) 28-59

Nötscher, Friedrich, Himmlische Bücher und Schicksalsglaube in Qumran. In: RdQ 1 (1958/9) 405- 411

O'Hagan, Angelo P., The Great Tribulation to Come in the Pastor of Hermas. In: Studia Patristica IV (1961) 305-311

Olck, Art. carbasus. In: RE III 1572-1574

Ollrog, Wolf-Henning, Paulus und seine Mitarbeiter. Untersuchungen zu Theorie und Praxis der paulinischen Mission. (WMANT 50). Neukirchen-Vluyn 1979

O'Neill, John, Revolution oder Subversion? (rde 382). Reinbek 1978

Osiek, Carolyn, The Ransom of Captives: Evolution of a Tradition. In: HThR 74 (1981) 356-386

—, Rich and Poor in the Shepherd of Hermas. Washington 1983

Page, Denys, ed., The Epigrams of Rufinus. Cambridge 1978

Pagels, Elaine, Versuchung durch Erkenntnis. Die gnostischen Evangelien. Frankfurt 1981

Palmer, Robert E. A., Roman Shrines of Female Chastity from the Caste Struggle to the Papacy of Innocent I. In: Rivista storica dell'antichità 4 (1974) 113-159

Parke, H. W., Festivals of the Athenians. (Aspects of Greek and Roman Life). London 1977

Paulsen, Henning, Die Briefe des Ignatius von Antiochia und der brief des Polykarp von Smyrna. (HNT 18). Tübingen ²1985

Pease, Arthur Stanley, Publi Vergili Maronis Aeneidos liber quartus. Cambridge, Mass. 1935

Pékary, Thomas, Die Wirtschaft der griechisch-römischen Antike. (Wissenschaftliche Paperbacks Sozial- und Wirtschaftsgeschichte 9). Wiesbaden 1976

Pernveden, Lage, The Concept of the Church in the Shepherd of Hermas. Lund 1966

Peters, W. J. T., Landscape in Romano-Campanian Mural Painting. Assen 1973

Petersen, Joan H., House-Churches in Rome? In: VigChr 23 (1969) 264-272

Peterson, Erik, Frühkirche, Judentum und Gnosis. Studien und Untersuchungen. Freiburg 1959

—, Die Befreiung Adams aus der 'Ανάγκη. Nach: ders., Frühkirche 107-128

—, Kritische Analyse der fünften Vision des Hermas. Nach: ders., Frühkirche 271-284

Pfohl, Gerhard, Elemente der griechischen Epigraphik. (Libelli 194). Darmstadt 1968

—, Monument und Epigramm. Studien zu den metrischen Inschriften der Griechen. Nach: ders., Elemente 1-58

—, Über Form und Inhalt griechischer Grabinschriften. Nach: ders., Elemente 59-83

—, Gedanken zur "Zweischichtenlehre". Nach: ders., Elemente 84-92

Ploss, Ernst, Der Inschriftentyp "N. N. me fecit" und seine geschichtliche Entwicklung bis ins Mittelalter. In: ZdPh 77 (1958) 25-46

Pohlenz, Max, Die Stoa. Geschichte einer geistigen Bewegung. I. Göttingen ⁶1984

Pokorný, Petr, Der soziale Hintergrund der Gnosis. In: Karl-Wolfgang Tröger ed., Gnosis und Neues Testament. Studien aus Religionswissenschaft und Theologie. Berlin 1973, 77-87

Pomeroy, Sarah B., Goddesses, Whores, Wives, and Slaves. Women in Classical Antiquity. New York ⁶1982

Preisker, Herbert, Christentum und Ehe in den ersten drei Jahrhunderten. Eine Studie zur Kulturgeschichte der alten Welt. Aalen ᴺ1978

Preuß, Horst Dietrich, Deuteronomium. (EdF 164). Darmstadt 1982

Puntel, L. Bruno, Art. Wahrheit. In: Hermann Krings/Hans Michael Baumgartner/Christoph Wild eds., Handbuch philosophischer Grundbegriffe 6. München 1974, 1649-1668

Pusch, Luise F., Das Deutsche als Männersprache. Aufsätze und Glossen zur feministischen Linguistik. (es 1217). Frankfurt 1984

Puzicha, Michaela, Christus peregrinus. Die Fremdenaufnahme (Mt 25,35) als Werk der privaten Wohltätigkeit im Urteil der Alten Kirche. (MBT 47). Münster 1980

Quine, Willard van Orman, Grundzüge der Logik. (stw 65). Frankfurt 1974

Rabe, Hannah, Art. Autarkie, autark. In: HistWBPhilos I 685-691

Raber, Fritz, Art. Furtum. In: KP II 647-649

Rad, Gerhard von, Es ist noch eine Ruhe vorhanden dem Volke Gottes. Eine biblische Begriffsuntersuchung. Nach: ders., Gesammelte Studien zum alten Testament. (ThB 8). München 1965, 101-108

Raditsa, Leo Ferrero, Augustus' Legislation Concerning Marriage. Procreation, Love Affairs and Adultery. In: ANRW II 13 (1980) 278-339

Raffeiner, Hermann, Sklaven und Freigelassene. Eine soziologische Studie auf der Grundlage des griechischen Grabepigramms. (Commentationes Aenipontanae XXIII). Innsbruck 1977

Rahner, Hugo, Griechische Mythen in christlicher Deutung. Zürich ³1957

Rapp, Art. Kybele. In: RML II/1, 1638-1672

Reekmans, Tony, Juvenal's Views on Social Change. In: AncSoc 2 (1971) 117-161

Rees, B. R., Popular Religion in Graeco-Roman Egypt II: The Transition to Christianity. In: JEA 36 (1950) 86-100

Reiling, J., Hermas and Christian Prophecy. A Study of the Eleventh Mandate. (Suppl. Nov. Test. XXXVII). Leiden 1973

Reinhold, Meyer, Usurpation of Status and Status Symbols in the Roman Empire. In: Historia 20 (1971) 275-302

Reinsberg, Carola, Concordia. Die Darstellung von Hochzeit und ehelicher Eintracht in der Spätantike. In: Spätantike und frühes Christentum. Ausstellung im Liebieghaus, Museum alter Plastik, Frankfurt am Main. Frankfurt 1983, 312-317

Reitzenstein, Richard, Das Märchen von Amor und Psyche bei Apuleius. Leipzig 1912

Richlin, Amy, Approaches to the sources on adultery in Rome. In: Women's Studies 8 (1981) 225- 250

Richter, Will, Vergil: Georgica. (Wort der Antike V). München 1957

—, Der liber de arboribus und Columella. (SBAW, phil.-hist. Kl. 1972,1). München 1972

Riesenfeld, H., Vorbildliches Martyrium. Zur Frage der Lesarten in 1Kor 13,3. In: E. Bammel/C. K. Barrett/W. D. Davies eds., Donum Gentilicium. New Testament Studies in Honour of David Daube. Oxford 1978, 210-214

Rissi, Mathias, Die Zukunft der Welt. Eine exegetische Studie über Johannesoffenbarung 19,11-22,15. Basel o. J.

Ritter, Adolf Martin, Christentum und Eigentum bei Klemens von Alexandrien auf dem Hintergrund der frühchristlichen "Armenfrömmigkeit" und der Ethik der kaiserzeitlichen Stoa. In: ZKG 86 (1975) 1-25

Ritter, Joachim, Metaphysik und Politik. Studien zu Aristoteles und Hegel. (stw 199). Frankfurt 1977

Rösch, Erich, ed., Publius Ovidius Naso: Metamorphosen. (Tusculum). München/Zürich [10]1983

Rösler, Wolfgang, Die Entdeckung der Fiktionalität in der Antike. In: Poetica 12 (1980) 283-319

Roethe, Gustav, Die Gedichte Reinmars von Zweter. Leipzig 1887

Rohde, Erich, Der griechische Roman und seine Vorläufer. Darmstadt ND 1960

—, Psyche. Seelenkult und Unsterblichkeitsglaube der Griechen. Freiburg/Leipzig/Tübingen [2]1898

Rommel, Hans, Die naturwissenschaftlich-paradoxographischen Exkurse bei Philostratos, Heliodoros und Achilleus Tatios. Stuttgart 1923

Rordorf, Willy, Was wissen wir über die christlichen Gottesdiensträume der vorkonstantinischen Zeit? In: ZNW 55 (1964) 110-128

Rosenmayr, Leopold, Lebensalter, Lebensverlauf und Biographie. In: Grete Klingenstein/Heinrich Lutz/Gerald Stourzh eds., Biographie und Geschichtswissenschaft. (Wiener Beiträge zur Geschichte der Neuzeit 6). München 1979, 47-67

Rudolph, Kurt, Gnosis und Gnostizismus, ein Forschungsbericht. In: ThR 36 (1971) 89-124

—, Das Problem einer Soziologie und "sozialen Verortung" der Gnosis. In: Kairos 19 (1977) 35-44

—, Die Gnosis, Wesen und Geschichte einer spätantiken Religion. Göttingen [2]1980

Ruppert, Wolfgang, Bürgerlicher Wandel. Die Geburt der modernen deutschen Gesellschaft im 18. Jahrhundert. (fischer 4302). Frankfurt 1984

Russell, Letty M., ed., Als Mann und Frau ruft er uns. Vom nicht-sexistischen Gebrauch der Bibel. München 1979

Sänger, Dieter, Überlegungen zum Stichwort "Diaspora" im Neuen Testament. In: Die evangelische Diaspora 52 (1982) 76-88

Salvatore, Antonio, L'immoralité des femmes et la décadence de l'empire selon Tacitus. In: EC 22 (1954) 254-269

Sanders, Hans, Institution Literatur und Roman. Zur Rekonstruktion der Literatursoziologie. (es 668). Frankfurt 1981

Sandór, Ritz, Die Kirche Santo Stefano in Rom: Das ewige neue Jerusalem der Apokalypse, ein einmaliges Werk ohne seinesgleichen in Vergangenheit, Gegenwart und Zukunft. Roma o. J.

Schaeffer-Hegel, Barbara/Wartmann, Brigitte, eds., Mythos Frau. Projektionen und Inszenierungen im Patriarchat. Berlin 1984

Schaller, Berndt, Das Testament Hiobs. (JSHRZ III/3). Gütersloh 1979

Scharfschwerdt, Jürgen, Grundprobleme der Literatursoziologie. Ein wissenschaftsgeschichtlicher Überblick. (Urban 217). Stuttgart/Berlin/Köln/Mainz 1977

Schefold, Kurt, Vergessenes Pompeij. Unveröffentlichte Bilder römischer Wanddekorationen in geschichtlicher Folge herausgegeben. Bern/München 1962

Schermann, Theodor, Die allgemeine Kirchenordnung, frühchristliche Liturgien und kirchliche Überlieferung. I: Die allgemeine Kirchenordnung des zweiten Jahrhunderts. (Studien zur Geschichte und Kultur des Altertums, Erg. 3/1). Paderborn 1914

Schierse, Franz Joseph, Verheißung und Heilsvollendung. Zur theologischen Grundfrage des Hebräerbriefs. (MThSt I 9). München 1955

Schille, Gottfried, Die Apostelgeschichte des Lukas. (ThHKNT V). Berlin 1983

Schindler, Alfred, Geistliche Väter und Hausväter in der christlichen Antike. In: Tellenbach ed., Vaterbild 70-82

Schlier, Heinrich, Der Brief an die Epheser. Ein Kommentar. Düsseldorf ^{6}1968

Schneider, Beate, Hochzeitsbräuche in römischer Zeit. In: Völger/Welck eds., Braut I 238-245, II 864f.

Scholz, Udo W., Römische Behörden und Christen im 2. Jahrhundert. In: ZRGG 24 (1972) 156-160

Schottlaender, R., Das Sibyllenbild der Philosophen. In: Acta Antiqua 11 (1963) 37-48

Schottroff, Luise, Die Güte Gottes und die Solidarität von Menschen. Das Gleichnis von den Arbeitern im Weinberg. In: Willy Schottroff/Wolfgang Stegemann eds., Der Gott der kleinen Leute. Sozialgeschichtliche Bibelauslegungen 2: Neues Testament. München/Gelnhausen/Berlin/Stein 1979, 71-93

—, Frauen in der Nachfolge Jesu in neutestamentlicher Zeit. In: Schottroff/Stegemann eds., Traditionen 91-133

—, "Gebt dem Kaiser, was dem Kaiser gehört, und Gott, was Gott gehört." Die theologische Antwort der urchristlichen Gemeinden auf ihre gesellschaftliche und politische Situation. In: Jürgen Moltmann ed., Annahme und Widerstand. (KT 79). München 1984, 15-58

—/Stegemann, Wolfgang, Jesus von Nazareth — Hoffnung der Armen. (Urban 639). Stuttgart/Berlin/Köln/Mainz 1978

Schottroff, Willy/Stegemann, Wolfgang, eds., Traditionen der Befreiung. Sozialgeschichtliche Bibelauslegungen 2: Frauen in der Bibel. München/Gelnhausen/Berlin/Stein 1980

Schrage, Wolfgang, Der erste Petrusbrief. In: Horst R. Balz/Wolfgang Schrage, Die "Katholischen" Briefe. Die Briefe des Jakobus, Petrus, Johannes und Judas. (NTD 10). Göttingen 1973

—, Zur Frontstellung der paulinischen Ehebewertung in 1Kor 7,1-7. In: ZNW 67 (1976) 214-234

—, Die Elia-Apokalypse. (JSHRZ V/3). Gütersloh 1980

—, Ethik des Neuen Testaments. (NTD Erg. 4). Göttingen 1982

Schüssler Fiorenza, Elisabeth, Der Beitrag der Frau zur urchristlichen Bewegung. Kritische Überlegungen zur Rekonstruktion urchristlicher Geschichte. In: Schottroff/Stegemann eds., Traditionen 60-90

—, In Memory of Her. A Feminist Theological Reconstruction of Christian Origins. New York 1983

Schütrumpf, Eckart, Die Analyse der Polis durch Aristoteles. (Studien zur antiken Philosophie 10). Amsterdam 1980

— ed., Xenophon: Vorschläge zur Beschaffung von Geldmitteln oder Über die Staatseinkünfte. (TzF 38). Darmstadt 1982

Schumacher, Leonhard, Servus index. Sklavenverhör und Sklavenanzeige im republikanischen und kaiserzeitlichen Rom. (Forschungen zur antiken Sklaverei XV). Wiesbaden 1982

Schuster, Mauriz, Art. Ulme. In: RE IX A, 544-554

Schwyzer, Hans-Rudolf, 'Bewußt' und 'Unbewußt' bei Plotin. In: Les sources de Plotin. (Entretiens sur l'antiquité classique V). Vandoeuvres-Genève 1960, 341-390

Seitz, Dieter, Politische Spruchdichtung im 13. Jahrhundert. In: Winfried Frey/Walter Raitz/Dieter Seitz eds., Einführung in die deutsche Literatur des 12. bis 16. Jahrhunderts 2: Patriziat und Landesherrschaft — 13.-15. Jahrhundert. Opladen 1982, 41-79

Sennett, Richard, Verfall und Ende des öffentlichen Lebens. Die Tyrannei der Intimität. (fischer 7353). Frankfurt 1986

Sergeenko, M. E., Servus bonus u Plavta. In: Vestnik Drevneij Istorii 139 (1977) 189-192

Sevenster, J. N., Paul and Seneca. (Suppl. Nov. Test. IV). Leiden 1961

Shorter, Edward, A History of Women's Bodies. (Penguin). Harmondsworth 1984

Siebel, Wigand, Einführung in die systematische Soziologie. München 1974

Simon, Dietrich V., Art. Münzverbrechen. In: KP III 1447

Simon, Erika, Die Geburt der Aphrodite. Berlin 1959

Sittl, Carl, Die Gebärden der Griechen und Römer. Hildesheim/New York ND 1970

Söder, Rosa, Die apokryphen Apostelakten und die romanhafte Literatur der Antike. (Würzburger Studien zur Altertumswissenschaft 3). Stuttgart 1932

Soggin, Alberto, Diaspora im Alten Testament. In: Die evangelische Diaspora 52 (1982) 64-75

Solin, Heikki, Die griechischen Personennamen in Rom. Ein Namenbuch. (CIL Auctorium). Berlin/New York 1982

Speigl, Jakob, Der römische Staat und die Christen. Staat und Kirche von Domitian bis Commodus. Amsterdam 1970

Speyer, Wolfgang, Bücherfunde in der Glaubenswerbung der Antike. Mit einem Ausblick über Mittelalter und Neuzeit. (Hypomnemata 24). Göttingen 1970

— Zorn der Gottheit, Vergeltung und Sühne. In: Ulrich Mann ed., Theologie und Religionswissenschaft. Der gegenwärtige Stand ihrer Forschungsergebnisse und Aufgaben im Hinblick auf ihr gegenseitiges Verhältnis. Darmstadt 1973, 124-143

Staats, Reinhard, Die martyrologische Begründung des Romprimats bei Ignatius von Antiochien. In: ZThK 73 (1976) 461-470

—, Deposita pietatis — Die Alte Kirche und ihr Geld. In: ZThK 76 (1979) 1-29

Stählin, Gustav, Art. ξένος κτλ. In: ThWNT V 1-36

—, Art. χήρα. In: ThWNT IX 428-454

Stanton, G. R., The Cosmopolitan Ideas of Epictetus and Marcus Aurelius. In: Phronesis 13 (1968) 183-195

Steck, Karl Gerhard, Die christliche Wahrheit zwischen Häresie und Konfession. (ThExh 181). München 1974

Steinbrügge, Lieselotte, Die Aufteilung des Menschen. Zur anthropologischen Bestimmung der Frau in Diderots Encyclopédie. In: Ilse Brehmer/Juliane Jacobi-Dittrich/Elke Kleinan/Annette Kuhn eds., Frauen in der Geschichte IV: "Wissen heißt leben..." Beiträge zur Bildungsgeschichte von Frauen im 18. und 19. Jahrhundert. (Geschichtsdidaktik Studien Materialien 18). Düsseldorf 1983, 51-64

Steinmetz, Peter, Untersuchungen zur römischen Literatur des zweiten Jahrhunderts nach Christi Geburt. (Palingenesia XVI). Wiesbaden 1982

Stierle, Karlheinz, Der Gebrauch der Negation in fiktionalen Texten. In: Weinrich ed., Positionen 235-262

Stockmeier, Peter, Scheidung und Wiederverheiratung in der alten Kirche. In: ThQu 151 (1971) 39-51

Stoll, Art. Aktaion. In: RML I/1, 214-217

Stommel, Eduard, Christliche Taufriten und antike Badesitten. In: JAC 2 (1959) 5-14

Strecker, Georg, Die Bergpredigt. Ein exegetischer Kommentar. Göttingen 1984

Ström, Ake von, Der Hirt des Hermas — Allegorie oder Wirklichkeit. Uppsala 1936

Stroh, Wilfried, Ovids Liebeskunst und die Ehegesetze des Augustus. In: Gymnasium 86 (1979) 323-352

Stroumsa, Gedaliahu G., Die Gnosis und die christliche 'Entzauberung' der Welt. In: Wolfgang Schluchter ed., Max Webers Sicht des antiken Christentums. Interpretation und Kritik. (stw 548). Frankfurt 1985, 486-508

Stübe, R., Der Himmelsbrief. Ein Beitrag zur allgemeinen Religionsgeschichte. Tübingen 1918

Stützer, Herbert Alexander, Die Kunst der römischen Katakomben. (dumont 141). Köln 1983

Stuhlmacher, Peter, Der Brief an Philemon. (EKK). Zürich/Einsiedeln/Köln/Neukirchen-Vluyn 1975

Stuhlmann, Rainer, Das eschatologische Maß im Neuen Testament. (FRLANT 132). Göttingen 1983

Svennung, J., Catulls Bildersprache. Vergleichende Stilstudien. (Uppsala Universitets Arsskrift 1945:3). Uppsala/Leipzig 1945

Syme, Ronald, Princesses and Others in Tacitus. In: Greece and Rome 28 (1981) 40-52

Symposion: Jungfrauen, Asketen und die Gründung männlicher Institutionen. In: Schaeffer-Hegel/Wartmann eds., Frau 238-242

Syndikus, Hans Peter, Die Lyrik des Horaz. Eine Interpretation der Oden. I: Erstes und zweites Buch. (IdF 6). Darmstadt 1972, II: Drittes und viertes Buch. (IdF 7). Darmstadt 1973

—, Catull. Eine Interpretation. I: Die kleinen Gedichte (1-60). (IdF 46). Darmstadt 1984, III: Die Epigramme (69-116). (IdF 48). Darmstadt 1987

Tellenbach, Hubertus, ed., Das Vaterbild im Abendland I: Rom, Frühes Chistentum, Mittelalter, Neuzeit, Gegenwart. Stuttgart/Berlin/Köln/Mainz 1978

Theißen, Gerd, Soziologie der Jesusbewegung. Ein Beitrag zur Entstehungsgeschichte des Urchristentums. (ThExh 194). München 1977

—, Studien zur Soziologie des Urchristentums. (WUNT 19). Tübingen [2]1983

—, Die soziologische Auswertung religiöser Überlieferungen. Ihre methodologischen Probleme am Beispiel des Urchristentums. Nach: ders., Studien 35-54

—, Wanderradikalismus. Literatursoziologische Aspekte der Überlieferung von Worten Jesu. Nach: ders., Studien 79-105

—, Die Tempelweissagung Jesu. Prophetie im Spannungsfeld von Stadt und Land. Nach: ders., Studien 142-159

—, Legitimation und Lebensunterhalt. Ein Beitrag zur Soziologie urchristlicher Missionare. Nach: ders., Studien 201-230

—, Soziale Schichtung in der korinthischen Gemeinde. Ein Beitrag zur Soziologie des hellenistischen Urchristentums. Nach: ders., Studien 231-271

—, Die Starken und Schwachen in Korinth. Soziologische Analyse eines theologischen Streites. Nach: ders., Studien 272-289

—, Soziale Integration und sakramentales Handeln. Eine Analyse von 1Cor XI 17-34. Nach: ders., Studien 290-317

—, Christologie und soziale Erfahrung. Wissenssoziologische Aspekte paulinischer Christologie. In: ders., Studien 318-330

—, Psychologische Aspekte paulinischer Theologie. (FRLANT 131). Göttingen 1983

Thompson, Stith, Motif-Index of Folklore. A Classification of Narrative Elements in Folktales, Ballads, Myths, Fables, Medieval Romances, Exempla, Fabliaux, Jest-Books and Local Legends. I. Kopenhagen ^{2}1955

Thraede, Klaus, Art. Frau. In: RAC 6, 197-267

—, Ursprünge und Formen des 'Heiligen Kusses' im frühen Christentum. In: JAC 11/12 (1968) 124- 180

—, Ärger mit der Freiheit. Die Bedeutung von Frauen in Theorie und Praxis der alten Kirche. In: Gerta Scharffenorth/Klaus Thrade, "Freunde in Christus werden..." Die Beziehung von Mann und Frau als Frage an Theologie und Kirche. (Kennzeichen 1). Gelnhausen/Berlin/Stein 1977, 31-182

Thum, Bernd, Öffentlich-Machen, Öffentlichkeit. Zu den Grundlagen und Verfahren der politischen Publizistik im Spätmittelalter mit Überlegungen zur sog. "Rechtssprache". In: LiLi 37 (1980) 12-69

Tilgner, Wolfgang, ed., Catull: Sämtliche gedichte. Lateinisch und deutsch. Wiesbaden 1983

Tomberg, Karl-Heinz, Die Kaine Historia des Ptolemaios Chennos. Eine literarhistorische und quellenkritische Untersuchung. (Habelts Dissertationsdrucke, Reihe klassische Philologie H. 4). Bonn 1968

Trömel-Plötz, Senta, Frauensprache — Sprache der Veränderung. (fischer 3725). Frankfurt ^{2}1982

—, "Zu lehren gestatte ich der Frau nicht". Zur Konstruktion von Dominanz in Gesprächen. In: Claudia Opitz ed., Weiblichkeit oder Feminismus. Beiträge zur interdisziplinären Frauentagung Konstanz 1983. Weingarten 1984, 45-55

— ed., Gewalt durch Sprache. Die Vergewaltigung von Frauen in Gesprächen. (fischer 3745). Frankfurt 1984

Unnik, W. C. van, Zur Bedeutung von Ταπεινοῦν τὴν ψυχήν bei den Apostolischen Vätern. In: ZNW 44 (1952/3) 250-255

—, Die Rücksicht auf die Reaktion der Nichtchristen als Motiv in der altchristlichen Exegese. Nach: ders., Sparsa Collects II: I Peter — Canon — Corpus Hellenisticum — Generalia. (Suppl. Nov. Test. XXX). Leiden 1980, 307-322

—, "Diaspora" and "Church" in the First Centuries of Christian History. Nach: ders., Sparsa Collecta III: Patristica — Gnostica — Liturgica. (Suppl. Nov. Test. XXXI). Leiden 1983, 95-105

Vernant, Jean-Pierre, Arbeit und Natur in der griechischen Antike. Nach: Klaus Eder ed., Seminar: Die Entstehung von Klassengesellschaften. (stw 30). Frankfurt 1973, 246-270

Versnel, H. S., Two Types of Roman Devotio. In: Mnemosyne IV 29 (1976) 365-410

—, Self-Sacrifice, Compensation and the Anonymous Gods. In: Le sacrifice dans l'Antiquité. (Entretiens sur l'antiquité classique XXVII). Vandoeuvres-Genève 1981, 135-181

Victor, Ulrich, (Aristoteles) OIKONOMIKOΣ. Das erste Buch der Ökonomik-Handschriften, Text, Übersetzung und Kommentar — und seine Beziehungen zur Ökonomikliteratur. (Beiträge zur klassischen Philologie 147). Königstein 1983

Vielhauer, Philipp, Geschichte der urchristlichen Literatur. Einführung in das Neue Testament, die Apokryphen und die Apostolischen Väter. Berlin/New York ND 1978

Völger, Gisela/Welck, Karin von, eds., Die Braut. Geliebt, verkauft, getauscht, geraubt. Zur Rolle der Frau im Kulturvergleich. 2 Bde. Köln 1985

Vogt, Hermann Josef, Coetus sanctorum. Der Kirchenbegriff des Novatian und die Geschichte seiner Sonderkirche. (Theophaneia 20). Bonn 1968

Vogt, Joseph, Sklaverei und Humanität. Studien zur antiken Sklaverei und ihrer Erforschung. (Historia Einzelschriften 8). Wiesbaden 1965

—, Der Vorwurf der sozialen Niedrigkeit des frühen Christentums. In: Gymnasium 82 (1975) 401- 411

Wacke, Andreas, Aus dem bevölkerungspolitischen Reformprogramm des Augustus: Die Heirat freigelassener Frauen nach römischem Recht. In: Völger/Welck eds., Braut I 246-257, II 872-874

Waldenfels, Bernhard, Fiktion und Realität. In: ders., In den Netzen der Lebenswelt. (stw 545). Frankfurt 1985, 226-234

Wallace-Hadrill, Andrew, Propaganda and Dissent? Augustan Moral Legislation and the Love Poets. In: Klio 67 (1985) 180-184

Watzlawick, Paul/Beavin, Janet H./Jackson, Don D., Menschliche Kommunikation. Formen, Störungen, Paradoxien. Bern/Stuttgart/Wien [4]1980

Watzlawick, Paul/Weakland, John H./Fisch, Richard, Lösungen. Zur Theorie und Praxis menschlichen Wandels. Bern/Stuttgart/Wien [2]1975

Weber-Schäfer, Peter, Einführung in die antike politische Theorie II: Von Platon bis Augustinus. Darmstadt 1976

Weiler, Ingomar, Zum Schicksal der Wiwen und Waisen bei den Völkern der Alten Welt. Materialien für eine vergleichende Geschichtswissenschaft. In: Saeculum 31 (1980) 157-193

—, Der Sport bei den Völkern der Alten Welt. Eine Einführung. Darmstadt 1981

Weinreich, Otto, Der Trug des Nektanebos. Wandlungen eines Novellenstoffs. Leipzig 1911

Weinrich, Harald, Linguistik der Lüge. Heidelberg [5]1974

—, Fiktionssignale. In: ders. ed., Positionen 525f.

— ed., Positionen der Negativität. (Poetik und Hermeneutik VI). München 1975

Weiser, Alfons, Die Apostelgeschichte. Kapitel 1-12. (ÖTK 5/1). Gütersloh/Würzburg 1981

Weitzmann, Kurt, Age of Spirituality. Late Antique and Early Christian Art. Third to Seventh Century. Catalogue of the Exhibition at The Metropolitan Museum of Art, November 19, 1977 through February 12, 1978. New York 1979

Wellershoff, Dieter, Fiktivität in fiktionalen und nichtfiktionalen Texten. In: Weinrich ed., Positionen 529f.

Wengst, Klaus, Häresie und Orthodoxie im Spiegel des ersten Johannesbriefs. Gütersloh 1976

—, "Paulinismus" und "Gnosis" in der Schrift an Diognet. Zu dem Buch von Rudolf Brändle, Die Ethik der "Schrift an Diognet". Eine Wiederaufnahme paulinischer und johanneischer Theologie am Ausgang des zweiten Jahrhunderts, AThANT 64, Zürich 1975. In: ZKG 90 (1979) 41-62

—, Bedrängte Gemeinde und verherrlichter Christus. Der historische Ort des Johannesevangeliums als Schlüssel zu seiner Interpretation. (BThSt 5). Neukirchen-Vluyn 1981

—, Didache (Apostellehre) — Barnabasbrief — Zweiter Klemensbrief — Schrift an Diognet. (Schriften des Uchristentums II). Darmstadt 1984

—, Demut — Solidarität der Gedemütigten. Wandlungen eines Begriffes und seines sozialen Bezugs in griechisch-römischer, alttestamentlich-jüdischer und urchristlicher Tradition. München 1987

Wentzel, Art. Aktaion 2. In: RE I/1, 1209-1211

Westermann, Claus, Das Buch Jesaja. Kapitel 40-66. (ATD 19). Göttingen ³1976

Wheeler, Arthur Leslie, Tradition in the Epithalamium. In: AJPh 51 (1930) 205-223

White, John Lee, The Form and Function of the Body of the Greek Letter. A Study of the Letter-Body in the Non-Literary Papyri and in Paul the Apostle. (SBL Diss. 2). Missoula ²1975

White, K. D., Roman Farming. (Aspects of Greek and Roman Life). London/Southampton 1970

Wiedemann, Thomas, Greek and Roman Slavery. London 1981

—, The Regularity of Manumission at Rome. In: CQ 35 (1985) 162-175

Wiefel, Wolfgang, Erwägungen zur soziologischen Hermeneutik urchristlicher Gottesdienste. In: Kairos 14 (1972) 36-51

Wilckens, Ulrich, Art. ὕστερος κτλ. In: ThWNT VIII 590-600

Wilhelm, Friedrich, Die Oeconomica der Neupythagoreer Bryson, Kallikratidas, Periktione, Phintys. In: RhM 70 (1915) 161-223

Williams, Gordon, Some Aspects of Roman Marriage Ceremonies and Ideals. In: JRS 48 (1958) 16- 29

—, Tradition and Originality in Roman Poetry. Oxford 1968

Wilpert, P., Art. Autarkie. In: RAC 1, 1039-1050

Windisch, Hans, Der zweite Korintherbrief. (KEK VI). Göttingen ²1970

Wischmeyer, Wolfgang, ed., Griechische und lateinische Inschriften zur Sozialgeschichte der Alten Kirche. (Texte zur Kirchen- und Theologiegeschichte 28). Gütersloh 1982

Wlosok, Antonie, Laktanz und die philosophische Gnosis. Untersuchungen zu Geschichte und Terminologie der gnostischen Erlösungsvorstellung. (AHAW, phil.-hist. Kl. 1960,2). Heidelberg 1960

—, Vater und Vatervorstellungen in der römischen Kultur. In: Tellenbach ed., Vaterbild 18-54

Wörner, Art. Skamandros. In: RML IV 976-987

Wohlfeil, Rainer, Einführung in die Geschichte der deutschen Reformation. München 1982

Wolff, Christian, Der erste Brief an die Korinther. Zweiter Teil: Auslegung der Kapitel 8-16. (ThHKNT VII/2). Berlin 1982

Wolff, Robert Paul/Moore, Barrington/Marcuse, Herbert, Kritik der reinen Toleranz. (es 181). Frankfurt ⁹1978

Zagagi, Netta, Tradition and Originality in Plautus. Studies of the Amatory Motifs in Plautine Comedy. (Hypomnemata 62). Göttingen 1980

Zekl, Hans Günter, Einleitung. In: ders. ed., Marcus Tullius Cicero: Topik. (PhB 356). Hamburg 1983, VII-XVIII

Ziegler, Konrat, Art. Plutarchos 2. In: RE XXI/1, 636-962

Zieliński, Thaddaeus, De Tiresiae Actaeonisque infortuniis. In: Eos 29 (1926) 1-7

Zilliacus, H., Anredeformen. In: JAC 7 (1964) 167-182

REGISTER DER HERMASSTELLEN

Forschungen zur Religion und Literatur des Alten und Neuen Testaments

Vandenhoeck & Ruprecht in Göttingen und Zürich

Kommentar zu den Apostolischen Vätern »KAV«

Ergänzungsreihe zum Kritisch-Exegetischen Kommentar über das NT

Herausgegeben von Norbert Brox, Georg Kretschmar und Kurt Niederwimmer in Verbindung mit Johannes Bauer, Dirk van Damme, Reinhart Staats, Rüdiger Warns u.a.

Die mit dem Band „Die Didache" von **Kurt Niederwimmer** beginnende neue Kommentarreihe wird in acht Bänden die Schriften der Apostolischen Väter aus der Zeit zwischen dem Neuen Testament und den klassischen Kirchenvätern wissenschaftlich auslegen. Dieser Kommentar wird ein unentbehrliches Standardwerk für die neutestamentliche und kirchengeschichtliche Forschung sowie für die Klassische Altertumswissenschaft.

Die folgenden Bände:

Norbert Brox · Pastor Hermae
Dirk van Damme · Martyrium des Polykarp

Kurt Niederwimmer
Die Didache

»KAV«, Band 1. 1989. 329 Seiten, Leinen

Der Didache-Kommentar behandelt zunächst die traditionellen Einleitungsfragen. Bei der folgenden Erklärung des Textes, zu der Exkurse über Einzelfragen hinzutreten, wird speziell auf die verschiedenen Schichten der Schrift, besonders ihre Quellen, Bezug genommen. Ein kurzes Nachwort sucht zusammenzufassen, was sich über die Eigenart und Position des Didachisten sagen läßt.

Vandenhoeck & Ruprecht · Göttingen und Zürich